1 MONTH OF
FREE
READING

at
www.ForgottenBooks.com

By purchasing this book you are eligible for one month membership to ForgottenBooks.com, giving you unlimited access to our entire collection of over 1,000,000 titles via our web site and mobile apps.

To claim your free month visit:

www.forgottenbooks.com/free322794

ISBN 978-0-332-24695-6
PIBN 10322794

DIE SONNE DER RENAISSANCE

SITTEN UND GEBRÄUCHE
DER EUROPÄISCHEN WELT
1450—1600

VON

A. v. GLEICHEN-RUSSWURM

DRITTES TAUSEND

STUTTGART MCMXXI
VERLAG VON JULIUS HOFFMANN

VORWORT

In der Geselligkeit des Altertums war es Sitte, dem Gast einen Kranz aufs Haupt zu legen, der höchst kunstvoll gewunden war. Zuletzt wurde dieser Kranz vollendet, indem man als besonders bedeutsam die Stirnblume hineinwand, Mittelstück und Abschluß des Ganzen.

Also möchte ich bedeutsam diesen sechsten, letzten und zeitlich mittleren Band als Stirnblume dem Kranz zufügen, den ich aus Blüten vieler Jahrhunderte geflochten zur Erinnerung an alle Festfreude, an alles frohe Zusammensein, an alles, was je die Menschen zusammenführte und gesellte, an alles, was das kurze Leben erhöht, schön und stolz macht, zum Trotz alles dessen, was die Menschen auseinanderreißt, entzweit, verfinstert und das kurze Leben häßlich und niedrig gestaltet.

Meine Geschichte der Geselligkeit Europas umfaßt über drei Jahrtausende; Nord und Süd, Ost und West sind, soweit Nachricht irgend zu erlangen war, mit gleicher Liebe und Ehrfurcht, auch mit gleicher Strenge betrachtet. Stets wurde womöglich aus den Originalen geschöpft, das Urteil der Zeitgenossen bevorzugt und gegeneinander abgewogen. Dieses Verfahren ergab für mich selbst meist überraschende und spannende, oft unerwartet neue Aufschlüsse über die eigentlichen Ursachen von Glanz und Glück, von Unheil und Verfall, es ergab den psychologischen Roman Europas.

V

Nicht ohne Wehmut scheide ich von diesem Lebenswerk, das die schaffensfreudigsten Jahre, die einem
Einzeldasein gegönnt sind, in Anspruch nahm. Nicht
ohne Wehmut, weil wir unsere Schöpfung nie so weit
fördern und vollenden können, als es der Traum ge-
wollt und vorgezeichnet. Aber besonders deshalb nicht
ohne Wehmut, weil der Kranz, den ich frohen Mutes,
fast spielerisch einst zu winden begann, nun, da ich
ihm die Stirnblume verleihe, so traurig duftet, als wäre
er ein Totenkranz.

Wir stehen in dem großen, grausamen Märchen Europas an allergrausamster Stelle, Europas Schönheit
verfärbt sich tragisch, sinkt um und stirbt wie eine Prinzessin, deren Schicksal sich erfüllt, in ihrem Brautschmuck, die Tanzschuhe an den Füßen. Entgeistert
steht ihr Staat, verstummt die Viola und auch des
Narren fröhliche Schelle. Der Saal wird leer, die
große Zauberküche still, verhext grinst es voll teuf-
lischer Fratzen. Die Rosenhecken, zwischen denen
die Prinzessin gewandelt, sind verwilderte Dornen,
ihre Goldvöglein Raben geworden.

Möge dieser Tod alles Vornehmen, Schönen, Märchenhaften, Prächtigen und Trauten nur ein Scheintod sein!
Möge der rechte Prinz die Prinzessin wachküssen, wie
ein Dornröschen, wie ein Schneewittchen, daß sie ihre
Wunderaugen triumphierend auftut, daß Röte des
Lebens in ihre aschfahlen Wangen wiederkehrt und
die wachgeküßten Lippen der mystischen Schönheit
den armen gequälten und quälenden Menschen hold
und fest gebieten: Freude! Sieg der Freude!

VI

INHALTS-VERZEICHNIS

IX

XI

XII

XIII

XIV

XV

ERSTER TEIL
FRÜH-RENAISSANCE

ERSTER ABSCHNITT

Weshalb ist der gebildete Europäer so zärtlich stolz auf das Jahrhundert der Renaissance, weshalb betrachtet er diese Spanne Zeit als eine Mittagshöhe des Erdenlebens?

Sie war doch voller Grausamkeit, voll grotesker Widersprüche. Allein ihre finsteren Wolken werden immer durch ein Lächeln der Kunst zerstreut, durch eine edle Gebärde des Schönheitswollens versöhnt.

Nie ist das Recht, Glück und Freude zu erobern, zu halten und frohgemut zu teilen, so aufrichtig betont, so warm und naiv geglaubt worden, nie hat des Menschen Schöpfertum so auffallend triumphiert über alles Zerstörende. Und nie ist die Heuchelei so angefeindet worden. Freilich hat sie sich bald und schrecklich an Kunst und Lebenskunst gerächt.

Viel wüster Lärm tobt in dieser Zeit. Aber Amati wird Meister des Geigenbaus und Rafael legt Apoll eine zierliche Viola in den Arm, dem Gott, der herrschermäßig auf dem Parnaß thront inmitten des päpstlichen Palastes.

3

Manch widriges Schauspiel bieten die Höfe der kleinen und großen Fürsten, bitter hechelt sie die Satire durch. Allein eine Elisabetta in Urbino, eine Isabella in Mantua nehmen mit zierlichstem Handreichen auf in den erlesensten aller Kreise, wo der Hofmann als Ritter und Platoniker das Höchste an geselliger Kunst als ewiges Beispiel gesittet frohen Lebens erlebt und darstellt.

Zu den lüsternen Entwürfen eines Giulio Romano schreibt ein Aretino den berüchtigten Text. Jedoch Michelangelos und Vittoria Colonnas Sonette machen solches wett und selbst ein Franz I. von Frankreich pilgert zum vermeintlichen Grabmal von Petrarcas Laura und feiert in einem Epitaphium voller Rührung die ewig vorbildliche Gültigkeit mystischer Liebe.

Ein Calvin verbannt alles, was das Leben lebenswert macht — aber ein Shakespeare setzt feierlich ein, was der irdische Eros als Bild des himmlischen und als Weg zu ihm bildet.

Das sind die Wunder der Renaissance.

Ergreifend ist, wenn ein Astronom lang und geduldig Berechnungen angestellt hat und dann am nächtlichen Himmel den erwarteten Stern entdeckt. So fühlt sich ein Historiker ergriffen, wenn er mit seiner kleinen menschlichen Kunst Berechnungen anzustellen wagt und da, wo er ihn bang erwartet, wirklich im Dunkel der Vergangenheit den wahrscheinlichen Stern von weitem aufglimmen sieht. Solche Ergriffenheit bemächtigte sich meiner, als ich wie einen Stern des Weisen die Religion der Schönheit zu verschiedenen Malen am Nachthimmel der menschlichen Tragödie aufleuchten sah,

4

d e n Stern, der den immer wieder schrecklich verirrten Sterblichen am tröstlichsten und sichersten leuchtet.

Doch stets erscheint er nach kurzem Aufleuchten erloschen, indes blutige Kriegskometen über unsern Häuptern zucken, erloschen, als wäre er nie gewesen, als hätten nie gläubige Weise mit ihren Schätzen den Weg nach ihm gerichtet, indes Friedensengel sangen. Und nur wie im Kindermärchen bleibt seine Erinnerung. Wir sehen den Stern aus Goldpapier geschnitten in der Hand von Kindern. Kinder allein kennen ihn noch und spielen damit.

Jedes Aufleuchten dieses Sterns gehört zur Geschichte vornehmer Geselligkeit. Denn die Religion des Schönen war noch immer ihr letztes und höchstes Ziel, der Inhalt ihrer edelsten Gespräche, das Ideal erlesener Männer und Frauen, die sich zusammenfanden traut freundschaftlich in einem und im andern Jahrhundert trotz aller Kämpfe, Stürme und Anfechtungen.

In diesem Werk über die Renaissance muß besonders ernst und nachdrücklich darauf hingewiesen werden, weil es den Mittelpunkt der Gesamtbetrachtung bildet, die das menschliche Zusammenleben in den Jahrtausenden umfaßt. Denn die Renaissance bedeutet Wiedergeburt und diese Wiedergeburt weist letzten Endes und tiefsten Sinnes auf nichts anderes als auf die Wiedergeburt des Glaubens, daß Schönheit zur Erlösung der Menschen aus den Banden der Tierheit das Eine und Notwendige ist, Vorbedingung aller wahren Religion, aller echten Kultur, aller sozialen Fortschritte, jeder Friedfertigkeit, jeder Duldung, aller Seligkeit des Sichfindens und Liebens.

Dies ist freilich der verborgene, der okkulte und magische Sinn der Renaissance. Wer bis zu diesem Sinn drang, fühlte sich selbst neu geboren, wiedergeboren. Spätere Renaissancenaturen erlebten solche Wiedergeburt, ein Winckelmann, ein Goethe, ferne Nachfahren aus fremdem Lande kommend, die den Süden besuchen und die erhabene Erinnerung aufdecken.

Äußerlich bedeutete Renaissance ein jung erwachtes Interesse an Dingen des Altertums in bildender Kunst und Literatur, ein frisches Anknüpfen an dessen Formen und Bildungen, besonders im Baustil, der sich von der Gotik abwandte. Das erkennen wir in den Erscheinungen, die das Auge in diesem Zeitalter äußerlich vorüberziehen sieht.

Eine kleine Schar drang jedoch bis zum Kern der Dinge und versuchte mit diesem Ideal inneren Erlebens den Materialismus zu bekämpfen, der plump und rauh in den Religionskriegen ausbricht und die Schönheitsfreunde bedroht, in den Religionskriegen, die im Grunde genommen nicht um den Glauben, sondern um Macht und Geld geführt wurden wie alle Kriege.

Die Menschen wiederholen sich, wenn auch nur in ungefährer Ähnlichkeit. Es gibt atavistische Rückschläge ins Böse, aber glücklicherweise auch ins Gute. Fast könnte man den Eindruck gewinnen, es seien immer dieselben Menschen, welche dieselben Gegner bekämpfen, wenn auch in anderem Kostüm mit Anrufung anderer Götter und Schlagworte — genau dieselben, elementar auftretend, als handle es sich um eine Reinkarnation. Der Vornehme und der ewig Gemeine stehen sich seit Anbeginn der Geschichte tragisch gegenüber, keiner kann anders sein und handeln, als es geschieht.

Dasselbe Gesindel reicht einem Sokrates den Giftbecher, steinigt eine Hypatia, verbrennt die edlen Albigenser, fällt der segenspendenden Renaissance in den Arm. Der Vornehme aller Zeiten und Völker ist den Verfechtern der Häßlichkeit gegenüber ein priesterlicher Weiser, der sich zum Schönheitsglauben bekennt, ein Glaube, dessen eigentliche Kulthandlung edle Geselligkeit bildet.

In dieser kommt immer wieder zur Aussprache, wird immer wieder neu entdeckt, was der zeitlosen Religion als einfaches Grundthema dient und durchaus mit jedem edlen Gottesglauben im Einklang steht.

Dies Grunddogma ist: Wir wollen und müssen dem ewig Schönen nahe kommen, indem wir das Zeitliche, das irdisch Schöne erkennen, lieben, weiterbilden und schaffen, in uns aufnehmen und freudig mitteilen.

Irdische Schönheit umfaßt alles gütig Freude spendende und gipfelt im festlichen Zusammensein Gleichgesinnter inmitten aller Künste des Friedens. Das ewig Gemeine kann nicht anders als das irdisch Schöne verachten, verzerren, verunglimpfen, zerstören und dadurch den mühsam gewonnenen Weg zum ewig Schönen immer wieder verschütten.

Darum gehört zur Schönheitsliebe ein unantastbarer Stolz gegenüber dem Gemeinen. Der Vornehme behauptet sich ihm entgegen nur Aug in Auge, voller Mut, wie der Tierbändiger die Bestien bändigt, einzig kraft seiner seelischen Überlegenheit. Versäumt er, diese Überlegenheit fühlen zu lassen, wird sofort das

7

eben noch feige, kauernde Tier emporschnellen und den Bändiger zerreißen.

Der Pöbel und die Angst vor ihm, die panikartig um sich greift, vernichten das göttliche Streben.

Vertieft man sich in das, was von vornehmer Gesinnung aller Zeiten übrig geblieben, so hat man die Empfindung, die Vornehmen kennen einander, als hätten sie alle an derselben Tafel gesessen oder wären alle selbander gewandelt in Säulenhallen, wie die Gestalten auf Rafaels Schule von Athen. Ähnliche Voraussetzungen ermöglichten ihr Dasein, ihr Auftreten, ihr Lehren, Lernen und festlich froh sein.

In der Tat, sie haben alle an derselben Tafel gesessen, Rosen gestreut und genippt an edlen Pokalen und nur mit ein' wenig veränderten Worten vom Göttlichen und vom Schönen gesprochen.

Die Voraussetzungen und Vorbedingungen höherer und höchster Daseinsformen, wie sie besonders große Augenblicke zeigen, sind so unendlich verästelt, verzweigt, greifen so tief ein, langen so weit aus, daß sie schier alle Gebiete des Lebens umfassen. Um ein vollendet schönes Dasein eines Einzelnen zu ermöglichen, müssen sich schon unendlich viele demselben nähern. Dadurch, daß er sie noch überragt und weithin sichtbar umstrahlt wird, verleugnet und widerlegt er keineswegs, was in seiner Umgebung schätzbar ist, er bejaht es und macht es wirklich, wie diese Umgebung ihn bejaht, wirklich und möglich macht. Ein Mozart ist undenkbar als Mitglied einer Menschenfresserhorde, ein Rafael nicht möglich inmitten der Verwilderung im Anfang des 20. Jahrhunderts — be-

8

zeichnender-, ja notwendigerweise hatte sich dies von ihm abgewandt und bewunderte, was eigener tieferer Stufe sittlichen Erkennens entsprach.

In ihrer Gesamterscheinung ist die Kunst der festlich frohe oder der tragisch trauervolle Gesichtsausdruck des jeweiligen Menschentums. Das Menschentum kann sich nie ganz und gar verstellen, seine Kunst verrät es, wie unbelauschte Augenblicke verraten, oder vielmehr seine Kunst zwingt es, Beichte zu leisten, auf die Knie gesunken in freudiger Andacht oder in Scham und Verzweiflung, um die Wahrheit über sich zu sagen, und sei es frech und mit tausend Entschuldigungen, wie der verstockte Sünder, aber immerhin die Stunde der Kunst ist Stunde des Bekennens.

Die Renaissance sieht das Menschentum als interessantestes, hoffnungsvollstes Beichtkind, dem Sünden gern vergeben werden, denn es hat das Liebenswerteste, die Schönheit, geliebt, war gerne Kind, war gerne Schüler zu ihren Füßen.

Nichts ist törichter als der Wahn, zarte, edle Pflanzen könnten auf Kies und Geröll fortkommen oder abgebrochene Zweige, in Steine gezwängt, müßten blühen. Sorgfältig bearbeiteter Humus gehört dazu, manche Verwesung muß beigetragen haben — genau abgemessen müssen gewisse chemische Bestandteile vorhanden sein. Sonne, Schatten, Feuchtigkeit spielen mit bei dem alltäglichsten Wunder, bei irgend einer sprießenden Pflanze.

Bei dem seltensten und kühnsten Erdenwunder, wenn Erdgeborene schier göttlich blühen, weil sie Schönheitsjünger und Gläubige sind, holen die Voraussetzungen des Eintreffens so weit aus, hängen von so vielen Generationen ab, von einem so besonderen psychischen Klima, daß bis jetzt nur einigemale mit dem Zwischenraum von Jahrhunderten das Wunder deutlich genug in Erscheinung trat, um genau erkannt zu werden, am merkbarsten in drei Zeiten, im griechischen Altertum, in den Jahren des romanischen Minneglaubens, im Cinquecento — und jedesmal trat das eigentliche Wunder geographisch begrenzt in Erscheinung, wenn auch seine Wirkung, seine Ausstrahlung weiter ging sowohl im Raum als in der Zeit.

Es handelte sich um das persönliche Erlebnis einer kleinen, aber fest zusammenhängenden Schar, die deutlich das Bewußtsein gewann und als Leitstern aufstellte: Das irdisch Schöne ist Gleichnis des ewig Schönen, das jeden Würdigen lädt und lockt. Aber nicht nur Gleichnis, auch Weg. Dies ist das Geheimnis, das sie einander andächtig zuflüsterten.

Edle irdische Liebe, edle Liebe des Schönen auf Erden entzündet himmlische Liebe, macht uns schön genug zu deren Empfängnis.

Die romanische Zeit hatte Platon nicht gekannt, nur gnostische, durch Araber überlieferte Weisheit konnte soweit durchsickern, daß der platonische Grundgedanke, mit christlichen Anschauungen gemischt, das Ideal des Ritters ergab, der durch idealisierte, irdische Minne, den Dienst des *domnoy*, sich himmlischer Minne weihte und näherte*). Am herrlichsten hat Dante diese Anschauung vertreten. Sie schien verschüttet nach den Albigensern und nach anderen Kriegen und Greueln.

---

*) Vergl. Gleichen-Rußwurm, „Der Ritterspiegel".

10

Allein wunderbar erhob sie sich verjüngt und strahlend im Platonismus der Renaissance — und zwar genau da, wo sie schon einst die Menschen erhöht und beglückt, als die Troubadoure gesungen und an Minnehöfen Fragen der Liebe ernst, zierlich und spitzfindig behandelt worden, in Italien, vor allem in Dantes Florenz, in Urbino und später im südlichen Frankreich, in Lyon und am Hof der Königin von Navarra.

Diesmal berief man sich bewußt auf Platon, allein im Grunde war es ebenso eine Erneuerung des romanischen Ideals, nur gelehrter, pedantisch dogmatischer erschien es diesmal, die naive Inbrunst, das ritterliche Feuer war oft verlustig gegangen. Dafür umfaßte das Bekenntnis weitere Kreise, die Liebe zur Kunst wurde ebenso oder anstatt der Liebe zu schöner Herrin Weg zum himmlischen Eros, die irdisch erlaubte, ja gebotene Liebe umarmte mehr, als früher gestattet war.

Genau wie in den zwei ersten Zeiten drängten sich manch Unberufene herzu, die parodistisch wirkten, und die kleine Schar wurde bald von mächtigen Feinden eingekreist, vom Pöbel aus allerlei Ständen im Gefolge des Mammon, ewigen Widersachers der Schönheit.

Allein der gegebene Impuls zitterte lange nach und ist sogar bei Gegnern der verschiedenen Richtungen merkwürdig kenntlich, auch sie rechnen mit der Schönheit, sowohl die strengen Fanatiker wie die frivolen Spötter, ein Savonarola — und ein Brantôme.

Noch einmal sei es eindringlich gesagt: Die Kultur ist eine zarte Pflanze, die nur auf einem Boden gedeiht, der durch Generationen vorbereitet ist, sie kann niemals aufgezwungen oder erobert werden, nie sich fristen ohne die ihr eigentümlichen Bedingungen. Jedesmal, wenn naive Eroberer die Hand darnach strecken, gelingt es ihnen nur zu zerpflücken. So manchesmal, wenn eine Auslese von Menschen sie als Privilegium betreute, faßte sie der neidische Pöbel mit Gier an und es blieb ihm nichts in der Hand.

Das Aufblühen in Italien war möglich, weil sich das Land schon so lange gesättigt mit wertvollen Bereicherungsstoffen, in Florenz zuerst möglich, weil dort selbst der kleine Mann an Schönheit, an Stolz, an Bildung mitgenoß und von dem allem durchdrungen war.

Daher kam aus den gesamten Schichten Wertvolles hinzu und wir sehen das einzigartige Schauspiel, daß sich Emporgestiegene und Geldmächtige, wie die Medici, auf das feinste geschmackvoll zeigen, ja daß ihr Geschmack und ihr Takt sie zu den ersten Bürgern der Stadt und schließlich verdienterweise zu den ersten Bürgern Italiens machen.

Wenige Jahrzehnte vor und einige nach dem Jahr 1500 strahlt die italienische Renaissance in Kunst und Leben wie ein einzig schöner Sommertag in der Mittagshöhe europäischen Daseins.

Man könnte diese Zeit als das eigentliche Cinquecento bezeichnen, wie wohl sprachlich streng genommen der Ausdruck das 16. Jahrhundert umfaßt, wie Quattrocento das 15. Der Nachglanz des Cinquecento zittert und glüht bis in das 17. Jahrhundert. Sein Licht leuchtet zu Anfang auf in Florenz, wie Lilien in geschützten Gärten zuerst aufblühen und duften, sommerhell, wenn es auch ringsumher noch längst nicht sommerlich ist. Von Florenz aus wird ganz Italien ergriffen und Italien gibt weiter über die Alpen und über die See. Auf seinen Handelsstraßen wandert etwas Eigenart des Cinquecento durch alle Welt bis nach dem fernen Osten und Norden, nach Polen und Ungarn und selbst die Türkei bleibt nicht unberührt, denn wiederholt versuchen die Herren in Konstantinopel italienische Künstler anzuziehen. Bellini nimmt die Einladung an, Lionardo da Vinci und Michelangelo ziehen die Einladung des Großtürken ernstlich in Betracht. Moskaus Kreml hat italienische Baumeister. Soweit dringt eine, allerdings barbarisierte, seltsam orientalisch gestimmte Renaissance.

Portugal und Spanien nehmen auf ihre Art das Neue auf. In Deutschland besiegt es die Gotik vorzugsweise, wo italienischer Einfluß am mächtigsten ist. Augsburg ist ein Pompeji der Renaissance genannt worden. Innig verschwistert dem florentinischen Vorbild ist Frankreichs Renaissance, nach England gerät sie spät, mündet aber glorreich im elisabethanischen Zeitalter.

Die Benennung des Cinquecento mit *Renaissance, Rinascimento, Wiedergeburt,* als hätte Europa totgelegen und sei um das Jahr 1500 erst als ein Dornröschen aus tiefstem Schlaf erwacht, scheint mir ein wenig undankbar der gotischen Welt gegenüber, die schon auf manchem Gebiet Unübertreffliches geleistet. Aber bezeichnend für den ungeheuren freudigen Stolz damaliger Geschlechter ist dieser Ausdruck *Wiedergeburt.* Er wurde zuerst in Italien geprägt und als Eigenstes gerühmt, er entstand in der Zeit selbst und entsprach deren Ideal.

Italien lebt am bewußtesten darin und tut sich unendlich viel darauf zugut. Bald mischt sich nationales Hochgefühl in diese Empfindung. Nicht ohne Grund. Von allen Ländern Europas gehört Italien am entschiedensten dem Cinquecento an und das Jahrhundert des *Rinascimento* gehört ihm, seiner Kunst und seiner Sprache. Es war den Menschen der italienischen Städte beschieden, die Gaben dieses Zeitalters auszustreuen.

Wo ihnen Liebe und Dank entgegenblühte, kamen schöne Geschwister des italienischen Wunderkindes zur Welt — die meisten lebten aber nicht lange, denn finsterer Unverstand hielt schon die Mordwaffe bereit, eigentümlicher Wahnwitz wütete bald an verschiedenen Stellen und packte schließlich auch Italiens Wunder tötlich an der Gurgel. Mit dem *sacco .di Roma* nimmt die stolzeste Zeit Italiens ein fürchterliches Ende.

Es waren die wunderreichsten Tage seit der Blüte des klassischen Griechenland, Tage, die eine neue Bejahung des griechischen Gedankens erlebten: der Mensch ist das Maß aller Dinge.

Sein Rätsel schien bereits auf Erden befriedigend gelöst, der kleine Gott dieser Welt war sich selbst genug in seiner Manneskraft, in seinem Zeugungsrausch und seiner Schöpfergröße. Er fand den Sinn der Welt in sich, in seiner großen, gesunden, jubelnden Sinnlichkeit und als Heros des Geistes.

Lächelnd hielt er den prometheischen Funken in seiner Hand wie ein wunderherrliches Spielzeug, seine Tugend, *virtù*, wie die italienischen Cinquecentisten sagten, war Können und Kunst — unbegrenzt in Fortschritt und

14

Weite auf jedem Gebiet, ein unendliches Herrschertum, ein Reich, in dem die Sonne nie unterging.

Denn, ist nicht die Gestalt der Erde entdeckt und sind
die würdigen ptolemäischen Tafeln nicht entthront und
belächelt?

Stolz macht das neue Wissen, doch ist noch viel liebenswürdig Kindliches als Einschlag in dieser Selbst-
zufriedenheit, ähnlich wie es im klassischen Athen gewesen. Genau wie dazumal sehnt sich der Mensch
selten und seltener schmerzlich hinaus und hinweg aus
seiner eigenen Welt in eine bessere göttliche, festen
Fußes auf der Erde stehend, beschließt er, sie so schön
zu machen, daß er wie ein stolzer Gastfreund die Götter
einladen kann in sein wundervolles Heim und an seine
herrliche Tafel. Er lockt sie auf die Erde herab, denn
sie müssen Schönheit lieben, sonst hätte er die Liebe
zur Schönheit nicht, noch die Macht, schön zu gestalten.

Diese Macht und diese Liebe machen ihn der Götter-
gemeinschaft würdig, mit großer Geste darf er sie um
die Ehre des Besuches bitten und ihnen freudig zeigen,
was seine Kunst vermag. Das ist der unbefangene,
frohe Glaube vieler edler Renaissancemenschen in Italien,
sie fühlen sich nicht erschrocken und bedrängt durch
göttliche Gegenwart, das Verhältnis ist dasjenige von
einem Gastfreund zum Gast. Freilich liegt die Gefahr
der Hoffart nahe wie bei Tantalus, als die Götter bei
ihm tafelten.

Der feierliche Bund von Gast zu Gastfreund wird dadurch besiegelt, daß sich Italiens Boden so fruchtbar
erweist an Götterbildern, Gliedmaßen, Köpfen, Säulen

und Altären, als sei hier eine Marmorsaat gesät. Das fortwährende Staunen des Entdeckers von Statuen und Manuskripten erhält in einem eigentümlichen Zustand von Andacht, von Schönheitstrunkenheit, die nirgends anders möglich ist, für frohe Kinder eine selige Bescherung, eine heilige Überraschung nach der andern, ein dauerndes Beschenktsein.

Die Selbstverständlichkeit, mit der das wiedergeborene Heidentum fast an jedes Herz gedrückt wird im italienischen Lande, verträgt sich ohne Schwierigkeit mit einem Christentum, das Schutzgötter in Schutzheilige, Tempel der Aphrodite in Marienkirchen anstandslos verwandelt hatte, Venus oder Diana und Maria, Christus und Aeskulap, Gottvater und Jupiter in einen Mythos träumt, denn die alten Nationalgötter gehören zum neuen Nationalstolz, wie zum Bildungsinhalt.

Die Hauptsache war ja das jubelnde Bewußtsein leiblich und geistig gesunden Menschentums, Liebe zur Vergangenheit, wie sie sich ideal in den Schriften und Werken des Altertums offenbarte, Glauben an eine Zukunft, die solcher Ahnen würdig sei. Das erhabene Glück, das derartiges Wertgefühl auslöste, das endlich erreichte Zuhausesein in schöner Welt glüht mächtig im Cinquecento Italiens und ist das untrüglich Bezeichnende für den Komplex von Erscheinungen, mit dem man sich gewöhnt hat, den Begriff Renaissance zu verbinden.

Ihre Herrschaft wurde von früheren Forschern über Gotik und Barock ausgedehnt, indes in jüngster Zeit die Liebe zu den Tagen der Wiedergeburt abnahm (vielleicht weil sie uns zu sehr beschämt). Man räumt

16

ihr daher weniger Platz ein, ja man läßt sie fast verschwinden zwischen Spätgotik und Frühbarock. Ich möchte mich in diesem Werk, das in geistigem Sinn den Baustil der Renaissance behandelt, vor beiden Übertreibungen hüten. Jede pedantisch streng durchgeführte Scheidung ist unmöglich, da mancher Renaissancemensch noch sehr gotisch oder schon sehr barock empfindet oder die verschiedenen Stufen durchmacht je nach Lebensdauer und Lebensumständen.

Ideen haben ihre naive Kindheit, ihre frohe Jugend, ihre Alterserscheinungen, ihren meist sehr langsamen Tod — oder vielleicht eine Metempsychose, sie treten auferstanden in verwandelter Art später wieder auf. Zum Herrschen geborene Ideen nehmen Wohnsitz in Personen, die Zeitgenossen sind, nicht immer gleichartig, wenn auch eine allgemeine Übereinstimmung merkbar ist. Der Eine hat die Kindheit der Idee, ein anderer schon deren vorgerücktes Alter in sich, eine dritte Gruppe vielleicht deren Tod und Verwandlung. Auch auf diesem Gebiet ist die Relativität von Zeit und Raum maßgebend. Es ist unmöglich, die Rolle der Ideen im Verhältnis genau abzustecken und man muß sich bewußt bleiben, daß es nur mit Hilfe von konventionellen Hilfszahlen versucht werden kann.

Das lauterste Wesen der Renaissance ist am vollkommensten in Italien und später in Frankreich zu beobachten, die anderen Länder weisen Abarten auf, die, je ferner und umständlicher der Kontakt, desto fernere Ähnlichkeiten zeigen.

In einem Glanz der Seltenheit wird dies lauterste Wesen des Cinquecento durch stärkste tiefdunkle Gegensätze gehoben. Ein sonderbarer Reigen — die historisch beglaubigten Gestalten dieses Jahrhunderts, die dichterisch phantastischen Erscheinungen dazu, die für uns ebenso lebendig sind. — Zwischen 1483 und 1515, knapp aneinander in der Jahreszahl, kommen so gegensätzliche Menschen zur Welt wie Luther, die heilige Therese, Ignatius von Loyola und Rabelais; Iwan der Grausame, der nicht zu Bett ging, ohne eine Grausamkeit begangen zu haben, und Leo X., der sich nicht zur Ruhe legte, ohne, gleich Titus, irgend einen Menschen zu beglücken, sind ungefähr Zeitgenossen. Der sonnige Rafael und der nächtig finstere Calvin sind Renaissancemenschen, manch ein Falstaff, manch ein Hamlet gehört in dieselbe Zeit, Vittoria Colonna, die Jüngerin Platons und der vollendete Materialist Aretino begegnen einander.

Ein Sebastian Brant und ihn vervollständigend ein Dedekind schaffen den klassischen Typus des *Grobianus* gewiß nach dem Leben, als warnendes Beispiel für jedes der Geselligkeit gefährliche Wesen so derb deutlich, daß gewisse lateinische Kapitel über Grobianus unübersetzbar bleiben. Und auf der andern Seite der Alpen, ebenfalls nach Vorbildern aus dem Leben gezeichnet, stellt ein Castiglione den idealen Weltmann auf im *libro del Cortegiano* — einem Buch, das die letzte Quintessenz feiner Bildung an Manier des Leibes und der Seele enthält, eine Quintessenz der Vollendung edel geselligen Daseins, wie sie nie mehr annähernd erreicht wurde.

Dieses übersprudelnd lebensvolle, mannigfaltigste aller Zeitalter mit Hilfe von künstlich ihm aufgenötigten Re-

18

geln und Gesichtspunkten studieren zu wollen, sei uns fern. Nützlicher ist gewiß das Bemühen, gerade hier vor allen Dingen Vorurteile wegzuräumen und einige der grundlegenden Anschauungen oder Gepflogenheiten, die den geistigen Baustil der Zeit bedingen, ins Licht treten zu lassen, sowie deren geographische und historische Voraussetzungen. Oder man könnte sagen, es ist ebenso notwendig, das psychische Klima zu beobachten, um das ganze Lebenswachstum uns vertraut und gegenwärtig zu machen.

Daß die Bedingungen in Italien am günstigsten lagen, haben dessen alte Götter mitzuverantworten, die um diese Zeit neuen Machtanspruch stellten. Aber in eben dem Maß — gewiß ein Zusammentreffen, das nachdenklich machen muß — war es das in Italien zu lebendigstem Ausdruck gelangte Leben und Streben der Kirche in weltlicher wie in geistlicher Beziehung. Dazu gesellen sich eigentümliche politische Erscheinungen, die wertvolles Baumaterial fördern.

Nicht nur Heilige und Gelehrte läßt das psychische Klima der Kirche zu rechtem Gedeihen kommen, es ist auch Vorbedingung zum rechten Entfalten der vollkommensten Weltmänner, die sich je in Europa bewegten. Über die Verweltlichung der Kirche im 16. Jahrhundert ist in vielen Werken leidenschaftlich anklagend, zum mindesten schmerzlich bedauernd geschrieben worden und die Kirche selbst wandte sich später streng verurteilend von diesem Stadium ab. Es gehört zu den heikelsten Aufgaben einer gerechten Geschichte der Geselligkeit, sich solchen Anklagen und Selbstanklagen gegenüber neutral zu verhalten und, wie es das Thema verlangt, behutsam die Lichtseiten jener Verweltlichung hervorzuheben und zu erklären.

Denn ohne diese — gestehen wir es frei — wäre das Cinquecento als Mittagshöhe europäischer Bildung nie erklommen worden und beim Verlassen dieser froh besonnten Höhe tauchte die Menschheit in Schatten, wo wir fröstelnd den Mantel um die Schultern schlagen und grimmig entschlossen fürbaß schreiten, des Reigens auf jenen Blumenmatten kaum noch eingedenk.

Das Allumfassende, das Katholische im weitesten Sinn des Wortes *Katholizismus* bestand ursprünglich darin, daß die Kirche allem Geistigen im Menschen Schutzherrin sein wollte gegen wüsten Waffenlärm, sie nahm jede friedliche Arbeit unter ihre besondere Obhut. Daraus entwickelte sich infolge der Doppelanlage des Menschen zugleich und oft unlöslich verquickt, so daß die Bestandteile schwer zu erkennen und werten sind, sehr Gutes und sehr Böses.

Das Böse, das Herrsch- und Geldsucht zeitigt, ist sattsam bekannt; fassen wir nunmehr das Gute ins Auge, die ideale Seite der Verweltlichung oder vielmehr des Strebens der Kirche, höchste weltliche Interessen des Menschentums von sich abhängig und schutzpflichtig zu machen. Es beginnt mit dem edlen Fleiß der Mönche, die im Mittelalter die Tradition antiker Zivilisation retteten, Manuskripte hüteten, vergessene Obst- und Gemüsesorten wieder einführten, Musik, feine Gastfreundschaft, Küchen- und Kellerkunst pflegten. Geistliche Herren waren Freunde, Erzieher, Berater vornehmer Frauen, und mochte zuweilen ein Abälard-, ein Eckehard-Roman daraus entstehen, zu-

20

meist blieb das Verhältnis fein platonisch, günstig der Entwicklung höherer Geselligkeitsformen.

Der Traum, im Namen der Schönheit die Güter antiker Weisheitslehre dem Christentum zu retten und zu vermählen, lebte von Jahrhundert zu Jahrhundert fort im gepflegten Gespräch zwischen geistlichem Freund und hochgesinnter Freundin. In der Blüte der Minnezeit besang mancher Geistliche, selbst ein Papst aus der Provence, als Troubadour die himmlische Liebe, von irdischer Liebe ausgehend im Sinn eines Augustin und unbewußt im Sinn eines Platon. Die Tradition mystischer Liebe und die mit solcher Tradition verbundenen Formen der Geselligkeit führt Petrarca fort, als Erbe der Troubadours, Kenner ihrer Sprache und ihres Ideals. Von ihm angeregt, wird der goldene Faden weiter geknüpft in der Renaissance, am deutlichsten von Pietro Bembo*), der provenzalischer Poesie liebevoll nahe trat und deren Inbegriff in seinen eigenen Dichtungen und platonischen Bekenntnissen weiterzugeben suchte**).

Seit dem Mittelalter war die Institution der Kleriker (oder *clerici*) entstanden, die zwar die Tonsur empfingen und Anwartschaft hatten auf geistliche Beneficien, allein noch keine Weihen; sie sind halb weltlich, halb geistlich, eine Bruderschaft, die sich Studien aller

---

*) Bembo machte umfassende Studien über die provenzalischen und italienischen Minnesinger. Er ließ sich von ihnen anregen. In seinem Freundeskreis wird auch der portugiesische Minnesang gewürdigt.

**) Siehe im *libro del Cortegiano* von Baldassare Castiglione und in Bembos Schriften.

Art hingab unter dem Schutz, man möchte sagen, unter der Lehnsherrschaft der Kirche — denn noch sind alle Denkdisziplinen der Kirche verpflichtet, die gleichsam für den von ihr gewährten Schutz und die materielle Unterstützung, die sie allen der Wissenschaft Beflissenen leistet oder zu leisten verspricht, selbstverständlich Huldigung erfährt.

Kriegsleute adeliger Kreise hatten lange eine gewisse falsche Scham der Wissenschaft gegenüber, als schicke sie sich nicht für Leute ihres Standes — allein sobald die kleine Tonsur des Klerikers erscheint, ist er durch das Wohlwollen der Kirche wieder oder neu in eine Art Adel eingesetzt. Dank ihrer Gnade gehört der Mann des Buches und der Feder zur guten Gesellschaft. Besonders zur guten Damengesellschaft, denn für die Frau ist der Umgang der geistig Strebenden, deren Sympathie und Zartheit im Verkehr Trost nach mancher Rauheit und Prosa des Ehelebens. Die hohen Würdenträger der Kirche zeigten intelligenten Luxus, denn es schien, als brauche das Reich Gottes prächtige Fürsten und Herren*).

Da es unmöglich war, vom Erlös geistiger Arbeit zu leben, war der geistig Arbeitende zuerst und nachhaltig auf die Unterstützung der Kirche angewiesen, die ihm das nötige *otium* für seinen Beruf schenkte durch Verleihen kleiner oder größerer Benefizien, je nach Verdienst, Glück und Empfehlung. Auch als die Fürsten anfingen, ein Mäzenat zu üben, geschah dies

---

*) *Les cardinaux montraient un luxe intelligent parce qu'il fallait au royaume de Dieu des princes et des seigneurs.* (Maulde de la Clavière: Les Femmes de la Renaissance.)

am häufigsten auf Kosten der Kirche, indem sie irgend welche Pfründen derselben zur Besetzung in die Hand nahmen.

Nahe liegt, daß mancher Mißbrauch damit getrieben wurde. Die Kirche war eine Demokratie, stets bestrebt, durch Wahl aus allen Ständen und Kreisen geistig Wertvolles auszulesen. Daß Spreu mit unterlief oder die Gepflogenheit dahin entartete, zu sonderpolitischen Zwecken mit den Stellen, die lobenswerterweise Muße zu geistiger Arbeit schaffen sollten, Schacher zu treiben, war unausbleiblich bei demokratischen Institutionen. Der Segen kirchlicher Schutzherrlichkeit blieb stiller Natur und ist daher gegen die lauten Mißbräuche noch kaum erwogen worden.

Am günstigsten wirkte die Institution dort, wo die Kleriker gerade dadurch, daß ihre geistlichen Stellen ihnen eine freundliche Muße erlaubten, die Möglichkeit fanden, sich in der Geselligkeit hervorzutun, — zu jenen feinen, fröhlichen Prälaten zu werden, die in Italien und Frankreich zusammen mit vornehmen Frauen den Salon gründeten und beherrschten. Sie wurden zu Meistern der Konversation und aus gepflegter Konversation erwuchsen Kunstverständnis mit aller Gunst, philosophische Fortschritte, literarische und sprachliche Errungenschaften und Verfeinerungen jeder Art, das Interesse gebildeter Kreise an aller Bildung.

Die Prälaten — jene halbweltlichen Standes und die meist aus deren Reihen hervorgegangenen feinsinnigen Bischöfe und Kardinäle sind Schwelger des Geistes, Feinschmecker der Kunst, was ihnen allerdings von mancher Stelle übel vermerkt wurde, da ihre Verdienste

mit den ursprünglichen Obliegenheiten christlicher Seelen-
hirten wenig mehr zu tun hatten. Besonders von Norden
her konnte der Liebenswürdigkeit solcher Prälaten keine
Sympathie entgegengebracht werden, weil der Sinn für
das Wesen feiner Geselligkeit und deren Verdienste
dort wenig oder gar nicht vorhanden war. Wenn auch
im Norden edelgebildete Prälaten, wie etwa ein Abt
Trithemius (bei Würzburg) vornehme Geselligkeit inmitten eines Luxus von köstlichen Büchern zu treiben
versuchten, wurde dies von plumpen Mönchen sofort
angegriffen und gestört, denn die Mönche waren um
jene Zeit zum größten Teil ebenso bildungsfeindlich als
die aus halbweltlichem Stand hervorgegangenen höheren
Prälaten zumeist bildungsfreundlich waren, und sie miß-
trauten den Reformen, die jene anstrebten, als Ende
der mönchischen kommunistischen Nichtstuerei auf
Kosten von fleißigen, leicht zu prellenden Leuten. Im
Süden wie im Norden widerstand und widerstrebte
eine gewaltige, unheimliche Macht in der Möncherei
erzfeindlich dem eleganten Prälatentum. Grobsinnlich
und gemeinfanatisch, wie sie war, mußte sie von den
feinsinnigen und toleranten Weltmännern, die eine Verbesserung im Sinne Platons ersehnten, verachtet werden
und machte sich zur Rache bereit.
Während der ganzen Renaissance grollt dumpf dieser
soziale Haß und facht schließlich die politischen
Leidenschaften so stark an, daß die seligen Träumer
aus ihrem Schönheits- und Friedenstraum rauh geweckt
werden. Von Strengdenkenden war freilich am Lebenswandel manch höherer Geistlicher genug auszusetzen,
doch gehässige Verleumdung hat augenscheinlich manches

24

übertrieben oder unerklärt gelassen, was der Erklärung wert gewesen wäre.

Auch wenn die halbweltlichen Kleriker nicht die Absicht hatten, die vollen Weihen zu empfangen, die notwendig waren zum Aufrücken in die höheren Kirchenwürden, enthielten sie sich der Ehe. Diese Vorschrift bedeutete nicht den Wunsch nach irgendwelcher Askese, sondern entstammte rein praktischen Gründen, weil die Kirche wohl für den einzelnen gelehrten Mann, aber nicht für seine ganze Familie aufkommen mochte und weil ursprünglich die Auffassung herrschte, wer sich den Musen weihe, müsse es im priesterlichen Sinne tun und die Prosa ehelicher Sorge von ihm ferngehalten werden.

Dadurch war für die Geselligkeit ein wichtiges Element gewonnen, der einzelne, elegante, geistreiche Mann, der sich unbeschwert und unbefangen, da er kein Heiratskandidat war, in weiblicher Gesellschaft bewegen konnte. In südlichen Landen erregte es selten Anstoß, daß diese Herren halbgeistlichen Standes wenn auch der Ehe, so doch nicht dem Recht des Herzens entsagten, und bei der Natürlichkeit, die natürlichen Kindern gegenüber damals allgemein bestand, nahm es niemand wunder oder gram, wenn etwa ein Petrarca, ein Bembo, unbeschadet der platonischen Überzeugung, auch Familienfreuden kosten mochte.

Die laxe Art, in der diese Dinge mit vollständiger gesellschaftlicher Nachsicht behandelt wurden, veränderte sich freilich kaum, wenn einer dieser Herren die eigentlichen Priesterweihen empfing. Auch kam manch seltsame Belehnung vor, so erhielt der Kleriker

Bandello von Franz I. von Frankreich den Bischofs-
sitz in Agen, weil er so allerliebst erzählen konnte,
(parce que il savait si bien conter) und was er
zum besten gab, waren reizende, doch höchst lockere
Novellen.
Lorenzos Sohn, Giovanni Medici, erhielt schon mit
sieben Jahren geistliche Würden und mit siebzehn den
Kardinalshut. So befremdend derartiges erscheinen
mag, vergessen wir nicht den ursprünglichen Zweck:
Die Kirche schenkte großmütig den geistigen Arbeitern,
was sie vorher und nachher nie erhielten — ein vornehmes Otium, eine sichere Lebensstellung, die ihre
Gelehrsamkeit davon enthob, nur nach Brot zu gehen
und ihnen das *odi profanum vulgus* gestattete, das zu
höherer Geistesweihe gehört. Kirchliche Fürsorge und
Ehelosigkeit enthoben sie der Sorgen des Tageserwerbs,
sofern sie sich mit horazischer Bescheidenheit begnügten,
und auch in vielen Fällen darüber hinaus, so daß
Sammlertum und vornehme Gastfreundschaft möglich
wurden.
Mit Behagen und Geduld konnten sie sich allerlei Forschung widmen, und, was sie auf den Gefilden ihrer
Tätigkeit ernteten, sofort zur Verschönerung des Lebens
und allgemeinen Bereicherung in gesellig-trauten Stunden
mitteilsam zum Genuß bringen.
Petrarca ist die vollendete Erscheinung des geistlichen
Weltmanns und Weltbürgers, der nur also gezeitigt
werden konnte, des christlichen Platonikers, der die
Weisheit der Antike mit christlicher Weisheit, ihre
Liebeserkenntnis mit christlicher Liebeserkenntnis vermählt, in sich als edles Beispiel darstellt.
26

Er steht an der Schwelle der Renaissance und ist mit Recht deren Vater genannt worden.

Alle großen Männer des Cinquecento blicken mit kindlicher Verehrung, Ehrfurcht und warmer Liebe zu ihm auf und flehen um seinen Segen bei ihrem Werk, wie gute Söhne sich damals einem guten Vater gegenüber hielten.

Kein Dichter hat je über ein so bedeutendes Zeitalter so ausdrücklich und ausgesprochen mit patriarchalisch majestätischer Herrscherwürde gestanden. Alle Grade an Verehrung erlebte Petrarca im Cinquecento von schwärmerischer echter Hingabe herab bis zu modischem Getue. Er galt unbestritten als der Meister an sich und wurde in der Mitte dargestellt, Dante und Ariost rechts und links in untergeordneter Stellung*). Seltsamerweise ist diese wichtige Sachlage im Lauf der Zeiten unkenntlich geworden.

Als Meisterphilosoph und erster Feldherr des siegreichen Humanismus wurde Petrarca vergessen, und es blieb nur mehr eine blasse Erinnerung an den Sänger der blonden Laura, dessen Sonette Generationen nachgeahmt, dessen Autorität jeder Schwerenöter im Munde führte.

---

*) Im Quattroccento hatte Petrarca 30 Ausgaben seiner Werke, im Cinquecento 177; im Seicento fallen sie auf 17 und es wird der Versuch gemacht, seine Liebesgedichte im frömmelnden Stil (modo figurato) umzudichten. Im Cinquecento urteilt Monsignore della Casa in *Galateo*, Dante wisse sich nicht immer elegant auszudrücken, indes Petrarca stets Meister der Eleganz und der Grazie bleibe. Dante habe nicht *l'arte di essere grazioso*. Zur Zeit als Petrarca 177 Ausgaben erreichte, erlebte Dante deren 30, im Seicento nur 3.

Zum Verständnis des Jahrhunderts, das ihm ergeben war, muß die Stellung, die er damals einnahm, vor allem gewürdigt werden. Sie hat tiefen Einfluß auf die Geselligkeit der schönsten Tage des uns bekannten Erdendaseins, Tage, in denen mit kindlicher Freude die Schätze der Antike entdeckt wurden, ähnlich wie Kinder auf Großmutters Dachboden Märchenschätze finden und damit kostümiert Verse klingen lassen. Allein es sind geniale Kinder und das Spiel wird ernst, wiewohl es reizendes Spiel bleibt; holder Frohsinn, weise Gelassenheit griechischer Symposien sind wiedergeboren.

ZWEITER ABSCHNITT

Persönlichkeit und Masse — Der Kardinalshut im Almosensack —
Natürliche Söhne — Gesellschaft und adelige Geburt — Condotta,
Bank und Priesterschaft — Humanismus und Emporkömmling —
Die führenden Höfe — Am Schachtisch — Drei edle Frauen —
Pille oder Kugel — Humanistische Geselligkeit — Platon gegen
Aristoteles — Die platonische Akademie — Der himmelblaue Hu-
manist — Die Neuigkeitsbude — Ein unsterblicher Pedant —
Feindliche Gruppen — Alte und neue Musik — Im Kampf der
Geister.

Instinktiv hat die Renaissance das Wesen der Masse
verabscheut, deren Urteil, Vorhaben und Gehaben
ihrer Erlesenheit nur gefährlich sein konnte. Sie ist
ein Antipode unserer Zeit, denn sie glaubt nicht an
die Masse, sie glaubt nur an den Einzelnen.
Dieser Glaube wird dadurch belohnt, daß allerdings
im Cinquecento die Einzelleistung so auffallend und
hervorragend war wie noch nie, daß eine unverhältnis-
mäßig große Anzahl von Einzigen und Einzigartigen
auf verschiedenen Gebieten sich zum Ruhm der ganzen
Menschheit hervortun.
Der Glaube an den Einzelnen und der Unglaube der Masse
gegenüber macht, daß der Einzelne keine Verantwortung
abschiebt und jede Anonymität verschmäht. Man nimmt
mutig seine guten und bösen Taten auf sich, erkennt
die Kinder seiner Liebe und seiner Laune an.
Ein geläufiger Ehrenbeiname ist *Unico*, ist *Divino*.
Jedermann freut sich, der gesamte Kreis fühlt sich geehrt, einen solchen Einzelnen zu besitzen, man setzt
seinen Stolz hinein, man ist nicht etwa bemüßigt, wie
es später mit Hervorragenden und Einzelnen grund-

29

sätzlich gerne geschah, sie zu verkleinern, zu verdächtigen oder herabzuziehen, sondern der Einzelne wird oft über Gebühr und hyperbolisch zu einem solchen gestempelt und erhoben, mühsam muß er sich auf dem Piedestal erhalten, das ihm die Bewunderung schafft.

Die Einzigen kommen aus verschiedenen Schichten hervor. Wie unter Napoleon jeder Soldat die Möglichkeit des Marschallstabes im Tornister trug, so trägt jeder Mönch den Kardinalshut im Almosensack, jeder Sonettendrechsler träumt sich die Dichterkrönung, jeder Abenteurer kann danach streben, sich ein Fürstentum zurechtzuschneiden.

Aus diesem allem ergibt sich für die Renaissance eine neue Stellung gegenüber der noch immer bedeutenden und wichtigen Adelswelt mit ihren fernwurzelnden Traditionen. Ihre schon in der Gotik untergrabene Einheit als geschlossenes Ganzes, als kosmopolitisches, weltläufig republikanisches Rittertum, ist nicht mehr aufrecht zu erhalten. Der europäische Adel löst sich in einzelne Gruppen auf, die sich behaupten, so gut sie können, und dem Einzelnen, der aus anderen Ständen hervorragt, möglichst auch Einzelne gegenüberstellen, sei es mit Hilfe von Bastardsöhnen, wenn die Echtgeborenen nicht ausreichen. Denn gerade Kinder der Liebe haben ja zumeist die jetzt notwendige, kräftige und originelle Individualität. Sie sind auch zumeist dem Vater und der Familie am zuverlässigsten ergeben aus Dank für Anerkennung und das Geschenk, sich an der Familienehre beteiligen zu dürfen. Die auffallende Erscheinung, daß im Cinquecento alle großen Familien, alle Herrschenden — darunter auch weltlich herrschende

Päpste — natürliche Söhne und Töchter aufrichtig zu den Ihrigen zählen, kommt durchaus nicht von besonders lockerer Sitte, sondern hängt zusammen mit der Familienpolitik.

Man beachte, wie die stolze Dame des Hauses mütterlich diese Kinder der Liebe aufnimmt und mit den ihren erzieht. Sie leiden keine Zurücksetzung, für ihre Heirat wird gut gesorgt, sie gehören zum Glanz des Hauses und dienen dazu, denselben noch fester zu gründen, indem sie mit Allianzen zweiter Güte, aber doch politisch wichtigen Beziehungen, die politisch hochbedeutsamen Allianzen erster Linie der Legitimen vervollständigen und fester verankern, und wenn die übrige Anhängerschaft schwankt oder verrät, sich als festeste und treueste Stütze der Familie erweisen.

Durch ihre Zwitterstellung als Einzelne und dennoch fest mit der großen Sippe Zusammenhängende sind sie ein fester Wall gegen die Bedrohung, die das Wesen der Renaissance dem Wesen des Adels bietet. Sie will Individualität, und der Adel kann sich nur behaupten, wenn er solche aufbringt. Wie beträchtlich diese Bedrohung ist, erhellt unter anderm die Überlegung, mit der Castiglione das Wesen seines idealen Hofmanns zu umreißen beginnt.

In dem höfischen Kreis wird nämlich ernsthaft die Frage aufgeworfen, ob adelige Geburt dazugehöre, und man berät bedächtig entgegengesetzte Meinungen.

Ludovico, Graf Canossa, behauptet, zum vollkommenen Hofmann und Weltmann gehöre adelige Geburt, denn *einem edel geborenen sei der Adel wie eine helle Lampe, die besonders deutlich gute und schlechte Handlungen unterscheiden lasse und kräftig sporne zur Tugend aus Besorgnis vor Schmach wie aus Hoffnung des Lobes,* indes den nicht also Geborenen kein derartiger Glanz Anreiz und Besorgnis verdeutlicht*). Die Natur, so meint Canossa, habe allen einen geheimnisvollen Samen (*occulto seme*) gegeben, der eine gewisse Kraft und Eigenschaft allem mitteile, was davon entsprießt und sich ähnlich macht. Also ist der Adelige von Natur aus angelegt, wieder dem zuzustreben, was Adel gibt und bedeutet.

Gaspare Pallavicino erwidert: *la natura non ha questi cosi sottili distinzioni — die Natur macht keine so spitzfindigen Unterschiede — spesso si veggono in persone bassissime altissimi doni della natura — oft sieht man bei niedrig Geborenen ihre höchsten Gaben.* Er meint, für den idealen Cortegiano müsse genügen Geist, Schönheit, glückliche Anlage des ganzen Wesens und jene Grazie, die ihn beim ersten Anblick bei jedermann höchst beliebt macht (*ingegno, bellezza di volto, disposizion di persona, e quella grazia che al primo aspetto sempre lo faccia a ciascun gratissimo*). Nach Pallavicinos Ausspruch wird im Kreis von Urbino gehandelt, er ist nicht im adeligen Sinn exklusiv, obwohl er Canossas praktischer Erwägung recht geben muß, daß vornehmer Name schnell und sicher einführt, Vertrauen erweckt und auch denjenigen, der ihn trägt, mächtig anreizt, sich des Vertrauens und Wohlwollens, das der Name gibt, sofort würdig zu zeigen.

---

*) — *perchè la nobiltà è quasi una chiara lampa che manifesta e fa vedere l'opere buone e le male ed accende e sprona a la virtù cosi col timor d'infamia come ancor con la speranza di laude.*

Die ästhetische Seite überkommener Vornehmheit wird gewürdigt, aber dem Geist der neuen Zeit entsprechend an die Seite des geborenen Aristokraten gleichberechtigt Jener gerückt, den die Natur mit spontaner Vornehmheit beschenkt und dessen Selbsterziehung diese Gabe gepflegt hat.

Dem Adel steht eine anmutige, großartige und leichte Art zu geben an, auch das eigene Leben zu geben. Dagegen ist es für ihn das Härteste zu nehmen, anzunehmen. Unstandesgemäßes Dasein kann eine Zeitlang mit heroischem Humor wie ein Maskenscherz getragen werden — auf längere Dauer auf die zweite Generation ausgedehnt, wird der Zweck erreicht, den der Vernichtungswille hatte, nämlich jene Imponderabilien sind weggeblasen, die einst ein Köstliches, ein Erlesenes, ein Zauber waren, Blüte uralten Weins, Patina des Goldes, Ehrwürdigkeit gepflegter Silberlocken.

Das künstlerisch Wertvolle der Patina des Adels imponiert dem ästhetischen Gefühl, und leidenschaftlich begehren die Emporkömmlinge, sich mit ihm zu verschwistern und verschwägern, wozu er anfangs nur seine Bastardkinder, später auch die Legitimen hergibt. In den meisten Fällen wirkt diese Versippung nicht ungünstig, weil die großen Emporkömmlinge geistlichen und weltlichen Standes sich der humanistischen Bildung hingeben, ihre Bedeutung durch ein gutverwendetes Mäzenat besiegeln und einige Adelsgeschlechter mit in diese Richtung reißen, indes ein anderer Teil der alten Aristokratie sich grollend und urtümlich abseits hält und dem veränderten Zeitgeist mißtraut.

Auf dreierlei Art geschieht das Emporkommen kräftig mächtiger Individuen, gefördert durch die Hingabe ihrer Sippe, durch die *Condotta*, durch das Bankwesen, durch den geistlichen Stand, und die drei Arten gehen nützliche Verbindungen ein, die alles in ihrem Bereich einkreisen.

Die *Condotta* ist ein Zug Angeworbener, die Abenteuerlust, Gewinnsucht, Familiensinn einem Führer unterordnet, dem *Condottiere*, bald da, bald dort im Dienst. Man sieht die Condotta oft in geradezu possierlicher Weise dem Kampfe entgehen und den Weg zur Schenke nehmen. Wer diese malerischen und gleichgültigen Leute irgend begeistert und zu Taten zwingt mit starkem Wort oder Geschenk, die weniger Feigen umarmend und ihren Heldenmut über alles preisend, ist ein großer Condottiere, gewinnt für sich schließlich Land und Leute, baut Paläste in Eile, erringt eine Prinzessin oder feine Liebe und umgibt die vornehme Gattin oder Geliebte mit allem Luxus der Kunst und Bildung.

Langsamer aber sicherer treibt die Bank empor. Es ist kein naives Geldgeschäft mehr, sondern ein höchst komplizierter wirtschaftlicher Vorgang, nicht Italien allein bleibt Schauplatz der kühnen Geldkriegszüge, sondern die ganze bekannte Welt wird einbezogen. Man gründet Filialen in der Türkei, in Afrika, man regt Erfinder und Entdecker, Geographen und Techniker an, man treibt Import, Export, Kommission, Reederei, Versicherung, Geldhandel und Warenhandel. Da überall verschiedene und unsichere Währung herrscht, bringt der Wechsel großen Gewinn.

Die dritte Art, emporzukommen, ist durch den geist-
34

lichen Stand gegeben, der dem Ehrgeiz unabsehbar Raum gibt, große wie kleine Geister spornt und dem Lauf des Geldes die Richtung nach Rom zu geben trachtet, wo sich die Kunst bald vermißt, den Goldstrom majestätisch zu fassen und in Kaskaden von Herrlichkeit weithin rauschend wieder abzuleiten.

Einer höheren Macht sind die einen wie die anderen der *homines novi* untertan, dem Humanismus. Weil sie fühlen, daß Vornehmheit dadurch am besten erreicht wird, dienen sie ihm gerne und stolz.

In der Frührenaissance zeigen sich selbst die alten Raufgeschlechter der Colonna und Orsini neuer Bildung zugänglich, wozu der Umstand besonders beiträgt, daß ein Teil der Familie Colonna dem Papst nach Avignon folgte und dort an der feinkultivierten Geselligkeit dieser vielverleumdeten Papstresidenz teilnahm. Daher kam es auch, daß Petrarca Hauslehrer, Gast und Freund der Familie Colonna war. Einen Augenblick versuchen die Orsini einen Wetteifer in Bildung mit dem Nebenbuhler, mit dem sie sich sonst nur in rohem Kampf gemessen, sammeln Bücher und erziehen ihre Töchter so fein, daß Clarice Orsini die würdige Gattin eines Lorenzo il Magnifico wird und ihren Platz in schöngeistiger Gesellschaft wohl ausfüllt.

Schließlich gewinnen einige Namen und Geschlechter die stärkste Essenz des Cinquecento und die anderen treten zurück, da sie nicht genug Macht, Geschmack, Geist oder Geld besitzen, um mitzutun. Fast alle Führenden sind untereinander verwandt und verschwägern sich mit den Päpsten, mit Spanien, Frankreich und

Deutschland. Die alten Geschlechter heißen Este, Gonzaga, Montefeltre, Aragon in Neapel und sind eng miteinander versippt. Nur wenige Familien drücken der Renaissance ihren Stempel auf, ihr Andenken, ihre Wappen begegnen überall dem sinnenden Betrachter. Zwei Päpste della Rovere mit ihrem mächtig knorrigen Eichbaum, Sixtus IV. und Julius II., die Schöpfer der sixtinischen Kapelle. Zwei Päpste Borgia, Kalixtus III. und Alexander VI., der im Jahre 1494 die Erde mit einem hundert Meilen westlich von den Azoren berechneten Meridian in zwei Hälften schneidet und westlich alles zu entdeckende Land den Spaniern, östlich den Portugiesen, zuteilt. Zwei Medici, Leo X. und Clemens VII., Schutzherren der Hochrenaissance. Diese Familien verschwägern sich, so gut sie können, mit den eingesessenen Dynasten. In Betracht für das vornehme Leben der Zeit kommen vor allem die Este in Ferrara, die Gonzaga in Mantua, die Montefeltre in Urbino, die Sforza in Mailand, die Aragon in Neapel — kleinere Tyrannen wie die kunstliebenden Malatesta in Rimini und Bentivoglio in Bologna.
Ganz eng verbunden und die vornehmen Sitten zum Höchsten steigernd erscheinen die Städte Mantua, Ferrara und Urbino. Francesco Gonzaga, Marquis von Mantua, an dessen Hof ein Mantegna gerne gesehen und trotz seiner Schrullen geduldig ertragen wird, heiratet Isabella d'Este, die Tochter Ercoles I. von Ferrara, seine Schwester Elisabetta heiratet Guidobaldo von Urbino und wird Castigliones Idealprinzessin. Die Schwägerinnen wetteifern miteinander in erlesener Geselligkeitskunst.

36

Guidobaldos Vater, Federigo von Montefeltre*), hatte
— mit Lorenzo Medici darüber Rat pflegend, — einen
herrlichen Palast mit berühmter Bibliothek erbaut. In
diesem fanden die ideal gestimmten Zusammenkünfte
statt, die durch den *Cortegiano* unsterblich geworden
sind.

Eine dritte Schwägerin, die Schwester der Isabella von
Mantua, Beatrice d'Este, heiratet Lodovico il Moro,
den gewaltigen Sforza in Mailand, und hält glänzend
Hof. Ihre älteste Schwester Isabella scheint unter den
bezaubernden Renaissanceprinzessinnen für die eleganteste in den zarten Vollkommenheiten des geselligen
Lebens gegolten zu haben. Als solche wird sie in
Rom gefeiert, wo ihr Söhnchen Federigo von Gonzaga
als Geißel leben muß. Der Knabe, von seiner bedeutenden Mutter zu vornehmem Anstand erzogen,
erfreut sich in römischer Gesellschaft großer Beliebtheit und ist Julius II. ans Herz gewachsen. Der alte,
rauhe Papst und der kleine, feine Prinz spielen Schach
und Trick-track zusammen.

Noch einige interessante und wichtige Verwandtschaften:
eine Schwester des Federigo von Montefeltre, mit einem
Neffen Sixtus IV. vermählt, hat Francesco Maria della
Rovere zum Sohn, dieser wird mit einer Tochter der
Isabella von Mantua, Eleonore, vermählt und zum Erben
der kinderlosen Montefeltre eingesetzt.

---

*) Federigos zweite Gattin war die gelehrte Battista Sforza, Tochter
Alexandros Sforza und der Constanza Varano, die als Dichterin
und Humanistin gefeiert war. Aus solchem schöngeistigen Kreis
geht Mailands Trivulzia hervor, die schon als kleines Mädchen *den
Musen geweiht* wird.

Mit Montefeltre verwandt ist Vittoria Colonna, deren Mutter Agnese eine Schwester Guidobaldos war. Freundschaftliche Bande verknüpften sie mit Ferraras Hof, sie wird Patin von Tassos Eleonore, dem Enkelkind Lucrezia Borgias.

Denn es war Alexander VI. gelungen, seine Tochter mit dem Sohn Ercoles, Alfonso d'Este, zu vermählen, so daß Lucrezia als vierte der bedeutenden Prinzessinnen auftritt, die Italiens Renaissancegesellichkeit beherrschten. Isabella von Mantua, Elisabetta von Urbino, Beatrice von Mailand, sind ihre Schwägerinnen. Isabella und Lucrezia verband eine herzliche Freundschaft, von der ein siebzehn Jahre dauernder Briefwechsel Zeugnis gibt*).

Ariosto besang Lucrezia als Muster der Tugend, Bembo widmete ihr seine platonisch zarte Dichtung *Gli Asolani* zum Andenken an die schöne Geselligkeit, der sie vorstand — nach dem genau beachteten Vorbild der vornehmen Schwägerinnen. In allem strebt die Papsttochter ihnen nach.

Allerlei bedeutende Verschwägerungen gewinnt das Haus Medici. Catharina Sforza heiratete in dritter Ehe einen Medici der jüngeren Linie, die nachmals den großherzoglichen Thron gewann.

Durch diese Ehen wird trotz der äußerlichen Zerrissenheit und der Fehden eine gewisse Kultureinheit, eine Harmonie der Sitten, Gebräuche, geselligen Gepflogenheiten und Ideale der italienischen Renaissance erzielt, denn diese Prinzessinnen haben ähnliche, feine Er-

*) Auf Ferraras Thron folgt der Lucrezia Renée de France, die den Calvinismus Italien einimpft.

ziehung genossen, lieben anmutige Rede, schöne Dinge der Kunst, wirken auf gleiche Weise, jede im eigenen Kreis, und ein Wettstreit der Bildung entsteht zwischen den verwandten Höfen.

Ein Traum politischer Einheit bricht in Italien an, als die kulturelle Einheit längst gegeben war und zum Selbstverständlichen des gesitteten Daseins gehört.

Die Höfe von Neapel, Mantua, Ferrara und Urbino sind in regem Gedanken- und Modenaustausch; Künstler, Dichter, Antiquitätensammler und Lustigmacher wandern von einem zum andern. Sie sind in enger Berührung mit Rom, mit Florenz und Mailand, wo neue Familien mit ungebundenem Ehrgeiz herrschend auftreten. Interessanteste *homines novi* machen sich geltend in den Papstfamilien Borgia und della Rovere. (Letztere ursprünglich kleine Leute, Krämer oder Fischhändler aus der Gegend von Savona, erstere spanische Abenteurer.) Gut bürgerlicher Abstammung sind die Medici in Florenz, die sich später einen phantastischen Stammbaum machen ließen. Brantôme behandelt ihn ausführlich, um den Vorwurf der *mésalliance* zu widerlegen, mit dem Catharina von Medici in Frankreich begrüßt wurde. Danach soll der Name nicht etwa von Vorfahren stammen, die sich der Heilkunst befleißigten*) (medici = Ärzte), sondern die Familie führe ihre Entstehung bis ins klassische Altertum zurück, wo ein Ahnherr die Meder besiegt habe und den Beinamen *Medicus* erhielt, wie andere Eroberer *Britannicus, Germanicus, Africanus* hießen. Die sechs *Palle* im Wappen

---

*) Die Heilkunst, vielfach von Juden ausgeübt, erfreute sich übrigens schon großer Achtung.

werden dementsprechend als kriegerische Wahrzeichen erklärt, indes Gegner der Medici gern behaupteten, es handle sich einfach um Apothekerpillen.

Wie dem auch sei, die Medici erheben sich über ihre adeligen und nicht adeligen Mitbürger durch Milde, Klugheit, Weitblick und Großmut von Generation zu Generation, Eigenschaften, die in dem ehrwürdigen väterlichen Cosimo einen Höhepunkt erreichen. Er spendete 663755 Goldgulden für Wohlfahrtszwecke. Die guten Einnahmen des ägyptischen Handels machen solche Großmut möglich*): Dieser Handel wurde auf streng reellen Grundlagen geführt, man hatte seinen Beginn mit Prozession und Messe eingeweiht und das Gedeihen den Schutzheiligen von Florenz besonders empfohlen. Altväterisch fromm und gewissenhaft blieb man in seinen Geschäften, obwohl sie immer großzügiger wurden und die Medicäerbank sich bald in der Lage sah, Königen Gefälligkeiten zu erweisen.

Unter Cosimos Walten begann die wichtige Geselligkeit des Humanismus. In dem Streit zwischen Theodor von Gaza, der Platon im Namen des Aristoteles angriff, gegen den Platoniker Demetrios Chalkondylas und Bessarion, Schüler des Gemisto Plethon, ergriff Cosimo Partei für den Philosophen, der die Renaissance beherrschen sollte, und gründete die platonische Akademie, wo im Rahmen gesellig heiterer Zusammenkünfte die neu aufgeworfenen großen Fragen zwanglos behandelt wurden im Lustwandeln oder bei Tafel, wie Platon selbst getan.

Der Humanismus gibt Stellung in der Gesellschaft und

*) Dieser Handel blühte seit 1421.

40

die Humanisten nehmen gewaltig zu unter Cosimo. Sie ziehen die Aufmerksamkeit des Publikums an durch auffallende Gewänder. Tommaso Parentucelli zum Beispiel, der nachmalige große Papst Nikolaus V., Hauslehrer der Familie Albizzi, trug sich himmelblau, sein Freund Niccolo de' Niccoli ging in rosa. Dieser Begründer der Bibliotheka Marciana ließ außerdem viel von sich reden durch die Eigenart seiner Gastfreundschaft. Seine Tafel war mäßig im Gegensatz zu der üppigen spätgotischen Gasterei, kein Gold und Silber wurde prunkend umhergereicht. Allein erlesene antike Schalen und Amphoren schmückten sie, jedem Kenner ein Augenrausch und eine Erhebung. Niccolos schöne Geliebte bekränzt die Gäste und kredenzt nach der feinen Art griechischer Freundinnen.

Am meisten Aufsehen erregten die Humanisten jedoch durch ihre wie mit Absicht zur Reklame möglichst lauten Streitfragen und das literarische Schaufechten*). Die verschiedenen Gruppen bekommen Parteigänger und bald gibt es keine gesellige Zusammenkunft ohne lebhafte, oft recht witzige Kontroverse.

Besonders humorvoll scheint Vespasiano de Bisticci gewesen zu sein, er hielt in literarischen Dingen *Bottega* in Florenz, eine Neuigkeitsbude, wo die klügsten Lippen laut werden und die beredtesten Hände sprechen, diese außerordentlich ausgebildeten, beredten Hände, die zeitgenössische Maler überzeugend darstellten. Ihre Durchgeistigung, ihre Durchbildung ist der lebhaften

---

*) Sie erhielten Anregung hiezu durch die Griechen beim Konzil zu Florenz (1438), die ihre leidenschaftlich spitzfindigen Kontroversen nach Italien brachten.

Sprache zuzuschreiben, mit der sie Diskussionen, Disputationen, Scherz und Schimpf unentwegt begleiten.

Von Vespasiano Bisticci, dem nachmaligen Bibliothekar des Federigo Montefeltre in Urbino, der sich stolz seiner 772 seltenen Handschriften rühmt, stammt der italienische Ausdruck *bisticciare* für amüsante Äußerungen bei Meinungsverschiedenheiten. Dieses war Geplänkel, manchmal wurde aber mit recht grobem Geschütz aufgefahren. Typisch dafür sind die *invectivae* des Poggio gegen Filelfo und die grimme Satire seiner *Facetiae*, die dem Widersacher eine Unsterblichkeit als komische Pedantenfigur verschaffte. Denn nicht weniger als sechs Dichter, darunter Ariosto und Rabelais, zuletzt der Engländer Prior und La Fontaine, benutzten die von Poggio in jenem Streit witzig hingestellte Karikatur Filelfos.

So stark und scharf ging es zu. Berühmt blieb auch der Streit Georgs von Trapezunt und Theodors von Gaza, die Aristoteles gegen Platon verfochten mit Kardinal Bessarion, der die Verleumder Platons leidenschaftlich zurückwies. Es bildeten sich die feindlichen Gruppen: Leonardo Aretino, Poggio, Niccolo de' Niccoli, Beccadelli gegen Lorenzo Valla, der den Papst und den Adel unbändig angriff, und Niccolo Perotti. Beccadelli, auch Panormita genannt, der Verfasser des verwegen antiken *Hermaphroditus*, überträgt den Streit nach Neapel. Wuchtig tritt für Platon der Kardinal Bessarion mit seinem Werk ein: *In calumniatorem Platonis*. Es erschien (1470) in Rom bei Sweynheim und Pannartz, rührigen deutschen Buchdruckern und Verlegern, die sich den Kampf der Geister wohl zunutze machten. Auch die musikalischen Größen geraten in scharfen Prinzipienstreit, über alte und neue Musik wird in Gesellschaft ebenso disputiert wie über ältere und neue Philosophie.

Ein Tüpfelchen auf dem i genügt manchmal, um gigantische, literarische Fehden zu entfesseln. Offenbar ist es um das Vergnügen der Dialektik zu tun und um Hör- wie Leselustige anzulocken wie zu einem interessanten Gesellschaftsspiel.

Wie alles Wichtige im Kreis der menschlichen Erfahrung ursprünglich vom Spiel, von geselliger Gepflogenheit herrührt, so liegt der Ursprung der öffentlichen Meinung und ihrer Macht hier zutage. Sie entstammt der zuerst spielerischen Parteinahme in geistigen Fragen, die von führenden Humanisten aufgeworfen wurden.

Nichts liegt tiefer in der menschlichen Natur begründet als die Sucht, Partei zu ergreifen. Das harmloseste Spiel beginnt damit und der wildeste Krieg. Auch jeder wichtige Fortschritt des geistigen Lebens. Die Berechtigung, Partei zu nehmen, ist nie angezweifelt worden, wir können alle nicht anders, es gehört zum Lebensprozeß, Parteinahme erweitert, bereichert unser Dasein, oft ist darin das Leben selbst gleichsam enthalten.

Daher der leidenschaftliche Anteil oder die belustigte Spannung, die dem Schau- und Spiegelfechten der Federhelden folgt, jeder sammelt eine *Condotta* und sucht erobernd vorzudringen, jeder, der dem Condottiere folgt, fühlt sich geschmeichelt, wenn durch Wort oder Druck sein Parteiergreifen bestätigt wird, immer mehr Menschen spielen mit und bald erscheint die öffentliche Meinung mit Hilfe des Buchdrucks als eine neue fix und fertig hergestellte Macht, mit der die alten Mächte zu rechnen haben*).

Um die einschneidendsten Fragen wird disputiert, alle Zweifel der Reformation bereiten sich vor. Aber auch ins Leere streitet man gern, um Nichtigkeiten, um grammatische Klügeleien ereifert man sich. Es wirkt doch, denn die Hauptsache ist der gelehrte Hokus-pokus, das dröhnende Latein, das um die Ohren schlägt und um die Ohren geschlagen wird. Man bedient sich der ehernen Sprache, man schlägt nicht ohne etwas barbarisches Vergnügen auf das Erzbecken, daß es weithin schallt und lärmt.

In einem waren jedoch alle diese lebhaften Geister einig, im Preise Cosimos und im Preise des regsam holden Florenz, schwärmerisch nannten sie die Stadt: Muster aller Tugenden, Haus der Götter.

Man wird unerhört kühn in Cosimos gewähltem Kreis.

Der Schmerz, den alle Gebildeten über gewisse Miß-stände in der Kirche längst empfanden, machte sich Luft, insbesondere der Grimm gegen die rückständige Möncherei, und was an edler Essenz in reformatori-schen Gedanken enthalten war, wurde hier zum ersten-mal destilliert.

Durch platonische Weisheit hofften die meisten den wahren Kern des Christentums wiederzugewinnen, einige Wenige gingen zu weit und suchten Heil im Neo-

---

*) Die Unaufrichtigkeit mancher hitziger Streiter erhellt dadurch, daß einige sehr laute unter ihnen, wie Lorenzo Valla, von jenen, die sie maßlos beschimpfen, gerne Unterstützung verlangen und annehmen. Damit beginnen die Auswüchse dieser Bewegung.

heidentum, einer Richtung, die Gemisto Plethon am nachdrücklichsten vertrat.

Indessen wirkten große Künstler, die Anmut der Antike zu entfesseln. Wie ein lange in Gewahrsam gehaltener Duft entstieg sie der endlich gelösten Phiole und erfüllte die Stadt mit geheimnisvollem Rausch. Von toskanischem Hügel zu toskanischem Hügel ertönt die Flöte des Pan . . .

DRITTER ABSCHNITT

Parallel mit der Größe des Hauses Medici und in
lebhafter Wechselwirkung mit diesem gelangte das
Haus Sforza empor, dem Mailand die Bedeutung seiner
Frührenaissance verdankt. Eine Zeitlang waren die
Sforza wohl die mächtigste der neuen Herrscherfamilien
und drückten dem Cinquecento durch Jahrzehnte ihren
Stempel auf. Bezeichnend ist die Geschichte ihres Auf-
stiegs und ihres Namens. Sie waren ursprünglich Bauern
aus der Gegend von Cotignola bei Faenza, namens
Attendolo. Einundzwanzig Söhne gebar die prachtvoll
schöne und starke Elisa Petrasceni, ihre Fruchtbarkeit
gründet die Größe des Geschlechtes, das durch kriegerische Kraft und festes Zusammenhalten im Lande
mächtig wird. Einer der Söhne, Muzio, wurde von der
Landarbeit weg als Soldat angeworben, kämpfte siegreich für vier Päpste und vier Könige und gewann die
Liebe der Königin Johanna von Neapel. Seine Brüder
und Dorfgenossen bildeten die *compagnia di San
Giorgio.* Von ihnen und von der Königin erhielt Muzio

46

den Beinamen *Sforza*, der seiner Familie blieb. Sein Sohn Francesco hatte ebensoviel Glück im Krieg wie bei den Frauen. Er gewann 22 Schlachten und eroberte das Herz der Bianca Maria Visconti, Tochter des Fürsten von Mailand. So bestieg der Abenteurer wie im Märchen einen Thron und regierte glücklich an Biancas Seite.

Francesco Sforza und Cosimo de' Medici, die großen Zeitgenossen, stehen in eifrigem Briefwechsel und haben manche Berührungspunkte, Fühlung suchend von Mailand nach Florenz und von Florenz nach Mailand. So war Francesco einige Zeit Condottiere im Dienst der Medici. Die Grundursachen des großartigen Emporkommens beider Familien sind dieselben, eine weitverzweigte und fest zusammenwirkende Sippe, die einig darin ist, Kraft und Freude an die Würde des Hauses zu setzen. Bei den Sforza verbindet Waffenbrüderschaft die einzelnen Mitglieder, bei den Medici möchte ich das Familienband eine Geldbruderschaft nennen, wie sie noch heute heimlich die großen jüdischen Gelddynastien hält und erhält. Cosimos Briefwechsel beweisen, wie alle Brüder und Vettern das gewaltige Bankhaus auf dem Laufenden erhalten, stets bereit, für den Chef öffentlich oder geheim einzuspringen, alle Unternehmungen zu fördern, dem Haus Klienten zuzuführen, auch durch Schmeichelei und gesellige Künste, ihm Gelehrte und Künstler zu empfehlen, die, für den Ruhm der Familie tätig, wenn nicht ihr Geld, so doch ihr Können in der medicäischen Bank fruchtbringend anlegen.

Große Achtung, ja Ehrfurcht vor Können aller Art ist

heimisch in der Renaissance, Können gilt gleich Geld und man macht ihm so viel als möglich Luft, denn Können muß angefacht werden wie die Flamme. In Stickluft verlöscht sie.

Der kräftige Windzug, der durch die ganze Zeit wie auf Bergesgipfeln weht, bläst alles Können an und gibt ihm eine unvergleichliche, fast tanzende und hüpfende Munterkeit. Die Emporkömmlinge werden so groß, weil sie sich solchen Könnens herzhaft bedienen. Aber Grundursache des Emporkommens ist jener Familiensinn, der durch die Parallelentwicklung der Sforza und Medici besonders deutlich wird, eine Waffen- und Geldbruderschaft, die ihre eigene Politik verfolgt, bald angeschmiegt an bestehende Staatsgebilde, bald keck gegen solche gerichtet, jedenfalls als Endzweck und Ideal den Glanz des Hauses vor Augen.

So wichtig ist der Name, daß man, um jemand zu ehren, ihm erlaubt, den eigenen Namen dem seinen als ehrenvollen Titel beizufügen, wie es die Geschichte der Medici an mehreren Beispielen zeigt. Die Größe des Hauses ist Werk der ganzen Sippe, seine plötzlich aufsteigende oder mählich anwachsende Macht ist nur einer möglichst ausgedehnten Klientel zu danken, die Schutz der Waffen, Geld und mitgeteiltes Ansehen sucht. Heiraten der Vettern, Bastarde und Schutzbefohlenen werben unablässig an der Erweiterung dieses Kreises, alle Künste müssen herhalten wie die Schönheit und Wohlerzogenheit der Frauen, um die *Casa*, das Haus, zu festigen und zu schmücken.

Deutlich ist das Schauspiel, wie Familien, die durch Uneinigkeit geschwächt sind, allmählich ausgeschaltet

48

werden, von jenen überwuchert, in denen das Einheits-
gefühl der Sippe wach bleibt.

Wenn die Renaissance in der Persönlichkeit mündet
und sich in so starken Persönlichkeiten ausdrückt, wie
die Welt sie jemals gesehen, so ist diese Erscheinung
durch die Wichtigkeit der Sippe und deren Stolz zu
großem Teil vorbereitet, wenn auch diese Sippe durch
den Glanz des Einen, Hervorragenden im Dämmer verschwindet. Man könnte leicht ein Gleichnis daran
knüpfen. Die europäische Familie verfällt durch ihre
Uneinigkeit, ihren Vetterneid und Bruderzwist. Ihre
Macht und Würde könnte nur gedeihen durch ein för-
derndes Sippenwesen und eine intelligente Geldbruderschaft, welche die Interessen des Gesamthauses, nämlich aller europäischen Völker, als eigene betrachtet,
wertet und fördert, indem es die eigene Ehre unaus-
lösbar mit der Ehre des Hauses verknüpft.

Das praktische Beispiel der italienischen Renaissance
ist jedoch gar nicht ergründet, noch beachtet worden,
Neben- und Begleiterscheinungen verwischten diese wichtige Ausdeutung und deren philosophische Lehre.

Indes Ungeschicklichkeit und Kränklichkeit von Cosimos
Sohn Piero das sorgfältig ausgeführte Gebäude der
Medicäer-Machtstellung gefährden, wird jene der Sforza
ins Schwanken gebracht durch den gefährlichen Cha-
rakter des Galeazzo Maria, Francescos Sohn. Beide
Häuser überwinden jedoch dank der Sippe siegreich
diese Fährlichkeit, Generation auf Generation der
Herrschenden blieb bedacht, die geistigen Größen für
sich zu gewinnen, und diese stützen den Bau. Auch
Galeazzo Maria ist darauf bedacht, besonders angeregt

durch einen Besuch in Florenz bei Lorenzo, der auf Piero gefolgt war und dem Mailänder Herzog die schöpferische Schönheit der Frührenaissance offenbart.

Die denkwürdige Lustreise Gian Galeazzos an Seite seiner Gemahlin, der Herzogin Bona von Savoyen und in Begleitung seiner natürlichen Tochter Katharina erfolgt im Jahre 1471. Galeazzo hat es darauf abgesehen, dem berühmten Medizäer vorzuprunken, und sein Gefolge beträgt nicht weniger als 3000 Personen, alle auf das herrlichste gekleidet. Die Reise kostet an dreimal hunderttausend Golddukaten.

Nicht nur prächtig gezäumte Pferde und Maultiere sind dabei, der Herzog schleppt einen ganzen Tiergarten mit, seine unbezahlbar reiche Sammlung von Edelfalken und nicht weniger als tausend erlesene Jagdhunde. Die Tierliebhaberei ist noch so groß wie in der gotischen Zeit, ein gewaltiger Luxus von Fürsten und Herren. Zum Beschluß eines diplomatischen Briefes erbittet sich zum Beispiel Ludwig XI. von Frankreich einen guten Hund von Lorenzo de' Medici, der Sultan Mahomet sendet als Huldigung eine Anzahl seltener Tiere nach Florenz.

Galeazzos Aufzug erregt mit seiner staunenswerten Meute am Arno große Bewunderung, wenn auch die Bewirtung so vieler Tiere und Menschen an Lorenzos Gastfreundschaft peinliche Anforderungen stellt. Die Mailänder sind sehr anspruchsvoll, und der Chronist entrüstet sich, daß ihnen zu Ehren zum erstenmal in der Fastenzeit Fleisch gegessen wurde, und er schreibt diesem Frevel den Brand der Kirche San Spirito zu, in der man dem Herzog zu Ehren ein Mysterienspiel mit Feuerwerk aufführte.

50

Als Festsäle für große Feiern sind stets Kirchen vorgesehen; sie sind darum innen heiter festlich ausgestattet, denn sie gelten für Festsäle wie Kultstätten.
Man fühlt sich bei den freundlichen Heiligen zu Hause
und meint, sie müßten selbst Freude haben über die
bunte und frohe Menge der Gäste in den ihnen ge-
weihten Häusern. Freilich sollten sich diese Gäste in
bezug auf die Fasten an die Vorschriften der Kirche
halten, der Leichtsinn der Mailänder erschien unstatthaft im frommen Florenz.
Bekehrte sich Galeazzo Maria nicht anders, er bekehrte
sich doch bei den Medicäern zu feinem und feinstem
Geschmack und gestand freimütig, er habe seinen Gastfreund an Pracht des Auftretens übertrumpfen wollen,
sei jedoch besiegt durch die vornehme Erlesenheit, mit
der sich Lorenzo zu umgeben verstanden. Imponderabilien sind aufgeboten gegen die prunkenden Greif-
barkeiten des Galeazzo, gegen seine goldgezäumten
Maultiere und vielen Hunde mit goldenen Halsbändern
und Falken mit juwelenbesetzten Kappen. Das edle
Maß, die abgestimmte Vollendung, die alles um Lorenzo zusammenhält gleich gebietender Melodie, die
Majestät der Altertumsschätze, die er sorglich gesammelt, und die Kühnheit seiner jungen Künstlerschar,
die sich vermißt, es den vergötterten Alten gleichzutun
— das alles wirkt auf den noch etwas gotisch be-
fangenen Mailänder Herzog kräftig ein.
Nach Mailand zurückgekehrt, kann er jedoch das Protzen
nicht lassen und erfährt daher die Rüge eines Gastes,
des Königs Christian von Dänemark. Der würdig weise
Weißbart ermahnt ihn, Gold und Silber seien nicht die

einzigen Schätze, nach denen eines großen Fürsten Herz gehen soll, um nach deren Anhäufung sein Glück und seine Kunst zu messen.

Dagegen erklärt sich Christian, als er auf derselben Reise in Florenz Aufenthalt nimmt, äußerst zufrieden und lobt dessen ungekrönten Herrscher und die geschmackvoll verständige Gastfreundschaft. Nach seinem Norden bringt er behutsam feinen Samen aus Florenz.

Wenn sich Galeazzo auch noch so sehr bemüht, Lorenzo nachzuahmen, er bleibt im Herzen ein bäurisch gewalttätiger Tyrann. Man munkelte, er habe die eigene Mutter vergiften lassen, um allein zu herrschen. Er ließ sich nicht von der schönen und sanften Gemahlin, der Prinzessin Bona von Savoyen, leiten, wie sein Vater Francesco von Bianca Maria, er genoß, schlürfte aus, was immer der vollgefüllte Becher der Zeit ihm bieten mochte, grausam, gierig und gleichsam in atemloser Eile, er taumelt in einem Rausch schwül tragischer Liebesabenteuer, in einem Rausch von Macht und Kunst, die der Macht dienen muß.

Aus Mailand wird die glänzendste, reichste Stadt Italiens, die Stadt, in der Bandellos goldsatte Novellen spielen.

Eifrig ruft Galeazzo Gelehrte, Künstler und Musiker herbei. Die Musikherrschaft Mailands wird begründet, die alle Sforzas und nach ihnen manches Jahrhundert überdauern sollte. In der naiv übereifrigen Bauwut verrät sich der Emporkömmling. Unter anderem verlangt er, daß in einer Nacht ein Festbau aufgerichtet

52

und ausgemalt werde mit den Portraits seiner Hofgesellschaft*).

Galeazzo hatte recht, das Leben also vorwärtsdrängend zu beeilen, denn es sollte für ihn nicht lange dauern. Vor der Kirchenpforte wird der Tyrann erdolcht, und für den minderjährigen Neffen Gian Galeazzo tritt Lodovico il Moro die glänzende, aber schreckliche Vormundschaft an, die mit dem geheimnisvollen Tod des jugendlichen Herzogs endet und damit, daß Italien durch Lodovicos Ehrgeiz von Frankreich mit Krieg überzogen wird.

Unterdessen findet aber Lodovico Zeit, den Glanz Mailands aufs äußerste zu steigern. Sein Hofpoet Bellincioni sagt:

Qui come l'ape al mel vene (viene) ogni dotto,
Di virtuosi ha la sua corte plena,
*Da Firenze uno Apelle qui e condotto**).*

Unter Apelle ist Lionardo verstanden. Neunzig Gelehrte sind es, die nach Bellincioni wie Bienen vom Honig nach Mailand angezogen waren, in der Tat erhielten sie 7000 Dukaten, was wohl Honig genannt zu werden verdient. Noch höher wurde der Musik-

---

*) Später will ein anderer Emporkömmling, Julius II., die Künstler ebenso wahnsinnig zum Werk spornen und verlangt von Bramante, mit seinen Gehilfen auch nachts bei Fackelschein zu arbeiten am großen Werk, unbekümmert, ob die also improvisierten Mauern bald wieder einstürzen, so stark war er von seinem Schaffenstraum besessen.

**) Hierher, wie die Bienen zum Honig, kommen Gelehrte
An diesen Hof, schwärmen die Künstler herbei,
Ein Apelles kommt aus Florenz, der vielfach geehrte.

meister Gafurio aus Lodi (1442—1522) bezahlt, der das im Jahr 1493 eröffnete Theater leitete.

Um diese Zeit preist Guicciardini Mailand als die größte und reichste Stadt Italiens; als sicherste Quelle des Reichtums dehnte sich der Seidenbau im Mailändischen aus, und der Handel zwischen Süd und Nord, sowie nach Frankreich, der zahllose Fremde anzieht. Sie stiegen ab in den berühmten Gasthöfen, in denen sich zwanglos eine kosmopolitische Gesellschaft zusammenfand, in den *Tre Re, Pozzo, Stella* und *Campana*. Wie überfüllt mögen diese Häuser gewesen sein bei Gelegenheit der denkwürdigen Hochzeitsfeiern am Mailänder Hof.

Lodovico versteht wunderbare Feste in seiner wunderbaren Hauptstadt zu feiern, insonderheit die alles überstrahlenden Hochzeiten, bei denen Lionardo als Festordner auftrat, die Hochzeit des Gian Galeazzo mit Isabella von Aragon, seine eigene Vermählung mit Beatrice d'Este (1491), der Schwester jener liebenswürdigen, kunstsinnigen Isabella, die Hof in Mantua hielt, und die Hochzeit seiner Schwester Blanca mit Kaiser Maximilian durch Prokuration (1493).

Bei diesen Festen entwickelt sich zum erstenmal die volle Pracht des Wagenkorso, der von da an zu den geschätztesten Freuden der Geselligkeit in Italien jahrhundertelang gehören sollte*). In Mailand werden die schönsten und kostbarsten Karossen gebaut, vergoldet, bemalt, innen mit seidenen Kissen versehen, sie sind oft vier- und sechsspännig gefahren und bewegen sich

---

*) Bandello zählt an einem gewöhnlichen Korsotag 60 Vierspänner hintereinander.

langsam durch die belebten Straßen, um Schmuck und Gewand der Damen bewundern zu lassen, der Wagen wird umschwärmt von jungen Stutzern, die, mit goldgesticktem Wams angetan, weiße Maultiere reiten, um den Hals parfümierte Rosenkränze geschlungen. Stockt die lange Wagenreihe, so setzt hin und her lebhaftes Geplauder ein. Die herrlichen Pferde geben Lionardo Vorwand zu Skizzen und er bemüht sich, merkwürdige Arabesken und Embleme für die phantastisch schönen Aufzüge zu entwerfen.

Das Mailand des 15. Jahrhunderts ist ebenso musikfreudig, ja musiktoll wie das Mailand aus späteren Zeiten und Lionardo da Vinci wird hauptsächlich wegen seiner musikalischen Talente am Hof schnell beliebt.

Lionardo als Jüngling stellt an diesem glänzenden Hof der Frührenaissance zuerst das Ideal des feinen Hofmannes ins Leben. Zeitgenossen rühmen von seinem Auftreten in der Mailänder Gesellschaft: *die Anmut war mehr als unendlich in allem, was er tat, und er sang improvisiert göttlicherweise. Auch begleitete er sich mit einem Instrument, das er selbst aus Silber (mit silbernen Saiten) gefertigt, zum Teil in der Form eines Pferdeschädels gebaut, auf daß es einen stärkeren und süßeren Ton von sich gäbe*).*

Der Improvisator war also auch Instrumentenmacher, er begnügte sich nicht mit der gebräuchlichen Laute

---

*) Era la grazia più che infinita in qualunque sua azione — cantò divinamente all'improviso; accompagnato dal suono d'uno instrumento che fabbricato aveasi di sua mano d'argento, formato in gran parte come un teschio di cavallo acciò rendesse un armonia piu forte e piu soave.

und Viola da braccio oder da spalla, mit denen jeder Gebildete seiner Tage umzugehen verstand.

Verschollen und verloren ist Lionardos für schönen Augenblick geschaffenes Zauberinstrument, und es ist schwer, sich vorzustellen, welcher Art es gewesen sein mag.

Noch schwebt Geheimnis über der Erfindung der neuzeitlichen Geige, und es scheint, als wäre sie aus der lange blühenden Familie der Streichinstrumente durch Mutation entstanden, wie neugeartete Pflanzen zuweilen aus alter Art entsprießen. Da mag merkwürdige Mutmaßung gestattet sein.

Das Entstehen der Geige hängt jedenfalls eng zusammen mit dem Geist der Frührenaissance. Die Geburt der Violine fiel in ihren Frühling. Betrachtet man die Form der alten Baßviolen, zeigen sich dieselben als ausgeprägt gotisch im Ausdruck, passend zum Spitzbogenstil und damaliger Musik. Vergleicht man damit die sanften, graziösen, klassischen Biegungen, die überzeugend einfache Linienführung an der Geige, die Schnecke, die abgerundeten Schultern, das feine Maßhalten in allem — der Zeitgeist, der die Bauformen und Schmuckformen umschuf, hat offenbar Teil an dem neuartigen Instrument*).

Und auch der Zeitgeist, der eine aufgeklärte Menschheit zu bilden trachtete, schuf mit an dem kleinen Wunder an Gestalt und Ton. *Wie im menschlichen Körper jeder Teil Bezug auf das Ganze und das Ganze Bezug auf jeden Teil hat, so ist es in diesem wundersam klingenden Körper von Holz* (Stoeving). Lionardo,

---

*) Vergl. Paul Stoeving *Von der Violine.*

56

der so stark die Überzeugung vertrat, daß der Mensch das Maß aller Dinge sei, der grübelnd erfindungsreiche Mann, sollte er nicht einen Versuch gemacht haben, in also maßvoll anmutiger Weise und doch klangvoll mächtig die alte *Viola da spalla* in die Violine umzuwandeln? Das Instrument, mit dem er die vornehme Gesellschaft von Mailand entzückte, ist vielleicht gar nicht so verschollen, wie wir glauben, vielleicht gab es die erste Anregung zu dem großen Ereignis der Erfindung unserer Violine.

Daß gerade im Mailändischen, in Cremona und Brescia, der Geigenbau einzigartig gedieh (in Cremona wird das edle Instrument aufs höchste vervollkommnet vom Geschlecht der Amati, dann von Stradivarius), hängt mit der leidenschaftlichen Musikliebhaberei vornehmer Kreise in Mailand zusammen.

Der Bau der ältesten bekannten Violine ist bald einem Gasparo aus Salò am Gardasee zugeschrieben worden, bald einem anderen Gasparo mit dem seltsamen Namen Diuffoprugcar, offenbar Verwelschung eines deutschen Namens *). Dieser Instrumentenmacher kam aus bayerischem Künstlerdorf nach Cremona.

Deutsche und Italiener brachte die gemeinsame Musikliebe stets wieder zusammen, was auch die Politik verbrechen mochte. Und auch Frankreich umschlang das mystisch zarte Band der Musik, als feinste Blüte geselligen Freudenspendens.

Franz I. von Frankreich, ein treuer Freund der Kunst, der mitten in Kriegs- und Geldnot seinen Künstlern

*) Version Rocheforts, die seitdem bestritten wurde (u. a. von Contagne 1893), aber nicht endgültig widerlegt zu sein scheint.

große Opfer brachte und die Geldhilfe durch persönliche Freundschaft ergänzte, berief den alternden Lionardo, der im eigenen Land etwas vergessen und aus
der Mode gekommen war, mit warmer Liebe zu sich.
Und mit Lionardo zugleich soll er den deutschen Instrumentenmacher, jenen Diuffoprugcar berufen haben
als königlichen Instrumentenmacher, wohl auf des Künstlers Empfehlung. Auch soll Lionardo die ersten Meister-
geigen selbst mit Malereien verziert haben. Vielleicht
trug er bei zum Bau, vielleicht freute er sich, seinen
Jugendtraum in alten Tagen verwirklicht zu sehen durch
den gewonnenen Zauberklang der göttlichen Geige,
und es war ihm deshalb daran gelegen, sie göttlich
zu schmücken. Verhält es sich so, wie es viel Wahr-
scheinlichkeit hat, so erlebte die Welt bei Geburt ihres
liebsten Instruments einen selten schönen Zusammen-
klang: es trugen dazu bei ein Italiener und ein Deutscher,
und der französische Renaissancekönig ermöglichte
durch seine Gunst das geduldig liebevolle Kunst-
schaffen.
So bargen Lionardos gesellige Künste, die scheinbar
verschwendeten, schnell verrauschten, möglicherweise
den Keim zu fern auswirkenden neuen Gestaltungen.
Bezaubernd im Wesen, schön von Angesicht, äußerst
geschmackvoll in Gewand und Auftreten, geistreich
improvisierend in allen Künsten, Fertigkeiten und
Wissenschaften, ein Meister zauberhafter Feste, so beherrscht Lionardo die Geselligkeit Mailands — vielleicht
nicht unähnlich, wie Goethe als kühn genialer *maître
de plaisir* und Elegant den weimarischen Hof beherrschen durfte. — Die Art, wie Lionardo da Vinci seine

Dienste dem Mailänder Hof antrug, drücken den genialen Wagemut der Frührenaissance für uns symbolisch aus.

Er rühmte sich sowohl im Krieg als im Frieden so gut, ja besser als irgend einer dem Herzog dienen zu können, für den Kriegsfall mit allen technischen einschlägigen Arbeiten, sowie mit Zeichnung erlesener Rüstungen — der Krieg war ja wie das Turnier eine Gelegenheit, Eleganz zu entfalten und künstlerischen Geschmack in Wehr und Waffe, die über und über herrlich ausgeführt wurden, in Prunkzelten, in auserlesenen schönen Kanonen, die geschmückt sind wie Ziergegenstände.

Für den Fall des Friedens rühmte sich Lionardo alles festlich Dekorative zu besorgen, sowie Malerei und Bildnerei jeder gewünschten Art, auch sei er wissenschaftlicher Versuche mächtig und könne die Gesellschaft im Festsaal mit Versen und Gesang erfreuen.

Er rühmte sich nicht umsonst, sondern entfaltete wirklich in Krieg und Frieden die mannigfaltige versprochene Tätigkeit. Sie bringt Mailand auf allen Gebieten den Geist der Frührenaissance.

Seltsam und geheimnisvoll verkörpert Lionardo ihren Typus des vornehmen Jünglings und der vornehmen Frau. Verrochios David soll den Zügen des jugendlichen Künstlers abgelauscht sein und eben diese Züge, den Ausdruck dieses David, seines eigenen Jugendbildes, finden wir in den erlesenen Schöpfungen des Meisters. Er hat sich selbst als Symbol seiner Zeit erkannt und melodisch farbig festgehalten.

Das Gepräge der Frührenaissance, sein eigenes Gepräge verleiht er den kostbaren Festlichkeiten des reichsten italienischen Hofs, anknüpfend an gotischen Prunk, allein an Geschmack demselben unendlich überlegen. *In Mailand angelangt, wird er Leiter aller Feste, die der Hof veranstaltet, und glänzt selbst dabei mit Geist und Witz*).*

Bei der Hochzeit des Gian Galeazzo mit Isabella (1489), Tochter des Herzogs Alfons von Calabrien, Enkelin des Don Ferrante von Neapel, gelang es ihm, den Glanz des neapolitanischen Hofes weit zu überstrahlen durch seine *Huldigung der Künste* an die Braut. Sehr gerühmt wurde auch eine merkwürdige Erfindung, die mit Hilfe einer von ihm erdachten Vorrichtung den Gang der Planeten darstellte. Dieses Schauspiel nannte er *paradiso*. Er stellte eine *Sphäre* vor, die sich mittels unsichtbaren Räderwerks schwebend zu erhalten schien vor dem Thron des Hochzeitspaares, aus jedem Planeten trat ein Sänger heraus, der den Engel dieses Planeten gab und einige Huldigungsverse sang, zu diesem Zweck vom Hofpoeten Bellincioni gedichtet**). Die alte Gepflogenheit, besonders bei fürstlichen Hochzeiten Schaugepränge zu entwickeln, *entremets*, die ursprünglich als Zwischenspiel bei endlosen Tafeln die Gäste belustigten, hatte schon alles Erdenkbare ge-

---

*) Giunto Lionardo a Milano fu direttore di tutte le pubbliche feste, e spiritosissimo vi brillava egli stesso.

**) Fu assai lodata una di lui singolare invenzione, colla quale tolse a rapresentare il movimento de pianeti, col mezzo di una macchina chiamata da lui paradiso. Era questa in modo fabbricata, chè aggirandosi, per mezzo di ruote nascoste nell avicinarsi al trono dei sposi, ne usciva da ogni pianeta un cantore rappresentando questa celeste divinità, e cantava alcuni versi, scritti a tal uopo di Bellincioni, poeta cortigiano.

60

bracht an Prunk, Tanz, Überraschungen und Virtuosentum, ein barbarisch reiches Kunterbunt*). Jetzt wurde dies Schaugepränge durch vollendete Kunst verklärt, mit Wissenschaft und Philosophie ausgestattet. Das Zeitalter war philosophisch, Philosophie wie Politik mischten sich in Fest und Spiel.

Lionardo benützte zur Huldigung für die Neuvermählten jenen Sternenglauben, der große Geltung gewonnen hatte, da man der Ansicht war, die Planetengeister beherrschten einzelne Schicksale je nach der Geburtsstunde. Sphärenmusik, günstige Sterne sollten die Jungvermählten feierlich begrüßen. Vielleicht hat diese festliche Spielerei Lionardos Rafael angeregt zu den Planetengeistern in Santa Maria della Pace.

Nüchterne Nachfahren wundern sich, daß die Renaissancekünstler ihr reifes Können vergänglichen Festen widmeten. Einige praktische Erwägungen mögen dabei mitgewirkt haben, denn solche Feste brachten ihren Veranstaltern viel Ehre, weit und breit besprochen gaben sie Anlaß zu mancher Bestellung. Doch was hauptsächlich bestimmte, war reine Schaffensfreudigkeit, die Verfügung über köstliche Dinge, die — wenn auch nur auf kurze Zeit — den Künstlerdrang einer phantastisch schönen Überwelt stolz erfüllten. Entzückende Frauen und Kinder konnte man auslesen, Girlanden zu tragen und zu schlingen, in herrlichen Stoffen konnten die Hände wühlen nach Herzenslust, jedes köstliche Material stand bereit, der Fürst ließ sagen, man solle es nur schön machen, schöner als je, koste es, was es wolle. Frei gebot der Künstler als Zauberer über die Herrlich-

*) Vergl. Gleichen-Rußwurm, „Die gotische Welt".

keiten. Und schwand auch nach dem Fest, was er geschaffen, der Niederschlag blieb in neuen und in wiedergefundenen Motiven, die dann als Schmuck in unversiegbarer Fülle an dauerhaftem Material zur Anwendung kamen.

Die Seligkeit, eine Märchenwelt zu improvisieren, zu dichten mit allen schönen Dingen dieser Erde bot ein Kräftespiel sondergleichen und den edelsten Rausch. Nicht ein phantastischer oder verbissener Sektirer, oder ein Dulder freudlosen Schuftens war damals der Mann, der sich einer Kunst befleißigte. Er stand in lebendigem Zusammenhang mit seiner Zeit und diente gern auch ihren flüchtig schönen Minuten, denn er war weltgewandt, lebte gern schön angetan unter vornehmen Leuten, er war ruhmsüchtig, gern vergnügt, toll und verliebt, lebensdurstig und lebensfroh und all diese Eigenschaften gaben ihm endlich Stellung in der Gesellschaft.

Selbst ein Vornehmer — mag er auch wie Lionardo und andere bedeutende Einzelne seiner Zeit ein Kind der Liebe sein — kann er nur Vornehmes schaffen, alles, was er berührt, wird vornehm, mag es noch so sehr aus dem Stegreif, für den Festglanz der Stunde ersonnen sein und bekommt bleibende Wirkung nach dem vergänglichen Anlaß. Gerade die Eile und Keckheit, die nottun, der Festrausch, der schon eifrig klopft und Einlaß begehrt, dies alles überwindet die Hemmungen der alten Sorge und Schwerfälligkeit. Spielend werden die verschiedenen Techniken gefunden und wiedergefunden.

Liebenswürdigen Kobolden gleich wimmeln antike

Putten, Nymphen und Faune hervor, die kein Grab-
deckel ganz erdrücken konnte, tragen Blumen und
Fische, Perlschnüre und Körbchen, Kaninchen, Granat-
äpfel genau wie die große Dienerschaft des Palastes,
wenn sie ein Fest in Bewegung setzt. Unter diesem
Volk von Handlangern gibt es gewiß lustig taumelnde
Faune genug, niedliche Nymphen und Putten, die sich
herandrängen um Leckerbissen in der reichen Küche.
Ihre muntere oft übermütige Geschäftigkeit wird in
den Motiven festgehalten, die lieblich erdachten Hausrat
schmücken und bilden Schmuckteile der neuerbauten
Häuser, die sich gar nicht schlecht vertragen mit den
noch vorhandenen und im Bau begriffenen gotischen
Werken (so ist der Dom noch im Bau), denn die Frührenaissance ist nicht unduldsam wie die Hochrenaissance,
sie zerstört nicht, sie fügt nur ihre Festlichkeit ein und
an und zwar in eiligem Tempo, nach plötzlicher Eingebung, Laune und Gelegenheit *).
Den großen Festhallen, deren Dekoration schnell auszuführen etwa einem Lionardo eifrig ans Herz gelegt
wird, wo die Kredenzen hoch beladen stehen und der
Haushofmeister silberne Leitern anlegt, um dieses oder
jenes Prunkgerät herunterzureichen zur Bewunderung
der Gäste, diesen unendlich prächtigen Hallen schließt
sich als Raum für intimeres Zusammensein das reiche
Schlafzimmer an. Mit gut heizbarem Kamin versehen,
so daß man es sich darin behaglich machen kann.

*) Zu den bezeichnenden Gebäuden Mailands zählt die gotische
Loggia degli Osii, der Palast des Cosimo von Medici, den die Floren-
tiner Averlino und Michelozzo errichtet, der Sforza-Palast von Porta
Giovia, der für das schönste profane Bauwerk Italiens galt.

Nicht nur die Kindbettbesuche werden hier empfangen, sondern es versammelt sich auch sonst ein Kreis näherer Freunde in kühler Jahreszeit am liebsten in diesem Raum, um zu fabulieren, dazwischen Konfekt zu naschen und an dem neuerfundenen süßen Likör zu nippen. In mancher Novelle sind Pracht und Geschmack solchen Schlaf- und Empfangsraums beschrieben. Die Arrazi (oder razzi) scheinen für intime Gemächer außer Mode zu kommen, statt dessen werden diese Zimmer mit carmesinfarbenem Sammet oder Damast bespannt. Wundervoll hebt sich das modische Blond der schönen Frauen davon ab, Perlen fügen sich so kunstvoll in das Haar, daß größte Künstler sich bemühen, den Haarschmuck nachzuzeichnen.

Oder die Wände sind mit Stickereien geschmückt, ein Ruhm der Mailänder Sticker und Stickerinnen, die stets neue Motive und Techniken finden; zuweilen wird die in langen Fäden gezogene Plattstickerei noch diskret mit trockener Farbe lasiert, um trotz allen Reichtums ruhige Wirkung zu erzielen. Oder es sind getönte Goldstoffe *or-rizzi sovra-rizzi* mit erhabenen Ornamenten, verschlungenen Wappen und Emblemen. Das Prunkbett, köstlich parfümiert, hat Säulen, an denen Putten emporklimmen, oder Einlagen von Silber, Schildpatt und Elfenbein, oder ist vollkommen mit gesticktem Stoff wie ein Allerheiligstes verhängt, goldene Fäden durchziehen die purpurnen Kissen. Leicht spielt das Licht darin, das von hohen silbernen Leuchtern ausgeht und streicht zärtlich über Bilder von Lionardos oder seiner Schüler Hand. So mag Lucrezia Crivelli, des Moro schöne Geliebte, eingerichtet gewesen sein.

Gastfreundlich winkt auf dem eingelegten Tisch ein
Imbiß von Konfekt, das in *finissimi vasi di maiolicha*
aufgebaut ist, dazu gibt es: *odorati e preziosi vini.*
Mit feiner Handbewegung lädt die Dame des Hauses
dazu ein, etwa angetan in einen Überwurf von maulbeerfarbenem Damast, von dem Fransen aus Gold und
purpurseidenen Fäden herabhängen, darunter leuchtet
ein Gewand aus Goldstoff über und überreich gestickt.
*(Una giubba di damasco morello, fregiata in gran parte
con cordoni piccioli di fino oro e seta cremesina, sotto
aveva una sottane di tela d'oro, tutto ricamata con
bellissimi lavori.)*
Der Geschmack großer Meister ist offenbar für dieses
Heim des Liebesglücks und der Freundschaft im trauten
Gespräch zugezogen.
Bald wächst der Ruhm mailändischen Kunstgewerbes
und mißt sich mit jenem Venedigs. Zu fürstlichem
Empfang bestellt Andrea Doria ein Prunkbett aus
Mailand, und andere Schaustücke gehen nach anderen
Städten Italiens und Frankreichs. Weithin verbreitet
sich wie schöne Märchenerzählung die Kunde von den
Feiern zu Mailand, wo die schönsten und reichsten
Bräute der europäischen Welt überschwenglich beglückt
erscheinen.
In Macht tritt der Künstler als Herr traumhafter Gefilde
auf. Gerne dient jede Kunst, gerne dient jedes Hand-
werk, gerne dienen Künstler und Handwerker brüderlich
verschränkt. Als Handlanger hebt und windet getreue
Dienerschaft Girlanden, pinselt und formt, pflückt und
türmt unter dem Auge geschmackvoller Herren und
Herrinnen, denn was geschieht ist festlich und festfroh

für alle, freundlichster Dienst, der letzten Sinnes nicht
dem vergänglichen Herzog oder Edelmann und seinem
Geschlecht, sondern der ewigen Schönheit geleistet
wird.

Triumphbogen der Kunst in unabsehbarer Reihe spannen
sich über Feste und Festlichkeiten der Renaissance. Am
frühesten Bogen steht Lionardo der Jüngling, mystisch
geheimnisvoll lächelnd in das bunte Treiben der Kränze-
flechter, stolz weil die Künstler, die irdischen Schöpfer,
des himmlischen Schöpfers Lieblingskinder *(nepoti di
Dio)* sind und ihr Wille zur Schönheit Vertreter des
höchsten Willens ist. Darum bleibt Lionardos, des
bezaubernden Jünglings festliche Inschrift am Triumphbogen der Frührenaissance eine ewig gültige Huldigung
an den Genius der Menschheit.

VIERTER ABSCHNITT

Die Stadt Florenz — Lorenzos Ruhm — Die plündernden Gäste —
Honig der Musen — Vier Generationen der Medici — Tischgespräch
in Florenz — Der medicäische Friede — Die besten politischen
Instrumente — Besuch in Neapel — Platonische Andacht — Ein
Brautschatz an Bildung — Die Feste des Magnifico — Herrlicher
Hausrat — *Morgante Maggiore* — Dichtung und Turnier — Der
Florentiner Karneval — Preis der Jugend — Das ewige Kind,
die Kunst — Schäferspiel und Madrigal — Polizians Orfeo —
Tafelplätze — Die Lust in Florenz — Spätaufsteher — Garten-
kunst — Literarische Fehden — Platons Feiertag.

Das Gefühl der Verantwortung, die er freiwillig wie
eine Ehre auf sich genommen, die Sorgen, die
damit zusammenhingen, der lebendige Stolz, der daraus
hervorwächst, machen den Bürger von Florenz leidenschaftlich heimatlieb. Um die Macht in der Stadt wird
so erbittert gestritten, um ihre Schönheit wird so
begeistert gearbeitet in allen Künsten, weil der Anteil
des Bürgers an seiner Stadt ein wirklicher und kein
eingebildeter ist. Wie leidenschaftlich war Florenz
geliebt von Dante und vielen anderen Verbannten.
Einen Guelfen, der gefallen war, als die Guelfen wieder
einmal die Stadt verlassen mußten, haben seine Freunde,
Schwert in der Hand, noch in heimatlicher Erde unter
den Steinen San Lorenzos beerdigt, daß er Florenz
nicht zu verlassen brauche.

Die größte Schmach und Strafe für den alten Verschwörer
Pazzi war es, daß man seine Leiche noch ausgrub und
in den Arno warf, fortgetragen, ausgestoßen zu sein
von der Lilienstadt.

Lorenzo Medicis Charakter und Leben erklären sich
durch das eine: Liebe zu Florenz. Der Stadt Frieden,

Freude, Schönheit zu schenken war sein Traum. Deshalb wollte er sie beherrschen und hielt eifrig daran fest bis zur Todesstunde, als der Mönch Savonarola — so will es die Legende — finster vor seinem Bett stand und *dem Sünder* Florenz abverlangte. Alles andere hatte Lorenzo reumütig zugegeben als sterbender Christ, da bäumte sich aber sein Herz, er würdigte den Mönch keiner Antwort, sondern fand Kraft, sich auf dem Lager zu wenden, der Wand zu ins ewige Schweigen.

Lorenzo wollte dem Florentiner den lebendigen Anteil am Gemeinwesen nicht rauben, sondern nur leise und weise in rechte Bahnen lenken, ihn vor dem Aberglauben einer falsch verstandenen und falsch geübten Freiheit retten.

Was war die Freiheit der Stadt, von der Savonarola und manch anderer Fanatiker faselte, für eine Freiheit gewesen, so weit Menschengedenken zurückreichte?

Es war die Freiheit ewiger Fehde und Vendetta von Straße zu Straße, von Haus zu Haus, von Turm zu Turm, oft von Bruder zu Bruder, Freiheit von Mord und Sturmgeläut und Raub. Dahin hatte man es gebracht, daß jahrhundertelang stets eine Hälfte der besten Bürger abwechselnd die andere verfolgte und verbannte, daß die *fuorusciti* durch Italien irrten und rachedurstig allzuoft fremde Waffen gegen die Heimat riefen, daß sich Florenz verzweifelt einem wilden Abenteurer wie Gualtiero von Brienne in die Arme warf und von ihm gemartert wurde*).

---

*) Das Wesen dieser Freiheit kennzeichnete schon Dante mit grimmigem Spott:

> Atene e Lacedemona, che fenno
> L'antiche legge, e furon si civili

Vor solch pöbelhafter Anarchie, vor Scham und Schmerz wollte Lorenzo seine Heimat retten. Was er ihr bot statt jener trügerischen, von Frevlern stets mißbrauchten Freiheit war keine Tyrannei wie etwa jene seiner bedeutendsten Zeitgenossen, eines Galeazzo Maria, eines Lodovico il Moro in Mailand, eines Don Ferrante in Neapel, eines Sixtus IV. in Rom. Wohl sorgen die Sforza für Mailands höchsten Glanz, allein wie viel Finsteres und Ruchloses mußte dafür mit in den Kauf genommen werden. Unheimlich glühte im Hintergrund die Tyrannei bei den Festen, die der große Sforza befahl.

Bei dem glänzendsten, jener Hochzeit seines Neffen Gian Galeazzo mit Isabella von Aragon, wurde gemunkelt, Lodovico, der Ohm sei so sterblich in die Prinzessin verliebt, die seine Nichte werden sollte, daß er durch tückische Hexerei die Vollziehung der Ehe unmöglich zu machen suchte.

Wohl hieß Sixtus in Rom Herrliches malen und bauen, zog große Künstler an seine Musikkapelle, allein er und der Nipote Riario wetteiferten in Ausschreitungen und Grausamkeiten, die alles, was sie schufen, besudelten.

Fecero al viver bene un picciol senno,
Verso di te, che fai tanti sottili
Provedimenti, ch'a mezzo novembre
Non giunge quel, che tu d'ottobre fili.
Quante volte nel tempo, che rimembri
Legge, moneta, e ufficio, e costumi
Hai tu mutato e rinnovato membre
E se ben ti ricorda, e vedi lumi
Vedrai te simig-liante a quell' inferma
Che non può trovar posa in sulle piumi
Ma con dar volta suo dolor scherma.

Wohl ahmte Don Ferrante seinen Vater, den weisen Alfonso, dahin nach, daß er Dichter und Gelehrte berief und bezahlte, er gründete die pontanische Akademie mit den Gelehrten Pontanus und Laskaris, beschäftigte vierzig Kopisten, die von aller Herren Länder gesammelt waren, wie zur Reklame für den humanistischen Sinn des dicken Königs *). Allein derselbe Don Ferrante hatte in seinem Palast, so flüsterte man schaudernd, eine Galerie ausgestopfter Feinde, die er hatte töten lassen — es verschlug ihm nicht den Appetit. Er und sein Sohn, der Herzog Alfonso von Kalabrien, aßen ganz unbändig viel. Alfonso war außerdem von so wildem Sinnenhunger besessen, daß er *dio della carne* genannt wurde. Zuweilen plünderten die Gäste das protzige Silbergerät der Tafel in Neapel. Mochte auch der Dichter Sannazaro an dieser Tafel flöten, als Schöpfer der Pastorale und mochte auch der humanistische Dichter Pontanus über den Anstand bei Tisch das Lehrbuch verfassen: *de convivientia*, der Ton an Hof blieb brutal.

Zu den geselligen Vergnügungen in Neapel gehört es, eine Versammlung ahnungsloser, schöngekleideter Gäste mit grimmigen Wasserkünsten so zu überfallen, daß sie nicht nur durchnäßt werden, sondern im steigenden Wasser dem Ertrinken nahe sind.

Wie makellos, wie rein in Sitte und Gesinnung steht Lorenzo unter seinen Zeitgenossen, wie zart sein Familienleben, sein Freundschaftsleben, wie hold seine

*) Ottone Quarto von Deutschland, Johann von Brügge, Wenzeslaus von Böhmen waren darunter, ein interessanter Beweis, wie weitverbreitet die Kunst und Liebe der Bibliophilie mit allen Zusammenhängen war.

70

Geselligkeit! Liebesabenteuer sind ihm nachgesagt, weil er Liebesverse reimte — allein seine wahre, seine unermeßliche Liebe, die tiefste Glut seiner großen Seele galt Florenz. Es war die Liebe eines Dichters, ein Dichtertraum.

Und diese Liebe flocht einen solchen Ehrenkranz um die Stirne der schönen Heimat, daß heute noch der einfachste Mann in Florenz den Namen Medici nicht ohne Stolz und Rührung spricht, indes Lorenzos Nebenbuhler und Widersacher längst vergessen sind. Seine Mitbürger schmückten ihn mit dem wundervollen Beinamen *il Magnifico*, in dessen Pracht der ungekrönte Herrscher majestätischer denn je ein Fürst durch die Jahrhunderte schreitet*).

Reich lohnt die Frührenaissance den Grundsatz der klugen Florentiner, Geist, Bildung, Bedeutung des Wesens nicht vom Staat zu trennen, sondern mit Eifer dem Staatsdienst zuzuführen. Literarischer Ruhm, humanistisches Wissen war seit Anfang des 15. Jahrhunderts sicherster Weg zu den höchsten Stellen der Regierung und wer in gebildeter Geselligkeit herrschend aufzutreten verstand, wurde als der Regierungskunst gewachsen angesehen. So traten als Kanzler der Republik Florenz nacheinander in Erscheinung Colonio Salutati, Freund und Studiengenosse des Petrarca und Boccaccio mit dem Beinamen Vater und Meister der Gelehrsamkeit, Carlo Marsuppini, der in seinen Fußtapfen wanderte, Poggio Braccolini, bis ins höchste

---

*) Magnifico war ein häufig verliehener Titel. In der Geschichte ist derselbe an Lorenzos Namen haften geblieben, wie zu seinem Wesen besonders gehörig.

Alter mit jugendlichem Feuer für die klassischen Studien kämpfend, der Dichter und Improvisator Bernardo Accolti*), ein Bartolomeo Scala, der es mit eisernem Fleiß vom Müller zum humanistischen Gelehrten bringt und seine Tochter, die schöne Alessandra, mit dem „Honig der Musen" nährt, so daß die Jungfrau als gleichberechtigt im Kreis gelehrter Freunde in feinem Griechisch und Lateinisch plaudert.

Vier Generationen der Medici widmen sich mit gleicher Liebe der Wissenschaft und Schöngeistigkeit, sie sind Schutzherren aller, die friedlichen Künsten huldigen, und es ist in Italien selbstverständlich, sich an ihre Großmut zu wenden, wenn es um die höchsten Interessen der Menschheit geht.

Ihren ungeheueren Reichtum, ihren Einfluß, ihre Macht scheinen sie nur in dem Maß zu schätzen, als ihnen dadurch erlaubt ist, Schutzherren alles Schönen und Vornehmen zu sein.

Ein merkwürdiges Schulbeispiel geben diese großen italienischen Geldfürsten für den Beweis, daß Anhäufung von stolzer Kapitalkraft in Händen Einzelner unentbehrlich ist für das allgemeine Wohl und den Fortschritt des Ganzen. Freilich nur unter der Voraussetzung, daß gleichzeitig eine Anhäufung von geistiger Kapitalkraft stattfindet, die richtig damit umzugehen weiß und daß dies Kapital von Geist und Geld höhere Weihe erfährt durch die kostbarste Kapitalskraft, eine Anhäufung von Schätzen des Gemütes, von irgend einem gewaltig großen Lieben.

---

*) Er verfaßt eine Dichtung über die Kämpfe zwischen Christen und Ungläubigen, die zum Vorbild von Tassos befreitem Jerusalem wurde.

72

Diese Kraft ist die Liebe zu Kunst und Heimat, der starke Schönheitsglaube, der die großen Einzelnen der Zeit beseelt.

Alle diese Voraussetzungen stimmen bei Lorenzo am genauesten, am glücklichsten und stärksten überein. Sittlich fest gegründeter Reichtum, von Großvater und Vater auf Sohn gepflegte Geistigkeit, das überkommene Erbe edler Heimatstreue. Nie hätte ein Mehrheitsbeschluß, eine Volksabstimmung oder dergleichen erreicht, was solche Persönlichkeiten vermochten wie die großen Liebhaber der Wissenschaft im Italien der Renaissance, die mit Aufwand unablässiger Mühe, Geduld, Leidenschaft und großen Geldmitteln, wie Lorenzo, und vor ihm Piero und Cosimo, gerade zu rechter Zeit für die Menschheit retteten, was noch aus der Antike irgend zu retten war.

Diese idealgesinnten Kaufherrn rüsteten Expeditionen, sandten Reisende aus in alle Teile der Welt, um kostbarer Manuskripte habhaft zu werden, ihre Schiffe mit Gewürz und Seidenzeug waren nicht willkommen, wenn sie nicht irgend eine alte Schrift mitbrachten. Wertvolle Pergamente, erfüllt von lang vergessener Weisheit, waren die Schätze, nach denen sie persönlich vor allem strebten, deren Gewinn, deren Abschrift und Glossieren, waren ein unerschöpfliches Lieblingsthema im Gespräch mit bewährten Freunden. Der kostbare Einband und das schöne Heim, das den Büchern gegründet wurde — wie die Bibliotheca Laurentiana und Marciana*) bildeten

---

*) Im Kloster von San Marco, zuerst entstanden aus dem Nachlaß des Sammlers Niccolo Niccolini, der in Nachahmung der Antike unter solchen Schätzen Gastfreundschaft übte.

erstrebten Luxus und den liebsten Traum schöner Muße.

Bei einem Tischgespräch Lorenzos fiel ein Wort darüber, wie teuer, ja fast unbezahlbar die antiken Handschriften seien. Leidenschaftlich erwidert der Hausherr, seine Freunde, Polizian und Pico della Mirandola möchten trotzdem sammeln und aufsuchen, und ginge sein Vermögen darauf, ja müsse er sein Hab und Gut und selbst sein Hausgerät für die gute Sache hingeben. In seiner Sterbestunde beklagt Lorenzo, zu Polizian gewandt, nur eines, daß er die Vollendung der Bibliothek nicht erlebe — deshalb müsse er den Tod, der ihn als Vierundvierzigjährigen erfasse, grausam schelten.

Im höchsten Grad lebendig und lebenspendend war die Gelehrsamkeit und die Liebe zur Wissenschaft, die Gelehrten lebten nicht einsam und verbissen, in zwanglos geselligem Zusammensein fand ein fortwährender, reger Gedankenaustausch statt, ein jubelnd freudiges Mitteilen gewonnener Geistesschätze.

Statt frivolen Vergnügungen ergeben zu sein, freut sich die Jugend erlesener Rede und Gegenrede auf ihren Spaziergängen oder etwa unter dem Schatten einer großen Ulme, die eine Quelle freundlich hütet, wie Lorenzos Lehrer Christoforo Landino in den *Disputationes Camaldulenses* erzählt von den Plauderstunden in der Nähe Camaldolis, die er gefeiert mit den jugendlichen Brüdern Lorenzo und Giuliano Medici, Piero und Donato Acciaiuoli, mit Marsilio Ficino und dem hochgelehrten Künstler und Erfinder Leon Battista Alberti. Dieser erwog den Standpunkt, daß *vita con-*

74

templativa vor allem zu erstreben sei, indes Lorenzo feurig dafür eintrat, *vita attiva* müsse, die Betrachtung ergänzend, mit ihr abwechseln — ein Grundsatz, den er im Leben treu befolgte.

Leon Battista war übrigens ein Schalk, denn er unterhielt sich damit, in der Komödie *Philodoxios* die Antike so gut nachzuahmen, daß er sie für ein Werk des Lepidus ausgeben und seine humanistischen Freunde damit foppen konnte. Er war Erfinder der *camera obscura*, und diese Zauberlaterne gehörte bald zu den neuartigen Gesellschaftsspielen der Zeit.

Redend, schreibend, streitend, philosophierend, dichtend und auch geistreich spottend tritt eine Reihe origineller Typen auf. An beliebten Straßenecken kommen sie zusammen, sonnen sich, plaudern und laden einander ein im Stile des Horaz zu mäßiger Speise bei gutem Trunk und guter Laune. Der schlanke Polizian lädt also Ficino ein, der große griechische Lehrer Argyropulos wird geneckt ob seines guten Appetits und weiten Umfangs. Man behauptet, in seinen Schmerbauch gingen mehrere philosophische Sekten hinein. Er lacht, deklamiert gegen den bis dahin für unantastbar gehaltenen Cicero und unterhält sich stolz mit seinen genialen Schülern Donato Acciaiuoli, Pannonicus und mit dem Deutschen Reuchlin, der (1490) in Florenz Aufenthalt nimmt. Gewiß plaudert Reuchlin, der auf der Pariser Universität griechische Studien so weit getrieben, daß er als *erster Grieche* unter den Deutschen galt, mit dem polyglotten Pico della Mirandola, einem Schwärmer, der sich gleich Reuchlin von der hebräischen Kabbala angezogen fühlte. Picos phänomenale Gelehrsamkeit hinderte ihn nicht, ein eleganter, verliebter Kavalier zu sein mit romantischen Liebesabenteuern.

Viele Gelehrte sind Dichter, am liebsten drücken sie sich lateinisch aus in Ernst und Scherz, wie wohl Lorenzo kräftig für die *lingua volgare* eintritt und einige dazu bekehrt, mündlich wie brieflich elegant italienisch zu plaudern. Zeitgenossen haben den Magnifico als Dichter über Dante und Petrarca erhoben, dann wurde er vergessen und verkannt. Heute erscheint es unzweifelhaft, daß er ein bedeutender Dichter war und daß nur die Bürde der Staatsgeschäfte, Kränklichkeit und früher Tod ihn hinderten, gleich den Höchsten seinen Flug zu nehmen. Es ist das erste- und einzigemal in der Geschichte, daß einem bedeutenden Dichter die Lasten großer Herrscherpflicht auferlegt sind, Dichter nicht nur im Sinn geschickten Versemachens, sondern im reinsten Sinn, daß der Dichter als Priester der Schönheit auftritt, in ihr lebt und webt, alles von ihrem Standpunkt aus betrachtet und wertet, vergleicht, prüft, löst und bindet in seinem Bereich, in ihrem Namen Herrscheramt übend. Dieser höchst merkwürdige Fall konnte vielleicht nur in Florenz eintreffen.

Ein Priester der Schönheit wie Lorenzo ist nicht Phantast noch Schwarmgeist, sondern auf Maß bedacht, auf die Seligkeit klarer, ruhiger Ordnung eines behutsam bis ins kleinste durchdachten Gebäudes. Seine Politik ist weisem, wohlklingendem Versbau gleich, er beherrscht sie mit derselben eleganten Sicherheit wie seine gepflegte toskanische Sprache.

Kleinlichen Rachegeist zum erstenmal und beispielkräftig verschmähend, betont er als rhythmisches Ge-

76

setz: *Wer nicht zu verzeihen weiß, versteht nicht zu herrschen und nicht zu siegen.*

Dante hat Florenz die *Commedia divina* geschenkt, Lorenzo dichtete für Florenz den medicäischen Frieden. Er brachte der Stadt, er brachte dem Land ein goldenes Zeitalter, den ersten segensvollen Frieden nach tausend Jahren.

Guiciardini hebt seine Geschichte Italiens majestätisch an mit dem Preis dieses medicäischen Friedens und Filippo de Nerli schreibt*): *Lorenzo hatte so große Autorität, solchen Ruhm erlangt bei allen Fürsten Italiens, daß er, so lange er lebte, stets das Zünglein an der Wage hielt, jene Fürsten und deren Staaten untereinander ins Gleichgewicht und dadurch in Einigkeit brachte**).*

Europas Fluch und Verhängnis war, daß es lieber an Macchiavelli anknüpfte als an Lorenzo, lieber an den Virtuosen als an den großen Künstler der Politik, daß Finten und Verschlagenheit als notwendig für dieselbe angesehen wurden, eine Parodie des Grundsatzes, der Lorenzo so glücklich geleitet, daß nämlich Höflichkeit, Anstand, Gefälligkeit im Verkehr der Staaten und Machthaber untereinander und gesellschaftlich geregelte Beziehungen geboten erscheinen.

Feine Geselligkeit, wo jeder dem anderen Platz läßt und gern Ehre gibt, ja mit Betonung Ehre gibt, ist

---

*) Comment. de fatti civili di Firenze.

**) *Era venuto Lorenzo in tanta riputazione e autorità appresso gli altri principi d'Italia — che — mentre ch'egli visse fu sempre l'ago della bilancia intra principi predetti, che mantenne bilanciati gli stati loro, et di tal maniera gli tenne uniti.*

vorbildlich für das Leben der Politik. Lorenzo unterlag nicht der plumpen Vorstellung, die seitdem überhandnahm und auch seine Zeitgenossen besessen hielt, daß unbeschränkter Ehrgeiz, Drang nach Erweiterung der Grenzen zur Vaterlandsliebe gehören.

Wie in der Verskunst Beschränkung den Meister macht, wie der Geselligkeitskünstler das Schrankenlose vermeidet, so weiß Lorenzos politischer Takt, der sich seit der Kindheit in geselligem Takt geübt und in erlesenem Kreis Meisterschaft erlangt, die Idee höchst vollendeter Geselligkeit und dadurch Gleichgewicht und friedliches Zusammenspiel auf die Staatengesellschaft zu übertragen.

Selbst im Freundeskreis unter gebildeten guten Menschen, welche Gegensätze, Reibungen, Empfindlichkeiten, Eifersüchteleien der Liebe, der Freundschaft, des Wissens und Könnens und Habens! Wie viel edle Kunst gehört dazu, immer wieder zu schlichten, zu versöhnen, zu beruhigen, ja in Voraussicht dessen, was störend wirken könnte, durch feine Freundlichkeiten zuvorzukommen und sachte das Streitobjekt wegzuräumen. Warum sollte man diese der Geselligkeit und ihrem Frieden gewidmete Geschicklichkeit, diese kluge Versöhnlichkeit, dieses allen Wünschen Entgegeneilen und Ehrenerweisen, dies Hin und Her von Gefälligkeiten nicht im Verkehr der Politik anwenden, statt rauh und rechthaberisch oder rachsüchtig sich zu gebärden?

Lorenzo wagt die große Neuerung. Er benimmt sich in Florenz und bald in Italien wie ein unendlich gastfreier Hausherr, er benutzt weise sein Prestige als

Kunstrichter, seinen Dichterruhm wie sein Geld, um sich in alle Herzen zu schmeicheln, denn er wünscht für sich und Florenz Liebe, nicht Furcht.

Wohl wissend, daß die Anhänglichkeit der Menschen meist, wenn nicht immer, durch Freundschaftsdienste zu erreichen ist, überläßt er sich gerne seinem Freundschaftstalent und Instinkt, allein er weiß auch gegebenenfalls als gewiegter Kaufmann, wie bei feiner Wage auf eine Schale Gewicht auf Gewicht, Gewichtchen auf Gewichtchen behutsam zu legen in Gestalt von angenehmen Vorteilen und Vorteilchen, die den Gegner entwaffnen, bekehren, ihm schmeicheln und ihn endlich zum Freunde machen. So wird etwa die alte Feindin Pisa bereichert und geehrt durch die Gründung einer Universität.

Zarte Nachsicht und weitausschauender Vorbedacht sind Lorenzos politische Instrumente, wie beides zu vollendeter Geselligkeit gehört. Die Kunst des Gesprächs und die Kunst des Briefes sind unzertrennlich davon. Angelegenheiten der Wissenschaften und Künste bieten Anlaß zu mancher Korrespondenz, die politisch wichtig wird, so der Briefwechsel mit dem König von Ungarn, Matthias Corvinus, für dessen Bibliothek sich Lorenzo bemüht. Ebenso bitten ihn italienische Fürsten um Rat, die Herzöge von Mailand und Urbino, die Herren Ferraras und Mantuas, sowie der Papst.

Mit Friedrich III. pflegt er Freundschaft wie mit dem König von Frankreich, besonders schön ist sein Verhältnis zu Johann II. von Portugal, der die Anregung der florentinischen Renaissance dankbar empfängt, sich Florentiner bildende Künstler und von Polizian eine Lebensbeschreibung erbittet.

Staunender Unwille würde Lorenzo fassen, wenn er unsere fatalistischen Theorien über Weltgeschehen und Weltgeschichte kennen lernte. Er glaubte unbefangen an die Erfahrung und Kraft des Einzelnen, der geschickt ist im Lenken, Wenden und Knüpfen, er glaubte als kluger Sohn einer großen Kaufherrnfamilie an die segensreiche Macht vernünftigen Geschäftssinns, der stets mit gegebener Psychologie der Menschen und mit wirklich bestehenden Dingen oder Interessen rechnet, was einzig erfolgreiches Beginnen zuläßt.

Zuerst Menschen konstruieren und mit Hilfe dieses Schemas wirkliche Menschen bestimmen, lenken, regieren wollen, würde er als unsinnige Phantasie verlachen, er konstruiert kein Schema, sondern beurteilt die Menschen, wie sie sind, milde und behandelt sie sorgfältig je nach ihren Schwächen. Liebenswürdige Schwächen sucht er sich und dem allgemeinen Wohl der Gesellschaft nutzbar zu machen, so gewisse Eitelkeiten und Strebereien, den ganzen Kultursnobismus seiner Zeit, der ihm als Herren des Zeitgeschmacks entgegenkommt.

Dies führt des öfteren zu großem Erfolg, zum Beispiel, als Lorenzo kühn den feindlichen Don Ferrante in Neapel aufsucht, ohne Gift und Dolch zu scheuen und ihm durch sein Kennertum in allen Fragen der Eleganz so zu imponieren weiß, daß Ferrante es für schade fand, einen solchen *Arbiter* zu töten und sich lieber von ihm zum Geschmack der Frührenaissance bekehren ließ. Bald breitet Ferrante seine. Baupläne vor ihm aus, bald bittet er Manuskripte abschreiben zu dürfen, bald empfängt er Lorenzos Verse mit bewundernder Dankbarkeit. Der erlesene Geschmack des Medizäers macht bessere Eroberungen für Florenz, als es die teuerste *condotta* vermöchte und sichert Bündnisse und Freundschaften in Italien und schließlich Anerkennung in ganz Europa.

Ist es nicht, als beuge sich Lorenzo als freundlicher Genius mit unendlicher Kraft eines Liebeszaubers über ein Kleinod? — Da sprießen die schönsten Wunder in allen Künsten auf und die Hügel, in die Florenz gebettet ist und die lange Schauplatz wilder Taten gewesen, sind endlich sicher und froh, sie kränzen sich festlich mit Landhäusern und Gärten, wo seltene Bäume und nutzbare Dinge auf den Wink des Magnifico üppig gedeihen. Unter Rosmarin und Rosen pflegen feine Gelehrte des Gesprächs in einer Sprache, die so gepflegt ist wie der Garten.

Sie haben lichte Gewänder, manche sieht man in rosenfarb und veilchenblau auf und ab schreiten unter glänzend immergrünen Büschen und silbernen Oliven, die Lorenzo andächtig zu besingen weiß, Nachtigallen finden sich ein und mit ihnen um die Wette schmettert mancher Jüngling seine Liebe hinaus in die schöne Welt. Lorenzo gibt das Beispiel, indem er singt, die Veilchen hätten von der Geliebten das Schönsein erlernt:

> Care mie violette; quella mano
> Che v'elesse tra l'altre, ov'eri, in sorte,
> V'ha di tante eccellenze e prezio ornate.
> Quella che il cor mi tolse, e di villano
> Lo fe gentile, a cui siate consorte;
> Quella adunque, e non altre ringraziate*).

---

*) In freier Übersetzung:
  Ihr meine lieben Veilchen, jene Hand,
  Die euch erwählt, wo mich das Schicksal fand,

Also lernt das Herz von der Liebe das Schönsein, es wird anmutvoll *(gentile)* statt niedrigstehend, gewöhnlich und gemein.

Diese Wirkung platonischer Andacht ist das Leitmotiv des Zaubers, den die Frührenaissance unter Lorenzo übt, es ist die Anerkennung des irdischen Eros, irdisch erreichbarer Schönheit, deren Liebe die Seele reif macht, sich endlich den Seligkeiten himmlischer Liebe zu weihen. Der irdische Eros umfaßt alles, was das Herz hienieden erhebt, was die Stunden unseres Eintagslebens froh oder stolz macht, alles, was maßvoll ein in Anmut und Reichtum getauchtes Dasein schmückt.

Nach Dante hatte sich das preziöse Minnespiel verflüchtigt in kriegerischer Drangsal; pedantische Anstandsregeln hielten das frauliche Dasein engherzig umschlossen, gönnten höchstens auf dem Kirchgang oder bei Kindbettbesuchen oder von Fenster zu Fenster einen Klatsch mit Nachbarin und Base. In steifer Pracht begab man sich zu schwerfälligen Familienfesten. Des Bräutigams Mutter wählte die Schnur — so wurde Lorenzo mit 21 Jahren verheiratet. Die Mutter sah darauf, daß die Familie durch kräftigen Zuwachs erfreut sein möge, die Braut war meist 15, höchstens 16 Jahre alt. Daher die reizenden Jesuskindlein in den Armen überaus jugendlicher Madonnen, die selbst noch kindlichen Sinnes auf ihr wundervolles Püppchen schauen und jene Engelscharen, die üppig an den

Hat euch so hoch gewürdigt und geschmückt,
Sie hat am Boden tief mein Herz gepflückt,
Hat mich empor aus Niedrigkeit geführt,
Ihr bleibt mir lieb. Dankt Ihr, der Dank gebührt.

Wolken hängen wie volle Beeren an einer herrlich reifen Traube.

In der Frührenaissance soll das junge Weib nicht nur solche Englein stillen und wiegen, aufs neue erwacht der Wunsch nach Seelenminne, das Weib soll des Mannes Geliebte, Freundin, Führerin werden, ihn wie zur Zeit der Minneherrinnen zu schöpferischem Drang auf allen Gebieten wecken und spornen. Tatkräftiger Ehrgeiz beseelt von nun an die feinen, klugen Köpfchen der Florentinerinnen. In Eile wird ein Brautschatz an Bildung gesammelt, die kleine Renaissancedame zwitschert auf latein und herzt statt der Puppe bald den Platon, bildet ihren Geschmack an antiken Medaillen. Allessandra Scala in Florenz, Cassandra Fedele in Venedig, die mit Lorenzo Briefe wechselt und die Florentiner Frührenaissance der Lagunenstadt vermittelt, die Gattin Bernardo Pulcis und deren Schwester Annalisa Tannini sind solche liebenswürdig gelehrte Damen. Doch Lorenzo preist vor allen eine geheimnisvolle Schöne in Sonetten und Briefen, die von Zeitgenossen Lucrezia Donati genannt wird.

Sein Lob lautet: *Sie war von angemessener Gestalt, ihre Farbe nicht bleich, aber außerordentlich hell, blühend, nicht ländlich rot. Ihr Ausdruck war ernst, ohne streng zu sein, mild und freundlich ohne Gewöhnlichkeit und Aufdringlichkeit. Ihre Augen waren lebhaft ohne Hochmut noch Einbildung im Blick. Ihre ganze Erscheinung wirkte so maßvoll fein, daß sie unter anderen Frauen stets mit besonderer Würde erschien, allein ohne steif oder geziert zu wirken. Im Gang, im Tanz und in eder Bewegung war sie voll wohlklingender Anmut und*

Vornehmheit. Sie sprach stets zu rechter Zeit und sagte das Rechte, so daß nichts hinzuzusetzen, nichts wegzunehmen blieb. Obwohl ihre Bemerkungen oft treffend scharf fielen, wußte sie dieselben so zu halten, daß sie nie kränkten. Ihr Geist und Wissen war wunderbar, doch vermied sie selbstherrliche Art, die so leicht bei geistesstarken Frauen eintritt und sie unleidlich macht*).

Eine Anspielung auf den Typus des Blaustrumpfs, der im Italien des Cinquecento anfängt, sich bemerkbar zu machen. Meistens geben jedoch gelehrte Damen keineswegs Anmut oder Freude am Gefallen auf. Die in humanistischen Studien als höchst bewährt gepriesene Alessandra Scala ist schön und schalkhaft, sie scheint ihre beiden gelehrten Verehrer aus Lorenzos Kreis, Poliziano und Marulla, öfters geneckt zu haben, denn sie entbrennen in Eifersucht, die sich in fast possierlicher literarischer Fehde austobt. Endlich zieht sie Marulla vor.

In Lorenzos Zeit vollzieht sich an den anfangs so streng stilisierten Bildnissen vornehmer Frauen eine bedeutende Wandlung, ihr sittsam steifer Ernst verklärt sich, der Mund fängt leise, leise zu lächeln an, zuerst noch verhalten und verschämt, dann schalkhaft, endlich bedeutungsvoll und das kaum angedeutete Zucken der Mundwinkel mündet in das weltbezaubernde Lächeln der Gioconda. Zum Preis der Lilienstadt, als ihrer Schönheit Königinnen, gehen also lächelnd die

---

*) *Lo ingegno meraviglioso e ciò senza fasto o presunzione, e fuggendo un certo vitio comune alle donne, a quali parendo d'intendere assai diventono insopportabili.*

84

geladenen Damen die Marmorstufen empor zu des Magnifico Festen.

Eine jede hat gesorgt nicht nur für den zartesten Haarschmuck, für das Erlesenste an fein gestickter Borte um Ausschnitt und Ärmel, für den bestgefaßten Stein an der Brust oder hängend über der Stirn, sie hat auch dafür gesorgt, daß sie bald prunkvoll, bald schalkhaft, bald fein sich am äußerst gewählten Gespräch beteiligen kann.

Es lädt des Magnifico große Gebärde in Säle und Wandelgänge, wo mit weiser Kunst alles, was das Herz erfreuen kann, gewählt und gebreitet ist in einer Anordnung, wie sie seit griechischen Tagen nicht und seitdem nie mehr sich vollendet.

Die frohen Werte farbiger Malerei an den Wänden sind erhöht durch die Umrahmungen und Ausläufer grau in grau, grün in grün, gold in gold, wie es Ton und Stimmung wollen, und ebenso eingestimmt in Sinn und Farbe ist das Spiel cyklischer Erzählungen und mystischer Allegorien, woran geistig belebtes Plaudern leicht mit Anmut knüpft.

Die Herrlichkeit des Hausrats besteht aus der feinen Kunst, die daran gewendet ist. Einen kleinen Begriff davon gibt Vasari, wenn er erwähnt, daß einst die ersten Meister jede Kleinigkeit mit eigener Hand anzufertigen, mit eigenem Geist zu durchdringen liebten, alles war geschaffen von Künstlern, *non mica plebei, ma excellenti maestri* — nicht etwa gewöhnlicher Art, sondern von außerordentlicher Meisterschaft.

Truhen, Kredenzen, Sessel, Tafelgerät mit unerschöpflicher Erfindung ausgestattet, mit vornehmstem Farbensinn, denn *viele Jahre war es in Brauch, daß die ersten Maler sich in solchen Arbeiten übten ohne sich derselben zu schämen* *). Auf die Maler führt Lodovico Dolce im Dialog *della Pittura* die Anmut des reichen Geselligkeitsrahmens zurück: *Wir müssen bekennen, daß vom Maler Ursprung und Gestaltung der übrigen Künste der Hand ausgehen, denn es wenden sich gleichermaßen an ihn die Architekten, Goldschmiede, Kunstschreiner und Bildhauer, die Sticker und Schlosser* **).

Manche Anregung auf diesen Gebieten geht wohl von den Damen des Hauses aus, einer Clarice Orsini, Lorenzos römischer Gattin, Lucrezia Tornabuoni, seiner Mutter aus altem Florentiner Geschlecht, Nanetta, seiner Schwester, die Bernardo Ruccelai heiratet, indes ein Töchterlein Maddalena mit einem Sohn Innocenz VIII. Francesco Cibo vermählt wird, Contessina, die zweite mit einem Ridolfi, die dritte mit einem Salviati ***).

Zierlich wußten sich die Profile der Damen mit dem preziös erfundenen Haarschmuck abzuheben von den reichgeschmückten Wänden der Säle und Loggien,

---

*) E per molti anni fù di sorte questa cosa in uso, che eziando i più eccellenti pittori in cosi fatti lavori si esercitavano senza vergognarsi.

**) Von den Schätzen des Hauses Medici berichtet Philippe de Commines nach der Plünderung durch die Franzosen unter Karl VIII. trocken aber eindringlich.

***) Lorenzos Söhne sind Piero, der ihm ohne Glück nachfolgt, Giovanni, der unter dem Namen Leo X. Papst wurde und Giulio, der eine Prinzessin Filiberta von Savoyen heiratete und den Titel eines Herzogs von Nemours empfing. Er wird als außerordentlich liebenswürdig geschildert, ebenso Lorenzos natürlicher Sohn Alessandro, der Kardinal wurde und in Rom ein berühmt gastfreies Haus hielt.

die das Haus umsäumten, den geschnittenen Hekken im Lustgarten — der Begriff des Lustwandelns entsteht wie der Begriff des Lustsitzes, eine Erfindung klug genießender Menschen.

Lorenzos Mutter Lucrezia ist wohl die bedeutendste Frau dieses Kreises, wunderbare Gedichte sind von ihr erhalten, die Antonio Squarcialupo, Lorenzos Lieblingsmusiker in Töne setzte.

Lucrezia liebte es, Dichter anzuregen gleich ihrem Sohn, der von der Mutter viel an Talent und Anmut des Geistes geerbt haben mag. Sie soll Luigi Pulci, einen der drei Brüder Pulci, Bernardo, Luca und Luigi, die ständige Tischgenossen waren, ermuntert haben, den *Morgante Maggiore* zu dichten und bei Tisch Teile davon vorzulesen. Scheinbar störte sie es nicht, daß zu Anfang des Werkes Venus und Maria angerufen werden, daß Pulci den Teufel Astarot versichern läßt, auch in der Hölle gäbe es Eleganz *(gentilezza)*, und daß Heiden wie Christen Heil erfahren könnten, indes ihre fromme Schwiegertochter Clarice doch einige Male mit dem anderen ständigen Tischgenossen und Erzieher ihrer Söhne Polizian ob seines Neoheidentums ins Treffen geriet.

Der *Morgante Maggiore* war ein grotesk verschnörkelter Abenteuer- und Ritterroman in Versen, spannend, wie ihn die Damen liebten. Der Zeitgeschmack verlangte noch Schilderung von Taten in Kampf und Turnier und Verständnis dafür, wenn sich auch schon etwas Skepsis und Humor beimischten, wie im *Morgante*.

Spätgotik und Frührenaissance sind in Florenz engangeschmiegt und einander keineswegs bewußt feindlich, bald da, bald dort findet der Übergang statt, schneller oder langsamer in dieser oder jener Geschmacksrichtung. Erst Vasari wendet sich bewußt feindlich und kritisch gegen die Gotik, ihm folgen in Wort und Tat ein Bramante, ein Raffael. Bei Leone Battista Alberti, Giovanni da San Gallo und anderen Künstlern aus Lorenzos engerem Kreis tritt solch bewußte Feindlichkeit noch nicht zutag, wiewohl sie kühne Neuerer sind. Der gotische Charakter in so mancher Dichtung aus Lorenzos Freundeskreis ist noch ausgesprochen, so in dem allerliebsten Lied*) *Ben venga Maggio*, das bald Lorenzo, bald Polizian zugeschrieben wurde, vielleicht aber nur die gefeilte Ausgabe eines älteren bekannten Liedchens darstellt. Darin werden die Damen aufgefordert, sich im schönen Mai ihren Rittern huldvoll zu zeigen, sie zu bekränzen, wenn sie nach alter Rittergepflogenheit ihnen zu Ehren Lanzen brechen.

Lorenzos reife Weisheit veranlaßt leicht den Geschichtsbetrachter zu der Vorstellung eines majestätischen älteren Mannes, und wir vergegenwärtigen uns kaum, daß er während seines Wirkens herzlich jung war, sechzehn Jahre bei seinen ersten diplomatischen Missionen, einundzwanzig, als ihn bei des Vaters Tod Florenz als Oberhaupt anerkannte. Ein wichtiges Staatsoberhaupt und ein berühmter Mäzen allerdings, aber auch ein minnender Jüngling und ein lanzenbrechender Ritter im gotischen Stil, der sich gerade auf diese Geschicklichkeit viel zu gute tat. Sein Sieg und seines Bruders Giuliano Sieg in einem berühmten Turnier wird in

*) Siehe Gotische Welt pag. 187.

Gedichten Pulcis und Polizians gefeiert, die beweisen, wie sehr diese mittelalterliche Art der Unterhaltung in der Frührenaissance noch beliebt und für junge Leute vornehmen Standes selbstverständlicher Sport war, ein langandauerndes Thema für Gespräch und Lied.

Von Lorenzos heldischem Auftreten behauptet sein Freund Luca Pulci in den *Giostra di Lorenzo: Dettonsi colpi che parvon d'Achille,* und knüpfte das gotische Ritterspiel an antike Erinnerungen.

Zuerst erscheint Lorenzo auf einem Pferd, das ihm Don Ferrante von Neapel als Paradepferd geschenkt, dann auf einem Streitroß, Geschenk des Herzogs Borso von Ferrara. Seine Devise heißt: *Le temps revient.* Unter den herrlich angetanen Preisrichtern treten auf Roberto da San Severino, Carlo Rindolfini, Tommaso Soderini, Ugolino Martelli.

Pulcis noch etwas gotisch schwerfälliges Gedicht wird übertroffen durch die eleganten Verse des damals vierzehnjährigen Polizian, der Lorenzos Bruder ·Giuliano (der nachmals ·von den Pazzi ermordert wurde) als Turnierhelden feiert. Er widmete die allegorisierende und antikisierende Dichtung dem Lorenzo und rühmt, daß die Stadt unter seinem Schutz heiter und friedlich ruhe:

Fiorenza liete in pace riposa.

Lorenzos Jugend macht verständlich, daß er sich mit so großem Eifer der Karnevalsfeier annahm und derselben die Prägung seines Künstlergeistes gab. Seine Feinde, wie ein Savonarola und andere, zeichnen ihn als schlimmen Tyrannen, der lüsterne Feste gebietet, um den lustbetörten Bürgern die verlorene Freiheit in Vergessenheit zu bringen, er selbst könne wie Saul sein böses Gewissen nur durch Musik betäuben und beruhigen.

In Wirklichkeit war es schon lange Sitte in Florenz, den Karneval mit Umzügen, allerlei Mummerei und Possen zu begehen, die oft in Roheit ausarteten.

Lorenzo und Polizian, sein unzertrennlicher Freund, träumen als begeisterte. Humanisten von den Festen der Antike, die alle Stände in Frohsinn vereinigen und die Menschen einander nahebringen für schöne Stunden künstlerischen Genusses. Florenz mit seinen reich-begabten Künstlern, seinen eleganten Dichtern und kühnen Witzbolden scheint ihnen würdig Athens Feste zu erneuern.

Ähnlich wie der Schäferkönig René in der Provence ist Lorenzo von ganzem Herzen als Dichter und Musiker bei seinen Festen, nur bringt er auch noch jugendliches Feuer mit, seine Erfindungen für die festlichen Aufzüge entwinden sich dem gotischen Geschmack immer ent-schiedener und schließlich stellen seine *Trionfi* den Triumph der Frührenaissance dar.

Eine Miniatur zeigt vor dem Palast' der Medici einen singenden Frauenreigen, zwei bekränzte Frauen knien zur Huldigung vor dem Dichter Lorenzo, der mit bescheidener Miene diese Huldigung abweist und auf Polizian zeigt, dem er wohl das Verdienst des ge-lungenen Festes zuschreibt. Wie in Goethes und Schillers Xenien ist in den *Canzone a ballo*, den oft ausgelassenen Tanzliedern der Zeit, nicht zu unterscheiden, von welchem der beiden Dichter, Polizian oder Lorenzo, die in Schalks-laune verfaßten Verse stammen.

90

In dem merkwürdigen Werk *Hypneroto machia Poliphili,* geschrieben in maccharonischem Kauderwelsch, spaßhaft zwischen italienisch, griechisch und hebräisch wird einer der schönsten Aufzüge beschrieben: *Ich erblickte großen Zusammenlauf merkwürdiger Personen — mit Blumengewinden, mit frommem Stampfen der Füße, mit Händeklatschen und frohlockender Miene zogen sie einher. Nymphen jeder Beschreibung umhüpfen den blühenden, mit Purpurrosen bekränzten Vertumnus, den Herbstgott, der in den Schoßfalten des Gewandes reiche Zweige barg. Er thronte auf einem grüngeschmückten Karren, den vier bockbeinige Satyre zogen, und ihm zur Seite saß seine geliebte Pomona mit wallendem Blondhaar und gekrönt von Früchten. Vor dem Karren tanzten Nymphen nach antiker Weise —**).
Eingehend betrachtet Antonio Francesco Grazzini, genannt il Lasca, im Vorwort zu seiner Sammlung von Karnevalsliedern die Art, wie Lorenzos Einfluß diese ursprünglich groben und unflätigen Mummereien künstlerisch gestaltete. Anfänglich waren sie ähnlich dem deutschen Schönbartlaufen derb und monoton in ihren Witzen und auch heilige Personen waren in die Possen einbezogen. Lorenzo übersetzt dies alles in antik holdselige und sinnreiche Freudenfülle, wenn auch Munterkeit und unbefangene Sinnlichkeit ihr Recht

---

*) *Hypneroto machia Poliphili, sogno di Frate Francesco* Colonna, *in italiano maccheronico, misto die greco e d'ebraio* gedruckt: Venetiis Mense decembri M. I. D. aedibus Aldi Manutii accuratissime. Der Bildschmuck wurde Sandro Botticelli zugeschrieben. Des Festes Beschreibung fängt also an: *io vidi grande turme de insueta gente — — cum fiori instrophiati festigianti cum religioso tripudio et iubilando.*

behalten. Seine schönsten Karnevalslieder sind nicht
ohne jenen Hauch von Schwermut, der Todesmahnung
enthält und die ausgelassene Heiterkeit bedeutsam
stilisiert.
Die antik kostümierten und oft antik umgetauften
Menschen der Frührenaissance sind im Herzensgrund
noch Christen und haben kaum die Bande gotisch feierlicher Lebensanschauung gelockert. Noch bevölkern
Totentänze, Darstellungen der Hölle Kirchen und Säulen-
gänge, gewisse grämliche Mönche drohen damit von
der Kanzel in donnernden Worten. Bei den *trionfi*
nimmt man Partei für das Leben gegen Tod und Höllen-
furcht. Es heißt nicht mehr: Büße, klage, weil du
morgen stirbst, sondern sei recht lebendig, lebens-
bewußt, weil du morgen stirbst.
Mit Wort und Tat preist der jugendliche Lorenzo die
Jugend, wie es nur die Griechen vor ihm zu tun verstanden, sie, die den wehmütig lächelnden Eros gebildet,
der dem Thanatos ähnlich sieht.

> *Quant é bella giovinezza*
> *Che si fugge tutta via*
> *Chi vuol esser lieto sia*
> *Di doman non c'e certezza**).

Der Genuß kann nicht zur prosaischen Behäbigkeit
werden, wenn diese scharfe Erinnerung an die Ver-
gänglichkeit spornt und warnt.

---

*) Wie schön doch die Jugend ist!
   Sie flieht schnell immer weiter,
   Drum sei heute noch heiter,
   Wer weiß, wie bald kommt ihre Frist.

Darum lobt il Lasca die *trionfi* des Karnevals, wenn sie nach Lorenzos Sinn geraten: *Wenn die trionfi und Karnevalslieder gut gemeint und schön geordnet sind mit allem, was dazu gehört, mit klaren und freundlich einladenden Versen, mit heiterer und großartiger Musik, mit gut zusammenklingenden Stimmen, mit reichen Gewändern, die für die Gelegenheit geeignet und ohne Geiz zugeschnitten, wenn die dazu gehörigen Instrumente und anderen Dinge mit Meisterschaft ausgeführt und schön bemalt sind, die Pferde köstlich aufgezäumt, dies alles wirkend in der Nacht mit einer großen Anzahl von Fackeln — dann läßt sich nichts Angenehmeres und Erfreulicheres sehen noch hören. Und also sich ergießend zwischen Tag und Nacht in der ganzen Stadt, wird der Zug fast von allen gesehen und gehört, so daß er zu jedermanns Freude gereicht. Sogar die im Hause wohlbehüteten jungen Mädchen können vom Fenster aus, hinter dem Laden verborgen, so daß sie selbst nicht erblickt werden, alles mit Freuden betrachten und hören.* (Man beachte, wie streng diese Gesetze der Schicklichkeit noch dauern.) *Und ist das Fest vorüber und hat sich die ganze Bevölkerung daran erfreut und mit Zufriedenheit gesättigt, werden die Liederworte weitergegeben, gelesen, überall gesungen und nicht nur in Florenz herumgetragen, sondern in allen Städten Italiens, aber auch weiterhin ins Ausland verschickt und verbreitet nach Frankreich und Spanien, wo Freunde und Verwandte weilen. Diese Art Feste zu feiern wurde erfunden von Lorenzo il Magnifico — denn vor seiner Zeit war es Brauch, im Karneval mit Mummerei Madonnen darzustellen, die Männer tanzten in Weiber-*

tracht und sangen auf altertümliche Weise. Dies
betrachtend, erwog der Magnifico Neuerung zu bringen
in der Erfindung, er verfaßte Lieder in verschiedenem
Maß und ließ sie verschieden in Töne setzen. (E questo
modo di festeggiare· fu trovato dal Magnifico Lorenzo
de Medici — perciochè prima gli uomini di quel tempo
usavano il Carnevale, immascherandosi contra-farre
le Madonne — e cosi travestiti ad uso di Donne
Cantavano Canzoni a ballo; la qual maniera di can-
tare, considerato il Magnifico essere sempre la medesima,
pensò di variare non solamente il canto, ma le inven-
zioni, e il modo di comporre le parole — a la musica
poi fece comporre con nuove e diverse arie.)
Wie ein sonnig veranlagtes Kind sich nicht scheut
vor der grimmen Rüstung des Krieges, sondern das
glitzernde Panzerhemd anjauchzt und spielen mag mit
dem wehenden Federbusch, so steht der Geist der
Renaissance dem grimmen Leben gegenüber. So zog
sein Inbegriff, Lorenzos *trionfo* durch die Straßen der
Stadt Florenz, die so viel Greuel und Blut erblickt
und künftig noch erblicken sollten, blumenstreuend
und tanzend dahin. Die streng gehaltenen Frauen und
Mädchen und Klosterinsassen durften ihm zujubeln, von
den Fenstern und halbverschlossenen Läden aus.
Es drang das ewige Kind, die Kunst durch das Düster
in die Enge, lachte empor zu den ernsten Kirchen und
Palästen trotzig ihrem dämmernden Geheimnis das offene
Bekenntnis zu Jugend und Schönheit zurufend.
Es erscholl ihr Gesang:

> Poi che visto il tempo abbiamo
> Si veloce via passare

Fa buon tempo a trionfare
Tutti noi disposti siamo
Noi vivemmo in giovinezza
Come antichi onesti e gravi
Hor vogliam con allegrezza
Consumar questi anni pravi
Poi che matti come i savi
A un fin hanno tutti ad andare
Fa buon tempo a trionfare. —*)

Freilich erregt solch laut betonte Lebenslust den Ingrimm
der Mönche, besonders weil Lorenzo sie und ihre Trunksucht mit Spott verfolgt (in der Satire *Beoni*), und sie
rächen sich mit Verleumdungen, die auch für die Nachfahren das Bild des großen Florentiners trübten. Seine
Jugend, sein Dichtertum wäre Grund genug, ihm zu
verzeihen, daß er trotz aller Staatssorgen als Festordner
auftritt. Allein bei genauer Betrachtung hat Lorenzo
als solcher den Wunsch eines echten Weisen, freundlich
volkserzieherisch zu wirken. Er wählt Erzählungen der

---

*) Frei übertragen:

Da wir alle eingesehen,
Wie die Stunden schnell vergehen,
Machen wir uns gute Zeit,
Heute sind wir froh bereit.
Trotz der Jugend lebten wir
Wie die Alten strenge hier,
Ernst und ehrbar, doch wir wollen,
Was wir in der Jugend sollen,
Froh in frohen Stunden lachen,
Da die Narren wie die Weisen
Zu demselben Ende reisen,
Gute Tage laßt uns machen.

Geschichte und Mythologie und weidet die unvermeidliche Schaulust der Menge mit erhabenen oder heiter harmlosen, lebenden bewegten Bildern, die ebenso nützlich belehrend wie unterhaltend zu wirken haben.

Seine *trionfi* trugen erhaben allegorischen Sinn, wie auch Lorenzo als Dichter einige der größten und herrlichsten allegorischen Figuren schuf, die *Eifersucht* und die *Hoffnung* mit ihrem Gefolge von Tränen, Gestalten von wahrhaft antikem Faltenwurf.

In Lorenzos geselligem Kreis wird viel musiziert und über Musik philosophiert, denn es bereitet sich die bedeutsame Abzweigung des italienischen Musikstils vom niederländischen vor. Er zieht ausländische Meister an, die Anregung geben und empfangen, so den böhmischen Komponisten Heinrich Isaak aus Prag, der 1475—80 bei ihm weilt und seinen Kindern Musikunterricht erteilt (wie aus einem zu Oxford befindlichen Manuskript ersichtlich ist). Dieser interessante Musiker wirkt auch als Geschäftsträger Kaiser Maximilians. Er modifiziert seinen Stil in Italien ähnlich wie Albrecht Dürer den seinigen in Venedig; anmutig italienisch klingen die Lieder, die er für Lorenzo setzt: *La più bella* und *Fammi una grazia amore*.

Um das Jahr 1480 nimmt der berühmte niederländische Tonsetzer Josquin de Prez (1471—84 angestellt in der päpstlichen Kapelle) Teil an Lorenzos Gastlichkeit und glänzt durch seine humanistische Bildung wie durch musikalische Gelehrsamkeit.

Seine Musik ordnet sich dem herrschenden platonischen Gedanken unter, und Lorenzo mag tiefsinniges Zwiegespräch darüber gepflogen haben, wenn er sich mit dem Meister in Saal und Garten erging. So ernst war dessen musikalisches Ideal, daß Ambros in der Geschichte der Musik ihm nachrühmt: *Das ist Musik von Männern für Männer, Musik, wie sie Platon in seiner Republik haben wollte, strenge edle Schönheit, die den Geist erhebt, kräftigt, stählt, nicht in weichlich träumerisches Behagen einwiegt.*

Liebliche Schäferweisen wurden jedoch keineswegs verurteilt, sie erklangen zu Ehren der Damen, die das Madrigal bevorzugten.

Das anfängliche Zusammenleben, dann Auseinanderstreben der Gotik und Frührenaissance tritt in der Musik wie in den andern Künsten und der mit ihr zusammenhängenden Lebensführung auf. Zur selben Zeit, als von den Niederlanden aus Frankreich, Deutschland, England und weniger durchgreifend Italien den gotischen Baustil empfangen hatten, war diesen Ländern genau in derselben Verteilung von den niederländischen Meistern der entsprechende Stil der Musik zuteil geworden, der polyphone Aufbau des gelehrten Kontrapunkts, mystisch mächtig, himmelstrebend voll Andacht, zuletzt aber in Schnörkel und Künstlichkeit entartend wie *le gothique flamboyant*.

Italien erkannte die Macht des niederländischen Stils für die Kirche noch lange an, befreite sich jedoch von seiner Gotik in weltlichen, der Geselligkeit gewidmeten Liedern. In diesen sucht der italienische Tonsetzer sich eigenmächtig zu zeigen, indem er den polyphonen Bau verläßt und homophoner Melodie zustrebt, aus dem ursprünglichen Mehrgesang, den Eingesang der Stimme und des Instruments loslöst, wie der Einzelne seine Sippe

zu überhöhen und sich allein geltend zu machen anfängt
und wie die Architektur, wie die Malerei zur Betonung
einzeln erkennbarer, führender Linien drängt*).

Als Ausgangspunkt gleichsam als Vorwand zu weltlicher
Komposition wird das Schäferspiel genommen, die Volks-
weise, die dem Ohr melodisch schmeichelt. Besonders
beliebt erscheint darin das Madrigal, ursprünglich ein
Hirtenlied, die neumodische Pastorale rührt teils von den
antiken Eklogen her, die man bei festlichen Gelegenheiten
gern aufführte, teils von dem wirklich vorhandenen pastoralen Leben in Toskanas gesegneten Gefilden. Antonio
da Tempo erklärt die Herkunft des Madrigals aus dem
Schäferspiel. *Mandriale* nennt man diese Weise, weil
sie mit der *mandra*, der Schafherde zusammenhängt.
Da sie zuerst von verliebten Hirten gefunden wurde,
die als einfache Leute ländliche Worte setzten und zu
denselben auf ihren Sackpfeifen spielten, die modernen
Dichter setzen freilich zartere und künstlichere Reime.
Allein das Madrigal sollte stets in *Lingua volgare*
abgefaßt sein, sowie mit Anklang ländlicher Art und
Sprache**). Nach und nach wird das Madrigal immer
ernster, neigt dem Motett zu, indem es sich dem klaren

---

*) Fast scheint es endlich, daß die Italiener die Kirche den Nieder-
ländern so gut wie ganz überließen und bloß die weltliche Komposition pflegten. (Ambros.)
**) *Mandriale si dice quasi cosa uscita dalla mandra delle
pecore. Per ciò che questo modo primamente venne dai pastori
inamorati, i quali siccome uomini rustici comminciavono a compilare
parole grosse e quelle cantavano sulle pive loro con modo rusticano,
sebbene i rimatori moderni facciano i madrigali con più sottili e leg-
giadre parole. Ma il Madrigale deve essere rimato die parole volgare,
quasi con pronunzia e parlatura rusticana.* (Antonio da Tempo.)

98

Kunstbau italienischer gedichteter Strophe anschließt, indes das eigentlich ländliche oder pseudoländliche Lied die Benennung *frottole* oder *vilanella* oder *villota* erhielt (von *vilano* = Bauer).

In Lorenzos Umgebung scheinen manche Dilettanten als Komponisten aufzutreten, denn Francesco Landino klagt darüber im Namen der Musik; besonders über die Entstehung unedler *frottole*, die in der Art heutiger Operettencouplets oder Gassenhauer populär sein mochten.

> Musica son, che mi dolgo piangendo
> Veder gli effetti miei dolce et perfetti
> Lascia per frottoli vagh' inteletti. — —
> Cia-scun vuol numerar musical note
> Compor madrial, cacce, ballate. . . .

Weinend läßt er die Musik sich beklagen, daß man ihre vollendeten zarten Schönheiten für unwürdig ausgelassene Liedchen verläßt. Jeder glaubt das Notenzählen zu verstehen und das Setzen von Madrigalen, Balladen und Jagdliedern.

Die erhaltenen Weisen sind liebreich wehmütig, etwas dürftig und preziös. Anerkannter Meister der Töne ist Antonio Squarcialupo, Organist von Santa Maria del Fiore, dessen prachtvolle Liedersammlung mit den Miniaturen zeitgenössischer Komponisten von seinem Enkel dem Giovanni de Medici geschenkt wurde und sich in der Laurentinischen Bibliothek befindet. Beim Tode Squarcialupos unternahm es Lorenzo im Wettstreit mit seinen Freunden Marulla, Ficino, Poliziano, Soderini und anderen die Grabschrift für des Meisters Monument

in Santa Maria del Fiore zu verfassen. Ihm wurde
der Preis. Schön klang Polizianos Lob des Dahinge-
gangenen, dessen edle Musik auch manchen Fremden
nach Florenz gezogen.

> Quae non diverso gens huc properabat ab orbe
> Ut biberet ducem carminis aure sonum.

Lorenzo widmete dem Freund auch einen italienischen
Nachruf, dessen letzte Zeilen ein großes und wahrge-
bliebenes Wort in die Zeit warfen.

> Farete insieme, o musici, lamento
> Sopra il vivo immortale oggio sepulto.
> Morte si scusa e dice: io ve l'ho tolto
> Per far più lieto il ciel col su concento. —
> Gloria adunque é di noi però siam grati,
> Che si dira dopo mille anni anchora
> Natura e quell età fu pure amica*).

Im Rahmen der Liebhaberbühne und gesellschaftlicher
Unterhaltung entstehen die ersten dramatischen Aufführungen von regelmäßigem Bau. Lorenzo verfaßte
ein solches Festspiel bei Gelegenheit der Hochzeit
seiner Tochter Maddalene mit Francesco Cibò, dem
Sohn des Papstes Innocenz, und seine Kinder stellten
es dar. Zu deren Nutz und Frommen sind wohl

---

*) Ihr Musiker, sprecht allesamt in Klagegesängen
Über den lebend Unsterblichen, heute begraben.
Entschuldigend meint selbst der Tod: Ich mußte ihn haben,
Daß er den Himmel erheitert mit herrlichen Klängen.
Uns bleibt der Ruhm, unser muß Dankbarkeit bleiben,
Denn man wird noch sagen nach tausend Jahren:
Die Freundschaft der Natur unsre Zeit hat erfahren.

folgende Verse gedacht, die den medizäischen Gedanken weisen Herrschertums ausdrücken:

> Sappiate che chi vuol popol reggere
> Debbe pensare al ben universale ...
> Però conviensi giusta vita eleggere
> Perché lo exemplo al popol molto vale
> E quel che fa il signor, fanno poi molti
> Che nel signor son tutti gli occhi volti*).

Ein Festspiel Polizians, *Orfeo* — zu Ehren des Cardinals
von Mantua improvisiert und gespielt — gilt für die
erste italienische Oper. Der Titelheld wurde von dem
berühmten *Improvisatore* Baccio Cegolini gespielt, der
die Gelegenheit ergriff, den Kardinal Gonzaga in Gestalt eines Hirten anzufeiern.
Der Wunsch nach freundlicher Belehrung mitten in
Festesfreude ging so weit, daß Lorenzo die neuen Errungenschaften der Geographie, Astronomie und Physik
seinen Florentinern tanzend vorzuführen trachtete,
wie er schon zu ihrem Anschauungsunterricht das
Gnomon — den ersten astronomischen Meßapparat —
aufgerichtet. Schöne Frauen stellten die Planeten dar
und tanzten deren rhythmische Bewegung.
Dasselbe Trachten, gesellige Freude nicht leer ver-
rauschen zu lassen, sondern mit bleibendem Gewinn
zu begaben, leitet Lorenzo als Hausherrn an eigener

---

*) Wißt, wer das Volk will gut regieren,
Dem sei Gemeinwohl stets das Ziel.
Gerechtes Leben soll er führen,
Denn Beispiel gilt beim Volke viel.
Was der Herr tut, ahmt man nach im Land,
Aller Augen sind nach ihm gewandt.

Tafel wie als Hausherrn des in einen unermeßlichen Festsaal verwandelten Florenz.

Seinem Sohn, dem jugendlichen Cardinal Giovanni (später Leo X.), schrieb er mahnend, er möge sich ja nicht durch Schmeichelei und Huldigung berücken lassen und eingedenk bleiben, er sei ein Florentiner unter Florentinern (stolz genug ein Florentiner zu sein), und sich selbst hielt er als solcher unter seinen Gästen, ohne irgend eine Zeremonie zu beanspruchen.

Wie er dem Sohn schreibt, das Beste, besser als Gold, seien einige feine Dinge des Altertums und schöne Bücher, ein kleines, aber anstandsvolles und gebildetes Gefolge sei einem großen Gefolge vorzuziehen, er möge auf Mäßigkeit bedacht sein und lieber bei sich empfangen als fremde Empfänge mitmachen und sich mit einfachen Gerichten begnügen*). So tat er selbst und verschmähte die spätgotischen Schmausereien.

Man nimmt an seiner Tafel nicht nach Rang und Stand, Würde und Alter Platz, sondern je nachdem man zu Tische kömmt. So sitzt der junge Michelangelo, noch ein Knabe, manchmal obenan in der Nähe seines Gönners, indes die eigenen Söhne später erschienen und am unteren Ende Platz nahmen. *Es ist jedenfalls eine große Sache, daß alle jene, die in Lorenzos Garten lernten und von ihm begünstigt waren, es zu hohem Ansehen brachten, was*

---

*) *Più presto qualche gentilezza di cose antiche e belli libri, e più presto famiglia accostumata e dotta che grande, Convitar più spesso che andare a conviti, e però superfluemente. Usate per la vostra persona cibi grosse.*

nicht also geschehen wäre, wenn der edle Herr nicht eine außerordentliche Kennerschaft besessen und sie als Gönner und Mäzen wohl geübt. Er erkannte die hohen Geister und die Begabungen*).

Nach Vasari sind die Künstler durch die besondere Beschaffenheit der Luft in Florenz angeregt, durch ihre Klarheit, Milde, Schärfe und Feinheit, die er *sottigliezza* nennt; diese Luft erzeuge erfindungsreiche, feine Geister, indem sie ihnen fortwährend Rost oder Plumpheit abreibt, was von Natur aus sonst nicht möglich sei. Eine merkwürdige, gewiß interessante Theorie, da tatsächlich das kleine Florenz in kurzer Zeit verschiedenste große Männer zeitigte *(erano aiutati dalla sottigliezza dell' aria di Firenze, la quale produce ordinariamente spiriti ingegnosi e sottili, levando loro continuamente d'attorno quel poco di ruggine e grossezza, che il più delle volte natura non puote).* Was Vasari der Luftwirkung zuschrieb, kann wohl figürlich für die Luft gelten in der florentinischen Geselligkeit, sie verfeinert durch ihre lebhafte Geistigkeit und läßt keinen Rost zu.

In den Klöstern San Spirito und Maria degli Angeli werden platonisch erhabene Gespräche geführt, auf und ab wandelnd in den säulenbelebten Klosterhöfen, wo Rosen den Mittelbrunnen umgeben. In Gegensatz

---

*) Vasari Vita del Rustici: È gran cosa ad ogni modo, che tutti coloro, i qual furono nella scuola del Giardino de Medici, e favoriti dal Magnifico Lorenzo, furono tutti eccellentissimi, la qual cosa d'altronde non può essere avvenuta, se non dal molto, anzi infinito giudizio di quel nobilessimo signore vero Mecenate degli nomini virtuosi; il quale come sapeva conoscere gl'ingegni, e spiriti elevati, cosi poteva e sapeva riconoscergli e premiargli.

tritt der fanatische, alttestamentliche Ton, der im Kloster San Marco herrschte, seitdem auf Anraten des Schwärmers Pico della Mirandola Lorenzo zum Prior den Mönch Savonarola berief.

Die Gärten Lorenzos und seines Schwagers Ruccelai waren beliebtes Stelldichein der Schöngeister, wie Freilichtakademien für junge Künstler, mit denen sich Lorenzo zwanglos zu unterhalten liebte, und von den Anlagen in Carreggi schwärmt Polizian:

Tu dignos Faunis lucos, fontesque Napaeis.
Struxisti, et deceant quae modo rura Deos.

Oft wird eine besonders schöne Schale oder eine Gemme oder ein Becher von Hand zu Hand gereicht und manche Betrachtung daran geknüpft, oder Lorenzo gibt bald einen scherzhaften, bald einen träumerischen Vers zum besten. An seiner Tafelrunde pflegt man lebhaft kaustische Redewendungen, wie deren in *motti e burle*, einer Sammlung witziger Aussprüche der Zeit, verschiedene aufbewahrt sind, sie muten freilich wie ein Herbarium an, da das frische Grün der Gelegenheit, die Farben der Mimik, die Herzlichkeit das Lachens fehlen.

Einer der witzigsten Köpfe war Matteo Franco, oft übte er sich mit Luigi Pulci gesprächsweise im Schaufechten, wobei es an spöttisch derben Anspielungen auf den Namen des Dichters (Floh) nicht fehlte, und obwohl Matteo und Luigi in ihren Sonetten desgleichen taten, als seien sie einander wenig gut gesinnt, blieben sie im Geheimen die besten Freunde. Allein um der Unterhaltung willen und um andere zu belustigen bissen

104

sie aufeinander und brummten sich an, als handle es
sich um erbitterte Feindseligkeit*).
Aber auch weniger harmlose Witze kamen vor, so daß
dem gesammelten und gedruckten Scherzduett die Ehre
widerfuhr, von der Inquisition verboten zu werden.
Franco macht sich in übermütiger Laune sogar über
die platonische Philosophie, das Allerheiligste des
Hausherrn lustig, ohne dessen Gunst zu verlieren,
vielleicht wollte er nur die Auswüchse durchhecheln
und das modische Treiben, das sich damit befaßte.
Einem Freund reimt Luigi Pulci zum Scherz:

> Jene, die erheben so großen Disput
> Über der Seele heiliges Gut,
> Woher sie kommt und wohin sie drängt,
> Ob sie wie der Kern im Pfirsich hängt,
> Ereifern sich, führen bald Platon an,
> Und den gelehrten Aristoteles dann.
> Sie meinen, sie können in Ruhe bleiben,
> Singsang und Instrumentspiel treiben
> Und bedenken nicht, daß sie unbeirrt
> Die ganzen Köpfe total verwirrt**).

---

*) Et benche M. Matteo e Luigi in questi loro sonnetti dimonstrino
esser poco amici l'uno dell altro, niente di mano nel segreto erano
amicissimi. Ma per dare piacere et dilectare altri, acuna volta si
mordevano e svillaneggiavano in tal modo come se proprio stati
fussono nimici capitale.

**) Luigi Pulci a un suo amico per ridere:

> Costor che fan si gran disputazione
> Dell' anima, ond' ell' entri o ond' ell' esca,
> O come il nocciol si stia nella pesca,
> Hanno studiato in su' n'un gran mellone.

105

Namentlich Damen üben sich oft recht dilettantisch in Mystik, einige Pärchen nahmen die Sache mit der platonischen Philosophie so ernst, daß sie platonisch zusammenwohnend, eine merkwürdige Sodalität bildeten.

Lorenzo ließ sich von geistvollem Spott nicht beirren und setzte nach wie vor in Versen platonische Fragen als Gesprächsthema auf, er entnahm Platon die Spielregel des Lebens. Oft gab er das Beispiel, wie im Gespräch attisches Salz würzend zu verwenden sei und wird deshalb von Niccolo Valori gerühmt:

> Quum jocabatur, nihil hilarius
> Quum mordebat, nihil asperus

und von Polizian:

> ... Luxusque salesque
> Sed lectus pelago, quo Venus orta sales?

Unter den *motti*, die sich zufällig von diesen Tischgesprächen erhielten, ist eine feine Antwort an Ugo Martinelli. Lorenzo hatte einen Fehler, weswegen er gern geneckt wurde, die Gewohnheit des Spätaufstehens. Sein Gast Martinelli war einer jener Emsigen und Wichtigtuer, die mit ihrer prahlenden Geschäftigkeit ernste Arbeit hindernd umsurren. Er rühmte sich seiner geschäftserfüllten Morgenstunde und neckte

---

Aristotele allegano, e Platone,
E voglion ch'ella in pace requiesca
Fra suoni, e canti, e fannoti una tresca,
Che t'empie il capo di confusione.

Lorenzo ob seines Späterscheinens. Dieser erwiderte: *Wer weiß, Ugolino, ob meine Morgenträume nicht mehr bedeuten als deine Morgenarbeit.*

Diese Morgenträume waren wirklich sehr viel wert, sie gaben ihm die Möglichkeit, jenes Wunder zu vollbringen, das Voltaire mit den Worten anstaunte: *C'était une chose aussi admirable qu'éloignée de nos mœurs de voir ce citoyen, qui faisait toujours le commerce, vendre d'une main les denrées du Levant, et soutenir de l'autre le fardeau de la république.*

Erlesene Medaillen, geschnittene Steine, Bronze und Marmor ermuntern zu liebevoller Hingabe, man prüft, man staunt, man liebt mit dem zartverständigen Hausherrn, der nicht müde wird, vor jedem Altar der Kunst die Knie zu beugen und mit dichterischer Sehergabe alles erläutert, so daß ihn keiner verlassen kann, ohne reich geworden zu sein.

Seine Welt ist jedoch nicht nur die Welt von Pergamenten, Stein und Bronze, er ist einer der sorgsamsten Naturfreunde und Beobachter. Der gewiegte Staatsmann, der überragende Kenner aller Feinheiten des Altertums, der in verschiedenen Erdteilen mächtige Bankier, der ausgezeichnete Dichter, ist einer der verdienstvollsten Landwirte, sein Landsitz Poggio Cajano *) wird Versuchsstation zur Akklimatisierung von Tierrassen, und der Seidenbau wie die Zucht edler Pferde erfreut sich seiner Aufmerksamkeit. Gemüse, Obst, edle Hölzer verschiedener Art läßt er seine Gäste bewundern und

---

*) Erbaut von Giovanni San Gallo.

einer derselben feiert Lorenzos Gartenkunst und Landwirtschaft in lateinischen Versen*).

Bei elegantem Vergnügen beschäftigt sich Lorenzo sinnig
mit Naturbetrachtung, wie mit humorvoller Kritik der
Jagdgäste und bewahrt das Andenken an ein solches
Fest in einem Gedicht über die Falkenbeize, das heiter
lebendig und eigenartig die wirkliche Umwelt beschreibt,
statt mit Petrarcas Redewendungen zu spielen, wie zeitgenössische Dichter pflegten. Oder als Niederschlag
manch lebhaften Gesprächs in den duftenden Hainen,
wo Lorenzos Lieblingssitze grüßen, erscheinen in seinen
Versen neue zarte und witzige Gleichnisse, die von
Tierliebe und Beobachtung zeugen, wie etwa der Vergleich des geschäftigen lastentragenden Ameisleins
mit Liebhabern, die an der Bürde übergroßer Liebe
schleppen.

Die Vorliebe für das Ländliche zeitigte Interesse für
die toskanische Bauernsprache und Lorenzo bringt sie
in Mode durch eine allerliebste Dialektdichtung *La
Nencia de Barberino*, die beweist, wieviel Verständnis
der Herr von Florenz für Herz und Sinn der Bauernschaft besaß und daß sein platonischer Glaube ihn
keiner Wirklichkeit entrückte.

---

*) Alexandri Braccii, descriptio Hortis Laurentii Medicis.
  Villa suburbanis felix quem continet arvis,
  Caregio notum cui bene nomen inest.
  Non fuit hortorum celebris tam gloria quondam
  Hespiridum, pactet fabula plura licet
  Quam nunc est horti Laurentii gloria nostri . . .
  Quid violas referam, celseminos bene olentes,
  Quid niveas memorem purpureasque rosas?
  Heic florum poteris cunctorum sumere odores,
  Heic si tu quaeras, omne legumen erit.

Die große Weltanschauungsfrage, die sich in dem Wort *Platon oder Aristoteles* zuspitzte, war schon von Cosimo zugunsten Platons entschieden worden durch Gründung der platonischen Akademie, die am vermeintlichen Todestag des Weisen besondere Feiern veranstaltete und bei den Zusammenkünften des Meisters mit einer Art religiöser Verehrung gedachte. Man nahm den 7. November an (manche nennen den 14.) und beging ihn durch ein festlich andächtiges Mahl. Es sind neun Gäste, Lorenzo, Francesco Bandini, Marsilius Ficinus, und dessen Vater, des Lorenzo Leibarzt — gebildete Ärzte spielen in der Geselligkeit der Renaissance eine besondere Rolle, die Überzeugung des universalen Zusammenhangs aller Künste und Wissenschaften erlaubt ihnen, nicht ausschließlich Fachgelehrte zu sein, manche unter ihnen sind Dichter und Philosophen — der Dichter und Commentator Dantes, Cristoforo Landino, der Rhetoriker Bernardo Nuti, ferner die Humanisten Giovanni Cavalcanti, Tommaso Benci und zwei Brüder Marsuppini.

An diesem humanistischen Feiertag findet kein lauter Prinzipienstreit statt, alle erscheinen versöhnt und in andächtig gehobener Stimmung, das zierlich aufgetragene Mahl sieht diese bedeutenden Forscher auf stürmischem Gedankenmeer gleichsam im Hafen ruhend unter Gesang, Sonne in den Segeln. Sobald die Gerichte abgetragen sind, nimmt Bernardo Nuti mit Ehrfurcht den Platon zur Hand — gewiß eine köstliche Handschrift, vollendet geschrieben und geistvoll glossiert — und liest aus dieser humanistischen Bibel.

Ein zartes Glück des gemeinsamen Empfindens leuchtet
auf in den klugen Augen der versammelten Männer,
verklärt ihre Forscherstirne und macht die Lippen mild.
Platons Gastmahl ist in der Tat wieder erstanden.
Hier offenbart sich die Renaissance als die eigentlich
religiöse Bewegung der Zeit, wo ein edler Glaube
Weisheit des Herzens und Weisheit des Geistes bildet
und nährt.

Was die großen Menschen der Frührenaissance erstrebten, die zwar festen Fußes auf der Erde standen,
allein ebendeshalb beherzt und entzückt zum Himmel
aufblickten, war Erneuerung, Verjüngung, Besserung
aller Dinge durch Wiedergeburt des Seelischen im
Menschen — jene Geburt, von der Sokrates im
Gastmahl spricht und zu welcher er seine Geburts-
hilfe anbietet wie ein gütiger Arzt, der das Leben
schonen will und die Schmerzen möglichst zu mildern
gedenkt.

Ohne solche Geburt oder Wiedergeburt der Seele
bleibt jede angestrebte Reformation nur Revolution,
ein äußerer Ausbruch, der schließlich um Macht und
Geld geht, Ohnmacht und Elend erntet und wie alle
Revolutionen das ursprüngliche Ideal unter phantastischen Trümmern verschüttet.

Das große mystische Ideal der Renaissance erkannte
und deutete sich selbst am klarsten in Lorenzos platonischer Tafelrunde. Feierlich bestimmte er als Gesetz-
geber: *Liebe ist ein notwendiger und wahrer Antrieb*
für das Gemüt zu edler Bildung, Gewissenhaftigkeit
und Größe, und sie veranlaßt vor allem die Menschen
zu würdigen und außerordentlichen Dingen und zur

Betätigung aller Tugenden, zu denen unsere Seele angelegt ist.

Der Volksmund erzählt, allerlei böse Zeichen hätten Lorenzos Tod verkündet.

Macchiavelli erwähnt merkwürdige Lichterscheinungen über der Lorenzokirche, der Grabstätte des medizäischen Geschlechts, der Blitz schlug ein und von den goldenen Kugeln des Wappens fiel eine aus *).

Ungeheueres Bangen befiel die Stadt seiner Liebe bei des Magnifico frühem Tod.

Gerechtfertigt war dies ahnungsvolle Bangen und Grauen, denn mit Lorenzo starb der an Früchten reichste Friede des neuzeitlichen Europa, mit ihm starb der unter der Gestalt des lieblichsten Knaben, des herrlichsten, kräftigsten Jünglings aufgetretene Friede, der medizäische Friede.

---

*) *Come della sua morte ne dovesse nascere grandissime rovine, ne mostra il cielo molti evidentissimi segni.* (Macchiavelli.)

FÜNFTER ABSCHNITT.

Der gute Zauberer — Das Gesindel wacht auf — Savonarolas
Macht — Die bösen Buben von Florenz — Die Warnung —
Goethes Urteil — Modeprediger — Geistliche Reigen — Theokrat
und Sozialist — Cedrus Libani — Das leichte Hirn — Prophe-
zeiungen — Verbrennung der Eitelkeiten — Betrachtung im
Grünen — Savonarolas Liebe — Die *Arrabiati* — Ein Spottlied —
Die neue Karnevalsfeier — Sinnentaumel — Macchiavellis Satire —
Der allegorische Wagen — Der Weg der Frührenaissance.

Lorenzo hatte wie ein guter Zauberer durch eine zarte
Zauberflöte den Pöbel gebändigt und zum Tanz
gezwungen.
Kaum hatte der Bändiger die Augen geschlossen, erhob
sich das Gesindel aller Stände, sein Werk zu begeifern
und zu zerstören. So giftig war der Haß gegen
Lorenzos vornehme Freunde, daß Polizian, der aus
Kummer starb, ein schwärmerisches Lobgedicht auf
den Freund und Gönner unvollendet lassend, von
mönchischer Bosheit dahin verleumdet wurde, er habe
in unheiligem Liebesfeuer auf der Laute singend ein
Ständchen gebracht und dabei aus sinnlicher Erregung
den Tod gefunden, ehe der letzte Vers verklungen.
Jenes unvollendete Gedicht auf den großen Toten galt
der überhandnehmenden Gemeinheit für ein Liebes-
ständchen. Die freundlichen Lautenspieler und Sänger,
die Lorenzos Muße vornehm und neckisch ergötzt, zerstoben bald ängstlich, denn die fanatischen Anhänger
Savonarolas fluchten ihren weltlichen Weisen und gröhlten
oder winselten*) die geistlichen Lieder des Fra Giro-

---

*) Daher der Name *Piagnone* Winsler für die Parteileute des Priors
von San Marco.

lamo und seiner Jünger, revolutionäre, wildverzückte oder klagende Couplets von ausgesuchter Geschmack-losigkeit mit vulgärer Melodie, daher dem Pöbel gefällig.

Wenn man Proben dieser religiösen Lieder vergleicht mit den geistlichen Liedern Lorenzos, der Savonarola und dessen Anhang für gottlos galt, wird man finden, daß der Platoniker die zartere religiöse Empfindung besaß, seine Andachtslieder sind von wahrer Andacht erfüllt und ewiger Schönheit, wogegen sich die Verse der dichtenden Dominikaner kläglich ausnehmen.

Ein Beispiel geistlicher Lieder, aus Lorenzos Kreis schönheitsfrommer Menschen hervorgeblüht, und ein Beispiel, man möchte sagen, der geistlichen Gassen-hauer, wie sie aus Savonarolas Möncherei gezeitigt werden, sei angeführt. Lorenzo dichtete:

Segui, Anima divota quel fervore
Che la bontà divina al petto spira
E dove dolcemente chiama et tira
La voce, o pecorella, del pastore.
In questo nuovo tuo divoto ardore
Non sospetti, non sdegni, invidia, o ira,
Speranza certa al sommo bene aspira
Pace, e dolcezza, et fama in suave odore*.)

Eines der meistgesungenen Lieder Savonarolas enthält die Strophen:

---

*) Folge andächtige Seele der Inbrunst, die göttliche Güte ein-haucht in menschliche Brust, dahin, wo dich hinzieht, Lamm seiner Herde, der Schäfer mit seiner Stimme. In dieser neuen Glut deines Liebens verschmähe Mißtrauen, erhebe dich über Zorn und Mißgunst. Sichere Hoffnung schwebt höchstem Gut entgegen in Frieden, in Süßigkeit, ihr Ruf ist gleich köstlichem Duft.

O anima cecata — che non trovi riposo
Tu se' da Dio odiata — pel tuo viver vitioso
Oimé, oimé, oimé
Temor di Dio non c'è
Tu senti mille segni — a Prato e a Bibbona,
E par che tu non degni — di credere a persona
La mente tua e prona — a ogni vizio
Ecco el supplizio — che presto vene a te.
Oimé, oimé, oimé! *)

Savonarola hielt auf Sternenkunde und jüdische Kabbala, daher kam Pico von Mirandolas Interesse für ihn
und seine Empfehlung an Lorenzo. Ein Lieblings-
jünger, Girolamo Benivieni, gibt in seinen Gesängen
Kunde **), daß es nie größeres Vergnügen, nie lustigere Lustbarkeit gab, als aus Liebeseifer für Jesus
vollkommen närrisch zu werden: *Darum rufe jeder,
wie ich rufe, Seien wir närrisch, närrisch, närrisch!*

---

*) O blinde Seele, ohne Ruh erfunden, du bist von Gott gehaßt
um deiner Laster willen. O weh! O weh! O weh! Du fürchtest
dich nicht mehr vor Gott. Von vielen Zeichen hörst du in Prato
und Bibbona (Zerstörungen hatten dort stattgefunden) doch du
entschließest dich nicht der Kunde zu glauben, nieder liegst du im
Verstande in jeder Sünde, darum kommt Qual schnell über dich.
O weh! etc. Astrologen und Propheten, Gelehrte und heilige
Männer, verständige Prediger prophezeiten dir Tränen, du suchst
nur Musik und Lieder, weil du verstockt bist, eingewickelt in Laster.
Nichts Gutes ist an dir. O weh! etc.

**)   Non fu mai più bel sollazzo
        Più giocondo né maggiore
        Che per zelo o per amore
        Di Gesù, diventar pazzo
        Ognun gridi come io grido
        Sempre pazzo, pazzo, pazzo!

Solcher Aufforderung wurde nur zu sehr gefolgt. Mit dem Kriegsruf: *Viva Christo!* gab es Steinwürfe und Balgereien.

Derartige Lieder wurden den bösen Buben von Florenz beigebracht, die Savonarola zu reformieren behauptete. Wenn Lorenzos festlichen Veranstaltungen ein Vorwurf gemacht werden konnte, so war es der, daß es ihm nicht gelang, mit den bösen Buben von Florenz fertig zu werden, die seit Jahrhunderten traditionell bei solchen Gelegenheiten Unfug trieben. Sie versperrten dem braven Bürger den Weg und das Lösegeld, das er zahlen mußte, wurde verjubelt. Dabei ging es gewiß recht lebhaft zu, denn noch heute ist die halbwüchsige Jugend in Florenz von amüsant temperamentvoller Ungezogenheit. Savonarola gelang es, sie zu fanatisieren, das dem Bürger abgebettelte oder erpreßte Geld wurde zu wohltätigen, beziehungsweise politischen Propagandazwecken ihr wieder abgenommen. Statt ausgelassener Lieder im Karneval sangen die bösen Buben nunmehr jene winselnden Fastengesänge und drangen in alle Häuser um sogenannte *vanità* zu sammeln, alle Requisiten allegorischer Mummereien, Masken, Kostüme, Bärte und Hörner, ferner Frauenschmuck und falsche Zöpfe, Statuen und Bilder, Liederbücher, Noten, Instrumente.

Das alles aufzuschichten, um ein feierliches *bruciamento*, ein öffentliches Verbrennen dieser Eitelkeiten in Szene zu setzen, war natürlich für die bösen Buben ein besonderes Vergnügen, noch viel unterhaltender als Lorenzos harmlose *trionfi* und sie widmeten sich zu großem Teil mit Begeisterung dieser Sache.

Es gab jedoch eine Gegenpartei und mit dieser geriet man in eine Schlacht von Steinwürfen, woran auch Erwachsene teilnahmen*). Dies war der Anfang großer Unruhen.

Piero, Lorenzos unfähiger Sohn, mußte fliehen. Einer jener vom Mob heftig angefeindeten Lautenschläger war dem toten Lorenzo von Herzen treu. Visionär veranlagt, sah er im Wachtraum den Magnifico in zerlumptem Gewand und hörte dessen Befehl, Piero zu warnen, er würde schandbar vertrieben. Als die Warnung zum zweitenmal erfolgte, meldete sich der treue Musikant, wurde aber verlacht, wie gute Warner zu allen Zeiten.

Angstverwirrt erzählte er den Traum Michelangelo und dieser, vielleicht weil er sich als Schützling Lorenzos in Gefahr wähnte, verließ eilends die Stadt, die sich leidenschaftlich von Kunst und Frohsinn abwandte, um sich in trübselige Schwärmerei zu stürzen.

Diese von Savonarola veranlaßte Absage hat Goethe so erzürnt, daß er den Dominikaner ungewöhnlich streng aburteilte (im Anhang zu Benevenuto Cellinis Lebensbeschreibung) und ein *fratzenhaftes, phantastisches Ungeheuer, einen unreinen Enthusiasten* nannte. Mit ähnlichem Abscheu behandelt ihn mancher englische und französische Historiker, indes von anderer Seite der mönchische Gebieter von Florenz außerordentlich gerühmt wird. Rafael hat den Feind Borgias unter die Bekenner in seine feierliche *Disputa* aufgenommen. Den einen galt er als Märtyrer und Heiliger, den anderen als Demagog und Schwindelprophet, die Pro-

---

*) Filippo de Nerli.

116

testanten nahmen ihn für sich in Anspruch, die Katholiken wiesen darauf hin, daß er nicht das Dogma angriff, sondern nur die unwürdigen Diener der Kirche. Ihm gegenüber gerecht zu bleiben ist in diesem Buch besonders schwer, da er einer der bedeutendsten Gegner von Lebensrausch und Schönheitsanbetung ist. Er verließ, vielleicht nicht ohne Schmerz, wie einst Hieronymus, als er sich von einem Verständigungsfrieden zwischen Altertum und Christentum abwandte, um fanatischer Asket zu werden, die Honiglippen Platons und dessen lächelnde Majestät sowie den friedlichen, alles liebenden Plotin und versenkte sich bis zur Ekstase in die enge Grausamkeit des alten Testaments, dem er seine eindringliche Beredsamkeit entnahm.

Bei seinem ersten Florentiner Aufenthalt hatte Savonarola entschiedenen Mißerfolg gehabt, da die elegante Welt und ihr nach die übrige Gemeinde für den rhetorisch prunkvollen Modeprediger Fra Mariano schwärmten.

Effektvolle Predigten gehörten damals zu den *mondänen* Ereignissen, man suchte ihre Sensation, in den schönen Kirchen gönnte man sich den Genuß wohlgesetzter Rede in wohlabgewogenen Sentenzen und Kadenzen, wie sie laut dem Zeugnis eines Polizian eben jener Fra Mariano bot.

Als Savonarola auf die Empfehlung des Pico della Mirandola von Lorenzo zurückberufen war und sich der Medizäer gnädig für seinen künftigen furchtbaren Widersacher interessierte, verließ die Mode den Fra Mariano und es wurde guter Ton, zu dem dramatisch wirkenden feurigen Dominikaner zu strömen, etwa wie

der Zeitgeschmack die ruhig epischen Schilderungen
früherer Maler verließ und sich dem leidenschaftlich
dramatischen Stil zuwandte.

Zuerst spielte und tändelte die Mode mit der neuen
Sensation und in ihrem Schutz entfaltete sich plötzlich
des Mönches Einfluß, der seine elegante Zuhörerschaft
immer kräftiger züchtigte, seinen Beschützer Medici
angriff als den Räuber der Stadt, eine ideale Republik
laut vorträumte und in der Praxis manche Maßregel
brachte wie jene, die Calvin zu seiner Herrschaft später
nützte und die endlich unter Cromwell die Puritaner
in Bewegung setzten*).

Als Savonarola die Herrschaft angetreten hatte, lautete
sein Verbot der Tanzunterhaltung und dessen Moti-
vierung ganz ähnlich den späteren Verordnungen Calvins und Cromwells. Geistliche Reigen blieben jedoch
unter Führung von Dominikanern gestattet, ja sogar
erwünscht, da im Unterschied zu nördlichen Ländern
der Phantasie und der Vergnügungslust im Süden doch
ein Zugeständnis gemacht werden mußte.

Savonarola ermunterte die Angeberei, Würfel und
Kartenspiel wurden streng geahndet, doch noch größer
war das Übel der Delatoren, die ein gutes Geschäft
machten, indem sie die hartnäckigen Spieler an-
zeigten.

Üppigkeit und Eleganz der geistlichen Herren sollten
nicht mehr geduldet werden. Teils flohen die Be-
troffenen vor Verfolgung, teils bekehrten sie sich.
Savonarola schleuderte sein Wehe auf die Reichen

---

*) Sein Sociales Utopien beschrieb später Campanella ungefähr
im *Sonnenstaat.*

mit alttestamentarischer Kraft und rief mit rächender Anklage, da geistliche Eleganz die ungepflegten und wenig wohlduftenden Mönche gern verspottete und sich am Spott der Novellenschreiber freute: *Seht die Geistlichen, die dahin gehen mit schön gepflegtem Haar, mit voller Börse und weithin duftverbreitend! Geht zu den Dienern der Kirche, ihr findet deren Tafel reich mit Silber geschmückt, ihre Gemächer verweichlicht mit Teppichen und Kissen, sie haben Pferde, Maultiere, Hunde, Dienerschaft, alles geht in Seide, sogar ihre Köche und Barbiere!* Und er donnerte, daß jeder Glaube verschwinde: *non quasi si credea del tetto in su.* (Kaum glaubt man, daß über dem Dach etwas sei.) Fra Girolamos leidenschaftlicher Aufruf zu Umkehr und Buße riß viele mit. Ein Miniaturist, der ein typischer Florentiner Stutzer gewesen zu sein scheint, beschreibt unter dem Namen Fra Benedetto, nachdem er Dominikaner geworden, die eigene Weltlichkeit und die darauf folgende Weltflucht in dem schwärmerischen Buch *Cedrus libani* (1493)

> *Tanto musco profumo allor portavo*
> *Con tante pompe, leggiadrie e gale*
> *Che col cervello senza penne volavo...*
> *Come un vento*
> *Spogliami all tutto d'ogni leggiadria.*

Treffend entwirft er damit die Psychologie der modischen jungen Leute, die leichten Sinnes von einem Extrem ins andere fallen, von einer Mode zur anderen pendeln.

Zuerst ist der Stutzer nach seiner eigenen Beschreibung so stark mit Moschus parfümiert, hat soviel Mode-

pomp und Eitelkeit an sich, daß sein Hirn ganz leicht
wird, so daß es ohne Flügel fliegt. Dann schüttelt
er dies alles von sich, es ist, als fege der Wind die
Eitelkeit davon.
Ähnlich wie dem einzelnen Stutzer und Lebemann erging es der ganzen Stadt Florenz, Buße und ekstatische
Schwärmerei wurden Mode in den verschiedensten
Kreisen, nur die sogenannten *Arrabiati* hielten sich
grollend und drohend fern.
Savonarolas Prophezeiungen, die zum Teil in Erfüllung
gingen, seinen hinreißenden Reden, die den Fanatiker
selbst so sehr mit hinrissen, daß er durch eigene Träne
die Zuhörer suggestiv zu Tränen zwang, wurde der
Erfolg, die Lebenslust, die ein Medici entfesselt hatte,
auf Zeit so zurückzudämmen, daß die Karnevalslieder
schwiegen, die Frauen strenge Tracht anlegten, Serenaden verstummten, die Festlichter ausgingen, der
Reigen der alten Götter, der heimisch und herrscher-
froh aufgetreten — wie beim Hahnenschrei ein Spuk
— erlosch.
Prophezeiungen, wie jene des Kriegszugs, den
Karl VIII. von Frankreich über Italien verhängte, waren
für einen politisch klugen Kopf nicht schwer zu machen,
um so leichter, da Savonarola Dominikaner war und
der Orden weitverzweigte Beziehungen besaß, die
ihm als dem Prior des Klosters von San Marco sehr
wohl Informationen politischer Natur heimlich verschaffen konnten. Weitschauend verwendete er sie zu
mystischen Drohungen.
Er war wohl ein aufrichtiger Fanatiker, dies zeigt zur
Genüge das leidenschaftlich gequälte Profil und die

fliehende Stirn des genial Häßlichen. Nicht ohne sitt-
liche Größe konnte der Mann sein, dem nicht nur der
Pöbel zulief, den große Menschen wie Michelangelo treu
verehrten. Zweifelsohne war er von dämonisch wirkender
poetischer Kraft in seinen Reden. Sein Andenken leistet
dem einsamen Buonarotti in der sixtinischen Kapelle
Gesellschaft und seine Einflüsterung führt den mächtigsten aller Pinsel, als der große Florentiner das jüngste
Gericht malt, mystisch großartig, aber auch mit Zorn,
mit dem Dantezorn des gekränkten Parteimanns, der
diejenigen, die er für Feinde seiner Stadt ansieht,
mittels seiner gewaltigen Kunst kopfüber in die Hölle
stürzt, ähnlich wie es der Prediger im Wort getan.
Florentiner Patriot war Savonarola geworden, obwohl
er aus Ferrara gebürtig. Der Einfluß, den der bibel-
feste Dominikaner auf Michelangelos Kunst nahm, macht
wett, was im Namen des Mönches an der Kunst ge-
frevelt wurde, als die Reumütigen der Stadt nebst den
falschen Zöpfen und dem Geschmeide der Damen auch
Werke der Kunst verbrannten, als mancher Künstler
Meißel und Pinsel entsagte und die Lauten selbst geopfert wurden, die allzu frohe weltliche Weisen begleitet*).
Möglicherweise faßten sie die Reden ihres geliebten
Predigers gegen alle weltliche Lust und was damit
zusammenhängt, wörtlicher auf, als er es selbst gemeint. Ursprünglich mag der merkwürdige Mann einen

---

*) Die Verbrennung der *Vanità* war keine Erfindung des Dominikaners, sondern wurde vor ihm von Fra Bernardo in Siena und
anderen Fanatikern geübt, die kommunistisch-mystische Ideen vertraten.

gewissen Sinn für poetisch schöngeistige Geselligkeit
gehabt haben, die Chronik von San Marco erzählt, er
habe mit den Mönchen im Grünen unter einem schönen
Baum gelagert, edlen Frohsinn gepflegt, indem einer
nach dem anderen aufgefordert wurde, Legenden zu
erzählen und eigene Betrachtung daran zu knüpfen.
Den jungen Mönchen vergönnte er unter Absingen von
Hymnen auf dem frühlingsblühenden Rasen Reigen zu
schlingen.

Stets gab es Biedermänner in der Stadt — wie so
manche Schrift beweist — die sich gewaltig erbosten
über jede Richtung, die mit ihren Lebensgewohnheiten
brach, und besonders jede Vergnügungssucht, jede
neue Eleganz, jede Bewegungsfreiheit der Frauen aus
dem strengen Bezirk des Familienkreises heraus als
teuflische Erfindung ansahen.

Diese standen sofort auf Seiten des eifernden Mönches.
Auch gab es zu jener Zeit in Florenz ein Proletariat
geistiger Arbeiter, bestehend aus talentarmen bildenden Künstlern, geistig unbemittelten und auch sonst
unbemittelten Literaten, denen es nicht gelang durch-
zudringen, zu Geld und Ehren zu kommen. Sie waren
nicht an den reichen Tisch und in die Gärten Lorenzos
geladen und wurden demgemäß neidische Demagogen,
denen Savonarolas Brandreden gerade recht kamen.

Ihnen gesellten sich einige ehrliche Schwärmer und
gekränkte Patrioten.

So ward dem genialen Mönch Macht in die Hand gespielt, er verschmähte sie keineswegs, wenn er auch
ihre äußeren Abzeichen, wie etwa den Kardinalshut,
womit man ihn zu kirren gedachte, nicht annahm.

Eine Geschichte aus seiner Jugend erklärt bedeutungsvoll den heimlich brennenden Ehrgeiz, der ihn hoch
erhob und fürchterlich stürzte. Als Jüngling hatte
Savonarola mit tiefster Glut ein Mädchen aus dem
Hause Strozzi geliebt. Sie wurde ihm hochmütig ver-
weigert, denn eine Strozzi könne mit einem Savonarola*) nichts zu tun haben. Die Kränkung veranlaßte
den Jüngling, gegen den elterlichen Wunsch ins Kloster
zu gehen, und wurmte gewiß so weit fort, daß nicht
nur heiliges Feuer, sondern auch weltlicher Ehrgeiz
ihn trieb, die Großen der Welt anzuklagen und in der
Stadt der Strozzi, über deren Häupter erhoben, den
Herren zu spielen.

So hatten die großen Familien im Florenz der Frührenaissance ihre Bedeutung eingebüßt, bis die *Arrabiati* die *Piagnoni* stürzten und den kühnen Dominikaner dem Feuer überlieferten. Das Gesunde war
dahin, die Maßvollen aus Lorenzos Umgebung hatten
ausgespielt und, wie es in kranken Zeiten geht, jagte
ein Äußerstes und Übertriebenes das andere Äußerste
und Übertriebene.

Die *Arrabiati*, die den religiösen Fanatiker stürzten,
waren Lebemänner, rohe Genußmenschen, deren Vergnügungssucht sich austoben wollte. Sie feierten ihren
Triumph über den strengen Mönch mit einem Gassen-
hauer, der seine Psalmen verspottete.

> *Oimè, oimè, oimè*
> *Ch'el nostro orso non cè*
> *Siamo stati in Fiorenza —*

---

*) Die Savonarolas stammten aus kleinem Bürgertum, Girolamos
Großvater hatte sich als Arzt einen Namen gemacht.

Alcun giorno al riposo
Per la magnificenza
del popol dilectoso
El nostro orso piloso —
Abbiam perduto
Deh, chi l'ha avuto
di noi abbi merzé
Oimé, oimé, oimé
Ch'el nostro orso non' cè!)*

Sei es aus Spott gegen die Trübseligkeit des Fanatismus, sei es aus geschmacklosem Übermut, unter
Leitung des Piero di Cosimo wird ein *trionfo della
morte* als neuartige Karnevalsfeier gebracht. Ein Riesen-
wagen ist von schwarzverhangenen fackelumlohten
Ochsen gezogen und mit Särgen vollgepackt. Diesen
entstiegen scheinbare Gerippe, denn auf schwarze Tri-
kots sind leuchtend weiße Knochengerüste gemalt und
diese Todgesellen singen ein schauerliches Lied, das
der Dichter Alemanni verfaßt haben soll.

Als Reaktion gegen die mönchische Herrschaft entstand ein protziges Genußleben in den führenden Kreisen,
man wünschte irgend einen Herrscher, irgend einen

---

*)   O weh, o weh, o weh!
Unser Bär, der ist ade.
In Florenz, da hatten wir
Zeit in Ruhe frei
Dank dem lieben Pöbeltier
Und der Großsprecherei.
Fort ist nun der Zottelbär,
Gott! Wir haben ihn nicht mehr
O weh, o weh, o weh!
Unser Bär, der ist ade.

Medici und nahm vorlieb mit dem unbedeutenden Stutzer Lorenzo, Pieros Sohn.

In dieser Reaktionszeit tritt Machiavelli als Sittenrichter auf und geißelt grimmig die neue, sich hervortuende Gesellschaft, insbesondere nimmt er aufs Korn die verschiedenen nobeln Kompanien oder Kliquen, die unter irgend einem Motto sich damals zusammentaten.

Als die Medici im Jahr 1512 nach Florenz zurückgekehrt waren, wollten die wichtigsten darunter die junge Lebewelt der Stadt durch Lustbarkeiten an sich fesseln, es waren der Diamantenorden, dessen Namen auf die *impresa* oder das Emblem anspielte, das sich Lorenzo il Magnifico einst gewählt, einen Diamanten mit drei Federn und dem Spruch *semper cresco*, und der Orden des *broncone*. Broncone hieß das Emblem, das sich der jüngere Lorenzo, des Magnifico Enkel, gewählt, ein Scheit Holz in Flammen. Er stand an der Spitze des Ordens.

Diese Vereinigungen hatten die Festlichkeiten und Vergnügungen unter sich, Herren und Damen waren beteiligt. Über den leichtfertigen Ton, der in den Kompanien herrschte, spottete Macchiavelli, indem er seinerseits die Gründung einer *compagnia di piacere* vorschlug mit höchst bizzaren Statuten. Spielkönig und Spielkönigin sollten nach altem Brauch je acht Tage gebieten, dazu sollten die Herren gewählt werden nach Größe der Nase, die Damen nach Kleinheit des Fußes. Am meisten geehrt und gelobt sollten jene sein, die an Worten die größte Anzahl mit dem wenigsten Sinn vorbrächten, *più parole e meno conclusione*, eine Kritik, die für politische wie gesellige Vereinigungen beißend genug war.

Die Mitglieder der Compagnia waren gehalten, unaufhörlich zu schwatzen; wer einen Augenblick schwieg, unterlag einer Strafe. Possierliche Strafen werden auch denen angedroht, die Gutes von anderen sagen oder Geheimes bei sich behalten, denn es ist vorgeschrieben, fortwährend alles auszuplaudern, was anvertraut wird, und unermüdlich zu sein in übler Nachrede sowohl der Mitglieder als fremder Personen. Ihre Zunge zu üben haben sich die Teilnehmer regelmäßig einzufinden bei allen geselligen Anlässen, den *perdoni* und kirchlichen Feierlichkeiten, den Tafeln, Abendessen und *merende* — Nachmittagszusammenkünften —, im Theater und bei Tanzereien. Außerdem sind die Damen verpflichtet, drei Viertel ihrer Zeit am Fenster oder an der Türschwelle zu verbringen und die Herren müssen zu mindest zwölfmal täglich sich dabei mit ihnen unterhalten.

Ein boshaftes und dennoch anmutiges Bild froh geselligen Treibens, wie es ähnlich Jahrhunderte lang in Italiens mildem Klima fortbestand, das zwanglose Geplauder vom Fenster aus, wo die Schöne hinter ihren Blumentöpfen lehnt oder von Torbogen zu Torbogen in der abendlich kühlen Straße plaudert.

Schlimmer ist eine andere Regel, die Macchiavell satirisch aufstellt, da sie in unheimliche Gepflogenheit hineinleuchtet, nämlich die Damen sollen nach dem Statut keine Schwiegermutter besitzen, haben sie eine solche, müssen sie dieselbe vergiften, dasselbe gilt für Ehemänner, die ihren Pflichten nicht nachkommen.

126

Natürlich fehlen auch nicht einige Bestimmungen, die nach heutigem Begriff derb unanständig sind.

Erwähnt sei noch das Verbot für Damen und Herren, durch Toilettenkünste falsche Tatsachen vorzuspiegeln, für Damen, Nadeln zu tragen, die beim Liebesspiel unangenehm überraschen können, ferner das Gebot, jederzeit zu lügen. Wer am besten lügt, wird besonders belobt.

Gestraft wird dagegen, wer bei der Messe nicht fortwährend Blicke herumwirft, noch sich auffallend benimmt, wer die Wahrheit sagt über die eigene Lage und sich nicht bemüht, dieselbe möglichst schwindelhaft darzustellen.

Man fragt sich, ob in dem berühmten, bitter ernst genommenen *Principe* Macchiavellis nicht manches ebenso ironisch gemeint ist, wie in dieser Satire der zeitgenössischen Snobgesellschaft.

Die scharfen Rügen, die durch diese Groteske der Gesellschaft ausgeteilt werden, lassen auf den grimmigen Humor des berühmten Politikers schließen, der auch in anderen Schriften spukt und leider nicht immer erkannt wurde, so daß Manche seine scharfen Spässe der Einfachheit wegen ernst nahmen. Ähnlich spottet Macchiavelli in der *Mandragola* über die Sitten seiner Zeit, doch poetisch verklärt erscheint das stark aufgetragene Gemälde durch die zierliche Musik, die zum Schluß der Akte reizende Verse als Intermezzo begleitet und man ist erstaunt, wie tändelnd anmutig ein Macchiavelli sich zeigen kann.

Zu dem von ihm verfaßten *Canti carnascialeschi* fehlt der rechte Schlüssel, sie sind unerwartet ernst für

Karnevalsweisen. Der allegorische Wagen mit Figuren, denen sie in den Mund gelegt sind, muß höchst seltsam gewesen sein. Er war bevölkert mit einem Chor von Teufeln, die dem politischen Gebaren in Florenz ein Scheltlied sangen, mit seligen Geistern, die bessere Zeiten versprachen, mit Verkäufern von Pinienäpfeln, mit unglücklich Liebenden, die in der Hölle über die Grausamkeit ihrer Damen klagten, und Damen, die beschworen wurden, nicht grausam in der Liebe zu sein, um ihre Verehrer nicht Teufelsklauen auszuliefern, und endlich mit Pilgern, die mahnten trotz aller Prophezeiungen von Krieg und Pestilenz (gemeint waren wohl Savonarolas schreckliche Seherworte) sich an die Stunde zu halten und den Muckern zum Trotz den Karneval zu feiern.

Zum Schluß bevölkerte den Wagen noch ein Chor von *Ciurmadori* oder Charlatanen, wohl zum Necken der Abergläubischen gedacht, denn der unklare Glaube an visionäre Propheten und dergleichen hatte manche Köpfe stark verwirrt.

Im Jahr 1516 leitet Francesco Granacci, der einstige Schützling Lorenzos, einen der herrlichsten Karnevalszüge, der in treffender Nachahmung der Antike den siegreichen Einzug des Paulus Aemilius darstellte, man bat den Papst um Tiere aus seinem zoologischen Garten dazu, vornehmlich um seinen berühmten Elefanten, dessen Besuch aber zum Leidwesen der schaulustigen Florentiner wegen Reisebeschwerlichkeiten abgeschlagen wurde.

Indessen triumphiert Florenz in Rom unter dem medicäischen Papst Leo X. und Rom gelangt durch diese

Einwirkung zur jubelnden Entfaltung der Hochrenaissance.

Die Frührenaissance hatte jedoch ihren Weg nach
Frankreich genommen als Folgeerscheinung von der
Abenteuerfahrt des Königs Karl VIII. Wie jeder Krieg
das Unvorhergesehene und nicht das eigentlich Er-
strebte bringt — nicht ein Fußbreit italienischer Erde
blieb den Franzosen als Ergebnis des Zuges — so
verlief Karls Unternehmen. Aber italienische Künstler,
Gelehrte, Dichter, Musiker, Diplomaten und Lustigmacher besetzten friedlich erobernd und durchdringend
Frankreich auf ein Jahrhundert und verdrängten dessen
gotische Welt.

Frankreichs Renaissancetraum italienischer Herrschaft,
die eigensinnigen Züge seiner Könige waren bestimmt,
zu scheitern, wie Deutschlands mittelalterlicher Traum,
die Züge seiner Kaiser dazu bestimmt gewesen. Allein
der fremde Duft heftete sich an die Heimgekehrten
und zog tausendmal siegreich über das eigene Land.

SECHSTER ABSCHNITT

Die Mütter der Jungfrauen — Der kniende Schneider — Noblesse oblige — Gegen den Ritterroman — Die Praxis des Herrschens — Frankreichs gotischer Geschmack — Der häusliche Kommunismus — Die Königin in Holzschuhen — Der Traum des kleinen Königs — Mailänder Intrigenspiel — Die Sportsdame und ihr Teint — Karls VIII. Abenteuerfahrt — Die größte „beffa" — Beatrices Plan — Plünderung und Touristenfreude — Der Bädeker der Renaissance — Die Italienerin — Schmählicher Abzug — Des Abenteuers innere Wirkung.

Anne de Beaujeu, auch Anne de France genannt, die Tochter Ludwigs XI. von Frankreich, Regentin während der Minderjährigkeit Karls VIII. und Anne de Bretagne, zuerst Gattin Karls und dann des *guten* Königs Ludwig XII., waren beide energische, praktische und sittenstrenge Damen, die einen wertvollen Frauentypus der französischen Welt darstellen. Man nennt sie *mères des vierges*, weil sie sich angelegentlich mit Erziehung und Ehestiftung junger Mädchen verschiedener Stände beschäftigten. Eine weithin waltende Mütterlichkeit ist bezeichnend für sie.

Es ist das Zeitalter heroischer Hausfrauen, die ihr ganzes Dasein der Würde des Hauses gewissenhaft hingeben. Selbst die Toilette ist diesem Gedanken untertan, Anne de France empfiehlt ihrer Tochter in interessanten pädagogischen Aufzeichnungen *enseignements*, derselben ja gebührende Sorgfalt zu widmen und kein Opfer der Bequemlichkeit zu scheuen, weil der Anblick der Dame des Hauses für alle Untergebenen Freude und Stolz auslösen muß, majestätische Erscheinung verbürgt die nötige Ehrfurcht.

130

Mit Kniefall bringt der Schneider an der Spitze eines stattlichen Gefolges von Frauen die vom Tag geforderte steife Pracht. Die Fürstin und jede große Dame folgen bei ihrer Toilette und allen Gepflogenheiten nicht etwa Laune und Vergnügen, sie gehört zum unabänderlichen Kreis der Pflichten, die des Namens Würde ihnen auferlegt.

Auch Brautschmuck und Brautgewand sind nur Insignien solcher Würde. Im höchsten Grade unvornehm wäre es, anders darüber zu denken, hoch über Liebeswünschen, wie über jeder Lässigkeit und Bequemlichkeit steht das stolze Ideal, als Hausmutter eines großen Hauses, Gottes Willen bis ins Kleinste auf sich zu nehmen. Die vornehme Frau erfüllt durch ihre Opferwilligkeit eine Hingabe an das allgemeine Wohl, die in keiner anderen sozialen Struktur erreicht worden ist. Ihr Lohn besteht in der Überzeugung, gottgefällig zu wandeln, in dem genußreichen Stolz der Devise *noblesse oblige*, der sie hoch über Frauen erhebt, die keine so schwere Krone tragen, und im Bewußtsein der Tochter Frankreichs, *fille de France*, oder Tochter dieses oder jenes erlauchten Hauses, die im Leben stets Beispiel ist, stets in aller Augen handelt, nie sich selbst gehört und eben dadurch ein hervorragendes Selbst ausbildet mit allen Herrschertugenden.

Anne de Beaujeu sucht als Regentin solche Sitte zu festigen. Sie wendet sich gegen den Zeitverlust, den die Damen erleiden durch Lektüre der unsinnigen Ritterromane und fürchtet den schlechten Einfluß lockerer Liebesgeschichten, die aus Spanien und Italien eingeschmuggelt werden und die guten Sitten der Fräulein von Stand bedrohen*).

Darum verfaßt sie für ihre Tochter ein nützliches Lesebuch, das die mannigfachen Haus-, Regierungs- und Anstandspflichten hochgeborener Frauen enthält und versucht außerdem einen harmlosen Roman für die jungen Damen als Unterhaltungslektüre zu schreiben. Ähnlichen Sinnes läßt ihre Nichte Anne de Bretagne vom Hofkaplan 91 Lebensbeschreibungen tugendhafter Damen verfassen als Lesestoff für die Jugend, die sie um sich sammelt, um den fremden Novellen und Moden entgegenzuwirken.

In diesem Buch behauptet der Kaplan, es sei in Frankreich nicht not, nach fremden Mustern zu schauen, denn die französischen Damen seien allermeist zu loben in Sittsamkeit und jeder Tugend. Unter dem Einfluß jener beiden Fürstinnen scheint dies Lob sehr berechtigt, die Edelfrauen wetteifern darin, ihrem Namen Ehre zu machen und ihrer Mühewaltung ist wohl nicht am wenigsten zu verdanken, wenn zu jener Zeit großes Gedeihen im Lande merkbar wird.

Freilich kommt eleganter Lebensgenuß dabei zu kurz, die vornehmen Frauen sind oft so müd von ihrem ausschließlichen Pflichtleben, daß sie verwitwet sich am liebsten in die stille Abgeschiedenheit des Klosters begeben. Die Herren scheinen nicht dankbar genug für solche mühsame Tüchtigkeit, sie sehnen sich hinweg nach unterhaltsamen Abenteuern. Anne de Bretagne

---

*) Sie wirkt besonders in Lyon, da ihre Besitzungen angrenzen, und diese Stadt zeigt von nun an große geistige Regsamkeit unter den Frauen.

ist so strengen Sinns, daß sie auch die harmloseste Liebelei oder zärtliches Benehmen zwischen Verlobten ungehörig findet. Nur mit Zeichen äußersten Respekts darf sich ein Edelmann der Edeldame nahen *le genou en terre,* und er darf natürlich nur sehr würdevoll und steif gegrüßt werden.

Ursprünglich war die schöne Erbin der Bretagne mit Kaiser Maximilian *per procura* vermählt gewesen, Karl VIII. von Frankreich bekriegte jedoch die Bretagne, und um ihr Land zu retten, reichte sie ihm die Hand, nach dem Tode desselben erlaubte der Papst Ludwig dem Zwölften, die Witwe zu heiraten. Ludwigs unfruchtbare und ungeliebte Gemahlin Johanna begab sich ins Kloster und Anna erreichte großen politischen Einfluß.

Die Edeldamen und Prinzessinnen dieser Zeit sind von Jugend an so gewöhnt, mit Majestät und Vernunft einem gewaltigen Hausstand vorzustehen, daß ihnen auch größere Regierungsgeschäfte liegen, sie haben das Nötige, die Praxis des Herrschens und Verwaltens. Selbst bei hohen Einkünften bleibt für ihr Privatvergnügen wenig übrig, denn das herrschaftliche und gar das fürstliche Haus hat die weittragendsten Verpflichtungen, die insgesamt vorgehen, auch eine sehr ausgedehnte Wohlfahrtspflege, die gewissenhaft geübt wird, und an den großen Festen des Jahres in die geselligen Freuden hineinspielt, so am Dreikönigstag, zu Ostern, Neujahr und bei anderen Gelegenheiten, wo große Geschenke Sitte bleiben.

Am drückendsten wirken wohl die wichtigen, angestammten, mit dem Haus erblich verwachsenen, zahlreichen Dienerschaften. Fast herrscht ein häuslicher Kommunismus, die Leute gehören zum Haus und das Haus gehört allgemeinem Fühlen nach auch ihnen.

Die Fürstinnen lassen es sich mit dem allen recht sauer werden, wie ihre Haushaltungsbücher beweisen, sie sind vielleicht die opferwilligsten Hausfrauen großen Stils, die es je gegeben. Besonders Anne de Bretagne wird belohnt durch Volkstümlichkeit. Es scheint, daß sie großes Interesse für Landwirtschaft zeigte und nicht verschmähte, bei ihren Besichtigungen die bretonische Volkstracht anzulegen, wozu die bekannten *sabots*, breite Holzpantoffeln, gehören.

Das Bild der Königin in Holzschuhen wurde festgehalten in einem melodiösen Liedchen, das noch bis heute als Volkslied gesungen wird:

C'était Anne de Bretagne
reine en sabots,
qui revenait de ses domaines
en sabots, mirlitontaine — —

Ursprünglich war möglicherweise das artige Lied ein Spottliedchen auf die einfachen Sitten der Königin und ihre Vorliebe für Ländlichkeit, ausgehend von einem Teil der Hofgesellschaft, abenteuerlustigen, leichtlebigen, jungen Leuten, die den Hof der tugendsamen Königin für ihren Geschmack zu wenig elegant, zu hausbacken fanden.

Anne de Bretagne hatte eine große Anzahl junger Damen aus den besten Familien um sich versammelt und sorgte für deren Erziehung in Sittsamkeit und Tugend, vielleicht in ähnlichem Sinn und als Vorbild, wie Madame de Maintenon später streng und wohl-

134

meinend in Saint-Cyr der Erziehung junger Damen vorstand. Eine zeitgenössische Miniatur stellt Königin Anna in diesem Kreise dar. Sie trägt einen von ihr selbst erfundenen, fast klösterlich strengen, nicht sehr kleidsamen Kopfputz, bestehend aus einem dunklen Schleier mit etwas vorstehendem Weiß, in den Nacken herabfallend, das Gesicht eng umrahmend. Ihre Fräulein tragen ähnlichen Kopfputz, auch alle denselben kleinen viereckigen Ausschnitt und einfach anliegendes Gewand mit oben anschließenden, nach unten weiten Ärmeln.

Nach alter Mode sitzen sie noch am Boden auf kleinen *Carreaux*, die Königin auf einfacher Bank, die wandentlang läuft, ein bescheidenes Klapptischchen mit Schreibgerät vor sich.

Man befleißigt sich am Hof geduldiger Handarbeit. Noch Montaigne entwirft ein schmeichelhaftes Bild der Königin Anna, wie sie sich mit *tapisserie* beschäftigt.

In dieser einfach geregelten Häuslichkeit fanden es manche junge Ritter langweilig und sie träumten ferne, glänzende Abenteuer. Sie brachten bald den jungen König dazu, ebenso zu träumen.

Karl VIII. war klein und unansehnlich von Person, um so mehr hatte er den Ehrgeiz, als großer Held aufzutreten und ernst genommen zu werden. Italiener, wie Giulio della Rovere (später Papst Julius II., aus Feindschaft gegen Borgia nach Frankreich geflüchtet), die sich an seinem Hof einfanden und absichtlich berichteten von Italiens Glanz und dem interessanten Leben, das sich dort schon entwickelte, fanden sehnsüchtige Zuhörer.

Nichts konnte daher dem König willkommener sein

135

als die Aufforderung, seine alten, von Anjou stammenden Erbrechte auf Neapel geltend zu machen, und er behauptete, dies Unternehmen als Grundlage eines größeren zu benutzen, das höchsten Ruhm bringen sollte, als Grundlage eines Kreuzzugs gegen die immer stärker drohende Türkengefahr. Damit war auch die fromme Königin für den abenteuerlichen Kriegsplan gewonnen.

Schmeichelhaft, wie Hofpoeten sind, verfaßte André de la Vigne, Karls Hofdichter, flugs ein Gedicht *le vergier d'honneur*, um diesen großen Plan zu feiern. In dem Werk tritt *Dame Chrestienté* — die Allegorie des Christentums — auf und beklagt sich bei *Dame Noblesse* über die Türkenschmach. Diese tröstet *Dame Chrestienté*, indem sie versichert, eine Sybille habe ihr die Geburt eines edlen Prinzen geweissagt, der ihr Rettung zu bringen gedenke.

Dieser Prinz war Karl VIII. Also ermuntert von den Musen und dem Beifall der kriegs- und abenteuerlustigen jungen Edelleute, aber mit sehr wenig Geld setzte sich *der kleine König Karl* (le petit roy Charles) auf hohes Roß in jeder Beziehung und zog nach Italien an der Spitze einer fröhlichen selbstsicheren Armee voll knabenhaften Übermuts.

Ungern beteiligte sich Philippe de Commynes an dem abenteuerlichen Zug. Dieser Memoirenschreiber der Zeit, Ritter und Edelmann, war ein bedeutender Philosoph und Pazifist. Er nahm die Kreuzzugsromantik nicht ernst, sondern beklagte, daß es im günstigsten Fall keinen Sinn habe, die Hand nach fernen Reichen auszustrecken, statt das seinige vernünftig zu regieren.

136

Der Krieg sei an sich nicht nur Verbrechen, sondern Wahnsinn, behauptete er kühn und rief vernehmlich Wehe über alle jene, die Krieg entfesseln. Zumeist sei schuld die namenlose Dummheit und Unbildung, *la bestialité* der Fürsten, die durch *bestialité* ihrer Höflinge gelobt und genährt werde. Den Hofmann, wie er sein sollte, skizziert Commynes vorbildlich noch vor Castiglione.

Das Ergebnis des angeblichen Kreuzzugs gab ihm allzu recht, mag auch der treue Warner, als die Expedition glänzend anfing, bei Spiel und Tanz recht ausgelacht worden sein.

Lodovico il Moro, der Tyrann von Mailand, hatte Karl VIII. natürlich nicht aus Gründen berufen, die dem *vergier d'honneur* entstammten. Dieser geniale, geschmackvolle, aber skrupellose Mann konnte nicht von seinem Herrscheramt lassen, das er als Vormund seines Neffen Gian Galeazzo mit Glanz geführt. Zuerst dachte er daran, den längst Volljährigen als Scheinherzog leben zu lassen, indes er selbst in Wirklichkeit herrschte.

Doch der junge Herzog wurde ihm unbequem. Vielleicht wirkte dabei mit, daß Lodovicos Begehrlichkeit von seiner Nichte Isabella abgelehnt wurde, daß Beatrice d'Este, Lodovicos junge Gattin, von brennendem Ehrgeiz erfüllt, der Nichte den Vortritt nicht gönnte und daß des jungen Gian Galeazzo Schwiegervater Alfonso von Aragon auf die Klagen des unterdrückten Fürstenpaares hin bedrohlich werden konnte.

So spielt Lodovico mit dem Gedanken, den abenteuerlustigen Karl von Frankreich nach Italien zu rufen, um sich vor Neapel und dem mit diesem verbündeten Florenz zu sichern.

Gian Galeazzo soll beseitigt und Lodovicos Herrschertum befestigt werden. Als der Gedanke rasch zur Tat reift und die Franzosen an der Grenze erscheinen, wird es freilich Lodovico selbst bang und bedenklich. Doch seine Gattin Beatrice verspricht ihm, die Franzosen kirre zu machen, sich ihnen an der Spitze eines Heereszugs bezaubernder Frauen entgegenzustellen und mit allen Künsten einer verführerischen, den altmodischen Franzosen überlegenen Geselligkeit, die Eindringlinge zu blenden und einzuwiegen.

Das junge Paar, Galeazzo und Isabella, war längst aus dem Planetenhimmel gestürzt, den Lionardos Kunst schmeichelnd vorgegaukelt. Der junge Herzog stirbt langsam an Gift und Isabella kniete umsonst schutzflehend vor Karl VIII. Mit ihrem Schwarm schöner heiterer Frauen machte Beatrice d'Este den gewünschten Eindruck und trug den Sieg über die Leidtragende davon.

Beatrice ist die berühmteste Sportsdame, sie übertrifft den Gemahl bei der Falkenbeize und besitzt eine Sammlung kostbarer Jagdgeräte und Kostüme, die alles Dagewesene übertrifft. Neben dem Gemach, das diese erlesene Sammlung enthält, befindet sich ein anderes, ausgestattet mit den kostbarsten Schönheitsmitteln, wohlriechenden Essenzen und dergleichen, denn die Renaissanceprinzessin stellt sich die schwierige und heikle Aufgabe, zart anmutenden Anblick mit Sportstüchtigkeit zu vereinigen. Trotz der Jägerei will sie weder derb noch braunverbrannt erscheinen.

138

Sonnenhelle des Haars, Perlweiße der Haut gehören zur Vornehmheit und werden opferwillig gepflegt. Selbst eine heldenstarke Katharina Sforza, die als Ehrentitel den Namen *virago* erhielt, das Prototyp der Bradamante im Ariost und der Clorinde Tassos, sie, die zu Pferd unglaubliche Ausdauer zeigte, war um ihren Teint besorgt und in ihren Tagebüchern finden sich kostspielige Rezepte zu dessen Pflege von einer berühmten Jüdin, Sybille der Kosmetik, nebst Gebeten, die für heilkräftig gelten und Giftrezepten, vermutlich von derselben Sybille stammend, um sich der Feinde oder Nebenbuhlerinnen gegebenenfalls ohne Aufsehen zu entledigen.

Denn wie in allen anderen Künsten und Wissenschaften ist man in Italien mit der Kunst des Giftmischens am weitesten fortgeschritten und unauflösbar erscheinende Verknotungen löst sehr oft ein geschickt gemischter Tropfen. Oder ein parfümierter Handschuh bringt den Tod, oder ein Pfirsich, der mit einem Messer angeschnitten wird, dessen Schneide vergiftet ist auf einer Seite. So kann man die Frucht freundlich teilen mit einem Gast, dem der Tod bestimmt ist, behutsam die eine Hälfte selbst zum Munde führend. Meist bringt man bei größeren Festen noch das eigene Messer mit. Es hat wunderbaren Griff von Elfenbein, Silber oder Gold, der verschlungene Nymphen oder Putten oder Delphine oder anderes Fabelgetier darstellt.

Der einstige rohe Todschlag ist zu raffiniert feinem Mordbeginnen geworden.

Solch einen Pfirsich hat Gian Galeazzo wahrscheinlich

zu schmecken bekommen — sein Hinsiechen blieb un-
aufgeklärt.

Nie hatten Karl und seine Ritter ähnliche Feste erlebt,
sie sind berauscht von einem Meer von Duft, Farbe
und Musik, von frohfestlicher Huldigung. Sie wähnen,
daß Lodovico ihr Freund sei, und lassen sich gern
bestimmen, gegen das schöne Neapel zu ziehen mit
diesem falschen Freund im Rücken.

Von jeher bildete das Königreich Neapel durch seine
eigentümliche Entstehungsgeschichte ein gegebenes
Streitobjekt. Einst hatte der Papst viele Königreiche
zu Lehen vergeben, und sein Traum war dahin gegangen, ganz Europa in einem Völkerbund zu vereinigen, dessen Teile in solchem Lehensverhältnis stehen
sollten. Seit des großen Bónifaz Fall war dies Lehensverhältnis zu den meisten Staaten gelockert, obwohl
der Papst noch grundsätzlich als Lehensherr auftrat.
Tatsächliche Oberherrlichkeit übte der heilige Stuhl
über das nachbarliche Neapel, wo irgend ein Machtspruch in den äußerst verwickelten dynastischen Angelegenheiten oft dringend nötig schien, denn nirgends
war die Politik so verknäuelt durch Usurpation, Mord,
Adoption, durch Revolution, durch eheliche und außer-
eheliche Abenteuer. Dank ihrer Verwandtschaft mischten
sich die Häuser von Frankreich, Spanien und Ungarn
ein.

Unter der Regierung Alfonsos des Weisen war es
Neapel gut gegangen, unter Ferrantes Herrschaft ver-
schlechterte sich die Lage, doch konnten sich eine reiche
Geselligkeit und ein interessanter Humanismus entwickeln. Allein König Alfonso, Ferrantes Sohn, Vater

140

der mailändischen Isabella, war ein ungeschickter grausamer Tyrann, und eine Partei hatte sich gebildet, ihn zu stürzen. Diese Partei rechnete auf fremde Einmischung, nichts konnte also Moro willkommener sein. Wie würde sich aber der Lehensherr, Papst Alexander VI. dazu verhalten? Und wie Florenz, das mit dem König von Neapel verbündet war?

Großer Schreck lief durch Italien, als Karl VIII. im Mailändischen erschien, nachdem er die gastfreundlichen Prinzessinnen von Savoyen und Montferrat um ihren Schmuck, mit dem sie ihn reichlich geziert und glänzend empfangen hatten, als Kriegsschatz gebeten*).

Auf diese Art mit ausreichenden Mitteln versehen, schien der König mit seiner Armee unwiderstehlich, man glaubte Savonarolas furchtbare Prophezeiungen erfüllt zu sehen. Piero von Medici wußte Florenz nicht zu halten, der Papst zitterte trotz Cesares kriegerischer Kenntnis. Allein man kam in Italien inmitten aller Uneinigkeit plötzlich auf denselben Ausweg, um den Anprall zu brechen und unschädlich zu machen.

Ein genial schlauer Einfall, eine kühne Improvisation, die größte *beffa* oder Fopperei, welche die Politik noch gezeitigt, und eine der größten Merkwürdigkeiten aus der Geschichte der Geselligkeit.

Die Franzosen waren noch von altfränkischen Ansichten

---

*) Bojardo singt im Orlando Inamorato (1494):

> *Mentre ch'io canto, ahimé Dio redentore!*
> *Veggio l'Italia tutta fiamma e fuoco*
> *Per questi Galli, che con gran furore*
> *Vengon per rovinar non so che luoco.*

befangen, steif und schwerfällig in ihren Unterhaltungen, ihre Frauen plump und unelegant im Vergleich mit den Italienerinnen. Die Franzosen waren naive Neulinge den raffinierten Künsten ihrer Nachbarn gegenüber. Sie wußten dreinzuschlagen wie die alten Recken aus ihren Ritterromanen.

Aber Italien hatte die Renaissance!

Italien hatte die klügsten, gepflegtesten Frauen, die unwiderstehlichsten Künste und Künstler, Tänze und Musik und Feuerwerk — die bezauberndste, die köstlichste Geselligkeit.

Dies alles gedachten die Italiener auszuspielen, aufzubieten und die Feinde in ein ungeheures Zaubernetz des Vergnügens zu verstricken; sie schmeichelten der Eitelkeit und der naiven Unterhaltungssucht auf das erlesenste, bis sie Zeit fanden, sich zu sammeln und die gekirrten Abenteurer in eine Falle zu locken.

Zwar sollten einige Diplomaten gegen den Einfall protestieren, einige feste Schlösser sich wehren, im übrigen hieß es Tore offen, festliche Bogen, Musik — und schönste, gewiegteste Courtisanen herbei! Auch die redegewandten Gelehrten nicht zu vergessen, um den Fremden zu imponieren, die den Humanisten doch noch ein wenig abergläubisch respektvoll wie einen Medizinmann ansehen. Selbst Savonarola gibt sich dazu her, mit dem französischen König freundlich ein Gespräch zu führen.

In Florenz wird Karl großartig empfangen, eine glänzende Galavorstellung gefällt ihm so gut, daß er recht kindlich um deren Wiederholung bittet. Man kann sich nicht satt sehen, nicht satt freuen an den Dingen,

142

die so überraschend gastfreundlich geboten werden. Als Eroberer gedachte man zu kommen — aber man begnügt sich auch gern mit Siegen über schöne Frauen, die Huldinnen gleich zu bezaubern wissen.

Nur einige große Plündereien der Schätze Medicis unternahmen die Franzosen, gemeinsam mit dem Florentiner Pöbel. Naiv zählt Philippe de Commynes die dabei geraubten Kostbarkeiten auf: *schöne Schalen aus Achat und eine Menge kostbarer Kameen, wundervoll geschnitten, und gut 3000 Medaillen aus Gold und Erz, mindestens vierzig Pfund schwer, und ich glaube, es gab keine schöneren Medaillen in ganz Italien.* Pathetisch beklagt Ruccellai, ein Verwandter der Medici, die unsagbare Zerstörung: *Haec omnia magno conquisita studia summisque parta opibus et ad multum aevi in deliciis habita, quibus nihil nobilius, nihil Florentiae quod magis visendum potaretur, uno puncto temporis in praedam cessere, tanta Gallorum avaritia, perfidiaque nostrorum fuit*).

Am eigentümlichsten war der Aufenthalt in Rom, wo sich Alexander VI. zuerst in der Engelsburg einschloß, dann aber den Franzosen mit herrlichem Gepränge entgegenzog und so sehr imponierte, daß sich Karl VIII. als demütiger Sohn der Kirche benahm.

Die Krieger wurden zu frommen Touristen, die mit nicht enden wollendem Staunen die Merkwürdigkeiten der ewigen Stadt betrachteten und deren seltsame Erklärungen durch den damaligen Bädeker *mirabilia* — gläubig aufnahmen. Seine Pariser zu erbauen und sie an seiner Touristenfreude teilnehmen zu lassen,

*) Bernardo Ruccelai: de bello Ital.

sandte Karl einen Auszug dieser Mirabilia nach Haus, der die amüsantesten Fabeln über alle römischen Sehenswürdigkeiten enthielt und ließ denselben in der Stadt als Kriegsbulletin verteilen.

Gleiches Spiel in Neapel wie in Rom. Commynes erzählt begeistert über den unbekannten Luxus: *Ehedem er in die Stadt einzog, nahm der König Nachtquartier in Poggio reale, einem Lustort, wo König Ferrante einen Palast bauen ließ, derartig schön, daß die Schönrede unseres Meisters Alain Chartier, die feine Kunst eines Jehan de Meun* (Frankreichs berühmteste gotische Dichter) *und die Hand des Fouquet es nimmer beschreiben, noch malen könnten. Der Palast ist von Orangenbäumen umgeben und anderem kostbarem Obst in unschätzbarer Menge und Mannigfaltigkeit, ferner von schönen Springbrunnen, und Vögel sind im Garten gehegt so vieler Art und so seltsam, daß es nicht auszusagen. Weiterhin gibt es Jagdgehege mit großem Wildstand. — — Für meine Wünsche und für die eines beliebigen Menschen, der heute lebt, konnte der menschlichen Natur nichts Reicheres geboten werden.* (Avant que le roy entrait en la ville, il a couché une nuit à Poggio royal, une maison de plaisance que le roy Ferrande fait faire qui est telle que le beau parler de maistre Chartier, la subtilité de maistre Jehan de Meun et la main de Fouquet ne sauraient escrire, ni peindre. Elle est environnée d'orangers et de romarins et de tous autres arbres fructueux tant en yver qu'en esté à si grande quantité que c'est chose inestimable. Environ ceste maison sont les belles fontaines, les viviers plein d'oyseaulx de toute sorte et si estranges qu'on

144

*ne saurait penser. De l'autre côté le beau parc, ou
sont les grosses bestes à foison ... par mon souhait
et celui d'homme vivant rien ne pourrait advenir de
plus à nature humaine.)*
König Ferdinand, der nach Alfonsos Abdankung Neapel
regieren sollte, entfernte sich, von allen verlassen, indes Karl VIII. pomphaft einzog, von humanistischen
Rednern, Blumenregen und Kußhänden empfangen,
von Tänzern und Tänzerinnen umtanzt. Brantôme erzählt von dem Eindruck auf die Franzosen, sie fanden
*les femmes belles et si bien ornées de la tête et du
corps qu'il n'y avait rien de si beau à voir à nos
Français nouveaux, qui n'avaient vu les leurs de France
si gentilles, ni en si belles parures* (die Frauen schön
und so fein geschmückt an Kopf und Leib, daß
es nichts Schöneres für unsere neuangekommenen
Franzosen zu sehen gab, die ihre eigenen zu Haus
nie so niedlich noch mit solchem Schmuck gesehen
hatten).
Schon längst verschmähten die Italienerinnen den gotischen Stil und das klösterlich Herbe seines Ausklangs,
dem eine Anne de Bretagne huldigte. Sie haben sich
auf ihre Art der Antike bemächtigt — als Modebilder
gelten ihnen die ausgegrabenen Statuen und Medaillen,
nach denen sie neue wunderbare Frisuren bilden lassen
und manch herrlichen Faltenwurf. Sie lernten tanzen
von den schwebenden Figuren der Wandmalereien aus
der Antike, feine Schleier hin und her werfen.
Alle sind wohlgeübt im Lautenspiel, auch wenn sie
gelegentlich ein Schwert zu führen wissen oder einen
Dolch, und ihrem Mund entströmen leicht improvisierte,

klangreiche Gedichte, ihre Hände spielen schon mit dem Fächer.

Als die vereinigten Kräfte der italienischen Städte und Staaten endlich so weit gekommen waren, das Heer der Eindringlinge zu bekämpfen, läßt man die Maske des gesellschaftlich-fröhlichen Karnevals fallen und das von Neapel abmarschierende französische Heer wird am Taro angegriffen. Zwar verläuft die Schlacht unentschieden, doch die Armee gerät in traurigen Zustand und schlägt sich mühsam nach der Lombardei durch, die gesammelten Schätze wurden sämtlich gestohlen. Tragisch endet das Abenteuer des kleinen Königs nach dem allzuschönen Anfang. Der Eindruck, den seine junge Welt gewann, bleibt jedoch. In Frankreich wird dem italienischen Einfluß das Tor weit aufgetan. Was er Schönes und Schlimmes bringt, drängt den Heimgekehrten nach, die voll Sehnsucht bleiben.

Im Jahre 1516 gelang es Ludwig XII., sich des Mailändischen auf einige Zeit zu bemächtigen, dann wurde für kurze Spanne wieder ein Sforza eingesetzt von einem Schweizer Abenteurer, der es vom Straßensänger hochgebracht.

Doch was die seltsamen Schicksale politischer Verknotungen bringen mochten, inniger und inniger schlang die Renaissance ihr Band zwischen Frankreich und Italien, ja, aus der Ferne gesehen ist es, als seien alle Kämpfe der beiden Länder Streitigkeiten zwischen Liebenden gewesen, die heimlich nach Vereinigung schmachten, unwiderstehlich zu einander gezogen trotz aller Heftigkeiten, mit denen sie sich begegnen.

146

Ludwigs XII. Kriege *) um das Mailändische waren die elegantesten aller Kriege, Franzosen und Italiener überboten sich an kecken Reiterkunststücken, an gesellschaftlich tadellosem Auftreten, für dessen Meister Bayard galt, an goldenen Panzerhemden, Helmen nach der Antike geschaffen, anliegenden Rüstungen, den gewappneten Statuen nachgebildet, alles von graziöser Mythologie umtändelt. Diese prunkvollen Zierlichkeiten waren dazu angetan, Frauen zu berücken.

Ursprünglich herrschte so wenig Gehässigkeit bei den Spielern des Kriegs, daß in den Pausen des spannenden Spiels Liebesspiel mit dem Kampf abwechselte, man begegnete einander auf schönen Bällen, so im Jahr 1499 auf dem berühmten Tanzfest, das Francesco Bernardo Visconti dem französischen König zu Ehren gab.

Die Mode des Kusses beim Tanz machte den Franzosen großen Eindruck. Michel d'Amboise nannte solchen Tanzkuß *amyable et doux.* Er verbreitete sich in Frankreichs Geselligkeit und wurde oft zum Gegenstand neckischer Wetten bei Spielen, die sich dem Tanz anschlossen. Der Dichter Melin de St. Gelais reimte, er habe 12 Küsse gewonnen, allein er sei unzufrieden:

Douze c'est bien peu, au prix de l'infini.

Bis in die kleinsten Züge gestalten sich die italienische und französische Geselligkeit einander ähnlich, wie von innen heraus wahlverwandt. Kunst- und Weisheitsbeflissene, elegante Kavaliere und Dichter reisten hin und her. Unter den *français italianisants* zählte man

---

*) Als Enkel Ludwigs von Orleans, der mit Valentine Visconti vermählt gewesen, erhob er Anspruch auf Mailand.

seit Karl IX. und Ludwig XII. 40 bedeutende Männer, die sich der italienischen Sprache wie der eigenen bedienten in Vers und Prosa und feste Verbindung herstellten*).

Ihren Siegern brachten die Italienerinnen neuen Tanzschritt und preziöse Mode bei. Zuweilen waren die Sieger ihre Besiegten und ließen sich platonisch bekehren, wie es den Verehrern einer entzückenden Mailänderin geschah, der Gräfin Pusterla-Borromeo, die den Huldigungen damit Antwort gab, daß sie auf einem Ball in einem Kleid erschien, das über und über mit Faltern gestickt war, die eine Flamme umkreisten, abwehrend allegorisch. Oft ließen sich jedoch die Huldinnen mehr herab oder die Bewerber wußten wenigstens zu Hause damit zu prahlen. Bald gehörte es zur Eleganz eines französischen Ritters wie eines feinen Gelehrten, italienisch zu plaudern und heimgekehrt von süßen Abenteuern in Italien zu erzählen.

Nicht ohne Eifersucht lauschten die Französinnen und versuchten zuerst mit Klage, dann aber mit Koketterie die Untreuen wieder einzufangen. Verschmitzt lächelnd rühmt Brantôme ihre Fortschritte: *Quant à nos belles françaises on les a vues le temps passé fort grossières, et qui se contentaient de le faire à la grosse mode, mais depuis 50 ans en ça elles ont emprunté et appris tant de gentillesses, de mignardises, d'attraits et de vertus d'habits, de belles grâces qu'elles surpassent toutes les autres.* Zum erstenmal tritt der dem Italienischen entnommene Ausdruck *belles grâces — belle*

---

*) Pico, *Les Français italianisants.*

grazie auf, der im Munde des Franzosen etwas unartigen Beigeschmack bekommt. Er bedeutete während der Renaissance elegant, schick, mondain, artig, sinnlich und sinnig bezaubernd.

Nach dem Tode der strengen Anne de Bretagne gab man sich begeistert der neuen Mode hin, aller gotische Zierrat erschien höchst abgeschmackt und die biederen Meister, die im alten Stil da und dort weiter arbeiteten, fanden sich verlacht oder von Italienern verdrängt. Zunächst erprobte sich der neue Stil an Schmuck und Kleingerät, nichts von dem erschien den Damen gut genug, was früher stolzer Besitz gewesen. Die geübte Kritik kritisierte Eloy d'Amerval:

> Cet anneau est du temps passé,
> Ce ruby est mal enchassé
> Ce ceintureau n'est pas fort gent
> Ma troussoire n'est que d'argent
> J'en veuil une batue en or — —*)

Nach Verjagung der Sforza lebte die Partei der Visconti wieder auf, die zu Valentinens Enkel, Ludwig XII. hielt. Trotz dem Erbstreit um Mailand, in den der König verwickelt war, bot seine Regierung, die Frankreichs Frührenaissance ungefähr umfaßt, ein Schauspiel von Weisheit und Glück. Er war ein würdiger Sohn jenes Charles d'Orléans, der als Dichter, Herrscher

---

*) Der Ring hat seine Zeit verpaßt
Und der Rubin ist schlecht gefaßt,
Von Schick am Gürtel keine Spur,
Die Kette dran von Silber nur.
Ich möcht sie von geschlagnem Gold . . .
[als meines Herren Minnesold]

seines Ländchens und Schloßherr von Blois beglückend
gewirkt hatte. In dieser Knospenzeit zeigte sich die
französische Monarchie von bester Seite, Wohlstand
und Zufriedenheit waren so allgemein, daß der Chronist Vair ausrief: *Vrayment, c'est le plus plaisant pays
du monde* und Claude de Seyssel erzählt*), wie die
Leute überall, wo der König vorbeikam, sich sammelten
und meilenweit liefen, um sein Gewand zu berühren.
Der zeitgenössische Dichter Melin de St. Gelais behauptet: *Il y a 300 ans qu'on ne connut en France
un si bon temps qu'il fait à présent.*
Solches Lob ist bezeichnend für die Zufriedenheit, die
weise Häupter der Frührenaissance um sich verbreiteten,
ähnlich wurde es dem Cosimo, dem Lorenzo von Medici gespendet. Ähnlich wie die Erfüller der Frührenaissance in Florenz wird Ludwig XII. Vater des
Vaterlandes genannt. Es zeigt sich, daß die Kunst
des Herrschens vervollkommnet ist durch dieselben
Einwirkungen, die jede Kunst vervollkommnen.
Des Herrschens Kunst ist innig abhängig vom Geist
wahrer Wiedergeburt.

---

*) Claude de Seyssel, Prälat, Diplomat und Moralphilosoph, war
Historiograph Ludwigs XII. und einer der feinsten Köpfe der französischen Frührenaissance, die schnell Italiens gesellschaftlichen Ton
meisterten.

ZWEITER TEIL
HOCHRENAISSANCE

SIEBENTER ABSCHNITT

Renaissancepäpste — Zwei Urteile — Die Lage in Rom — Brot und Spiele — Klienten — Luther und Bramante — Freie Sitten — Pomponius Lätus — Der Kaplan des Königs — Die alten Götter — Ewige Gesten — Das Grabmal Julius II. — Die genialen Plebejer — *Sommo Giove* — Hammerschläge — Michelangelos Adelsstolz — Die Absage an die Gotik — Aus den Tagebüchern der Zeremonienmeister — Roms Geselligkeit — Das Leben ein Fest — Dame und Hetäre — Große Kurtisanen — Der römische Adel — Neureiche Elemente — Ehrgeizige am päpstlichen Hof.

Die Päpste der Renaissance sind scharf studiert worden und doch hat man die selbstverständlichsten Erklärungen für ihre Persönlichkeiten noch außer acht gelassen. Befremdet und mit Unwillen werden meist diese kriegerischen Nachfolger des Apostels betrachtet, dem doch der deutliche Befehl gegeben war, sein Schwert in die Scheide zu stecken. Sind diese Palasterbauer, diese prunkenden Festgeber, diese Ehrgeizigen, die für ihre Nepoten oder sogar für ihre Söhne und Töchter möglichst viel Besitz an Land und Gut mit allen Mitteln rafften, und sich dennoch gern von ihren Hofmalern, einem Pinturicchio, einem Rafael mit frommer Miene, mit andächtigen Händen darstellen ließen, — sind sie Heuchler, sind sie Schauspieler, sind sie Heiden?

Der schlimmste unter ihnen, den sogar streng katholische Forscher als der Kirche unwürdig ablehnten, Alexander Borgia schrieb in einem harmlosen Privatbrief an seine Tochter Lucrezia, sie möge ja fleißig zu Maria beten, und dieselbe Lucrezia liebte in ihm den Vater und verehrte den Papst auf naiv kindliche Weise.

Sigismondo dei Conti di Foligno, der Sekretär und Chronist des kriegerischen Sixtus IV. erzählt treuherzig, wie offenbar von Gott begünstigt und sogar hie und da von Wundern begnadet die päpstlichen Waffen seien. Im Gegensatz zu dem haßerfüllten Urteil eines Infessura, der als treuer Anhänger dieses Geschlechts in Sixtus IV. den Feind der Colonna verabscheute, entwarf Sigismondo dei Conti, der lang im Dienst dieses Papstes stand, ein anderes Bild: *Mansuetudinis fuit — — magnae.* (Er war von großer Milde.) Er sagt dem grausam kriegerischen Papst verzückt schwärmerische Frömmigkeit nach*) und spricht von der Gründung der sixtinischen Kapelle und verschiedener Kirchen als dem Ausfluß solcher Frömmigkeit. In weltlichen Dingen ließ Sixtus freilich gern seinen Nepoten Riario gewähren und dieser hielt es für angebracht, den äußeren Glanz des Papsttums durch verschwenderischen Luxus zu heben, so bei dem Empfang der spanischen Prinzessin Eleonore von Aragon, der zu Ehren eine herrliche Flucht von Gemächern gerichtet wurde, alles in Gold, sogar die intimsten Toilettengegenstände, wie Infessura hohnvoll berichtet.

Auf der Piazza Navona wurde ein Fest veranstaltet, nicht unwert des einstigen kaiserlichen Rom. So treffend Infessuras Kritik und diejenige anderer Chronisten sein mag, wenn die eigentlichen Obliegenheiten des geistlichen Standes seinem ungeheuren Luxus entgegengestellt werden, — erinnern wir uns, daß wenige Jahr-

---

*) *Tam impense autem ipsam Beatissimam virginem ita intentis, et mente es oculis orare solitus erat, ut horae spatio nunquam commivere sit visus.*

154

zehnte früher Rom ein Trümmerfeld gewesen, nun aber dank seiner weltlich energischen Päpste wieder als reichbelebte Weltstadt emporstrebte mit einem Prälatenhof, dessen Bildung und großartiges Gönnertum die Stadt zum Mittelpunkt der Hochrenaissance machte.

Die Menschen dieser Zeit sind viel naiver und daher selbstverständlicher, als Spätergeborene ermessen können, sie waren auf ihre Art gläubig und meinten, ihrem Glauben, der Kirche und dadurch auch dem allgemeinen Heil zu dienen, selbst wenn sie offensichtlich Haus- und Familienpolitik trieben und trachteten, den Kirchenstaat mit List oder Gewalt zu festigen.

Ohne weltliche Macht war ein Papst Spielball der sich bekämpfenden Adelsparteien Roms oder eindringender Fremdlinge, bald ein Flüchtling, ein Gefangener, ein Scheinpapst, dem man beliebig andere entgegensetzte, wie es während jedem Schisma geschah. Die Macht der Kirche versank, verderbliche Sekten stiegen auf, der wunderbarste Kunstbau an Organisation und Verfassung hatte keine weithin sichtbare Spitze und Kuppel mehr. Ein näherliegendes Unheil, das auch den Italiener, den Patrioten im Papst bestimmen mußte, bestand darin, daß Italien ohne *Arbiter* blieb. Fremde zerrissen das Land, Rom, die ehrwürdige urbs, Mutter der europäischen Welt, verwandelte sich in eine wüste Bettlerin. War es nicht schon geschehen, als Martin V. Colonna, aus Avignon zurückgekehrt, ein übel atmendes Fiebernest fand mit zerfallenen Kirchen, in denen die Hirten Pferche für ihre Tiere einrichteten, da Wölfe bis mitten in die verwilderte Stadt vordrangen? In wenigen Jahrzehnten gelang es den politisch tatkräftigen Päpsten, diese *Roma infelix* in eine *Roma felix* zu verwandeln, wie sich die Stadt des Humanisten Nicolaus V. dankbar nannte. Und bald war das *glückliche* Rom eine Metropole, die gleich der antiken kaiserlichen Hauptstadt träumte und baute, gebot und genoß.

Große Dinge können schwer vollständig getötet werden. Das große Rom der Antike ersteht, als wäre es nur scheintot gewesen, seine Typen kehrten wieder mit einer Auffassung vom Leben, die der Auffassung von einst sprechend ähnlich war.

Brot und Spiele verlangt und erhält das Volk, die Großen unterhalten sich schöngeistig und auch prassend an ähnlichen Tafeln mit ähnlichen Klienten und Parasiten bei ähnlicher gewaltiger Kochkunst. Ähnlich schöne Geräte zieren das Gelage, ähnliche Speisen wie etwa Pfauenwürste werden festlich hereingetragen. Neureiche leisten sich Protzereien wie im kaiserlichen Rom, so ein Chigi, der das kostbare Silbergerät, das seiner Tafel gedient, aus den Fenstern seines Landhauses in den Tiber werfen läßt, ein Einfall, der gewiß eines Trimalchio würdig gewesen wäre.

Mit rätselhafter Maske thronen imperatorengleich die Päpste, bald kriegerisch ehrgeizig wie ein Sixtus IV., ein Julius II., bald human liebenswürdig wie ein Nikolaus V., ein Leo X., die in vielen Eigenschaften an die *guten Kaiser* erinnern. Wie die fremden Imperatoren, die irgend ein Stern als Herrscher nach Rom geführt, sind sie umkreist von ihren Landsleuten, einem ungeheuren Heer von Klienten, die befriedigt werden müssen, teils aus der natürlichen Eitelkeit heraus, die

156

dem Emporgekommenen gebietet, gerade den ihm früher Nahestehenden seine Macht in Gestalt von Huld und Gnade zu zeigen, bald weil die Unterstützung durch Klienten und Sippe durchaus unentbehrlich ist, um sich zu halten. Irgend ein Papst hatte versucht, sich der Klienten zu erwehren, indem er seinen Familienmitgliedern verbot, nach Rom zu kommen. Bald mußte er die Maßregel aufgeben. Es zeigte sich, daß die Päpste so gut wie andere weltliche Herrscher der Zeit jenes Anhangs dringend bedurften.

Ähnlich den Imperatoren waren Roms geistliche Beherrscher gezwungen zu denken und handeln, wenn sie die unsäglich merkwürdige, wiedergeborene Stadt halten wollten. Wie einst unter den Kaisern wird am Hof der *nova urbs* grausam und schrecklich geklatscht und ihre Klatschgeschichten wurden Jahrhunderte lang geglaubt wie die Bosheiten Suetons und Juvenals. Ähnlich umhegt Zeremonie der raffiniertesten und darum wirksamsten Art die höchste Majestät, alle Staatsaktionen bieten ein Gepränge, das ein umständlicher Zeremonienmeister bis ins Kleinste regelt und dessen ausgeklügeltes System die Wirkung nicht verfehlt, das Publikum zu entzücken. Aber einige unter den unzähligen Romfahrern, besonders Nordländer, die Rom besuchen, ein eigenes Ideal im Sinn, bleiben nüchtern bei diesem Rausch von Farben und Tönen. Sie sehen nicht ein, wieso dies alles der Kirche letzten Endes dienen soll, die unverstandene Pracht beleidigt sie, der blendende Reichtum ist ihrer Art zu denken ein Spott. In tiefem Mißmut kehrt ein Augustinermönch heim, der vielleicht im Gedränge einen Bramante oder Rafael oder Michelangelo mit der Kutte gestreift. Sie träumen ihren Traum und er träumt den seinigen. Die geistige Brücke kann nicht geschlagen werden und sie fehlt auch nach Jahrhunderten, weil die Gesetzlichkeiten, unter denen die auffallende und schließlich zum Verhängnis ausartende Verweltlichung der Kirche entstand, nicht klar erfaßt und gedeutet, sondern mit stereotyper Entrüstung behandelt werden.

Die landläufige Darstellung, als hätten die Renaissancepäpste aus kleinlich persönlichem Ehrgeiz nur für sich und ihre Familie gewirkt, geht fehl, denn sie betrachtet diese Männer losgelöst und losgerissen von ihrer Zeit, indes sie nur als Zeiterscheinungen verständlich sind. Geistige und geistliche Macht der Kirche konnte nicht anders, als auf weltliche Macht sich stützen in dieser gegebenen Entwicklung, und weltliche Macht war nur mit gewissen technischen Mitteln zu erlangen, die freilich mit dem Geist reinen Christentums nicht viel zu tun haben.

Jeder Staat hat seine eigene Staatsraison, die nichts weniger als christlich ist, die Kirche nahm als Staat eine ebensolche Staatsraison an, deren Berechtigung in ihren äußeren Erfolgen insofern lag, als sie seit Jahrhunderten sozialpolitisch Wertvolles geleistet hatte und noch leistete trotz mancher Mißstände, die das Wort *corruptio optimi pessima* verdienen. Die soziale Struktur der Welt hing von ihr ab. Dessen waren sich die Päpste der Renaissance wohl bewußt und ohne die Selbständigkeit eines kraftvollen Papsttums war sie verloren und sehr unsicheren anarchischen Neuerungen überliefert.

158

Die Kirche war die große einzigartige Demokratie, die es zu retten galt gegen die verschiedenen Feinde ihres erhabenen Hauptsatzes in der Politik. Dieser Hauptsatz bestand darin, daß sie weder dem einzelnen weltlichen Herrscher untertan sein durfte, noch aus sich heraus eine Priesterkaste mit verknöcherten Ansichten erblich erzeugen. Aus diesem Grund war das Zölibat notwendig, nicht etwa aus asketischen Bestrebungen.

So verstanden es die italienischen Renaissancemenschen und nahmen daher im allgemeinen nicht allzuviel Anstoß an freiem Liebesleben und geselligen Freuden kirchlicher Würdenträger, denn Politik, nicht Religion verbot diesen die Ehe, ihr Ehrgeiz schien berechtigt in seiner eingestandenen Weltlichkeit.

Es liegt ein gewisses Pathos darin, daß auch die Päpste ihre zeitliche Macht auf die Sippe zu stützen suchen, obwohl dies eigentlich aristokratische Prinzip dem demokratischen Prinzip der Kirche diametral widerstrebt. Die Kirche ist ja die größte, längst andauernde, erfolgreichste und einzig logische Demokratie, logisch durch die Ehelosigkeit ihrer Würdenträger, die Familienstolz und Erbe ausdrücklich ausschließt, um durch stets erneute Wahl Männer aller Stände und Parteien zu berufen. Das Ideal ist wirkliche, tüchtigkeitsbedingte Wahl. Daß Kauf der Stellen — Simonie — statt dessen entstand und alle Begleiterscheinungen der Korruption heraufbeschwor, war eine notwendige Folge des Systems. Ähnliche Systeme bringen überall ähnlichen Schacher um Stellen. Die Kirche der Renaissance fühlte sich bedrückt von der durchgängigen Käuflichkeit und einige ihrer bedeutendsten Fürsten versuchen daher, genau

wie ihre weltlichen Zeitgenossen, die erbliche Fürsten-
tümer hielten, ihre Herrschaft auf die Sippe, das ist
auf *Nepoten* zu stellen, um die nur käufliche Klientel
in eine durch Familienehrgeiz zusammengehaltene zu
verwandeln.

Die sich daraus ergebende Mißwirtschaft ist kraß beschrieben teils aus ehrlicher Entrüstung, teils aus der
Skandalsucht, die nirgends so sehr blühte als am päpstlichen Hof, teils durch den Neid derjenigen Literaten,
die sich benachteiligt fühlten, denn jeder, der einen
lateinischen Brief oder ein Sonett verfaßte, glaubte
Anrecht zu haben auf wohlbestallte Versorgung und
schimpfte weidlich, wenn er vor der Türe blieb.

Von seiten solch unverschämter Literaten kam es sogar
zu einer Art Revolution, sie drohten dem Papst mit
dem ärgsten Popanz, mit einem Konzil. Man hat Paul II.
als einen Verfolger der Humanisten geschildert. In
Wirklichkeit erwehrte er sich mühsam der Literaten,
die sich als römische Republikaner gebärdeten und
unter dem Vorwand geselliger Vereinigung die Verschwörer der alten Republik gegen das Zäsarentum
possierlich spielten.

Nebenbei waren sie überzeugte Heiden, die nichts
Christliches mehr gelten ließen, sondern den Genius
Roms als höchste Gottheit verehrten. Dies war die
Ursache des schweren Konfliktes zwischen Paul II.,
Platina, Pomponius Laetus (San Severino) und dessen
Kreis. Pomponius ließ sich bei den Zusammenkünften
in seiner Villa verehren als Nachfolger heidnischer
Oberpriester. So weit war die interessante kleine
Sekte der Neoheiden einen Augenblick gediehen.

160

Ab urbe condita regnante Pomponio pontifice maximo schrieben deren Mitglieder. Man weiß freilich nicht recht, wie weit es ihnen ernst damit war, oder ob es sich nur um ein weitgetriebenes Gesellschaftsspiel handelte. Die Opposition der alten Adelsgeschlechter — Pomponius gehörte zum Geschlecht der San Severino — gegen die Päpste zeigte sich diesmal in römisch-republikanischer Verkleidung. Jedenfalls hatte der Nachfolger heidnischen Priestertums einen Kreis treuer Verehrer und Freunde, als seine Villa auf dem Esquilin, in der sie sich zu treffen pflegten, zerstört wurde (1485). Die Freunde bauten das Haus in schönem antikem Stil auf ihre Kosten neu auf und setzten die Widmung über die Pforte: *Pomponii Laeti et sodalitatis Esquilinalis.* Nach Ende der Verfolgungszeit wurde die Villa ein Mittelpunkt angeregter Gelehrtengeselligkeit.

Verhältnismäßig harmlos war die Anfeindung der Humanisten im Vergleich zu den tückischen Anschlägen, die den Päpsten von anderen Seiten widerfuhren. Vor Vergiftungsversuchen waren die Nachfolger Petri niemals sicher, nicht nur ein Borgia, auch ein milder Leo stirbt an Gift. Die Parteien in Rom gaben niemals Ruhe, Innozenz VIII. traute sich oft kaum aus seinem Palast heraus.

Stand der Papst in Person solchen Gefahren gegenüber, wie schlimm waren sie für das Papsttum selbst. Wie Julius II. treffend bemerkte, wollte jeder französische König den Papst zu seinem Kaplan machen und die anderen Fürsten trachteten, jeder auf seine Art, ihn unter die eigene Hoheit zu bringen. Maximilian dachte daran, Tiara und Kaiserkrone auf seinem Haupte zu vereinigen, und man erzählte, daß Karl V. nicht nur dasselbe geträumt, sondern das Papsttum in seinem Hause habe erblich machen wollen. Ein kleiner italienischer Tyrann, Boccolino von Osmino bei Ancona ging so weit, daß er aus Haß gegen den Papst mit dem Sultan Bajazet anknüpfte und ihm Rom anbot. Der Brief, den er dem Sultan sandte, enthielt die merkwürdige Stelle: *Levis fortasse meo tibi videri fides, Imperator maxime, quod homo christianus et Italicus ne nomine quidem notus, me, meamque urbem tibi dedere velim et Italiae imperium optae* ...

Boccolinos Räuberveste wurde von Julius della Rovere (dem nachmaligen Julius II.) belagert, als er Kardinal von San Pietro in Vincoli war.

Angesichts so großer Feindlichkeit, der es stand zu halten galt, ist das Schauspiel der Macht- und Prachtentfaltung der Renaissancepäpste ein außerordentliches und großartiges Phänomen. Sie wußten trotz allem, wie einst ein Bewunderer ihres Rom sagte *durch kolossalische intellektuelle Aquaedukte Gold wie ein aurum potabile nach Rom zu leiten* und nahmen es auf sich, diesen Reichtum großartig zu verwenden. Unsterbliche Künstler faßten die Becken dazu.

Zu diesen Schaustellungen weltlicher Herrlichkeit, die eine geistige Herrschaft weithin leuchtend kündeten, gehörten die imposanten Empfänge von Fürsten und deren Gesandten und von bräutlichen Prinzessinnen, es gehörten dazu jene Bauten, die das antike Rom gern übertrumpft hätten. Noch auf seinem Sterbebett beschäftigte Julius II. die Sorge, daß der Petersdom

162

das Schönste werden müsse, was die Welt je gesehen.

Der ernste Versuch, den alten Göttern trotz des christlichen Glaubens gebührend Ehre zu erweisen, entsprang vielleicht aus patriotischen Gründen, deren Filiation heute schwer zu folgen ist. Stolz auf Roms Vergangenheit, sich als Nachfolger seiner Beherrscher fühlend, wie konnten die Päpste der Renaissance jene Götter, die Rom zur Zeit seiner Größe beschützt, gänzlich fallen lassen? Es war geboten, ihnen irgend eine Stellung einzuräumen, sie mindestens zu verehren, wie man Planetengeister — *virtù*, Kräfte — verehrte, die ja irgendwie auch in den christlichen Himmel passen mochten. Schwer ist es, sich vorzustellen, was ein Papst eigentlich dabei dachte, wenn er sich gleich den Imperatoren als *Jupiter tonans* preisen ließ, wie es Julius II. geschah, allein auch dieser Papst hatte sich durchaus nicht bewußt vom Christentum abgewandt und starb als frommer Katholik.

Die Menschen haben außer den Gesten ihres Eintagslebens, die von eigener Art herrühren mögen, ihre ewigen Gesten, die ihnen traditionell bestimmt sind. Ewig gleich ist die Geste der Mutter, des Säemanns, des Hirten und auch jene, die zum Oberhirten der Christenheit gehört, bleibt majestätisch gleich.

Die päpstliche Geste ist ewig, so verschiedene Persönlichkeiten die dreifache Krone trugen, wenn der Widerspruch, den die demokratische Seite der weltlichen Kirchenmacht bis zur Gefährlichkeit ihrem Oberherrn aufnötigt, auch noch so groß ist. Die Kirche holt ihre Hirten oft aus der Tiefe und verlangt von den traditions-

163

losen, daß sie Hüter der größten Tradition werden, gelingt es diesen, so ist es nur, weil die eigene Eintagsgeste durch die okkulte Ewigkeitsgeste überhöht, gebändigt und wettgemacht wird. Daher von der Ferne die gleichmäßige Größe der Päpste. Gleichmäßig sind ihre Grabmale.

Ein Papst jedoch wollte ein unerhörtes Grabmal und hatte auch den rechten, nie dagewesenen Künstler an der Hand, um seinem Cäsaren- oder Pharaonentraum zu fröhnen. Julius II. bestellte bei Michelangelo einen gemeißelten Berg von Marmor, ein Volk von Statuen, die seine Besiegten darstellen sollten, und ein Heer von Heiligen, Propheten und Tugenden, um sein, des Papstes, Gefolge, Freundschaft und himmlische Sippe zu bilden. Die Zeichnung des ungeheueren Monuments ist vorhanden, nichts als die Zeichnung, der Moses und einige Marmorskizzen traten zutage. Schließlich mußte sich des großen Julius Hybris mit einem Grabmal begnügen, das an Größe jene der andern Päpste kaum übersteigt.

Jedoch es gelang ihm, dem gewaltigsten, herrschermäßigsten aller Emporgestiegenen seiner Zeit, dennoch ein Andenken zu stiften, das aus der Reihe anderer Päpste brutalkräftig sich reißt und sich selbst bejaht.

Die Pietätlosigkeit und der Mangel an Tradition, die ihm anhafteten, ließen ihn skrupellos weit ausholen, um die Reste der gotischen Welt zu zertrümmern, er war Revolutionär in der Kunst zusammen mit seinem Baumeister Bramante, einem anderen genialen Plebejer, der vom Maurergesellen aufgestiegen war.

Es wird Bramante nachgesagt, daß er nicht lesen und

164

schreiben konnte, aber zeichnen konnte er und träumen. Er träumte die alte Basilika hinweg und ungeheuere Tempelbauten an deren Stelle, die hineinpassen sollten in das Bild der auferstandenen *urbs*. War sie in der Tat nicht auferstanden, war Julius nicht römischer Pontifex und zugleich streitbarer römischer Imperator? Kräftige Flüche auf den Lippen befand er sich nie so wohl als unter seinen Soldaten, und wenn er auch gelegentlich Damen, wie Isabella d'Este zu lieb den humanistischen Herren den Auftrag gab, feinere Feste zu veranstalten, so gerieten dieselben etwas plump römisch oder langweilig. Der Papst selbst tröstete sich dann, indem er kräftigst aß und trank. *E una terribile cosa, come mangia sua Santita* berichtete der Venezianer Gesandte und das Scherzwort entstand, Rafael habe Julius einmal blaß, einmal ganz rot im Gesicht gemalt, da er ihm einmal vor und einmal nach Tisch gesessen. Der Machtrausch des Papstes drückte sich immer mehr in den von ihm bestellten Gemälden aus, in der skrupellosen Art, die Fresken, die seine Vorgänger von berühmten Meistern hatten ausführen lassen, wegzutilgen (mit Mühe rettete Rafael einiges von seinem Lehrer Gemalte), endlich in dem ungeheueren und für damals gewiß ungeheuerlich anmutenden Entschluß, die Petersbasilika niederzulegen und Bramante einen Neubau anzuvertrauen, der die Bedürfnisse von Kultus, Vergnügen und Geselligkeit nach Art der Antike vereinigen sollte, Tempel, Theater, Schule, Museum, Kunstsammlung, Lustgarten und — Zirkus in einem riesenmäßigen Komplex von Gebäuden verbinden. Ein enzyklopädisches Bauwerk war gedacht.

Bramantes großer Traum, der Roms alte Herrlichkeit zusamt der alten Herrlichkeit seiner Götter wieder einsetzen wollte, konnte einem Papst nur genehm sein, der sich unbefangen von den Klienten seiner Imperatorentafel *sommo Giove* nennen ließ.

Diese Seltsamkeiten haben märchenhaften Charakter und lassen sich nur wie ein Märchen erzählen. Ist es nicht, als rächten sich endlich die alten Götter ob der langen Schmach und Vergessenheit? Mit siegreichem Lächeln entsteigen sie tausendfach der bergenden Erde und entzünden fanatische Liebe, einen neugeprägten Glauben. In der Hochrenaissance wurde diese Liebe leidenschaftlich und zerstörungslustig, wenn sie große Naturen packte wie Julius II. oder Bramante. Michelangelo, der Edelmann, grollte und protestierte umsonst. Des Papstes und seines Baumeisters rücksichtsloses, weil ohne traditionelle Hemmung wirkender Paganismus stürzt den ältesten und ehrwürdigsten der christlichen Gottesbauten, die Petersbasilika, das größte Heiligtum seit tausend Jahren. Bramante zerstört die Stätte, wo ungezählte Pilger reuevoll die Stufen auf den Knieen emporgerutscht und die tiefsten Andachtsschauer durchlebt, er zerstört die ehrwürdige, strenge, düstere Kirche um eines geträumten Tempels willen, der eine sonnig heitere, festlich prächtige Götterwohnung werden sollte.

Er will diesen Tempel mit Gärten und Hallen im Stil der Antike umgeben und ihnen ein riesiges Stadion anschließen für Stierkämpfe und Turniere. So merkwürdig und selbstverständlich für neoheidnische Gemüter lebte die Vergangenheit wieder auf.

166

Was mag durch die noch naiv christliche Welt für Entrüstung und Schmerz gezittert haben, für Grauen und Staunen gebebt bei der Nachricht, das Heiligtum in Rom müsse fallen! Welches revolutionäre Wagnis war dadurch von den beiden genialen *homines novi* gewagt, von Julius Rovere, dem Krämersohn aus Savona und Bramante, dem einstigen Maurergehilfen. Wie andere Päpste heidnische Bauten rücksichtslos geopfert und umgebaut, opfert Julius den christlichen Bau, der der ganzen Christenheit zumeist am Herzen liegt und fordert sie befehlerisch auf, die Mittel zu Bramantes Traumtempel herbeizuschaffen.

Da antwortet in nicht allzulanger Zeit dem Schall der Hammerschläge, mit denen die Säulen in der Basilika niedergelegt werden, jener andere bedeutungsvolle Hammerschlag, den Luther im fernen Deutschland tut, seine Thesen an das Kirchentor von Wittenberg zu nageln.

Das eine und das andere erschüttert die Welt.

Phantastisch groß, unheimlich ist es schier, daß zwei alte Männer, wie Julius und Bramante, sich an solch Riesenwerk machen und noch etwas von ihrem gewaltigen Wollen verwirklicht zu sehen glauben. Sie bieten Heere von Arbeitern auf und diese schaffen nicht nur bei Tag, auch nachts bei Fackelschein. Lustig gesellig, wie im Feld unter Zeltbrüdern, geht es unter der Schar der revolutionären Künstler zu, die Bramante entboten hat.

Und wahrscheinlich lachen sie des einsam grollenden Michelangelo, der nichts mit ihnen zu tun haben will. Einem ironischen Zufall sieht es ähnlich und ist vielleicht ein tiefsymbolisches Ereignis, daß es Michelangelo, dem Abseitsstehenden und Trotzigen, bestimmt war, das verwegene Werk seines Feindes Bramante zu glücklichem Ende zu führen und vor der Nachwelt zu rechtfertigen. Das allzu irdisch Begonnene muß Buonarottis Schmerz und Ernst aufs neue zu einem der Christenheit würdigen Haupt aller Tempel machen, Bramantes glänzendes Heidentum wird verklärt durch des Überlebenden überschauende Mystik, die eine Kuppel wölbt *als Himmel in den Himmel.*

Michelangelos merkwürdiges Verhältnis zu seinem Gönner Julius, sowie sein abweisendes Verhalten gegen die meisten Künstler unter seinen Zeitgenossen, deren geselliges Treiben er durchaus verschmähte, scheint mir zum großen Teil aus der Psychologie des armen, aber stolzen Edelmanns zu erklären. Er diktierte seinem Biographen Condivi die Genealogie seines Hauses, die er auf die bekannte Markgräfin Mathilde von Tuscien zurückführte, deren Besitztümer der heilige Stuhl einst geerbt hat. In der Überzeugung dieser Abstammung ebenso vielleicht als im Selbstbewußtsein hohen Künstlertums tritt er dem Rovere entgegen, der glaubt, ihm herrisch begegnen zu dürfen wie anderen Meistern.

Der Nachkomme jener Mathilde und der Nachkomme irgend eines kleinen Mannes in Savona, wie seltsam stehen sie sich gegenüber als Auftraggeber und Nehmer, besonders wenn Julius in leidenschaftlicher Ungeduld den Einsamen in der sixtinischen Kapelle besucht und den Eigensinnigen, der nicht hinunter will, bis auf

168

das Gerüst verfolgt, um die Fortschritte am Deckengemälde zu begutachten.

Michelangelo läßt Condivi erzählen, wie sich sein Vater, der alte Buonarotti aus Adelsstolz lange gegen den Künstlerberuf des Sohnes gewehrt habe. Offenbar lag es ihm am Herzen, dem Vater und der Sippe zu beweisen, daß ein Edelmann als Künstler sich nichts zu vergeben braucht. Er legt Nachdruck darauf in Brief und Wort, er sei nicht wie die andern, die eine *bottega* auftun, einen Laden und fabrikmäßig arbeiten. Auch erwartete er nicht eine Stunde der Gunst, sondern verlangte steif und störrisch, wie ein typisch stolzer und armer Edelmann, auch zu unwillkommener Zeit, indes der Papst in Kriegsnöten steckte, genau und karg, war er ausbedungen *).

Solche Art imponierte dem großen Julius und er ließ sich von Buonarotti gefallen, was er sich von keinem gefallen ließ. Mit Bramante kam er freilich auf näheren Fuß und Rafael wußte mit dem Takt, den er an Urbinos Hof gelernt, sich in den schwierigen Charakter des gewaltigen Mannes zu schicken. Vasari sah nur die Schroffheit und Ungeselligkeit Michelangelos im Gegensatz zu dem heiter holden Wesen des Urbinaten und rühmt daher, die Natur habe beide zu außerordentlichen Künstlern gemacht, Rafael aber eine Grazie dazu verliehen, die bewirkte, daß er auf dem Gebiet der Geselligkeit herzgewinnender Sieger war, wie auf dem Gebiet der Kunst *(una graziata affabilità, che*

---

*) Michelangelo opfert von seinem mühsam erworbenen Gut, um arme Fräulein auszustatten, solche aus guten alten Familien, die verarmt sind, bedeutet er ausdrücklich.

sempre suol mostrarsi dolce e piacevole con ogni sorta di persona, e in qualunque maniere di cose. Di costui fece dono al mondo la natura quando, vinta dall'arte per mano di Michelangnolo, volle in Raffaello essere vinta dall'arte e dai costumi insieme.) Unter *costumi* ist stets der liebenswürdige Anstand im geselligen Wesen verstanden, die Anmut in jeglichem Verkehr.

Theoretisch drückte Vasari mit energischem Wort die Absage an die alte Kunstidee aus und nennt sie zum erstenmal verächtlich *gotisch*, das ist deutsch, barbarisch, dem gebildeten Italiener als Nachkommen des Römers fremd und feindlich *).

Vasari schrieb: *Es gibt eine andere Art von Arbeit, die nennt man deutsch und sie ist in Schmuck und Maß sehr verschieden von der antiken und unserer modernen, denn heute ist sie bei den tüchtigen Meistern nicht mehr in Brauch, wird von denselben geflohen als barbarisch und ungeheuerlich: denn es fehlt ihr an richtiger Ordnung oder vielmehr ihre Ordnung ist eitel Unordnung. Und man könnte sie Durcheinander nennen, denn in ihren Bauten, die so zahlreich sind, daß sie die Welt krank gemacht haben, sind die Türen geschmückt mit dünnen Säulen, gleich Rebstöcken gewunden und ohne Kraft, die leichteste Last aufrichtig zu tragen und also an allen Seiten mit Zierrat verunziert in fluchwürdiger Weise, Schrein über Schrein, Pyramiden mit Spitzen und Blattwerk in wüster Un-*

*) Nach Italien war der Spitzbogenstil tatsächlich von Deutschland aus vorgedrungen, Deutschland hatte ihn jedoch von Frankreich und den Niederlanden empfangen, wo er als Andenken des lateinischen Kaisertums vom Orient aus Wurzel gefaßt.

zahl, daß es unmöglich scheint, das alles könne zusammenhalten und es ist, als wäre der Bau aus Papier geschnitten und nicht aus Stein und Marmor ... Dieser Stil wurde erfunden von den Goten, als sie die antiken Gebäude zerstört und die antiken Baumeister im Krieg getötet. Danach bauten die Goten derartiges mit ungerechtfertigten Spitzen versehenes Zeug und erfüllten ganz Italien mit dem Fluch solcher Bauten ... Gott beschütze jedes Land vor dem Wahn solcher Bauart und Arbeiten, denn sie sind so ungeheuerlich von der Schönheit entfernt, die unsere modernen Bauten zeigen, daß es am besten wäre, es ginge gar nicht mehr Rede davon*).

Wahrscheinlich ging aber noch sehr die Rede davon und wir können uns vorstellen, daß in der Künstlergeselligkeit, die damals in Rom herrschte, ein Lieblingsthema der Gespräche das Überwinden der alten Kunstform war. Rafael schloß sich den Ansichten Bramantes an und verlangte fast gebieterisch Schutz für die antiken Überreste, fand jedoch kein Wort für jene der Gotik.

Die Quellen, aus denen für die Geschichte des päpstlichen Hofes am ausgiebigsten geschöpft wird, sind die Tagebücher der beiden Zeremonienmeister, des Deutschen Burckhardt und des Italieners Paris de Grassis, die sich im Leben anfeindeten und widersprachen, die dia-

---

*) Questa maniera fu trovata da i Goti, che per aver ruinate le fabbriche antiche e morti gli architetti per la guerra, fecero doppo coloro che rimasero le fabbriche di questa maniera. Le quali girarono le volte conquarti venti e riempierono tutta Italia di questa maledizione di fabbriche. (Vasari.)

metral einander entgegengesetzten Berichte eines Infessura, Parteimanns der Colonna und daher grimmiger
Feind der della Rovere und ihres Anhängers Sigismondo dei Conti di Foligno, für die Hochrenaissance
die Aufzeichnungen Paolo Giovios, dessen Tagebücher
beim *sacco di Roma* zu Grund gingen, so daß er sie
aus dem Gedächtnis ersetzen mußte, endlich die stets
saftigen und kräftigen, aber wohl nicht ganz unpartei-
ischen Relationen der Venezianer Gesandten und einige
Korrespondenzen der Humanisten und vornehmer
Frauen.
Paris de Grassis behauptet von seinem Vorgänger,
er sei ein Ochs gewesen und in der Tat scheint der
pedantisch kleinliche Burckhardt eher eine komische
Figur gespielt zu haben. Wahrscheinlich glaubte er
treuherzig manchem Klatsch und schrieb ihn nieder.
Die Parteilichkeit eines Infessura, eines Conti liegt auf
der Hand. Ganz ähnlich wie im kaiserlichen Rom
ging es zu im nachempfundenen römischen Imperium,
das einige kühne und phantastische Päpste entwarfen
— es wurde in gigantischem Maßstab geklatscht, da
Rom in allem gigantisch wirkt, und es ist für die Nachwelt unmöglich geworden, Dichtung und Wahrheit zu
unterscheiden. Man vergegenwärtige sich, wie gefährlich die Zungen in Bewegung gesetzt waren an diesem
Hof, in dieser Stadt, wo jeder Ehrgeiz sich Raum
schaffen konnte, wenn die Sterne es wollten, wo einträgliche Stellen erjagt, erlistet, anderen entrissen wurden,
ein Hasardspiel sondergleichen alles leidenschaftlich in
Atem hielt.
Die grotesken Schmähungen, die sich feindliche Lite-

172

raten schriftlich und wohl auch mündlich anwarfen, lassen darauf schließen, was es auch mit den meisten Schmähungen der Politiker und Stellensucher, der Klienten der Kardinäle und der Klienten dieser Klienten für Bewandtnis hatte. Die amüsantesten und ärgsten Nachreden waren wohl meistens frei erfunden oder durch Übertreibung lächerlich aufgeblasen.

Roms Geselligkeit ist dadurch spannend und interessant, gelangt aber niemals zu der abgeklärten Vornehmheit und Gelassenheit der kleineren Höfe, die griechischem Ideal nahe kamen, indes Rom nichts anderes konnte und wollte, als die Erinnerung an das Imperium in jeder Beziehung aufleben lassen.

Jüngst erregte die Bemerkung Aufsehen, bei ihrer versuchten Belebung der Antike hätte die Renaissance die dorische Säule unbeachtet gelassen, nur die jonische und korinthische gewählt. Seltsam wäre es aber gewesen, wenn das dem späten, kaiserlichen Rom so stark nachempfindende Rom architektonisch nicht ebenso empfunden hätte wie auf allen anderen Gebieten. Die Strenge des dorischen Tempels konnte einer üppigen festlichen Zeit nicht kongenial sein, ebensowenig wie die mystische Sprache der Gotik*).

Das Leben — ein gelungenes Fest! Dahin mündete die Sehnsucht des größten Teils der höchst bewegten und höchst bewegenden Menschen, die sich im Rom der Renaissance fanden, oft unsanft stießen und drängten, jedoch immerhin in einer Art festlichen Gedränges, wo die Schaulust schließlich alles andere überwog —

*) Burkhardt weist nach, daß Bramante, Sansovino, Rafaël und spätere Meister gelegentlich dorischen Stil geübt.

denn es gab stets etwas zu sehen. Herrlichkeiten an malerischem Gepräng bot die päpstliche Residenz und zu hören gab es stets etwas Unerhörtes oder Neues, oft auch etwas sehr Schönes, wenn man sich dem eleganten Auditorium der päpstlichen Kapelle gesellte, an deren Vervollkommnung nicht gespart wurde.

Damals hatte fast jeder Fürst seine Kapelle. Als Fürst aller Fürsten gedacht, mußte der Papst die beste Kapelle haben wie auch die glänzendsten und zeremoniösesten aller Empfänge in den prächtigsten und kunstgeschmücktesten aller Räume. Das Prestige der Kirche schien dies zu erfordern, es bedurfte auch einer politisch orientierten Geselligkeit, die den fremden Gesandten, Fürsten und hohen Geistlichen sowie den in Rom Aufenthalt nehmenden Prinzessinnen tiefsten Eindruck machen sollte aus naheliegenden politischen Gründen.

Die Ausbildung des Zeremoniells erfuhr daher jene peinliche Durchbildung, von der die Diarien der Zeremonienmeister interessant berichten, und die öffentlichen Feiern übersteigen alles Dagewesene an Pomp und Pracht.

Bei intimen Empfängen mangelte allerdings dem Prälatenhof ein wichtiges Element und einige feiner Veranlagte klagten darüber, daß die Dame des Hauses fehle. Namentlich unter Julius II. geriet manches deshalb recht plump. So sangen zum Beispiel die anwesenden Spaßmacher zotige Lieder oder man vergnügte sich bei Tafel damit, einander mit Bratenstücken zu bewerfen oder mit Wein zu bespritzen. Das maßlose Essen und Trinken sowie manche Geschmacklosigkeit allzu jovialer

174

geistlicher Herren läßt sich darauf zurückführen, daß der mäßigende Einfluß vornehmer Frauenwelt hier fehlte.

In Ermangelung der Dame von Welt tritt allmählich in der Umgebung des Prälatenhofs die Dame der eleganten Halbwelt auf, um in der Geselligkeit würdigere Sitten einzuführen. Sie bildete den Mittelpunkt von Salons im Geist des siegreichen Humanismus, eine bewußte Nachahmerin der Hetäre, der Freundin erlesener Männer. Im Gegensatz zur gewöhnlichen Buhlerin, der *pecatrix* oder *cortegiana a candela* nannte man sie *cortegiana honesta* oder *meretrix onesta*, sie war meist eine Künstlerin in der Konversation und im Gesang sowie auf allen Gebieten des Geschmacks, bei der man beliebig aus- und eingehen konnte oder die an die Herrentafel geladen wurde, zu präsidieren.

Eine stillschweigende oder nur belustigt lächelnde Konvention ließ darüber hinweggleiten, wie der Lebenswandel dieser Damen im Grunde beschaffen war, es genügte, daß sie die Form und zwar eine sehr schöne Form wahrten im alten Sinn von *onesta*, nämlich durchaus elegant, formvollendet.

Diesem Ideal streben Roms große Curtisanen nach, oft naiv, oft äußerst klug und weise, stets mit einer merkwürdigen Majestät des Auftretens, die sich vortrefflich in Roms großen Stil einschmiegte. Vollkommensten Ausdruck dieses Ideals erreichte Imperia, der Rafael unter den Zügen Sapphos in seinem Olymp Unsterblichkeit gab, die von ungezählten Dichtern und selbst von einer Vittoria Colonna poetisch betrauert wurde, als sie jung verstarb, denn die schöne Vollendung ihres Wesens, ihre großartige und edle Gast-

freundschaft waren ein Ruhm der Stadt. Besten Geschmack zeigte der Empfangsraum, indem die literarischen Neuerscheinungen auflagen, sowie die neuesten
Musikinstrumente. Manche Gäste aus der Fremde
waren freilich unliebsam erstaunt über die eigentümliche Rolle der hervorragenden Curtisanen in der Theokratie. Sie sahen die Nuance nicht, die jene Frauen
von den Buhlerinnen trennte, und waren entrüstet über
den Glanz, der sie öffentlich umgab, über den freien
Verkehr, den höchste geistliche Würdenträger mit ihnen
pflegten.

An der herrschenden Geselligkeit unter den Renaissance-
päpsten beteiligten sich nur wenige Damen des römischen Adels und die unter Martin V., Colonna und
Nikolaus V. angebahnte schöngeistige Bildung und Verständigung ist nicht mehr zu beobachten. Der ein-
gesessene Feudaladel fühlte sich zur Glanzzeit der
Renaissance zurückgedrängt und verdiente es auch,
da er sich in geistlosen Fehden aufrieb, die keiner
größeren Idee galten, sondern großenteils schlechte
Gewohnheit waren oder vielmehr eine Art knabenhaft
rauflustigen Räuber- und Soldatenspiels, zu dem Roms
Ruinenwelt bis dahin die schönsten Schlupfwinkel,
natürlichen Befestigungen und Schanzen geboten, wie
ein zerklüftetes Gebirge.

Die Geschlechter, die dieses Spiel so lang geübt hatten,
zeigten sich gekränkt, als die Päpste anfingen, die interessante Wüstenei, die so gut zum Schauplatz des
Räuberwesens paßte, aufzuräumen und mitten in ihre
Unwirtlichkeit eine neue wunderbare Urbs zu bauen
sich erkühnten, wo sich sofort auch Künste des Friedens

einfanden und weithin strahlten, so daß die Römer auf die päpstliche Regierung stolz wurden und diese dadurch Festigung erfuhr.

Eine Regierung, deren man sich schämt, hat keinen Bestand, eine solche, auf die man stolz ist auch den Fremden und Fernen gegenüber, hat am meisten Aussicht, unterstützt zu werden, selbst wenn sie in der Nähe manches Unbequeme bietet.

Mit politischem Instinkt erkannten dies die Päpste des Cinquecento. Glanz und Schmuck Roms, auf den sie von nun an vor allem bedacht waren, setzte ihre Macht fest nach außen und innen. Alle Künste, besonders jene, die prunkender Gastfreundschaft dienten, wie sie Rom der Welt anzubieten gewillt war, mußten mitwirken.

Stolz schrieb im Jahr 1509 der Stiftsherr Albertini den damaligen Bädecker der Stadt, die *mirabilia* für die pilgernden Touristen, die aus allen Ländern herbeiströmten und Rom wie zur alten Kaiserzeit mit dem buntesten Gewühl und den verschiedensten Sprachen erfüllten.

Aber im selben Jahr verfaßte ein Altieri die *nupziali*, ein Werkchen, in dem er bitter und grollend den Niedergang des Adels beklagte und feststellte, er selbst sei zum Beispiel gezwungen, sich mit der Landwirtschaft zu beschäftigen und gemeinen Leuten Gehör zu geben, was dem Sohn der rauflustigen Sippe als eine Entwürdigung erschien. Wenn man bedenkt, daß die Päpste und ihre Umgebung lauter *homines novi* waren, aus dem Bürgertum oder aus niederem Stande hervorgegangen, wird der Groll Altieris verständlich.

Unter den Männern, die hervorragten, die reich und mächtig als Mäzene wirkten, begegnet man selten einem adligen Namen, nur ein Colonna und ein Sigismondo dei Conti di Foligno machten Bestellungen bei Rafael, sonst malte er für emporgekommene Kardinäle und reiche Bankiers, wie Agostina Chigi und Bindo Altoviti. Denn wie überall verband sich auch hier die Hochfinanz eng mit dem Absolutismus.

Weithin blendende Pracht und Geschmack, wie sie die neue Geselligkeit des Papsttums braucht, sind nur durch die Unterstützung sehr großer Geldmittel möglich.

Wurde auch in verschiedenen kleineren römischen Kreisen, bei Künstlern, Humanisten und Curtisanen die Geselligkeit um ihrer selbst willen gepflegt, am päpstlichen Hof ist sie wie an anderen großen weltlichen Höfen, ja fast noch mehr von Politik durchtränkt. Felice de Rovere, die schöne *Profetessa*, versucht, einen schöngeistigen Kreis um sich zu sammeln. Sie wird jedoch überstrahlt von den großen Künstlerinnen der Geselligkeit Imperia und Tullia d'Aragona, die ihren humanistischen Freunden zu schmeicheln wissen, indem sie deren gelehrte Kommentare unter ihre Nippsachen ausbreiten und die Herren schelmisch und zärtlich in ausgesuchtem Latein zu begrüßen verstehen.

Trotz des siegreichen Vordringens des neuen Elements im *rinascimento* behält der Geburtsadel noch lange ein gewisses Prestige, ja genau so wie immer und zu allen Zeiten sind die Aufsteigenden mit allen Mitteln bestrebt, ihn zu umklammern und einzusaugen, seine Imponderabilien imponieren den erfolgreichen Neulingen, so daß äußerster Snobismus sie Verschwägerung suchen läßt. Sie sehnen sich nach dem Halt der Tradition, so begabt und mächtig sie als Einzelne sein mögen.

In der Tat, es hat lasterhafte, allein kaum unbedeutende oder gar beschränkte Päpste gegeben, die meisten waren in ihrer Art Charaktere und Persönlichkeiten. Allein sie zogen, als sie, durch die Verhältnisse gezwungen, zu weltlichen Herrschern geworden waren, im Stil der Zeit eine Sippschaft mit sich, die zu viel Platz und Geld brauchte. An den Falten des goldenen Papstmantels wie an den Falten der purpurnen Kardinalsmäntel klammerten sich zäh ungezählte Leute fest, teils von grotesker Art, die gar nicht abzuschütteln waren und Würde wie Bewegungsfreiheit der hohen geistlichen Herrn sehr beschwerten.

Sobald ein Papst alt wurde — und er wurde immer alt, auch ein Julius, auch ein Alexander — kroch aus bis dahin schützenden Falten allmächtig ein Ehrgeiziger hervor, der herrschte, indes der dreifach Gekrönte nur noch die Geste dazu tat. Cäsar Borgia ist das gültigste Beispiel.

ACHTER ABSCHNITT

Roma felix — Papst und Sultan — Die Empfangsräume im Vatikan — Die Familie Borgia — Die Verwertung der Prinzessinnen — Lucrezias Ausstattung — Auf der Reise — Ferraras Hof — Raffinierter Geschmack und Gefühlsroheit — Im Gemach der Papageien — Lucrezias Tanz — Ein schauerliches Nachspiel — An Stelle Jupiters — Der Stierkampf — Einzug in Ferrara — Galavorstellungen — Die Mäntel der Venezianer — Sänger der Schönheit.

Die bedeutendsten Päpste der Frührenaissance waren Nikolaus V., Herr der ersten *Roma felix* und Schöpfer der vatikanischen Bibliothek, Sixtus IV., ein eifriger Bauherr, der gotisches Winkelwerk stürzte — der *Ponte Sisto* und die sixtinische Kapelle stammen von ihm, dann Innocenz VIII. Cibò, der unter Lorenzos Einfluß medicäische Friedenspolitik zu treiben versuchte.

Höchst merkwürdig ist die kühne politische Freundschaft, die sich zwischen diesem Papst und Sultan Bajazet anbahnt, dessen Bruder, der berühmte Prinz Dzem oder *Zim-Zim* vom Gewahrsam der rhodischen Ritter in das Gewahrsam des Papstes überging — eine malerische Figur, die hervortritt bei allen festlichen Gelegenheiten unter den vielen malerischen Figuren des glänzenden Rom*).

Fast liebevoll schrieb das Oberhaupt der Christenheit an das Oberhaupt der Ungläubigen: *Innocentius episcopus, servus servorum Dei illustri Sultano Baizeto Chan principi Turcorum venerationem divini et amorem.* Der Sultan bedient sich irgendwelcher Humanisten, die

---

*) Er endet unter Cesare Borgia an Gift, auf Anstiften seines Bruders, des Sultans, der rät, ihn unschädlich zu machen.

180

an seinem Hof gelandet waren, um zu antworten: *Sultanus Baizetus Chan Dei gratia rex regum et imperator utriusque continentis Asiae vindelicet et Europae omnium Christianorum Principi et Patri et Domino Innocentio divina Providentia Summo Pontifici dignissimo reverentiam debitam et benevolentiam cum puro affectu — —.* Mit einem zuvorkommenden Brief schickt er als Geschenk eine kostbare Reliquie, den Lanzenschaft des Longinus und dies Geschenk wird mit großer Festlichkeit begrüßt.

Darin liegt eine Absage an den gotischen Standpunkt. Das Italien der Renaissance und Konstantinopel tauschen Höflichkeiten und Geschenke aus, italienische Künstler lassen sich gern von Bajazet einladen. Der italienischen Schönheitsanbetung kann dieser zeitgemäße Sultan freundlich gegenüberstehen, denn hat nicht Mahomet gesagt: *Gott ist Schönheit und muß lieben, was schön ist.* — Michelangelo überlegte die Reise und wenig fehlte, so hätte er für den Sultan statt für den Papst gebaut. Besonders türkenfreundlich ist eine Partei in Venedig.

Die großen Päpste der Hochrenaissance sind jener schöne und schreckliche Alexander VI., dessen Sohn einen Augenblick die Krone des vereinigten Italien träumen durfte, Julius II. und Leo X., unter dem sich Rom wieder *felix* preist und dem gegönnt ist, dem Zeitalter seinen Namen unvergeßlich aufzudrücken. Also steht zu Anfang und Ende der Renaissance in Rom das schöne Wort *Roma felix.* Der unglückliche Clemens VII., ein natürlicher Sohn des von den Pazzi ermordeten Giuliano Medici, erlebte eine Nachblüte

und den Untergang von Roms traumhafter Wieder-
erweckung eines Imperiums.

Diese vier Pontifikate sind kurz, doch von höchster
Bedeutung, eine Welt drängt sich in ihre schnell dahin-
rauschenden Dezennien zusammen, Italiens schwer-
wiegendste und hochjauchzendste Erlebnisse.

Unter Alexander Borgia vollzieht sich der Übergang
der Frührenaissance zur Hochrenaissance und spiegelt
sich merkwürdig wieder in den Gemälden, mit denen
sein Hofmaler Pinturicchio die päpstlichen Empfangsräume schmückt, sowie in allen Moden und Gebräuchen,
die sich am päpstlichen Hof entwickeln.

Rom steht unter spanischem Einfluß, gegen den sich
die italienische Partei jedoch kräftig wehrt. Denn das
tyrannische Wesen der Regierung Aragons in Neapel,
sowie das Überhandnehmen der Spanier in Rom war
kränkend und ließ beinah als Gegengift die Franzosen
herbeisehnen — daher das teils unsichere, teils falsche
Spiel, bis sich Italien unter Julius II. auf sich selbst
besann und die Parole ausgab: *fuori i barbari,* womit
Spanier, Franzosen, Deutsche gemeint waren.

Während Alexanders Pontifikat befand sich der Kardinal della Rovere (Julius II.) in Frankreich und suchte
es dem Spanier heißzumachen. Cesare nahm jedoch
italienischen Patriotismus als Panier und erweckte in
manchem Patrioten frommen Glauben an seine Mission
des einigen Italiens.

So entstand zwischen den drei Familien della Rovere,
Borgia und Medici (Lorenzos Sohn Giulio, der junge
Kardinal pflegte seine Anwartschaft auf die Tiara) ein
spannendes politisches Spiel und Gegenspiel.

Politik bildet das höchste Lebensinteresse für eine Reihe bedeutender Köpfe und in Rom, wo unzählige Intriganten aller Parteien ihr Wesen treiben, ist der Charakter geselliger Zusammenkünfte durchaus politisch, jede Mode, jedes Fest hat einen unterlegten Zweck und Roms schönste Frau muß je nach politischer Gelegenheit von dem Arm eines Gatten in den Arm des anderen.

Vielleicht ist dem psychologischen Rätsel, das die Familie Borgia bietet, am besten beizukommen, wenn man sie von Spanien aus betrachtet, wenn man eingedenk bleibt, daß der gewaltige Abenteurer auf päpstlichem Thron ein Spanier war, möglicherweise, wie man gern munkelte, ein Marane, das heißt ein Mischling von spanischem Blut und von Mauren, die das Christentum gezwungen angenommen und es wohl auf ihre eigentümliche Art aufgefaßt haben.

Die Glut und Schönheit des mit Arabertum gemischten Spaniers, die Kraft, die mit dem Stier ringt und mit Europa wettet, der naive Mangel an sittlichem Gefühl und die unbefangene Gläubigkeit, die trotz allem auf ihre Art der verehrten Kirche zu dienen meint, Anmut und Grausamkeit, rasender Ehrgeiz, trotziger Familiensinn, alle diese Elemente vereint sind Vater und Sohn, den Maranen eigen.

Eine seltsame Verkettung von Umständen hat Alexander VI. zum Oberhaupt der Christenheit gemacht in einem der größten Augenblicke des Papsttums. Sigismondo dei Conti erklärt, Alexander VI. habe seine Wahl zum Papst nicht nur der Simonie zu verdanken, sondern seinem großen Wissen in bezug auf Zeremonien und seiner herrlichen Stimme; sowie seinem Anstand und seiner bezaubernd schönen Erscheinung*). Als echter Renaissancemensch nennt er den Spruch, der Alexanders Zauber erklärt: *persona Principis servire debeat oculis civium.* Man ist ja der Meinung, das schöne Äußere sei stets Ausdruck innerer Tugend — *(lo studio del decoro é sempre una parole di interiora virtù).* Ein Zauber geht von dem schönen, kühnen Mann aus, ein Zauber geht von seinem Sohn, von Cäsar Borgia aus. Cäsar ist ebenso geliebt und bewundert, wie verhaßt und gefürchtet, und einer von Italiens größten Geistern träumt, daß er berufen sei, die Einheit Italiens zu bringen, und gesteht dem Spanier italienischen Patriotismus zu.

Denn höchste Tugend — *virtù* — inmitten des schwankenden Systems, diese Borgia wissen, was sie wollen, und schrecken vor nichts zurück, um das zu können, was sie müssen, wollen müssen. Zu den wichtigsten Sätzen der Politik gehörte damals die Verwertung schöner Prinzessinnen. Wie Lucrezia Borgia emporblüht, sorgfältig erzogen von einer klugen Matrone, Madonna Andriana, wird sie ein Wertobjekt für die Politik von Vater und Sohn. Sie ist berufen, wichtige Verschwägerung herbeizuführen als Stütze für die päpstliche Macht, und früh genug mag ihr diese Aufgabe, dieser Ehrgeiz eingeprägt worden sein.

Alle holden gesellligen Künste mußte sie darum sorgfältig erlernen, ihr ganzes Wesen als Kunstwerk ausbilden.

---

*) Ceremoniarum scientia longe alios anteibat et in voce summum splendorem et in motu summam dignitatem, accedebat majestas formae.

Mit so ausgesuchtem Geschmack weiß sie sich zu kleiden, daß sie fast mit der berühmten Isabella von Mantua die Modeherrschaft teilt; so wunderbar ist der Tanz der schönen Spanierin, daß sie — wie eine Salome — ein Haupt dafür hätte verlangen und erhalten können.

Der väterliche und brüderliche Ehrgeiz spannt sich daher immer höher. Zweimal hat man sie rechtskräftig mit edlen Spaniern verlobt, als die Politik spanisch orientiert war. Beide Verlobungen wurden gelöst, obwohl der eine Bräutigam lebhaft protestierte, als man ihm einen regierenden, wenn auch in kleinem Land regierenden Fürsten, Giovanni Sforza von Pesaro vorzog.

Diesem wird sie vermählt. Doch als der Stern der Sforza unterging, war das Leben des jungen Gatten nicht mehr sicher, er mußte fliehen, und die Ehe wird für nichtig erklärt. Wieder blüht spanische Politik, so wird Lucrezia dem Prinzen von Salerno schleunigst vermählt, dem natürlichen Sohn des Königs von Neapel. Dies erweist sich als falscher Schachzug, da der Stern des Hauses Aragon in Neapel, wie jener der Sforza in Oberitalien rasch verglimmt. Der Schachzug muß zurückgenommen werden. Es geschieht mit rücksichtsloser Grausamkeit, indem der zwanzigjährige schöne Gemahl, dem Lucrezia ein Kind geboren, so daß die Ehe nicht wie bei Giovanni Sforza für nichtig erklärt werden konnte, durch Mord aus dem Weg geräumt wird.

Bei dem ersten Anschlag wird er nur verwundet und von Lucrezia gepflegt, Cesare, ungeduldig darüber, daß der Schwager nicht stirbt, tritt an das Krankenlager und der Unglückliche wird erwürgt, höchst wahrscheinlich von des Schwagers eigener Hand.

Man sollte meinen, die junge Witwe würde rasen vor Schmerz, denn sie war dem schönen Jüngling zugetan. In der Tat, sie erkrankt und zieht sich mit ihrem Kind nach Nepi zurück, einem einsamen Schloß, von wo aus sie einem treuen Diener um Trauerstoff schreibt für den Baldachin ihres Bettes, wohl zum Empfang der Getreuen in Nepi, denn Witwen empfingen zu Bett. Ihre Briefe zeichnet sie nicht anders als *La Infelicissima*.

Allein der Papst ruft sie nach Rom. Und, siehe da, sie vergißt die Trauer, denn er verspricht ihr einen Thron und eine Ausstattung reicher als jene, die Bianca Sforza als Kaiserbraut erhielt. Dreihunderttausend Golddukaten soll sie zur Mitgift bekommen außer einigen Städten und Vorteilen für Ferrara, zweihundert kostbare Hemden, von denen manches Stück mehr als hundert Dukaten bewertet war. Alle Kunst Italiens wollte man aufbieten für die Gewänder, die Lucrezia zur Schau tragen mußte, alle Zeichner, alle Sticker anstrengen. Ein besetztes Kleid kostete mehr als fünfzehntausend Dukaten, ein anderes zwanzigtausend, jeder einzelne Ärmel mit Goldfransen und Pelzbesatz kam auf mehr als dreihundert Dukaten zu stehen, ein Hut auf zehntausend Dukaten. Gemeint ist wohl eines jener neumodischen Federbarette, welche die Damen keck auf das künstlich blonde Haar setzten. Solche Barette waren mit Edelsteinagraffen geziert, so konnte ein Einzelnes hohen Wert erreichen.

Diese Ausstattung war tatsächlich das Kostbarste und

Vollendetste, das damals die Welt sehen mochte, denn es handelte sich nicht um barbarisch schweren Prunk, sondern jeder Gegenstand war von hoher Kunst durchgebildet und gestimmt, ein Inbegriff alles dessen, was einem schönen Weib je als begehrenswerter Schmuck erschien, was je eine Evastochter stolz und glücklich gemacht. Dies war Alexanders Schmerzensgeld für sein Kind.

Auch eine erlesene Handbibliothek in edlen Einbänden gehörte zur Ausstattung. Das genaue, noch erhaltene Inventar weist außer Dante, Petrarca und einer Sammlung spanischer Lieder manch zierlichen Band mit ernsten Erbauungsschriften auf.

Der vornehmste Name Italiens, die Rolle der einflußreichsten Fürstin, das Lob der ersten italienischen Dichter — und Gold, Gold für ihre Sänfte, Maultiere, Pferde und Troß, Gold gehämmert und gesponnen und gestickt für ihre Gewänder, Gewänder, wie noch keine Prinzessin sie getragen — —

Da lächelt Lucrezia unter Tränen und bald lacht sie wieder, dasselbe herzlich warme, sonnige Lachen, für das ihr Vater berühmt war und das an ihm Wunder nimmt.

Vermutlich ist der jungen Frau Familienehrgeiz so gut eingelernt oder steckt so fest in ihrem Blut, daß sie Opfer für die Größe der Familie natürlich findet und deshalb dem Bruder, dem Gattenmörder vergibt, ja ihm dankbar scheint für die Größe, zu der sie ausersehen — sie ist ja klug, hat Freude an Politik und Verständnis für dies aufregende Hasardspiel, sie will sich daran beteiligen, eine leidenschaftliche Spielerin. .

Die geplante Heirat mit dem verwitweten Erbprinzen von Ferrara, Alfonso d'Este, Sohn des berühmten Ercole, ist darum so wichtig, weil Ferrara in der damaligen italienischen Politik gleichsam das Zünglein an der Wage bildet. Die Verbindung scheint ausschlaggebend für die Machtstellung des Papsttums. So kann sich Lucrezia schmeicheln als treue Tochter der Kirche, die sie ist, derselben zu dienen mit ihrem Entschluß, Herzogin von Ferrara zu werden, ihre Schönheit, ihre geselligen Künste, ihr Kunstgeschmack helfen der großen Sache und sie empfindet es keineswegs als Kirchenraub, soviel Kleinodien an sich nach Ferrara zu schleppen, sondern ihrer Anschauung gemäß ist das alles ein ebenso frommer wie politisch kluger Dienst, den sie erweist.

Als Tochter des Borgia, des Spaniers von höchst zweifelhaftem Herkommen — umsonst bemühen sich die Abgesandten des Herzogs Ercole, für die Schwiegertochter einen interessanten Stammbaum herzustellen — welch ein unendlicher Stolz in die älteste, vornehmste Herrscherfamilie Italiens aufgenommen zu werden!

Die Este rühmen sich herrlichster Ahnentafel und die Familie rümpft freilich die Nase ob der Papsttochter, so daß nur außerordentliche Versprechungen den Widerstand besiegen können. .

Gewiß sieht es Lucrezias Ehrgeiz darauf ab, die vornehmen Este und deren Hof so sehr zu bezaubern, daß ihre Herkunft ihrer Stellung nicht Abbruch tue. Entscheidend ist für dieses Vorhaben der Eindruck, den sie bei den Festlichkeiten macht, die bei der Trauung in Rom — per procurationem — stattfinden, dann bei ihrem Einzug in Ferrara. Alles, was dabei vorgeht, wird politisch und gesellschaftlich so wichtig und ernst genommen, daß eifrige Berichterstatter die einzelnen Festakte umständlich erzählen, die Namen der vornehmen Gäste erwähnen, die Toiletten der Damen und den Prunk der Herren.

Mit der größten Mühe gelingt es dem Papst, eine genügende Anzahl von Damen und Herren stolzklingenden, altrömischen Namens zusammenzubringen als Ehrengeleit für Lucrezia.

Anfangs entschuldigen sich die meisten, allein Gold und Versprechungen, Neugier locken doch zuletzt manche herbei, einige haben auch Furcht vor Cesare, der im Zeichen seiner höchsten Macht stand. So reitet Cesare an der Spitze eines glänzenden Gefolges dem Brautgeleit entgegen, zu dem der Herzog von Ferrara die Vornehmsten seines Landes entboten hatte, darunter die zwei jüngeren Brüder des Bräutigams, Don Ferrante, der die Prokuration ausübt, und den Kardinal Hippolyt, der — Cesare ähnlich — zu den grausamsten und bezauberndsten Typen der Renaissance gehört.

Beide umarmen sich bei Ankunft des Geleites, Lucrezia neigt ihren Schwägern Gesicht zu Gesicht — nach französischer Mode, bemerkt der Berichterstatter.

Noch am selben Abend schreibt der Kardinal Hippolyt an seine Schwester Isabella Gonzaga nach Mantua, die bis jetzt für die eleganteste Frau Italiens gegolten und daher auf die schöne Schwägerin brennend neugierig ist. Er meldet, wie Lucrezia angetan war bei diesem Empfang. Ein Gewand aus weißem goldgesticktem Tuch, die Prunkärmel aus Goldbrokat, nach spanischer

Mode enganschließend mit Querschnitten, der Überwurf aus maulbeerfarbenem Sammet (es war Lucrezias
Wappenfarbe), mit Zobel verbrämt.

Wie köstlich mußte der satte Ton Lucrezias Goldhaar
zur Geltung bringen, sie trug es leise verschleiert durch
eine *Lenza*, den Kopfschmuck aus durchsichtigem Stoff
in grün gehalten, von einem Goldfaden mit Perlen
durchwirkt, dazu eine Perlenschnur um den Hals, daran
funkelte feurig ein großer Rubin.

Im Bewußtsein, welchen Eindruck ihre Erscheinung auf
die Schönheitsanbeter der Zeit machen mußte, in so
vollendetem Gewande trat sie mit Sicherheit heiter
liebenswürdig auf.

Bresciani, dem Ercole Auftrag gegeben, seinen Eindruck zu schildern — es war gewiß manche giftige
Nachrede an den Hof Ferraras gedrungen — schrieb
beruhigend: *Excellenza Vostra remagnera molto ben
satisfata da questa Illustrissima Madonna per esser
dotada da tanti costumi e bontade.* (Euer Exzellenz
werden gewiß sehr zufrieden sein mit dieser hohen
Dame, die mit soviel Güte und Eleganz ausgestattet
ist.)

Bezeichnend für die Zeit und die Personen des politischen Spiels ist der Verlauf der Hochzeitsfeierlich-
keiten, — raffiniertester Geschmack und die seltsamste
Gefühlsroheit. Nach der Trauung werden die Geschenke
verteilt. Man plätschert in Rubinen, Perlen, Diamanten;
feine Kunst haben römische Goldschmiede geübt, und
Lucrezia verteilt zum Andenken Proben solcher Arbeit,
allerlei Zierlichkeiten an das Gefolge.

Vom Fenster aus betrachtet die Gesellschaft Wettrennen

und Kämpfe auf dem St. Petersplatz. Es wird mit scharfen Waffen gekämpft, denn echt römisch braucht die Freude Blut, und verschiedene Opfer werden hingestreckt bei dem malerischen Kampf um ein künstliches Schiff.

Nach diesem Genuß zieht man sich zurück in das Gemach der *Papageien*, der Papst in allerheiterster Laune, er besteigt den Thron, links nehmen die Kardinäle Platz, rechts die Hochzeitsgesellschaft. Feine kluge Köpfe der Männer und Frauen, wallende Purpurmäntel, Sammet in den sattesten Farben, Juwelen über Juwelen.

Irgendwo ertönt Musik, eine jener stets etwas geheimnisvoll melancholischen Tanzweisen des Jahrhunderts, sinnlich süß und klagend zugleich, auf imaginären Schäferton gestimmt. Die zarte Melodie spielt zu dem schwülsten, zu einem der schrecklichsten Tänze, die je getanzt worden.

Lucrezia tanzt — — sie tanzt mit ihrem Bruder Cesare auf Ansinnen des Vaters. Sie tanzt mit dem Mörder des Gatten, mit ihm, der vor wenig Monden ihr den jungen blühenden Gemahl, den Vater ihres Kindes erwürgt. Sie tanzt und lächelt das stilisiert sittsame Lächeln ihrer Zeit.

Ein wundervolles Paar, das mit einzigartiger spanischer Grazie sich in zarten improvisierten Figuren wiegend, fliehend, zusammenfindend bewegt.

Empfindet niemand das Schaurige dieses Tanzes?

Der Papst lacht — zieht wohl jeder und jede den Mund breit aus Devotion? Sind sie bezaubert, hingerissen von so viel Leben gewordener, durchdachter

Kunst? Ein Zuschauer, El Prete, begnügt sich zu berichten: *Der Papst forderte Caesar auf, mit Madonna Lucrezia einen Tanz zu machen, und das tat dieser mit vielem Anstand. Seine Heiligkeit war in beständigem Lachen.*

Alexander hielt sich also kaum vor Freude über die gelungene Verbindung und Versöhnung. Ein Frauenliebhaber und Kenner kann gar nicht anders als jedes schöne Weib mit der Grausamkeit des Kennerblicks mustern. So wird Alexander die bezaubernde Tochter nicht nur mit väterlichem Stolz, auch mit Kennerblick betrachtet haben, den politischen Wert ihres Zaubers zu prüfen — und ähnlich kann auch Cesare außer dem brüderlichen Wohlgefallen ihre Reize mit jenem grausam wägenden Blick bedacht haben.

Es scherzt der Papst *Ihr seht wohl, daß Madonna Lucrezia nicht lahmt.* Als er sich nach Beifall umsieht, werden Blicke unter den Zuschauern gewechselt, das leise Grauen verdichtet sich zu Verdacht. Der Verdacht wird Gerücht und zur Strafe ihres fürchterlichen Tanzes ist Legende unerhörter Schuld Lucrezias Begleitung in der Geschichte.

El Prete, der Korrespondent für Ferrara, erzählt weiter: *Die Hoffräulein tanzten paarweise und vortrefflich.* Bei damaligen Bällen handelte es sich um ein Schautanzen, improvisierte Figuren werden wetteifernd vorgeführt. Oft tanzen Damen zusammen, anmutige Gruppen zu bilden, man sah kritisch zu.

In der schwülen Luft dieses Tanzsaals wird sich in der Kunst zu bezaubern auch Angela Borgia hervorgetan haben, der jungen Herzogin Verwandte und schönste

192

Hofdame *una damizella elegantissima* nennt sie der Chronist und römische Dichter preisen ihre Reize. Sie bestrickt die beiden Este, Don Ferrante und den Kardinal Hippolyt, was später in Ferrara zu schauerlichem Nachspiel führt. Angela rühmt die schönen Augen Don Ferrantes und der Kardinal läßt den Bruder tückisch überfallen, ihm die Augen ausstechen zu lassen. So endet das Liebesspiel, das bei jenem denkwürdigen Hochzeitsfest in Rom anhob und sich wahrscheinlich bei der gemeinschaftlichen Brautreise weiterspann. Treuherzig bewundernd erwähnt El Prete noch verschiedene merkwürdige Dinge: *Alsdann begannen die Komödien. Die erste wurde nicht zu Ende geführt, da sie zu lang war.* (Festspiele gerieten allzuoft übermäßig lang.) *Die andere in lateinischen Versen, worin ein Hirt und Kinder auftraten, war sehr schön. Was sie vorstellte, habe ich nicht verstanden.* Ferner fanden noch merkwürdige allegorische Spiele statt. Juno erschien und versprach, die Ehe der Papsttochter zu beschützen. Auf einem Triumphwagen sah man *Roma* und *Roma* klagte über die Entfernung der Madonna Lucrezia aus ihren Mauern, sie erklärte, Alexander VI., der *nunmehr an Stelle Jupiters Rom beherrsche,* hätte dies nicht zulassen sollen.

An einem der folgenden Tage veranstaltete Cesare einen Stierkampf, bei dem er selbst seine Kraft und Anmut zur Schau stellte. Er war sehr eitel auf seine Erfolge als Matador. Die Stierkämpfe erfreuten sich in Rom großer Beliebtheit, sie waren in Neapel von den Aragonesen, in Rom von den Borgia eingeführt. Stierkampf und Schäferspiel — spanische Mode. Es gilt auch für elegant, sich spanisch zu unterhalten, Lucrezia ist darin geübt und soll spanische Verse verfaßt haben.

Der feierliche Zug nach Ferrara, der über tausend Personen umfaßt, muß in verschiedene Gruppen geteilt werden, denn die Orte, durch die er seinen Weg nimmt, erhielten durch ein päpstliches Breve den Befehl, die Gesellschaft zu verpflegen.

Diese gezwungene Gastfreundschaft wird übrigens mit gutem Willen aufgenommen, die Gäste überall mit schönen Veranstaltungen gefeiert, ihr glänzendes Auftreten gibt ja zu gaffen genug, Lucrezia erscheint auf weißem Zelter, in rotem Seidenkleid, reichen Federhut auf dem wellenden Blondhaar. Von Zeit zu Zeit muß Halt gemacht werden, das Haar zu pflegen, denn dieser Schönheitsdienst ist eine der größten Wichtigkeiten für die Dame der Renaissance und erfordert viel Zeit und Mühe.

Überall auf dem Weg Triumphpforten und Wagen, festliche Vorstellungen und Tanz im Saal.

Wird der Weg beschwerlich und langweilig, sorgt ein Trupp *Buffoni*, die Cesare der Schwester vorsorgend mitgegeben, dafür die schöne Fürstin und ihr prunkvolles Geleit bei guter Laune zu erhalten.

So löst sich sogar eine lange und unbequeme Reise in sieghaft geselliges Vergnügen auf, Politik und Vergnügungssucht, Mode, Festfreude und Narrentum arbeiten zusammen.

Bei den Empfangsfeierlichkeiten in Ferrara wird alles aufgeboten, um den ungeheueren römischen Hochzeitszug in staunende Bewunderung zu setzen, sie werden

194

in den Briefen Isabellas von Mantua nicht ohne ironische Bemerkungen bis ins kleinste beschrieben.

An diesem wichtigen Hof ist die Pflege der Künste
traditionell, ein Herzog nach dem andern tritt als ihr
Schutzherr auf.

Nicolo Lelio hatte geglänzt durch sein Wissen, ein
Graf Bojardo durch seine Dichtung Orlando Inammorato, und bei Lucrezias Erscheinen singt bereits
Ariost, indes sein Freund Dosso Dossi mit ähnlich
romantischer Phantasie in Farben dichtet; er schmückt
mit seinen Malereien auf das überraschendste die
Innenräume des Kastells, eines gewaltigen gotischen
Ziegelrohbaus, den vier starke Türme bewachen. Fällt
die Zugbrücke über die Wassergräben des drohend
errichteten Gebäudes, betritt man Säle, in denen bereits im Renaissancegeschmack antikisierende Putten
tanzen, etwa die *Sala dell' amore* oder das prunkende
Gabinetto dorato.

Freundlich gestalten sich außen wie innen Ercoles Neubauten, der *Palazzo de Diamanti*, im Jahr 1492 begonnen, das Sans souci der Zeit, *Schifanoja*, mit Ercoles Wappen, dem Einhorn über dem Tor, 1469 vollendet und recht angetan, die Renaissanceprinzessinnen
zu begrüßen, die von Hofdichtern und Gelehrten in
glattem Latein gelobt wurden. Ferrara zählte so viele
gelehrte Herren und Damen, daß Ercole mit stolzem
Scherz behaupten konnte: *Nam tot Ferrara vates,
quod ranas tellus Ferrarienses habet.* (Denn Ferrara
hat soviel gelehrte Geister wie die Erde ferrarische
Frösche hat.)

Augenblicklich sind ritterliche Versromane weniger

Mode als klassische Dichtungen, so werden zu Lucrezias Empfang fünf Komödien des Plautus vor 5000 Personen als Galavorstellungen aufgeführt, in den Zwischenakten trägt man aber dem alten Geschmack Rechnung durch allerlei phantastische allegorische Dinge mit Musik.

Gelegentlich tritt der junge Ehemann auf als liebenswürdiger Dilettant auf dem neuen Instrument, einem Vorläufer der Geige, und wieder erntet Lucrezia Beifall mit ihrer spanisch graziösen Tanzkunst.

Belustigend wirken die Venezianer Gesandten, die sich für diese Gelegenheit besonders köstliche, pelzgefütterte Sammetmäntel hatten anfertigen lassen. Nach der feierlichen Huldigung entkleiden sie sich überraschend der angestaunten Mäntel und spenden sie als Venedigs Hochzeitsgabe.

Die Damen aus dem römischen Gefolge finden so viel Vergnügen an Ferraras festlichem Treiben, daß sie allzulange verweilen und den herzoglichen Schwiegervater darauf sinnen lassen, sie auf gute Art fortzubringen, denn der Kostenpunkt wird selbst für seine Großmut zu hoch bei dieser Gelegenheit.

Allein geblieben an dem fremden, ihr anfangs feindlich mißtrauischen Hof weiß Lucrezia mit sicherem Takt sich die schönste Stellung zu erringen. Bald ist sie bei der weitläufigen Sippe, bei den Hofleuten, in Stadt und Land beliebt und bewundert. Ihre Geselligkeit ist preziös und fein, ihr Anstand, ihre Sitten werden immer wieder von Dichtern gerühmt. Vielleicht hatte sie einst nur ungern den Gast gespielt bei den gewagten Festen ihres Vaters und Bruders, jenen

Festen, zu denen die schönsten Curtisanen geladen waren und nach Aufhebung der Tafel, als die goldenen Leuchter auf den Boden gestellt wurden, aller Gewänder bar zwischen den spielenden Flämmchen tanzten.

Vielleicht ist Lucrezias Anwesenheit bei solchen Festen überhaupt von den boshaften Chronisten hinzugelogen worden. Jedenfalls merkte man Borgias Tochter als Herzogin von Ferrara nichts von dieser Vergangenheit an. Sie bemühte sich sogar, die Mode an ihrem Hof in neue Wege der Sittsamkeit zu leiten und nahm huldvoll einen Spiegel platonischer Liebe *gli Asolani* von Bembo als Widmung an.

Ein Manuskript der Bibliotheka Sarti in Rom *Vita di Alfonso d'Este* von Bonaventura Pisifila beschreibt wie Lucrezia nach dem Beispiel ihrer Schwägerin die vollendete Renaissanceprinzessin darzustellen weiß, auf dem Gebiete der Mode durch ihre mustergültige Eleganz manches Unzarte aus Ferrara verbannt. *Es war jene Lucrezia von liebreizendem, liebenswürdigem Ansehen, voll Anstand und Vorsicht in Art und Benehmen, im Gespräch von hervorragender Grazie und Heiterkeit. Und da zu der Zeit, als solche außerordentliche Dame als Neuvermählte nach Ferrara kam, die Damen der Stadt Gewänder trugen, die Schultern und Brust entblößten, führte die Illustrissima einen schleierartigen, gezogenen Latz — gorghiera — ein, der von der Schulter aus bis zum Haar hinauf alles bedeckte*).*

---

*) Fu essa Lucrecia di venusto e mansueto aspetto, prudente, di gentilissime maniere negli atti, nel parlare di molta grazia e allegreza. E come allora in Ferrara venendo a marito questa singo-

Lucrezias Benehmen war so klug, daß Ariostos Preis, der sie als tugendhafteste der Fürstinnen besang (indes neapolitanische Dichter sie mit giftigen Anspielungen verfolgten) und das begeisterte Lob des französischen Ritters Baiard von der vornehmen Welt ihrer Zeit bedingungslos angenommen wurden.

Ariosto ließ seinen Helden Rinaldo einen sorgfältig beschriebenen schönen. Renaissancepalast besuchen, der als Tempel der Tugend gedacht ist. Im mittleren Säulenhof sind die Standbilder der berühmtesten edlen Damen errichtet, rechts und links von jedem Standbild stehen die Statuen zweier Dichter, die besondere Verehrer und Sänger jener Dame waren, gewiß ein ausgezeichnetes Kompliment. In dieser erlauchten Versammlung ist Lucrezia an erster Stelle genannt, als ihre besonderen Sänger und Verehrer Tebaldo und Ercole Strozzi beglaubigt. Dann folgen die Statuen anderer Damen und Dichter, die mit Ferraras elegantem Kreis bekannt machen:

La prima iscrizione che agli occhi occorra
Con lungo onor Lucrezia Borgia noma
là cui bellezza ed onesta preporra
Debbe all' antica sua patria Roma,
I due che voluto han sopra sé torre
Tanto excellente et onorato soma

---

larissima signora, che fu l'anno MDI, le. gentildonne e cittadine usavano habiti, pe' quali mostravano le carne nude del petto e delle spalle, cosi essa Illustrissima Signora introdusse il portare et uso di gorghiere, che velavano tutto quelle parte de la spalle sin sotto si capelli.

198

Noma lo scritto: Antonio Tebaldeo
Ercole Strozzi, un Lino e un Orfeo. [Canto 42*).]

Der freundlichen Vorstellung, die Ariosto wachruft,
gesellt sich jedoch immerdar ein geheimes Grauen, wenn
der ferne Nachfahr der schönen Lucrezia Borgia gedenkt. Er kann das Andenken an ihren Tanz mit
Cesare nicht bannen, wie es die Zeitgenossen taten,
und auch nicht das Andenken daran, daß in einem
Turm desselben Palastes, in dem die blonde Herzogin
ihre heiteren Empfänge hielt, Don Ferrante, der Bruder
des Herzogs, der sie einst in Rom für ihn gefreit, nach
versuchtem Aufstand in fürchterlicher Haft schmachtete,
derselbe Ferrante, dessen schöne Augen, Angela Borgia
zuliebe, von seinem Bruder, dem Kardinal Este, geblendet werden sollten.

---

*) Die erste Inschrift, die der Blick erkennt,
Mit vielem Ruhm Lucrezia Borgia nennt,
Die ihre Schönheit, die so hoch sich rankt,
Und ihre Würde Rom verdankt.
Die beiden, die der Ehre walten,
Ihr Lob in Worten zu gestalten,
Sie nennt die Schrift Antonio Tebaldeo,
Ercole Strozzi, einen Lino und einen Orfeo.

NEUNTER ABSCHNITT

Grauen und Eleganz — Die beiden Prinzessinnen — Mantua — Freude an der Freude — Barbara von Brandenburg — Das *appartamento del Paradiso* — Isabellas Hofmaler — Mars und Venus — Die Königin der Mode — Gute Dienerschaft — Das heiter Festliche — Die *famiglia* im Porträt — Die drei Hausfreunde — Universalität — Zwerge und ihre Wohnung — Erziehung der Dame — Genußreiche Neugier — Bildung der Hofleute — Isabellas Mentor — Virgils Auferstehung — Das schmelzende Gold — Ein Traum der Schönheit — Renaissancebriefe — Im *studiolo della grotta*.

Trotz der vorzüglichen Erziehung, die sie ihren Kindern zuteil werden ließ, trotz der tadellosen *costumi* (Sitten), deren sich Lucrezia als Herzogin von Ferrara befleißigte, trotz der Leyer ihrer Dichter, lassen sich von ihr Tragik und Grauen nicht trennen und vom Hof der Este in Ferrara nicht wegdenken. Auch nicht vom Hof der Sforza, von der bezaubernden Beatrice d'Este, der sport- und jagdlustigen Gemahlin des Lodovico.

Hell und hold liegen dagegen die kleinen bescheidenen und doch unendlich wichtigen Höfe der Gonzaga, in Mantua und der Montefeltre in Urbino, wo Isabella und Elisabetta, treu einander zugetane Schwägerinnen, den Ton angeben. Über Mantuas und Urbinos Herrinnen wölbt sich ungetrübt der Himmel des Nachruhms.

Sie drücken in ihrem Wesen und weitauswirkenden geselligen Dasein den Reichtum ihrer Zeit nach zwei Richtungen aus.

Isabella gebietet im Reich des irdischen Eros über alles Schöne, das er in der Fülle seiner Macht irgend bietet an verfeinertem Lebensgenuß. Üppig frauenhaft und prächtig, kraftvoll lebensfroh und gern verschwendend steht Isabella mit dem Füllhorn der Kunst als Attribut, eine freundlich majestätische Göttin im Bilde.

Über ihre Gaben hinaus weist Elisabetta, die zartere, leise wehmütige Gestalt, Gegenstück zum *Pensieroso* der Renaissance, sinnend über Güter und Schätze des himmlischen Eros, Führerin zu dessen Seligkeiten, mütterliche Freundin eines Rafael.

Diesen beiden bedeutendsten Prinzessinnen eines Zeitalters der Prinzessinnen dankt die Hochrenaissance, daß sie ihre Knospe sprengt und weithin ihren Zauberduft schleudert, wie der Duft der Gewürzinseln den Schiffer hält und fängt, ehe denn er die Küste ersieht, so weitreichend ist des Duftes Botschaft.

Eine Beseligung geht von Mantua und Urbino aus, die den fernsten und fremdesten Weltschiffer erreicht und zu seligen Träumen zwingt, mag er von Natur noch so nüchtern und rauh gewesen sein.

Von Gewässern umgürtet und von Sümpfen beschützt, erhebt sich Mantua mit gotischen Türmen. Dem größten gegenüber wuchtet der feste Palazzo ducale (1302 begonnen). Als Isabella mit Gian Francesco III.*) vermählt, darin einzog, war er im Innern noch unvollendet, obwohl schon unter Francescos Großvater Ludovico III.**) Mantuas Kunstleben bedeutungsvollen Anfang genommen. Ludovico hatte Leo Battista Alberti und Mantegna berufen, der in der *Sala dei Sposi* das Bildnis seines Herrn und dessen Gattin, Barbara von Brandenburg malte und den Kriegsruhm des Hauses durch den Triumphzug Julius Caesars feierte in einer

*) 1484—1519, **) 1444—1478.

neuen Art dekorativer Malerei. Mantegna verwendete
Tempera auf Karton und brachte die Blätter als Wand-
schmuck zwischen Pilastern an in dem kleinen Palast
von San Sebastian oder *Pusterla,* der sich an die alte
Feste schmiegt.

Die Fürsten waren nun überall nicht mehr recht zufrieden in ihren Felsenburgen (rocca) und Kastellen,
den drohend bewehrten Bauten mit Zugbrücke, Graben
und Türmen, die viel Schreckliches erlebt. Sie bauten
Lustsitze, wie Schifanoja in Ferrara, Paläste wie Pusterla in Mantua, später den Palazzo del Te, freundlichen Anblicks von außen und innen und versuchten
die Innendekoration ihrer Schlösser so glänzend und
froh zu gestalten, daß der drohende Eindruck des
Äußeren überwunden wurde.

Freude an der Freude ist Losungswort der Zeit.

In diesem Sinn sollte Mantegna den Festsaal — *sala
dei Sposi* des alten Kastells mit festlich froher Malerei
versehen. Der Saal war Hochzeiten und anderen großen
Gelegenheiten am Hof der Gonzaga gewidmet. Wenig
paßte freilich in diese Feststimmung als Mittelpunkt
der Malerei das Porträt der Markgräfin Barbara von
Brandenburg, ernst und steif in Tracht wie Ausdruck.
Ist es ein Scherz des Meisters, daß er in den Schlepp-
falten der Dame deren Lieblingszwergin anbrachte,
ebenso steif herausgeputzt und mit ebenderselben
hochfahrenden ernsten Grimasse? Barbara war eine
starrköpfige Frau und die Hofgesellschaft, wahrscheinlich auch der Hofmaler Mantegna fühlte ein
menschliches Rühren mit dem Schicksal ihres Sohnes
Federico.

202

Barbara hatte ihm die Prinzessin Margareta von Bayern zur Gattin bestimmt trotz seiner lebhaften Abneigung gegen diese Heirat. Der junge Prinz faßte den knabenhaft romantischen Entschluß, mit einigen Getreuen vom väterlichen Hof zu entfliehen am Tage vor der Heirat. Der geflohene Bräutigam hielt sich mit seinen Freunden mittellos in Neapel auf. Die jungen Leute waren von Mantua aus mit dem Tode bedroht und fristeten ihr Leben mühsam durch Hafen- und Schiffarbeit. Nach einem Jahr entdeckte Alfons von Neapel den Erben Mantuas krank und halb verhungert in einer Spelunke. Die Mutter scheint Gnade geboten zu haben, doch unter der Bedingung, daß jene Ehe vollzogen werde, und Federico entschloß sich, um seine Freunde nicht preiszugeben. Wie diese erzwungene Heirat ausfiel, erzählt keine Geschichte, man darf wohl hoffen, daß die bayerische Prinzessin Anregungen der Renaissance in ihre Heimat vermittelte. Federico regierte nur sechs Jahre und achtzehnjährig bestieg Gian Francesco den Thron, seit früher Kindheit mit der Tochter Ercoles von Ferrara verlobt und schon in zartem Alter mit ihr vermählt. Diese Kinderehe brachte vergnügteres Leben an den Hof, als Großmutter Barbara sich je träumen ließ.

Es entstand nunmehr das *appartamento del paradiso*, von dem aus die junge Frau den Blick auf den See genoß und das sogenannte *camerino* Isabellas Schreibgemach, mit zarten Intarsien geschmückt und voll phantastischer Allegorien, wie sie schon am väterlichen Hof in Ferrara beliebt gewesen.

Ähnlich im Geschmack ist ein Kartenspiel, das Man-

tegna für den Hof erfand und das wohl manchmal durch Isabellas Finger glitt*). Der Schüler des Squarcione, der in Paduas Stadthaus die philosophischen Träume der Zeit in einer Art Enzyklopädie gemalt hatte, erinnerte sich seines Meisters und schuf in Gestalt dieses kunstvollen Kartenspiels eine Taschenphilosophie, eine der Geselligkeit gewidmete Ausgabe der Weisheit, die feiner Renaissanceprinzessin wohl anstand. Das Spiel enthält fünfzig Karten mit allegorischen Figuren, in Kupfer gestochen, zu zehn und zehn eingeteilt. Die ersten zehn stellen die Hierarchie des Lebens aufsteigend dar: Der *misero* beginnt, der Nichtshabende und Nichtstuende, dann kommen der *famiglio*, wahrscheinlich Diener, der Handwerker, der Kaufmann, der *zentilomo*, gemeint ist wohl der Bürger in irgendwelcher Ehrenstellung, der Kavalier, der Doge, König, Kaiser und Papst. Die nächsten zehn Spielkarten weisen die Hierarchie der Kunst auf, die neun Musen, an ihrer Spitze Apoll.
In der dritten Reihe wird die Gliederung der *arte liberale*, der freien Künste in folgendem Aufbau gebracht: Grammatik, Logik, Rhetorik, Geometrie, Arithmetik, Musik, Poesie, Philosophie, Astrologie, Theologie.
Besonders anmutig ist die Gestalt der Musik, eine Flötenspielerin, die sich an einen Schwan lehnt, mit Anspielung an den schönsten Gesang, den sagenhaften Schwanengesang von Leid und Tod. Es folgen zehn Tugenden und endlich zehn astrologische Karten, denn von den Sternen kommen Anlagen und Charakter und

---

*) Es befindet sich heute in Florenz in den Ufficien.

204

daher das Schicksal der Menschen. Die Sterne (Mond, Venus, Sonne, Mars, Jupiter, Saturn, Octava, Spera) sind mit ihren Einflußsphären in aufsteigender Linie gedacht und werden überhöht von der Kraft des *Primo Mobile* (ersten Anstoßes) und dieser von der *Prima Causa* (Grundursache).

Das Spiel mit den kunstvollen philosophischen Karten, dessen Regeln wir nicht kennen, gehörte wohl zu den angenehmen, ehrbaren Unterhaltungen *piacevoli ed onesti giochi*, die an heißen Nachmittagen belustigten, nach angeregtem Gespräch und gemeinschaftlichem Lesen oder Musizieren, wie es Isabellas Gepflogenheit war*).

Mantegna, der nunmehr als Hofmaler dem dritten Herrn von Mantua diente, war stets schrullenhaft und durch Familienmißgeschick (sein ungeratener Sohn brachte ihn um sein Erworbenes) vergrämt und verbittert. Isabella zuliebe heiterte er sich aber auf und es scheint eine rührende Freundschaft zwischen dem alten Griesgram und der lebenslustigen jungen Frau entstanden zu sein, beide verband leidenschaftliche Begeisterung für die Schätze der Antike. Isabella zeigte eine Liebe für Mantegnas Sammlungen, die ihr des Alten Herz gewann, und er versprach, mit seinem Verständnis ihren glühenden Sammeleifer zu unterstützen.

Auch ließ er sich dazu herbei, Isabellas Ideen zur Ausschmückung des *camerino* mit den damals neuen, man möchte sagen modernen, preziös phantastischen philosophischen Allegorien bereitwillig zu folgen, ihren Angaben treu — wozu Mantegnas Schwiegervater Gia-

---

*) Ora leggendo, ora disputando, ora sentendo dolcissimi musici cantar e sonar, ora altri piacevoli ed onesti giochi facendo.

como Bellini, den sie mit beredtem Brief darum bat, nicht geneigt war. Perugino, der gleichfalls darum gebeten wurde, trat nicht gern aus dem Kreise seiner Gewohnheit heraus. Der alte Mantegna jedoch brachte Verständnis auf für die lebhafte Phantasie seiner jungen Fürstin und sogar Geduld mit den allzu ausführlichen Anregungen ihres schöngeistigen Beraters, des Dichters und Astrologen Paride Ceresana, der alles Mögliche in den Bildschmuck des camerino hineingeheimnissen wollte *).

Mantegna malte willig die *Weisheit*, welche die Laster vertreibt, und ähnliche Dinge, wie sie auch Serafino Aquilano im Theater, das vom jungen Fürstenpaar eifrig geleitet wurde, in reichlich verwickelten Allegorien zur Darstellung brachte. So innig versuchte Mantegna den mythologischen Träumen der eifrigen Humanisten nachzuempfinden, daß er als letztes Werk ein Gemälde schuf, das ihre und der Renaissance sprühend selige Jugendlichkeit in Farben singt. Es ist der Parnaß mit dem Pegasus im Vordergrund, der feurig scharrt, indes ein Jüngling — schön wie die Pagen der Herzogin — ihn am Zaum hält. Die Musen tanzen, wie es Isabellas Mädchen taten; auf gewölbter grüner Brücke, die weite Durchsicht erlaubt, thront das Liebespaar, dem Mantua huldigt, Mars und Venus in Majestät. Denn Francesco folgte unentwegt und oft erfolgreich den Geboten des Mars, Isabella verehrte in Venus die Schutzpatronin alles Irdisch-Schönen.

Die Geschichte gab der Fürstin eher als dem Fürsten

---

*) Nach Mantegnas Tode wurden die dekorativen Malereien von Lorenzo da Costa, der ihm als Hofmaler folgte, fortgeführt.

recht, denn seine Kriegstaten sind längst vergessen, wir wissen kaum, für welche Gelegenheit er die *Madonna della Vittoria* malen ließ*). Isabellas Verdienste um den irdischen Eros, wie ihn die Philosophie der Zeit verstand, sind leuchtend geblieben. Der irdische Eros oder die Venus auf dem Parnaß ihrer Phantasie begreift nicht allein das zeitliche Liebesglück in sich, sondern alles sinnfällig Begehrenswerte und Freudenspendende, ein unendliches Reich und je unendlicher, desto besser für uns.

Naiver Instinkt des Weibchens, grelle Putzsucht, die mit dem Liebesgebot zusammenhängt und ewig von ihm ausgehen muß, wird zu künstlerischer Andacht veredelt und bis zur Verzückung gesteigert, zur reinsten Freude an eigener Schönheit, einer Freude, wie sie vielleicht die vollentfaltete Rose hätte, wenn sie menschlich bewußt empfände im Augenblick, da sie sich auftut als Königin des Gartens.

So prangt Isabella als Königin des italienischen Gartens, Herrscherin der Mode in seiner Hochrenaissance. Gewiß ein außerordentlicher Titel. Sie ist die edelste Künstlerin an sich selbst, von der im Reich der Mode je Kunde ging, sie überstrahlt durch ihre vornehme Erfindungsgabe, durch die Erlesenheit der Stimmungen in Form und Farbe selbst Lucrezia und den Reichtum, den ihre Schwester Beatrice entwickelt, die sich rühmen konnte, 84 Prunkgewänder zu besitzen mit Miedern, die von Perlen, Smaragden und Rubinen funkelten.

---

*) Nach der Schlacht bei Taro gegen Karl VIII. Francesco war Generalissimus Venedigs während der Liga von Cambray.

Doch Isabella tönt das Lob *ispiratrice sovrana die quanto é bello e gentile* (von ihr ging die höchste Anregung alles Schönen und Lieblichen aus). Ihre Gebote der Anmut belebten Heere freundlichen Fleißes, die friedlich für Italiens Kunst und Kleinkunst Provinz über Provinz eroberten.

Italien wurde tonangebend für Europa, wie Mantuas Herzogin für Italien, die fernste Prinzessin und große Dame will ähnlich wie die berühmte Isabella gekleidet, geschmückt, umgeben und eingerichtet sein, ähnliche Geselligkeit üben, ähnlich verehrt werden als Vorbild der Eleganz. Allgemein wird eine Verfeinerung, eine Vergeistigung des Luxus angestrebt.

Es ist grotesk pathetisch wie die Jahrhunderte entlang gravitätische Stadtverordnete, Priester, Minister und Herrscher sich über Putz und Gefallsucht ereifern, den Luxus jeder Art verdonnern, den Frauenschmuck anklagen und verurteilen — am strengsten Calvin, der sogar das Locken und Wellen der Haare mit Gefängnis bestrafte. — Die Lehre, die der Philosophie von der langjährigen Geschichte des Luxus und seiner Verfolger erteilt wird, ist, daß er nicht getötet werden kann, es sei denn durch ein Ertöten und Abtöten jedes Lebenswertes, wie es einige Fanatiker erzielten durch vollkommene Vertrocknung und Ernüchterung.

Wie der irdischen Liebe gegenüber, mit der Luxus und Gefallsucht untrennbar zusammenhängen, ist nur durch Idealisierung des Triebes eine Lösung der Frage zu finden. Wenn das Bereich des irdischen Eros bewußt dem himmlischen Eros untertan gemacht wird, dienen auch Prunk und Glanz äußerer Erscheinung nicht mehr dem Übel, sondern dem Guten.

Eine edle Prinzessin verbreitet als Beherrscherin der Mode Glanz, Glück und Gunst; Handel und Wandel des eigenen Ländchens blühen auf, dann Handel und Wandel in ganz Italien, Ansehen und Erfolg wachsen bis in die fernsten Gegenden. In Isabellas Machtbereich strebt die Kunstfertigkeit zu höchst, schwesterliches Dienen erfüllt den Tag, die Zungen zwitschern über Anmutswichtigkeiten, statt roh zu keifen, in unendlich geschickten Fingern wird das Leben ein entzückendes Spiel, bis ins kleinste von frohkindlicher Schöpferlaune beseelt, ein Schweben von Wonne zu Wonne, indem man den zartesten Sammet und Brokat fallen und gleiten läßt, die gewähltesten Steine behutsam und herrlich zusammenfügt, das eigene Dahinschreiten und Handreichen einem zarten Rhythmus im Einklang mit der Gewandung unterordnet, die Worte zierlich setzt, wie man die kostbar beschuhten Füßchen zierlich setzt.

Alle diese meisterlichen Vollendungen, wo Gemüt und Gewand, Schmuck und Seelenzierlichkeit sich verbindend ineinander schmelzen, verschwistern sich zu einem einzigen Zauber, dessen Kunst, wie es Lionardo von der Kunst verlangt, mit der Natur wetteifert und sie besiegt. *(L'arte gareggia colla natura e la vince.)*

Solches könnte nicht etwa entstehen auf dem traurigen Hintergrund sozialer Unzufriedenheit und Ungerechtigkeit. Vielmehr, es konnte nur zu Leben kommen durch eine für den gegebenen Augenblick äußerst glückliche, in Gleichgewicht gehaltene, sittlich befriedigende soziale Struktur, die auf geschickt strebenden Baugliedern sich ebenso gefällig wie fest 'ohne Unaufrichtigkeiten stützte.

Was die lebendige Kunstschöpfung einer Renaissance-prinzessin möglich machte, war die *famiglia*, die An-hängerschaft und Dienerschaft des fürstlichen Hauses im engsten und weitesten Sinn. Die Gesamtheit der Dienstboten trägt den schönen Namen *famiglia*, und *famigliaro* heißt der Diener wie der Vertraute eines hohen Herrn, *domestichezza* — häuslich von Wesen — heißt soviel wie vertraut, zum Hause gehörig be-handelt werden. Gleich jüngeren Schwestern und Brü-dern sind Dienerinnen und Diener gedacht, sie nehmen teil an Freud und Leid, an Ehre und Gefahr des Hauses, es erscheint ihnen selbstverständlich, für den Herrn oder die Herrin zu sterben, wenn es die verwickelten Liebeshändel erfordern, bei denen sie meist eine große Rolle spielen, es erscheint ihnen selbstverständlich, für Herrn und Herrin lebenslänglich zu leben und ihre eigensten Angelegenheiten unlösbar mit dem Haus zu verbinden, dem sie sich zugeschworen.

Nur beamtenhaft für bestimmte Stunden, unwillig und unfroh irgend einen bezahlten Dienst in einem Haus zu verrichten, ihm sonst fremd, ja vielleicht feindlich zu bleiben, wäre bei dieser Lebensanschauung undenk-bar. Jeder Dienende war ja reich und mächtig im Reichtum und der Macht seiner Herrschaft, deren Stolz zum eigenen Stolz gehörte.

Man suchte natürlich Herrn und Herrin nachzuahmen, wie so manche Novelle und die daraus entsprungenen Lustspiele Shakespeares launig wiedergeben. Ähnlich

210

wie die neckische Nerissa*) müssen wir uns die liebevoll geschäftigen, schwesterlich ergeben dienenden
Frauen der großen italienischen Damen durchweg vorstellen und jener ungenannten, tausendmal zierlichen,
geschmack- und liebreichen Wesen ehrenvoll gedenken,
denn sie ermöglichten der Prinzessin zarte, unnachahmliche Vollkommenheit. Wenn jenseits der Alpen keine
Isabella blühte, keine bis ins Äußerste schöne und vollkommene Geselligkeit entstand, ist es nicht zum geringsten durch den Umstand zu erklären, daß der Begriff der italienischen *famiglia* dort nicht ausgebildet
war, vielmehr zänkische und plumpe Mägde in nordischer Gegend (nach mancher Beschreibung) unwirsch
walteten. Nur solche sind in dort erwachsenen Lust-
spielen zu finden. Wie immer dieser Zustand historisch-
psychologisch begründet sein mag, ob herrschende Ideen
oder die Charaktere der Menschen daran schuld sind,
das heiter Festliche der erlesenen Renaissance-Geselligkeit hätte mit derber, unlustiger Dienerschaft nie ins
Leben treten können. Auch diese Geselligkeit vergröberte sich und verdarb, sobald die *famiglia* sich
vergröberte und verdarb, unverschämt und unzuverlässig
die Herrschaft ausbeutete, sobald die besondere Klangfarbe des patriarchalischen Tones verloren ging.
Einzigartig hat Mantegna diese Klangfarbe festgehalten,
indem er den Saal der Gonzaga dadurch vollendete,
daß von der *Ringhiera*, der Ballustrade herab, die den
Himmel des Gewölbes abschließt, Mitglieder der *famiglia* — gewiß porträtähnlich — schelmisch und vergnügt herabsehen und stolz teilnehmen an der fest-

*) In Shakespeares *Kaufmann von Venedig*.

lichen Gelegenheit, die im Saale vor sich geht. Sie sind Zuschauer und Chor des Stückes, das gespielt wird. Gleich den gefälligen, geflügelten Genien gehören sie zu den Bildern der Renaissance als ein Rahmen, der selbständiges Leben hat und dem umrahmten Bild zum Leben hilft.

Allein in der Spätrenaissance wird dieser Rahmen zur Kartusche, drückend und schwer und allzu phantastisch, das Bild, das in der Kartusche eingeschlossen ist, wirkt belanglos, konventionell — so nehmen Anhängerschaft und Dienerschaft zu sehr überhand und verschlingen das gesellschaftliche Bild, dem sie einst harmonisch dienten.

Der Stil des Lebens hängt innig zusammen mit dieser Harmonie und erhält Risse, sobald sie gestört ist.

In den Tagen der Vollendung könnte Gefolgschaft und Dienerschaft eines mächtigen Hauses in der Art der *trionfi*, der festlichen Aufzüge gedacht werden, wie die Renaissance sie liebte. Als Herolde, den anderen Dienenden einige Schritte voraus erscheinen geistliche Freunde und die Vertreter der freien Künste, die zuweilen von einem Hof zum andern ziehen, zuweilen sich auf Lebzeiten der einen Fürstenfamilie ergeben, so daß die Namen eng zusammengehören.

Noch heute ist es Sitte für vornehme italienische Damen, zu ihren Hausfreunden eine kleine Gruppe von Herren zu zählen, die sich fast täglich zu einem Spielchen einfinden oder zur Plauderei und aus Anhänglichkeit oder Dank für die Gastfreundschaft es zu ihrer Aufgabe rechnen, die Interessen des Hauses zu vertreten, es ist der *signor prete*, der Beichtvater, der *signor dot-*

212

tore und der *signor avvocato*, die sich gern zu solch freiwilliger Gefolgschaft zählen, wie zu der betreffenden *casa illustra* gehörig. Diese kleine Gruppe von Hausfreunden ist als letzter Ausläufer jener großen Anhängerschaft zu betrachten, die zwischen Freundschaft und Dienstbarkeit freigelegen je nach Talent und Gunst sich innig mit dem Schicksal einer großen Familie verband. Der Hofpoet, der Hofmaler, der Hofastrologe, der Hofarchitekt und der Hofmusiker, nach ihnen die Hoflieferanten und Kunstgewerbler, jeder mit eigenen Schützlingen und Trabanten bis herab zu den ausgelassenen Jungen, die Farben rieben, Gebläse bliesen und sonstige Hilfshantierung versahen, gehörten fest zum Hause eines großen Herrn der Renaissance.

Es empfahl natürlich sehr bei Hof, wenn einer mehreres zu vollbringen wußte und sich nicht pedantisch an ein einzelnes Fach hielt, daher kam die Universalität der Meister. Ein Hofmaler zierte sich nicht, wenn von ihm Architektendienst oder eine kunstgewerbliche Zeichnung verlangt wurde, Dichter und Ärzte waren gleichzeitig Astrologen, der Musiker Theaterdirektor und Festordner.

Der Zusammenhang aller freien Künste und Wissenschaften wurde fortwährend praktisch bewiesen, die heterogenen Elemente der Gefolgschaft hielten zusammen durch gemeinschaftlichen Ehrgeiz für die Herrschaft, die Stadt, das Ländchen, dem sie Zier und Stolz brachten.

Den kunst- und wissenschaftsbeflissenen Herren folgte in Isabellas Zeiten ein Heer von geschäftigen Frauen, unter denen sich Meisterinnen des Stickens und Webens befanden, sowie — man möchte sagen — die ersten Modedirektricen. Denn in der alten Feste von Mantua hat sich das erste große Modeatelier aufgetan, wo nach den Angaben der erfindungsreichen Fürstin vorbildlich geschneidert wurde, so daß die Damenwelt atemlos auf das Beispiel der Schöpfungen wartete, die daraus hervorgingen. Dies einzigartige, fröhliche Geschäftsdasein bildete Isabellas Welt.

Am Schluß des festlichen Aufzugs der großen Dienerschaften trippelt das Völkchen der Hofzwerge — als gälte es den großen Herren wehmütig die groteske Grenze des Menschlichen vor Augen zu führen. Oder war es ein auf die Spitze getriebenes Raffinement der Renaissance, die Majestät und Harmonie ihrer Prinzessinnen durch den Gegensatz der fratzenhaften Mißgeburten phantastisch zu heben?

Die Zwergmode stammt aus der Spätgotik und stimmt viel besser zu deren Wunderlichkeiten und Absonderlichkeiten als zu der schönheitsfrommen Renaissance. Vielleicht war die Tradition nicht leicht abzuschütteln und es gehörte allmählich zu den weitausholenden Wohlfahrtsbestrebungen großer Familien, Zwerge zu halten, denn die mißgeborenen Geschöpfe, denen heute nichts übrig bleibt, als sich dadurch zu fristen, daß sie wie seltene Tiere auf Jahrmärkten und in Buden ausgestellt roher Schaulust der Menge dienen, waren gut versorgt und meist recht verwöhnt als Hofzwerge. Wie Kindern gegenüber hatte man belustigte Nachsicht mit Launen und Eitelkeit der kleinen Leute. Zuweilen wurde die Mode häßlich übertrieben, ein Kar-

214

dinal in Rom soll bei seinen Gastmahlen Zwergbedienung
eingeführt haben, und diese Nachricht enthält etwas
phantastisch Trauriges.

Meist brauchten jedoch die gebrechlichen Wesen nichts
Besonderes zu leisten, am Hofe von Mantua ging es
ihnen besonders gut. Noch heute zeigt man die Zwerg-
wohnungen, hübsche kleine Gemächer mit Fensterchen
und Treppchen nach Zwerggröße, eine zierliche Bau-
spielerei. Seinerzeit waren die Räumchen allerliebst
mit den entsprechenden Puppenmöbeln, Geräten und
Bildern eingerichtet. Die Zwerge gehörten zur *famiglia* und hatten insofern eine Stellung in der Gesellschaft, die ihnen später nie mehr zuteil wurde.

Grotesk belebten diese Kobolderscheinungen das weit-
läufige Kastell und erfüllten es mit manchem Schabernack. Mantegna stellte sie mit einer Gruppe von Pagen
schäkernd dar. So waren selbst diese Mißgeburten
in ein Bereich harmloser Heiterkeit einbezogen und
wahrscheinlich vergnügt in ihren reichen Puppenkleidern,
hohe Rechnungen dafür sind noch vorhanden. Zum
Märchenhaften des Gonzagahofes trugen die Zwerge
entschieden bei.

Isabella schwang ihr Szepter über die Hochrenaissance
in einem mystischen, wohlgeordneten Reich. Mochte
das Schaukelspiel der Politik anderes Herrschertum
heben und senken, jenes der genialen Gönnerin aller
Künste bleibt bestehen, die soziale Struktur bewährte
sich für die Zeit als glücklich gefunden.

Denn Isabellas Lebensweisheit baute sich auf eine freundliche Weltanschauung, sie hatte sorgfältige philosophische Unterweisung genossen von Battista da Guarino,

dem Sohn des berühmten Humanisten Guarino aus Verona, da es die Sitte heischte, vornehme Fräulein nicht durch irgend ein Frauenzimmer erziehen zu lassen, sondern ihre Ausbildung genau wie jene der Söhne einem bedeutenden Mentor anzuvertrauen. Ihr geistiger Habitus galt für ebenso wichtig für die zu regierenden Länder.

Nach Bembos Meinung erhöhte es bedeutend die Anmut der Dame, wenn sie sich zwanglos plaudernd lateinisch auszudrücken verstand. Von der Kenntnis alter Sprachen ging Geneigtheit für alle Wissenschaften aus, die reiche Interessenkreise für gebildete Frauen wie für die Männer eröffneten. Noch gab es keine streng abweisende Wissenschaft, die liebenswürdige Dilettanten hochfahrend abfertigt. Die Wissenschaft, wie sie von der Antike angeregt plötzlich als gesellschaftsfähig und in der Gesellschaft willkommen erschien, war in der Kindheit, bewegte sich noch ungeschickt und doch nicht ohne rührende Grazie, wie Kinder ihre ersten Schritte tun zu Überraschung und Stolz der Eltern.

Auch die Kindheit der Wissenschaft hat, wie jede Kindheit, ihre Anmut. Sie ist voll unersättlicher genußreicher Neugier, sie lehnt sich fromm und zärtlich an Autoritäten, noch faltet sie die Hände wie ein Kind zum Morgen- und Abendgebet. Ihre Spiele sind so beglückend wie mannigfach.

Wenn sich Isabella in ihrem Kreis *leggendo, disputando, ragionando* unterhielt, wie von ihr berichtet wird, so handelt es sich nicht nur um ihre lieblichen Anregungen in Fragen von Mode und Kunst — für die Renaissance-

216

fürstin, die selbständig erfand und schuf, gehörte die Mode unzertrennlich zur Kunst — sondern alle erreichbaren Wissenschaften sind in das schön geführte Gespräch einbezogen — Geschichte und Poesie, Numismatik, Baukunst, Gartenbau und Sprachforschung.

Mit ihrem abwechslungsreichen Streben stand Isabella weder vereinzelt noch vereinsamt. Edle Feinsinnigkeit kann ja nicht gedeihen ohne entsprechenden Widerhall in der Umgebung, sie müßte ersticken in dumpfer Luft. Der Besitz geistiger Schätze wie anderer Schätze wird nur wirklich, wo Mitteilungsmöglichkeit vorhanden ist. Bei geistigen Antipoden, wo man fremd und einsam dahinlebt, macht geistiger Besitz nur traurig wie alles Unfruchtbare.

Isabellas Gemahl — obwohl vorzugsweise Kriegsmann — verhielt sich sympathisch, ihr alter Hofmaler begeistert, ihr Onkel Kardinal war verständnisinnig wie auch die gebildeten Prälaten seines Gefolges, die junge Herrenwelt von Mantua schwärmerisch verehrungsvoll. Sie hatte gleich Isabella die erlesenste Renaissanceerziehung genossen, wahrscheinlich verdanken die jungen Hofleute solche Erziehung jener idealen Bildungsstätte *la giocosa*, die Vittorino da Feltre einst in Mantua gegründet und die — wie der Name sagt — der Freude an allem Schönen gewidmet war. Vor allem nahmen die Jünglinge Begeisterungsfähigkeit daraus mit ins Leben — welch schönes Angebinde für die Jugend[*]). Isabellas Mentor Guarino scheint der jungen Frau nach Mantua gefolgt zu sein, und er lockte andere Huma-

---

[*]) Herzog Francesco unterstützte diese Erziehungsanstalt.

nisten herbei wie Bembo, Castiglione, Equicola, um mit seiner Schülerin interessante Gespräche zu pflegen.

Im Lauf eines solchen Gesprächs erzählte man Isabella, wie vor Zeiten das Andenken Virgils in seiner Geburtsstadt gepflegt worden sei. Einer Statue, die auf dem Platze stand, habe man göttliche Ehren erwiesen, Knaben und Mädchen bekränzten sie gerne feierlich. Dies verdroß einen Machthaber der Stadt, einen jener finstern Malatesta, die von den Gonzaga einstmals gestürzt wurden. Rohen Sinnes ließ er die Bildsäule des Dichters ergreifen und in den Mincio werfen.

Empört über diesen Frevel beschloß Isabella in warmer Begeisterung und impulsiv, wie sie stets handelte, Virgils poetischen Kult in ihrer Stadt wieder aufleben zu lassen und bestellte bei Mantegna eine Statue, möglichst ähnlich jener, die Malatestas Unverstand vernichtet. Mantegnas Name und Isabellas Name sollten verschlungen auf dem Sockel für immer von Verehrung zeugen. Mantegna lieferte die Zeichnung. Um sicher zu gehen, wie die Statue möglichst antik im Stil auszuführen sei, wies Isabella den mantuanischen Gesandten in Neapel, Giacopo d'Atri, an, mit dem Dichter und Archäologen Pontanus eifrig darüber Rat zu pflegen. Pontanus erteilte ihn gern und bemerkte unter anderem, es sei besser, das Standbild in Marmor auszuführen, da sich Bronzestatuen in kriegerischen Zeitläuften allzuleicht in Kanonen verwandelten.

Der schöne Plan blieb unausgeführt, wie manches poetische, warmherzige Vorhaben der Marchesana aus einem traurig prosaischen Grund, dem Mangel an Geld. Die Mäzene der Renaissance und vor allem die reizende

218

Isabella litten an chronischer Geldverlegenheit, die sich die Juden sehr zu nutz machten.

Humoristisch illustriert diese ständige Verlegenheit eine der *Imprese* oder Sinnbilder, die Francesco Gonzaga anbringen ließ. Sie stellte einen Goldbarren dar über einer Flamme, die das Gold schmilzt.

Dauernder Kriegszustand nahm fortwährend den schönen Künsten fort, was ihnen zugedacht war, und vermutlich verstanden die Fürsten und Fürstinnen keineswegs hauszuhalten.

Zu unabsehbar schwollen ihre Verpflichtungen, ihre Großmut hatte zu offene Hand, ihrer Künstlernatur lag jede Berechnung fern. Die große Geste des Füllhorns, die so freudig verschwenderisch austeilt, ohne zu zählen, gibt und schenkt, wie Frühling und Liebe geben und schenken, hätte nie die Menschheit beglückt und erhöht, wären jene großen Herren und Damen bessere Rechner gewesen.

Es handelt sich um ein subtil psychologisches Gesetz. Das feinste Aroma, der vornehmste Genuß eines Genusses, insonderheit eines Kunstgenusses, geht unrettbar verloren, wenn man sich allzugegenwärtig macht, was er kostet. Wenn sich der Preis und Zahlwert einer Sache einschiebt zwischen das Erleben ihres Kunstwerts und die Seele, entsteht eine Sonnenfinsternis für die Kunstsonne. Es geht statt dem sattgoldenen Strahl ein bläuliches Gespensterlicht von ihr aus. Die Chinesen erklären die Sonnenfinsternis durch das Dazwischentreten eines Drachens, der die Sonne aufzufressen versucht, bis ihm der Bissen zu heiß wird. Ein solcher Drache, der die Kunstsonne verfinstert, ist der Zahlenwert, denn er verfinstert die Tatsache, daß wahre Köstlichkeiten unschätzbar sind dadurch, daß er sie auf seine Art schätzt und dem Meistbieter zuweist, wie vornehme Sklaven dem Sklavenhändler zugewiesen wurden, der tief unter ihnen stand, aber Geld und Macht hatte.

Instinktive und grundgesetzliche Abneigung gegen das Wissen des Kostenpunkts erklärt den erstaunlichen Leichtsinn mancher leidenschaftlicher Kunst- und Altertumsliebhaber, Bauherren und Mäzene. Sie träumen und schaffen im Traum, bestellen und ordnen nach ihrem Geschmack an, den Preis streichen sie aus ihrem Bewußtsein, weil ihnen sein Drachenleib die liebe Sonne verfinstern würde. Physisch und psychisch ist es solch großen Träumern unmöglich, sich nach einem kühlen Voranschlag oder einem Budget zu richten.

Albatrosschwingen sind schön, wenn sie in die Sonne fliegen; wenn dieser phantastisch beschwingte Vogel aber laufen muß, wirkt das im Flug erhabene und elegante Tier höchst ungeschickt und lächerlich. Im nüchternen Reich der Zahl bewegen sich die großen Enthusiasten der Renaissance ebenso ungeschickt. Julius II. und Leo X. konnten nicht rechnen, sie gaben viel mehr aus, als ein einzelner Papst hätte tun dürfen. Freilich waren die Ausgaben der genialen Verschwender für die Menschheit gültig und also ideal berechnet, nicht zu hoch. Isabellas Gönnertum wurde allzuoft durch mahnende Juden beschnitten und gedämpft.

Es muß ihr besonders bitter gewesen sein, als ihr alter Freund Mantegna in ergreifendem Brief sich kurz vor seinem Tod an ihre Großmut wendete. Sein Sohn

220

hatte ihn so heruntergebracht, daß er sich in letzter
Stunde von seiner *Faustina,* dem vielgeliebten, römi-
schen Marmor trennen mußte. Es wäre ihm ein Trost,
meinte er, dies teuere Stück in den Händen seiner
Fürstin zu wissen. Mit größter Mühe brachte Isabella
die nötigen hundert Golddukaten auf.
Sie kam nie zum ruhigen Besitz der von ihr erfundenen
Kleinodien, die eine Welt entzückten. Dreimal in zwei
Jahren wurden ihre einzigartigen Schmucksachen ver-
pfändet und jedesmal im letzten Augenblick vor der
Versteigerung aus jüdischer Gefangenschaft erlöst. Mit
welchem Herzklopfen hat Isabella wohl um diese Schöpfungen ihrer reichen Phantasie gebangt! Politische und
andere Freunde halfen jedoch immer wieder aus, denn
die Kunst- und Modeherrlichkeit der Marchesana von
Mantua war ein zärtlich gehegter Stolz Italiens.
Man erkannte den politischen und wirtschaftlichen Wert
ihrer führenden Eleganz, sah ein, wie sehr ihr thro-
nender Geschmack auf allen Gebieten angewandter
Schönheit wirkte und Italiens Vorrang in Europa mit
graziöser Leichtigkeit gründete und erhielt.
Ihre liebenswürdigen Briefe an fremde Fürstinnen sind
wertvolle, anregende Modeberichte; auch empfing sie
von den fremden Damen gern Anregung, so daß von
ihrer Korrespondenz aus die politisch wichtige Sitte
entstand, Modeerscheinungen bewußt zu Komplimenten
und gegenseitigen Sympathieversicherungen zu benutzen.
Polens Königin schrieb, Mantuas Herrin sei *Ursprung
und Quelle aller Eleganz.* Die Herzogin von Orleans
wendete sich an ihr Schiedsgericht.
Es war wohlbekannt, daß Isabella genau Bescheid wußte

um die Vollkommenheit eines Gemäldes, eines Sonetts, einer antiken Gemme, eines modernen Nadelwerks, eines Gürtels, eines gezierten Schuhs und Baretts, daß sie dem Kleinsten liebevolle Aufmerksamkeit schenkte und in ihrem Briefwechsel auf das anmutigste Rat erteilte und empfing. Ihre Briefe sind zum großen Teil erhalten und heute noch angenehm zu lesen.

Jedes Vorhandensein reizender Briefe ist Beweis einer Herrscherkraft übenden, gebildeten Geselligkeit, denn epistolare Errungenschaften sind nichts als ein Ausfluß und eine Fortsetzung der Konversation.

Briefe tragen und bilden weiter, was Gesprächskunst begann an Gedankenaustausch, Gefälligkeiten, Bestellungen, Höflichkeiten, Wunsch, sich angenehm und nützlich zu machen in einem trauten Kreis von Freunden, einen Freund an den anderen zu knüpfen, die Freude an ihm auch anderen zu gönnen, den Stolz, den er uns genießen läßt zu verbreiten, Talente und Gaben zu entdecken und anzufachen mit dem Zephir freundlichen Lobes: dies alles gehört zu wohlverstandener Geselligkeit.

Zum erstenmal seit der Antike wurde der Briefstil wieder lebhaft und anmutig genug, um also das Werk der Rede weiter zu pflegen.

Voll Anmut, Lebendigkeit und Witz führt Isabellas Korrespondenz in ihren gastfreien Kreis ein, man glaubt in ihrer Miene freundliches Willkommen zu erkennen, in ihren zierlich huldreichen, natürlichen und stilvollen Worten das Impulsive ihres Geplauders zu hören, das jedoch durch fein zeremonielles Maßhalten und Erinnerung an die Würde der Antike nie die Zügel schießen ließ, sondern vornehm an sich hielt, selbst beschränkt, wie sich nur Meister und Meisterinnen in der seltenen Kunst des Gesprächs zu beschränken wissen.

Isabella schrieb, wie sie plauderte mit offenbarem Genuß an wohlerwogenen Wort. In der von ihr zusammengestimmten Umgebung, in den Räumen, die sie geschaffen, dem *studiolo della grotta*, in der *Reggia*, dem ersten Stock des alten Kastells, in dem eine kleine, feine Sammlung entstand, führt sie mit edlem Stolz jeden lieben Gast spazieren und Eingeweihte wissen die Schätze dieser Schatzkammer zu würdigen. Man liebkost mit den Augen, mit den Fingern und mit Worten die geschnittenen Steine, Marmorbruchstücke, Terrakotten und Münzen.

Anknüpfend an diese kleinen Dinge, die man behutsam von Hand zu Hand reichte, träumte man von großen und größten Dingen der Vergangenheit, ließ Rom und Griechenland wieder erstehen und die Stimme ferner Weisen schien väterlich traut zu klingen.

ZEHNTER ABSCHNITT

Am Hof von Urbino — Drei gewaltige Kriegsherrn — Der friedliche Palast — Vierzig Kamine — Renaissance Komfort — Castigliones Urteil — Bucheinbände — Die Entsagung der Herzogin —
Keusche Liebe — Das gerettete Urbino — Praktischer Platonismus
— Bembos Klage der Venus — Das Buch vom Hofmann — Drei
hehre Frauen — Vom sittlichen Ernst — Modebuch statt Lebens-
spiegel — Castigliones politische Ideen — Weltwert der Vornehmheit
— Urbinos Geselligkeit — Elisabettas Kreis — Die klarste Weltanschauung der Renaissance

Dem kleinen Hof von Urbino war es bestimmt, der
Lebenskunst des Cinquecento den klangreichsten
Ausdruck zu geben.

Seine Geselligkeit erreichte die endgültigste Vollendung edlen Zusammenseins durchaus vornehmer Menschen, die sich dem Forscherauge in Europas Geschichte
ausgebildet und klar enthüllt. Wie lädt es ein, zu
verweilen und zu betrachten, welche inneren Vorbedingungen und äußeren Umstände diesen heiligen
Baum, mit Blüten und Früchten zugleich begabt, in
Europa für einmal heimisch machen konnte. Für einen
einzigen schönen Augenblick um die Wende des
16. Jahrhunderts grüßt seine freundliche Majestät, doch
vorbereitet in den Tagen Lorenzos von Medici, dessen
Einfluß mit überragender Wichtigkeit hinausreichte.

Lorenzos Zeitgenossen und weitere Nachbarn sind
drei gewaltige Kriegsherrn, Castruccio Castracane,
der sich zum Herrn von Lucca aufwarf, Sigismondo
Malatesta in Rimini und Federigo Montefeltre in Urbino.
Castruccio, ein Bastard und Emporkömmling, war der
rauheste dieser Herren. Von ihm erzählt Macchiavelli,
daß er einst einem reichen Mann, der ihn einlud in

seine weichlich prächtigen Gemächer, wo man zum erstenmal Teppiche als Bodenbelag bewundern konnte, ins Gesicht spuckte mit dem entschuldigenden Bemerken, er wisse sonst nicht, wohin er spucken solle, des Geldmanns Gesicht sei das am wenigsten Köstliche in dem köstlichen Prunk.

Malastesta (1417—68) war schon ein feinerer Tyrann, der an allem Schönen leidenschaftlich Gefallen fand, unter dem Einfluß seiner reizvollen Geliebten Isotta Humanisten um sich zu versammeln trachtete — unter anderen Gemistos Plethon — und Schmuckgebäude errichtete mit Isottas und den eigenen verschlungenen Initialen und Wappen, Rose und Elefant.

Federigo Montefeltre (1444—82) hatte wohl eine eiserne Faust, doch Sinn und Geist waren vollkommen den edelsten Dingen ergeben. Auf das trefflichste beriet ihn seine zweite Gemahlin, die gelehrte Battista Sforza, deren geistvoll energische Züge ein Marmorbildnis in Florenz zeigt. Er war ein aufgeklärter Fürst und praktischer Philosoph im Regieren. Sein Wahlspruch lautete: *Wer zu befehlen versteht, findet stets Gehorsam.* (Chi sa comandare, sara sempre ubbidito.) Seine freundliche Würde, seine Freude an der Freude der Seinigen machten Städtchen und Ländchen so liebreich und vertrauensselig, daß er keine drohend und gebietend aufgerichtete Festung mit Zugbrücken und Schießscharten als Residenz brauchte, sondern als erster unter den italienischen Fürsten zum Wohnsitz einen unbewehrten freundlichen Palast baute, eben jenen Palast, dessen Bauplan Lorenzo erfreute, den Castiglione mit Entzücken schilderte und den ein zeitgenössischer Dichter, Antonello di Mercatello, in begeisterten Versen pries.

Nachdem Francesco de Giorgio Martini seine Kunst schon an 136 Gebäuden für den Herzog bewiesen, berief Federigo noch den Dalmatiner Luciano de Laurana, dem sich Baccio Pontelli zugesellte, um jenen Wunderbau zu errichten, an dem vielleicht auch der junge Bramante, der in Urbinos Nähe gebürtig war, mit Hand anlegte *).

Für die großartige Gastfreundschaft des herzoglichen Hauses waren die weitläufigen Baulichkeiten nötig, die eine anmutreiche Höhenstadt für sich bildend, über dem Städtchen im Tal, einem Felsengrat gleichsam natürlich entwuchsen, denn sie folgen dessen Unebenheiten mit krönender Treue und sind der Landschaft vollkommen vermählt.

Im Jahre 1480 ist der Hof beendet, der als erster Empfangsraum die zu Pferd erscheinenden Gäste mit liebenswürdiger Grazie empfängt, sehr im Gegensatz zu dem drohenden ersten Eindruck früherer fürstlicher Residenzen mit festungsartigem Charakter. Eine besondere Neuerung und Originalität des Palazzo ducale besteht ferner darin, daß nicht für Prunk und Glanz allein, sondern auch für Behaglichkeit, man möchte fast sagen, für einen Komfort gesorgt ist, der in jeder Jahreszeit eine elegante Geselligkeit ermöglicht. Mercantello besingt 250 Wohnräume mit 600 schmuck-

---

*) *Nell aspero sito d'Urbino edifico un palazzo, secondo le opinione di molti il più bello che in tutta Italia si ritrovi, e d'ogni opportuna cosa si bene lo forni, che non un palazzo, ma una città in forma di palazzo esser pareva.* (Castiglione.)

reichen Türen und Fenstern, der Dichter erwähnt aber auch in seinen preisenden Versen ausdrücklich 40 Kamine, die nicht rauchen. Der Palast bot einen hohen Grad von Annehmlichkeit, wie er bis dahin völlig unbekannt geblieben, wenn die scharfen Winde vom Apennin wehten.

Die Kamine sind zum Teil erhalten. In einem Saal befinden sich nicht weniger als vier aus vortrefflich behauenem und verziertem Marmor und man kann sich vorstellen wie bei rauherem Wetter die Hofgesellschaft in schönen Gruppen verteilt, von vier Seiten her wohltuende Wärme erhielt und ein seltenes Lichterspiel entstand, auf Seide und Brokat, auf lieblich enthüllten Nacken, jungen Wangen, schönen Händen, die lebhaft lebhafte Reden begleiteten. Und es spielten Lichter und Reflexe auf den zartgetönten Flächen der Wandteppiche, die eigens aus Flandern berufene Meister für die Gelasse des Palastes harmonisch ausgedacht und angefertigt.

Bei schönem Wetter konnte man wandelnd sich unterhalten auf dem Arkadengang, der sich nach dem Gebirgspanorama zu öffnet mit dem Blick auf die *sassi di San Simone* und *San Marino*.

Jene vorzüglichen *nicht rauchenden* Kamine waren gleich den Fenstern verziert von Mailändern Künstlern, die Battista empfohlen haben mag, Domenico Rosselli und Ambrogio da Milano. Ihnen wohnt schwebende Heiterkeit inne, vielleicht am entzückendsten wahrnehmbar bei dem Fries tanzender Engel am Kamin der *sala degli angeli*. Besonders behaglich mutet noch heute das kleine *studio* des Herzogs Federigo an mit In-

227

tarsien und reizender Decke, wo der gelehrte Condottiere seine Lieblingsschätze aus dem Altertum den
Freunden zeigte.

Castiglione lobt mit Bedacht die außerordentliche Auswahl und Erlesenheit aller Gegenstände, die sich einst
im Palazzo befanden, nichts wurde geduldet, das
Tadellosigkeit und Vorzüglichkeit nicht empfohlen
hatten: *e non solamente di quello che ordinariamente
si usa, come vasi d'argento, apparamenti di camere
con richissimi drappi d'oro, di seta ed altre cose simili,
ma per ornamento v'aggiunse una infinità di statue
antiche di marmo e bronzo, pitture singolarissime, in-
strumenti musici d'ogni sorte nè quivi cosa alcuna volse,
se non rarissima ed eccellente.* (Und nicht nur solche
Dinge, wie sie sonst in Gebrauch, wie Silberzeug,
kostbare Behänge von Seide und Brokat für die Gemächer, als Schmuck wählte er eine reiche Anzahl von
Bildwerken des Altertums in Marmor und Bronze,
von außerordentlichen Gemälden, musikalischen Instrumenten jeder Art und kein Gegenstand war darunter,
der nicht selten und ausgezeichnet gewesen wäre.)

Das eigentliche Schatzkästlein war jene wunderbare
Bibliothek, die größte Seltenheiten in lateinischen,
griechischen und hebräischen Manuskripten enthielt,
ferner handgeschriebene und gemalte Erlesenheiten
bekannter Werke, denn gedruckte Bücher galten dem
damaligen Bibliophilen noch für zu gemein.

Wie die schönsten und geliebtesten Frauen mit Schmuck
bedacht werden, hatte Federigo die schönsten und
geliebtesten Bücher mit Einbänden versehen lassen,
deren Köstlichkeit von Silber und Gold gehoben war

228

quasi tutti orno d'oro e d'argento, estimando questa
fosse la suprema eccellenza del suo magno palazzo.
Von den Wänden der Bibliothek grüßten bedeutsam
die Bildnisse berühmter Gelehrter, ausgeführt von
Paolo Uccelli, Piero della Francesca, Timoteo della
Vite, Giovanni Santi, dem Vater Raffaels und dem
niederländischen Meister Justus von Gent.
All diese Herrlichkeiten wurden zu bald vom Kriegs-
sturm entlaubt und zerblasen. Sie waren jedoch in
voller Harmonie vorhanden, als Federigos Sohn Guidobaldo (1482—1508) Elisabetta Gonzaga von Mantua
heimführte, deren Gabe darin bestand eine Geselligkeit
in Urbino auszubilden, die dieses allerschönsten Palastes würdig war.
Guidobaldo, der als Knabe den Thron bestieg, gab
zu den schönsten Hoffnungen Anlaß, da er alle Eigenschaften eines vorzüglichen Fürsten besaß, durch Cha-
rakteranlage begründet und durch Erziehung ausgebildet. Allein unheilvolle Sterne standen über der
Wiege dieses idealgesinnten Prinzen. Mit zwanzig
Jahren lähmt ihn eine grausame Gicht, er muß das
Leben eines Kranken führen und die liebreizende
junge Gattin kann ihm nur die Aufopferung schwester-
licher Liebe widmen. Urbino mißt den Erben. Dieses
geheime, tiefe Leid trägt die Herzogin mit zarter Würde,
die den zahlreichen Rittern, die sie schwärmerisch verehren, ehrfürchtige Bewunderung einflößt.
Mit heiterer Gelassenheit, die ohne zu verletzen, strenge
Grenzen zu ziehen versteht, beherrscht sie ihren Kreis
als Minneherrin, die den Platonismus der Renaissance
mit dem alten Ideal des Troubadours einzigartig durch-

dringt. Sie wirkt erhaben erzieherisch sowohl den
jüngsten Jünglingen gegenüber — ihr Adoptivsohn,
Guidobaldos Neffe, Francesco Maria delle Rovere ist
erst sechzehn Jahre alt — als bei würdigen Männern,
die bereits hohe Ämter des Staates oder der Kirche
bekleiden. Sie ist mütterlich für den jungen Künstler
wie für den Fürstensohn.

In den *annotazioni alle stanze pastorale di B. Castiglione e Cesare Gonzaga (Carnasciale 1508)* erklärt
Serrasi den eigentümlichen Zauber der Herrin: *La
belta, il valore, l'accorgimento, e l'altre doti di questa
rara principessa furono tale che seppero destar fiamme
di castissimo amore in chiunche ebbe a trattar seco
pur una volta. Quindi non è meraviglia se il Castiglione ch'era giudicioso e gentil cavaliere si accendesse
gagliardamente d'un si bel foco, tanto più che veniva
fra tutti gli altri distinto della duchessa.* (Die Schönheit, der Wert, die Einsicht und alle anderen Eigenschaften dieser seltenen Prinzessin waren dergestalt, daß
sie Flammen keuschester Liebe entzündeten in jedem,
der nur einmal in ihre Nähe gelangte. Darum ist es
nicht wunderbar, daß Castiglione, der ein glänzender
Ritter war, des edlen Feuers lebhaft entbrannte, um
so mehr da die Herzogin gern beliebte ihn freundlich
auszuzeichnen.)

Im reizenden Schäferspiel *Tirsi*, das am Hof aufgeführt
wurde, verkündeten die beiden Dichterfreunde Elisabettas unter dem Schäfernamen Jole und Damete einem
irrenden und vertriebenen, fremden Hirten Tirsi, der
das Tal des Friedens und des Glücks sucht, hier allein
sei es zu finden, unter dem Zauber dieser gütigsten

aller Herrscherinnen blühe Arkadien. Innig verehrungsvoll ist sie beschrieben:

Portando sempre in fronte il sacro onore *)

Eitel Anmut und Majestät ist ihr Wesen. Allen Freunden
nahe, unnahbar nur der Gemeinheit und dem allzu
irdischen Trachten scheint sie in der Tat, wie die
Dichter der huldigenden Pastorale behaupten, göttlich zu schweben über den glücklichsten italienischen
Gefilden.

Mit inniger Dankbarkeit und ehrendem Vertrauen stützt
sich Guidobaldo auf die ihm schwesterlich ergebene
junge Frau, die ihn nicht verlassen mag, obwohl sie
der Papst zur Scheidung auffordert und zu neuer Ehe.
Lieber folgte sie dem unschuldig Leidenden würdevoll
in Not und Verbannung, wie sie in Urbinos Feen-
palast würdevoll als Herzogin gewaltet.

Einmal wußte Guidobaldo, dessen Gesundheit und
Gemütsart nicht Federigos kriegerische Taten erlaubten,
das lange vor den Greueln eines Krieges geschützte
Urbino auf eigene Art zu retten. Ein gewalttätiger
Nachbar streckte die Räuberhand danach aus.
Guidobaldo war so verehrt, daß seine Urbinaten ihm
freiwillig Schmuck und alle Schätze ihres Hauses
brachten, damit er sein Erbe verteidige. Allein der
Fürst erkannte, daß persönlicher Verzicht sein geliebtes
Urbino am besten schütze und wollte kein Opfer an
Gut und Blut annehmen für seine dynastischen Inter-
essen. Er löste überraschend das *si vis pacem, para
bellum* des mittelalterlichen Städtegedankens auf, in-

---

*) *Stets auf der Stirne tragend das heilige Zeichen der Ehre.*

dem er die Türme schleunigst abtragen ließ zum Beweis von Urbinos Friedfertigkeit und nahm jeden weiteren Vorwand zu fortgesetzter Fehde*).

Seltsam, Urbino ist für diesmal gerade dadurch gerettet, daß es sich seiner Wehrmacht begibt, die Selbstlosigkeit seines Herzogs inmitten soviel harter Selbstsucht siegt, die Urbinaten holen ihren Herrscher triumphierend heim. So festgewurzelt war das Herrscherpaar Montefeltre in der Liebe des Volks. Einzig unter anderen Städten stand Urbino ohne dornige Angriffslust, lachend und offen und blühend statt finster bewehrt.

Mitten in der außerordentlichen Freundlichkeit dieser Umgebung, die Raffaels Kinderschritte sah, waltete still und vornehm der leidende Jüngling, an seiner Seite die holdeste von Italiens Frauen. Was sie geheim entbehren mußte, ruhig, geduldig und gleichmäßig heiter pflegte sie den Freundeskreis wie einen trauten Garten. Sie hielt ihre geistlichen und weltlichen Verehrer fest in der feinen Hand und lehrte sie immer wieder, daß irdische Liebe zur himmlischen entzünden müsse.

Dies ist der Hauptinhalt jener Philosophie, die mit anmutiger Gelehrsamkeit am Hof von Urbino erläutert wurde.

Elisabetta und ihrer liebreizenden Schwägerin Emilia Pia war es so ernst um diesen Schönheitsglauben und um seine Verbreitung zu tun, daß sie sich manche Neckerei darum gefallen lassen mußten. In beflügelten

*) Nach Roscoe, Life of Lorenzo di Medici.

Versen schilt Venus die beiden hohen Frauen*) ob
der Unfrömmigkeit und dem Trotz, den ihre keusche
Strenge irdischer Liebe entgegenhält. Bembo läßt
Venus klagen:

Queste non pur a me chiudon le strade
Dei petti lor, che pianto altrui non bagna
Ch'ancor vorrian de pari crudeltate
Tutte inaspri le donne e i cavalieri**).

Solche Vorwürfe, wie auch jene des Dichters Accolti
bleiben jedoch scherzhaft. Denn schon im Leben hat
die entsagende und doch so milde, heitere Frau etwas
selig Verklärtes, das Ehrfurcht einflößt und nach ihrem
Tod geht von ihrer Gestalt ein mildes Licht aus ähnlich
wie von Dantes Beatrice und Petrarcas Laura.
Ihrem Gedächtnis ist Castigliones Werk *Il libro del
cortegiano* geweiht, ähnlich wie Dantes und Petrarcas
Werk dem Andenken einer edlen Toten, einer unvergeß-
lichen Herrin irdischer Minne, die unabläßig dahin
weist, daß die Neigung zur Schönheit, die den Sinnen
sichtbar wird, berufen ist, die Neigung zur ewigen
Schönheit zu wecken und erhalten, jene Neigung,
deren Herzensherrschaft allein dem vornehmen Menschen
ziemt und bis in die Kleinigkeiten des Daseins gültige
Richtschnur gibt.
Als Franz I. von Frankreich Castiglione zu dem Buch

---

*) Elisabetta und Emilia Pia, die nach deren Beispiel lebt, so daß
der tugendhaften Witwe auf das Grabmal gesetzt wird: Castis
cineribus.
**) Diese verschließen mir nicht nur den eigenen Busen, den keines
Verliebten Tränen erweichen, sie sind gesonnen, anderen Rittern
und Damen solche Grausamkeit ins Herz zu senken.

des Cortegiano anregte, hatte er einen äußerlichen Sittenkodex im Auge, voll Bewunderung für die Weltläufigkeit des gebildeten Italieners und von dem naiven Wunsch beseelt, hinter das Geheimnis dieser gesellschaftlichen Vollendung zu kommen.

Castiglione bewies aber, daß ohne eine Religion der Schönheit solch ein Gesetzbuch nichts bedeuten könne und entwarf eine praktische Anweisung wie die Glaubenssätze der Schönheitsreligion im Leben anzuwenden und überall lebensnotwendig seien.

Am lebensnotwendigsten dünken sie ihm in der Nähe der Fürsten, von wo jedes Beispiel ausgeht. Heil und Unheil des Landes oder Ländchens hängt von der Beschaffenheit der Herrschenden und ihrer nächsten Umgebung ab.

Zu Castigliones Zeit strahlte die schönheitsfromme Hochrenaissance, allein schon zeigte sich eine gefährliche Veräußerlichung dieser Religion der Vornehmen. Mit Strenge wendete sich der vorausblickende Philosoph gegen solches Bergabgleiten, gegen unklare und lächerliche Schwarmgeisterei. Nicht zu solcher darf der große platonische Heilsgedanke entwürdigt werden.

Drei hehre Frauen zeigen Italiens Ideal im Minneglauben zu höchst erhoben und in großen Seelen mächtig, Beatrice für die romanische Zeit, Laura für die gotische, Elisabetta für die Renaissance, Urbinos Fürstin schließt sich bescheiden aber würdig den großen Schwestern an im Reich mystischer Liebe.

Die hochragenden Verehrer dieser Frauen sind trotz unnennbarer Zartheit in der Empfindung nicht schwach und nebelhaft in Schwärmerei. Ein Dante, ein Petrarca und endlich ein Castiglione knüpft mit sicherer Hand Himmlisches an Irdisches und Irdisches an Himmlisches. Jeder, von ernster Heimatliebe beseelt, verlangt sittlichen Ernst in der Politik, bedingt durch sittlichen Ernst des Einzelnen, der sich in jeder Phase geselligen Daseins kundgibt, Sicherheit und Vertrauen im Verkehr und endlich den Lohn edler Freundschaft bringt. Würde des Volks ist bedingt durch beispielkräftige Würde des Einzelnen und nicht etwa ein äußerlich Hinzukommendes, nur das Selbstgewonnene kann solche Würde verleihen.

Je höher ein ganzes Volk steigt, desto höher kann und muß der Einzelne aufragen. Ein hochstrebendes Volk will nicht die Einzelnen herunterziehen, sondern freut sich ihrer mit einer Ehrfurcht, die in Andacht mündet. Denn die Einzelnen verbinden uns, stets der schwächeren Brüder gedenk, mit der himmlischen Heimat, die mit der irdischen und ihrer Liebe zusammenhängt, wie im Reich der Minne zeitliche und ewige Minne. Ewige Minne verachtet oder verleugnet die vergängliche keineswegs, sondern verklärt sie, macht den schwindenden Schein, das wechselvoll täuschende Bild zu ruhsamer Wirklichkeit.

Alle Leidenschaften, die das zerrissene Herz, die zerrissene Stadt bewegen und erschüttern, sind nicht umsonst, wenn wir unsere Schmerzen demütig der Minneherrin widmen, denn ihre Gnade läutert alles zu weiser Harmonie.

Ihr Wesen stellt vor Augen, daß Wahrheit und Harmonie nicht unmöglich, daß es Recht und Pflicht ist, von ihnen zu träumen als von unserer stolzen Bestimmung.

Solche Überzeugung bleibt unzertrennlich vom politischen Bekenntnis eines Dante, eines Petrarca und wird schließlich am deutlichsten ausgesprochen in Castigliones Betrachtung über Wesen, Wert und feierliche Aufgabe des vollendeten Weltmanns, des Cortegiano, der vollendeten *Höfischheit* oder Weltläufigkeit, der *Cortigiania*.

Grausame Ironie, daß Dantes und Petrarcas Weisheit, daß Castigliones gefällig-sicheres Klugsein mißachtet wurden, indes ein Macchiavell für den größten Politiker galt und gilt. Nicht zum kleinsten Teil sind unwürdige Schüler und Jünger schuld, die mit dem Fluch törichter Mode die Meister verunglimpfen. Gleich Petrarcas Canzoniere wurde Castigliones Cortegiano zum oberflächlich gelesenen oder nur genannten Modebuch, dem allein das Äußerliche entnommen zu werden brauchte, um für höfisch elegant zu gelten.

Die Geschichtsschreibung und ihr entsprechend die politische Spekulation hat bis jetzt meistens das Leben, abgesehen vom Leben, betrachtet. Die Lebensbedingungen einer Zeit werden aufgestellt mit durchgängiger Verachtung der Empirie, mit Ausschaltung aller Erfahrungen des täglichen Lebens. Freilich kommt es immer wieder zu seinem Recht, doch nur nach gewaltigem Stoßen und Drängen mit unberufenen Eindringlingen, spitzen, scharfen, plumpen Theorien und der Sieg kommt dem Leben teuer zu stehen.

Äußerst wenig Philosophen haben ihre politischen Erkenntnisse und Wünsche wie der staatsmännisch geübte Castiglione aufrichtig und ausdrücklich aus dem Leben geholt. Das reine Quellwasser, das solch ge-

236

lassene Weisheit bietet, wurde gering geachtet, denn Wasser gibt keinen Rauschzustand.

Und was man verlangt, ist Rausch; wie immer das Erwachen ausfällt, es gehört zur Beschaffenheit des Menschen, den Trug zu ersehnen, der im Rausche liegt. Worte und gebrannte Säfte verlangt er, die zu Kopf steigen.

Die politischen Ideen eines Castiglione (und etwa eines Schiller, der durchaus in solchem Sinn die Briefe zur ästhetischen Erziehung des Menschen schrieb) sind, klaren Tropfen gleich, darum wenig an die Lippen gekommen, mit so inniger Gebärde auch die Menschenfreunde das aus tiefem Quell geschöpfte heilige Wasser den Fiebernden gereicht hätten. Wie es unvernünftig Fiebernde tun, stieß man die gutgemeinte Labsal stets hinweg, griff nach dem, was betäubend roch und schmeckte — und kränker machte als zuvor.

Es sei mitten in kranker Zeit an dieser Stelle gewagt, die Gesundheit zu preisen, die Castigliones Brevier atmet und kündet. Und inmitten eines Umsturzes, der alles Erlesene verachtet, sei kühn an der Hand des Renaissancephilosophen und Weltmannes auf den Weltwert der Vornehmheit gewiesen.

Mit leiser Grazie und feierlichem Ernst offenbart er sich in der Geschichte von Urbinos Geselligkeit, zwingend durch Güte, heiter durch Höflichkeit, herrschend durch Anmut, fromm durch Schönheit. Er gehört den Erlesensten zu eigen. Allein alles, was Erlesenen gehört, will und muß mitgeteilt sein. Erlesene sind freudige Verschwender, Füllhornträger, Liebende, die nicht ruhen, ehe sie die Welt ans Herz gedrückt, Freunde, deren Freundschaft unerschöpflich ist.

Wie durch mystisches Gesetz fügt sich die Betrachtung über die Geselligkeit Urbinos, die im *Cortegiano* beschrieben ist, als Mittelpunkt der gesamten Betrachtung ein über Wesen und Wirken des geselligen Zusammenseins Europas im Lauf der mächtig rauschenden Jahrhunderte. Gleichsam *in mezzo del camin* (Dante) der langen Wanderung ist es gläubigen Wanderern gestattet, diesen voller Bedacht auf freundliches Zusammensein der Gäste stilisierten Renaissancegarten zu betreten, wo schöne Statuen in Nischen stehen, wo aber auch neckische Wasserkünste zum Lachen auffordern. Denn diese Lebensklugen sind heiter und glücklich.

Den lustigen Garten überhöht ein kleiner Tempel der reinsten Form und klarsten Freundlichkeit. Leise knisternd und beharrlich brennt eine duftende Flamme auf dem Altar, zwischen den verständlichen Säulen, die in die sonnige Landschaft grüßen, flattern mit Liebesscherzen die Tauben des Tempels. Kein schwüler Weihrauch, kein Spiel von Dunkelheiten, kein grobes Gedräng, keine hochmütige Einsamkeit, keine geschäftsmäßige Nüchternheit, keine krankhafte Ekstase. Jene, die hier aus und ein schreiten, paarweise verschränkt oder einander freudig Willkommen bietend oder eingereiht in bedeutsame Gruppen von Lauschern um einen, der wohl redet, sind Gesunde an Leib und Seele.

Castigliones Werk ist ein kleiner Tempel, dem Äskulap heilig, der Leib und Seele in edlem Maß zueinander und daher zu heiter majestätischem Wohlsein stimmt.

Nur die holde Freiheit eines Zusammenseins tadellos

238

vornehmer Charaktere schafft solches Heiligtum; pedantisch tyrannische Weltbeglückungssysteme sind wie eine wilde Hölle dagegen. Das System eines einzelnen Gehirns kann nur einseitig sein. Große Einzelne kommen dann zu segensreicher Weltanschauung, wenn sie sich einander gesellen, wenn die Psychologie des Einen — wie in den anmutigen Gesprächen von Urbino — jene des Anderen behutsam, liebenswürdig und schelmisch bessert.

Scheinbar von ungefähr und improvisiert, aber doch gesetzmäßig begründet und abgerundet baut sich die vollkommenste und klarste Weltanschauung der Renaissance auf in dem wohl größtenteils erlauschten Redespiel — ausdrücklich wird es als Spiel bezeichnet und geübt, der Pedant und der Schwarmgeist, wie der eigensinnig Rechthaberische bleiben stillschweigend ausgeschaltet in der Spielregel dieses erhabensten aller Gesellschaftsspiele.

Obwohl alles Mögliche berührt und gestreift wird von den freundlich Plaudernden, die Elisabetta allabendlich um sich versammelt, und manche Anekdote, mancher Scherz Rede und Gegenrede attisch würzt, so daß jeden Augenblick die Musik heller Heiterkeit ihr Lautenarpeggio begleitend ertönen läßt — man verliert sich nie im Labyrinth der Rede.

Wohlabgewogen, mit weltmännischer Sicherheit steht eine Rede gegen die andere, es fehlt nicht an Verbeugungen und an weit ausholendem Gruß des Federhuts, der gewahrte männliche Stil hält die Freiheit wie zum Tanze zart und doch fest an der Hand.

ELFTER ABSCHNITT

Nach der Abendmahlzeit in Urbino — Die hohe Dame — In bunter
Reihe — Emilia Pia als Spielordnerin — Die Teilnehmer der Ge-
spräche — Seligkeit oder Schmerz — Der stille Hofnarr — Ein
Deutscher im Kreis der Schöngeister — Die Frauenfrage — Das
Bild der idealen Dame — Die Furcht vor der Maus — Gesellig-
keit als Sinnbild des Staates — Liebevolle Weisheit — Rauf-
bold und Stutzer — Die Anmut der Kraft — Schachspiel — Das
befreite Auge — Drei Arten des Lachens — Abderitentum —
Größe des Dilettantismus — Höchste Anstandslehre — Bembos
Rede — Der Kuß — Das Entflammen der Morgenröte.

Von der Geselligkeit Urbinos möchte ich möglichst
mit Castigliones eigenen Worten erzählen, da etwas
einzigartig Holdes in ihnen duftet.
Nach der Abendmahlzeit vernahm man in den Ge-
mächern der Herzogin liebliche Wechselreden und an-
mutiges Scherzen — soavi ragionamenti e l'oneste fa-
cezie — und auf dem Antlitz eines Jeden war gemalt
ein freundliches Heitersein — una gioconda ilarità —
in solchem Maß, daß man diese Stätte wirklich eine
Herberge des Glückes hätte nennen können, und ich
meine, daß niemals anderswo so durchaus die Süßig-
keit des Zusammenseins lieber und liebenswerter Men-
schen zum äußersten gekostet wurde — la dolcezza
che da una amata e cara compagnia deriva.
Allen stieg in der Seele ein vollkommenes Seligsein
auf, sowie sie die Herzogin gewahr wurden, und es
war, als schaffe sie eine Kette, die uns alle in Liebe
aneinander schloß, also daß niemals eine solche Über-
einstimmung von Willen und von Liebe unter Brüdern
lebte, wie damals unter uns.
Dasselbe begab sich unter den Damen, mit denen wir

240

freiestens doch anstandsvoll Verkehr pflegten — con le
quali si aveva liberissimo ed onestissimo commercio —,
denn jedem war gestattet, selbander zu reden, scherzen,
lachen, sich zusammenzusetzen nach Wunsch, jedoch
so groß war die Ehrfurcht dem Willen der Herzogin
gegenüber, daß gerade diese Freiheit strenge Zügel anlegte — *che la medesima libertà era grandissimo freno*
— und es war keiner, der es nicht für die gräßte Freude
gehalten hätte, ihr genehm zu sein, und für den gräßten
Schmerz, ihr Mißfallen zu erregen.

Aus dieser Ursache vereinten sich hier anstandsvolle
Sitten mit der Freiheit geselligen Daseins und alle
Spiele, Scherze, die in ihrer Anwesenheit stattfanden,
waren nicht nur bis aufs äußerste scharfsinnig, sondern
auch anmutig und würdevoll. Schlichtheit und Erhaben-
heit zeichneten alle Gebärden, Worte und Handlungen
der Herzogin so aus, auch wenn sie leichthin plauderte
oder lachte, daß selbst wer sie nicht gekannt, sie als
hohe Dame hätte ansehen müssen.

Und gleichsam drückte sich ihr Wesen in die Umgebung
ein, es war, als mäßige sie alle nach ihren Eigenschaften und ihrer Gestaltung. Ein jeder fand ihr Auftreten nachahmungswert, so daß eine Gesetzmäßigkeit
schöner Sitte zwanglos ausging allein von der Anwesenheit dieser vollendeten und tugendsamen Herrin
— *pigliando quasi una norma di bei costumi della
presenza d'una tanta e cosi virtuosa signora.*

Unter andern genußreichen Vergnügungen, Musik und
Tänzen unterhielt man sich zuweilen damit, interessante
Fragen aufzuwerfen — *talor si proponeva belle ques-
tioni* —, zuweilen spielte man feinsinnige Spiele, die

dem Schiedsrichtertum des einen oder anderen unterstanden und in denen die Anwesenden, verschleiert und unter Allegorien verborgen, ihre Verehrung dem Gegenstand derselben kundgaben.

Zuweilen entstanden Wechselreden über verschiedene Dinge, oder man hielt Wortgefecht mit schlagfertiger Schärfe, zuweilen erfand man Sinnsprüche und Devisen — *imprese, come oggi chiamano.* —

Diese allegorischen Spiele, in denen bezeichnende Dinge als Embleme der Gesinnung gewählt, stilisiert und mit passenden Sprüchen versehen wurden, bildeten eine der beliebtesten gesellschaftlichen Unterhaltungen und die *Imprese* wurden von den Damen als Vorwurf für ihre Stickereien genommen.

Die Gepflogenheit ging danach, daß, sobald man sich bei der Herzogin versammelte, jeder sich niederlassen durfte nach Wunsch, oder das Los verteilte neckisch die Plätze im Kreise, da Herren und Damen möglichst in bunter Reihe Platz nahmen. Meistens waren nur mehr Herren als Damen vorhanden, auch führten die Herren bei den geistigen Turnieren das Wort, indes die Damen mit Lob und Beistimmen, sozusagen *Dänke* erteilten.

Zur tätigen Spielordnerin, welche die Spiele leitete — *governa i giochi* ernannte die Herzogin ihre Schwägerin Emilia Pia, die am Hofe von Urbino eine ähnliche Rolle hatte wie Goethes muntere Leonore in Ferrara*).

Lebhaft und witzig, weiß sie trefflich, leicht und doch zielsicher und energisch zu walten, so daß unbemerkt

*) Emilia Pia ist die Schwester des Grafen Ercole Pio Carpi, Witwe von Guidobaldos Bastardbruder Antonio da Montefeltre.

ein stilvoller Bau des zwanglosen Gesprächs den Kunstsinn aller erfreut.

Emilia Pia lenkt scherzend ab, wenn sich die Rede zu vergröbern droht, allein sie mahnt auch zierlich neckend, wenn ein Bembo den Rahmen des Spielerischen verläßt und sein großes ästhetisches Bekenntnis mit schwärmerischer Ekstase vorträgt ... Leise zupft sie den Verzückten am Ärmel und mahnt ihn, auf die Erde zurückzukommen in die Mitte der Freunde, die seinem Flug nicht zu folgen vermögen*).

Außer Emilia Pia erwähnt Castiglione an Damen Margherita Gonzaga und Constanza Fregosa, die jedoch nur Zuhörerinnen sind und einmal durch ihre Tanzkunst die vom geistigen Schaufechten etwas ermüdete Gesellschaft erfreuen.

Die Frau Herzogin wünschte, daß Madonna Margherita und Constanza einen Tanz aufführten, weshalb sogleich Barletta, der vorzügliche Musiker und Tänzer, der stets den ganzen Hof festlich erhielt, seinen Instrumenten gebot und jene, einander die Hände reichend, tanzten, zuerst einen langsamen feierlichen Tanz, dann einen munter lebhaften mit äußerster Grazie zur großen Freude der Zuschauer**).

Von Herren nennt Castiglione eine stattliche Reihe, die je nach Eigenart deutlich charakterisiert Stimmen

---

*) Bembo ist Verfasser der platonischen Idylle *Gli Asolani*, so genannt zur Erinnerung an die Unterhaltungen im schöngeistigen Kreis der Catarina Cornaro — Königin von Cypern — in deren Villa zu Asola.

**) ... *impose la signora Duchessa a Madonna Margherita e Madonna Constanza che danzassero. Onde subito Barletto musico*

übernehmen und durchführen. In den *lettere famig-
liare* sagt er zum Lob der besonderen Freundesschar,
die im *Cortegiano* redend auftritt: *che in tutta Italia
forse con fatica si ritrorariano altretanti cavalieri cosi
singolari, ed oltre alla principal professione della ca-
valleria, cosi excellenti in diverse cose*).*
Bei Gelegenheit des glänzenden Empfanges Julius II.
in Urbino (1504) führt er die versammelten redegewandten Freunde ein und sie bieten in der Tat eine
Reihe wunderbarer Charakterköpfe, jeder in irgend einem
Beruf hervorragend, allein auch weltmännisch gewandt
auf allen möglichen Gebieten, gerne nachdenklich über
die Fragen, welche die Zeit bewegen.
Graf Lodovico Canossa, Bischof von Tricarico und
Bajons, Botschafter Franz I. bei der Republik Venedig,
Federigo Fregoso, ein Neffe Guidobaldos, Erzbischof
von Salerno, und später Kardinal, Pietro Bembo, den
auch der Kardinalshut erwartete, Bernardo Divizio da
Bibbiena, später Kardinal von Santa Maria Portico,
Lodovico Pio, Sohn des Lionello Carpi, ein Ver-
wandter der Emilia Pia, waren die feinen Prälaten des
Kreises.
Zu den Laien der Gesellschaft gehörten Cesare Gon-
zaga, ein Vetter Castigliones, Kriegsmann, Dichter und

*piacevolissimo e danzator eccellente, che sempre tutta la corta
teneva in festa, comincio a suonare suoi strumenti, ed esse, pre-
sesi per mano ed avendo prima danzato une bassa ballarano una
rogarze con estreme grazia, e singolar piacer di chi le vide.*
*) *daß in ganz Italien schwerlich soviel edle Herren gefunden
würden von so ausgezeichneter Art, die außer dem vornehmlichen
Beruf der Ritterlichkeit sich in verschiedensten Dingen hervortun
können.*

Diplomat, Ottaviano Fregoso, Federigos Bruder, der
Doge von Genua wird, ein idealer Fürst, der aber ein
tragisches Ende nimmt und in Gefangenschaft stirbt.
Ferner Giuliano Medici, Lorenzos dritter und liebenswürdigster Sohn. Aus Florenz verbannt hat er bei
den gastfreundlichen Montrefeltre Zuflucht gefunden.
Diese Gastlichkeit lobt Ariost in der vierten Satire:

> Ove col formator del Cortegiano
> Col Bembo e altri sacre al divino Apollo
> Facea l'esilio men duro e strano.

Gleich seinem berühmten Vater war ihm die Freundschaft großer Künstler vor allem wichtig und wert, er
ließ sich von Rafael malen, reiste mit Lionardo nach
Rom, sein Grabmal besorgte Michelangelo (er starb
1516)*).
Verschiedene Dichter treten im Cortegiano auf, Vin-
cenzo Calmeta, Bernardo Accolti mit Beinamen *l'unico
Aretino*. Dieser vermißt sich deutlicher als andere
wagen, der Herzogin zu huldigen, zum Beispiel in einem
Sonett auf ein eigentümliches Schmuckstück, das ihre
schöne Stirn ziert und den Buchstaben *S* darstellt. Er
fragt, was für den treuen Ritter dieses *S* zu bedeuten
habe, Seligkeit oder Schmerz mit spielerischen Wendungen über *S*.

> Consente, o mar di belleza e virtute,
> Ch'io servo tuo sia d'un gran dubbio sciolto

*) Giulianos natürlicher Sohn war jener kunstsinnige Kardinal Ippo-
lito von Medici, dessen Gastfreundschaft in Rom durch ihre Groß-
artigkeit berühmt war. Als man ihn wegen der schlechten Zeiten
ermahnte, einen Teil seines Gefolges, das er nicht brauche, zu
entlassen, antwortete dieser Medici: *Freilich brauche ich sie nicht,
aber sie brauchen mich.*

L' S qual porti nel candido volto
Significa mio Stente o mia Salute? . . . . . .*)

Giovanni Cristoforo Romano war Dichter, Musiker
und außerdem Bildhauer**). Unter den eigentlichen
ritterlichen Hofherren sind erwähnt Pietro da Napoli,
Marchese Febus, Roberto da Bari, Morelli da Ortona.
Letzterer duldet als ältester des Kreises manche Neckerei,
da er noch Schwerenöter ist, pariert aber dieselben,
indem er sich seinerseits über die neue platonische
Mode lustig macht.

Schweigsam scheint sich Fra Serafino verhalten zu
haben, ein pfiffig behaglicher und gefräßiger Mönch,
der etwas als Hofnarr gegolten haben mag, dessen
derbe Lustigmacherei aber nicht aufkam, wo geistvolle
Schöngeistigkeit ihr Feuerwerk an Witz ausgab.

Dagegen führte der scharf satirische Gasparo Pallavicino, ein Edelmann aus der Lombardei eifrig und
oft sehr unterhaltsam das Wort, indem er ähnlich wie
Merk in der Gesellschaft von Weimar den Mephisto
spielt als Geist, der stets verneint, der allen konventionellen Annahmen widerspricht und revolutionäre
Ansichten mit Spott um die feinen Lippen und wohl
manchmal mit Augenzwinkern vertritt, denn ihm ist
hauptsächlich darum zu tun, die Kontroverse zu spornen
und zu entflammen.

---

*)   Geruhe, o Meer der Schönheit und Tugend,
      Daß ich, Dein Diener, von großem Zweifel befreit sei;
      Das S, das Du auf weißer Stirne zur Schau trägst,
      Bedeutet es mein Elend oder mein Heil?

**) Von ihm stammt das Grabmal des Galeazzo Visconti in der
Certosa von Pavia.

246

Besonders als er sich erkühnt, die Damen immer wieder anzugreifen, entsteht das ernsteste Lanzenbrechen des geistigen Turniers. Gleich darauf reicht er einer seiner Feindinnen graziös die Hand zum Tanze.

Viel überzeugungstreuer in der Weiberfeindschaft ist der einzige Fremde in dem sonst durchaus italienischen Kreis Nicolo Frisio (Friesen) Diplomat im Kaiserlichen Dienst bei der *Ligue de Cambray,* dann Kavalier im Gefolge des Kardinals von Santa Croce. Bembo hatte sich mit ihm befreundet und ihn wahrscheinlich nach Urbino gebracht als guten deutschen Idealisten, denn er behauptet, dieser Renaissancediplomat sei *d'una bonta e lealta singolare* gewesen, außerdem rühmt er seinen Anstand: *uomo germano, ma avezzo a costumi della Italia.* Hatte Frisio die geselligen Sitten Italiens feiner Kreise angenommen, so wurmte den *uomo germano* doch die hervorragende Stellung, welche die Dame hier einnahm und bei Gasparos scherzendem Scheinangriff und Fregosos Zitaten aus frauenfeindlichen Philosophen tut er allen Ernstes mit. Er wagt angesichts der Quintessenz eleganter Geistigkeit und schmuckvollen Auftretens der lieblichsten aller Renaissanceprinzessinnen zu behaupten, das Weib gehöre in die Küche oder an den Spinnrocken, und dieser Auftritt ist von Castiglione höchst spaßhaft erzählt.

Seit der gotischen Zeit war die Frauenfrage eine brennende Frage, leidenschaftlich hin und wieder verfochten, bald mit schwerfälligen, bald mit feinen Zitaten. Castiglione benützt sie zu einem Intermezzo, das man mit einem musikalisch witzigen Satzbau, mit einer Motette vergleichen könnte, in der sechs Stimmen einhergehen, streitbar werden bis zu burlesken Motiven und endlich beruhigt in eleganter Kadenz zusammensinken.

Frisios brummige Überzeugungstreue bildet in dieser Komposition eine Art *basso continuo*. Er ist der einzige aufrichtige Frauenverächter und bewies es auch später, indem er sich in ein Kloster zurückzog. Die anderen Frauenlästerer geben sich gerne besiegt durch das begeisterte Frauenlob eines Cesar Gonzaga, eines Bibbiena, eines Giuliano de Medici. Vorher mußten sie sich zur Strafe gefallen lassen, daß Emilia Pia alle Damen drohend gegen sie aufmarschieren ließ, als gälte es die Lästerer zu züchtigen, wie die Sage berichtet, daß der erste berühmte Lästerer Jean de Meun von ihnen gezüchtigt wurde. Seitdem wogte ja der Kampf erbittert für und gegen die Frau.

Italien und Spanien blieben schließlich der ritterlich romanischen Auffassung mehr oder weniger treu, Frankreich war in zwei Lager geteilt, da es einerseits von Italien beeinflußt wurde, andererseits von den Niederlanden und Deutschland her, wo jene nüchterne Ansicht herrschte, wie sie Frisio vertrat, und eine poetisch-mystische Herrschaft der vollendeten Dame außerhalb des Begreifens und Erlebens lag.

Mit gelassenem Lächeln hat Herzogin Elisabetta dem bewegten Zwischenspiel gelauscht, sie macht ihm mit dem Vorschlag ein Ende, in Gedanken eine ideale Dame zu malen, im stilvollen Paradiesgärtlein echter *cortigiania*, dem Adam dieser höchsten Bildung eine entsprechende Eva zu gesellen.

Dieser Aufforderung gemäß entwirft Giuliano mit

248

Bibbiena das Bild der idealen Dame, für die zu
schwärmen zur Schönheit begeistert, so daß solcher
Minne das Lob werden kann: *Impossibile è che nel cuor
d'uomo, nel qual sia entrato una volte fiamme d'amore,
regni mai più viltà.* (Es ist unmöglich, daß in männ-
licher Brust, wo einmal die Flamme echter Liebe ge-
leuchtet, je Niedrigkeit herrschen kann.)
Höfliche Kämpfer lernen und gewinnen voneinander,
brutale zerstören gegenseitig, so daß der Sieger ebenso
besiegt ist wie der Besiegte.
Weltanschauungen lernen auch voneinander, wenn sie
höflich kämpfen. So wird die Verschrobenheit des
Frauenlästerers wahrscheinlich abgeschliffen und gemildert aus dem Redekampf hervorgegangen sein,
indes die Schwarmgeisterei des allzu sentimentalen
Ritters eine Kur durchmacht, die ihn daran hindert in
süßliche Unausstehlichkeit zu versinken.
Die bewegte Szene, die von den Damen, ihren Rittern
und ihren Lästerern aufgeführt wurde, endet den
zweiten Abend der Gespräche, die in vier Bücher oder
Gespräche an vier Abenden eingestellt sind. Ebenso
lebendig wirkt der Schluß des ersten Abends. Ähnlich
dem schönen Alkibiades bei Platon erscheint der junge
Francesco Maria della Rovere mit fröhlichem Lärm
und Fackeln, da er seinem Oheim Julius II. Geleit
gegeben und in seiner Abwesenheit das schöngeistige
Fest angefangen hatte.
Man teilte dem Verspäteten mit, wie dies neue Spiel
entstanden sei, das darin bestehe, einen vollendeten
Weltmann redender Weise zu bilden (*formare*).
Gaspare Pallavicino und andere hatten zuerst Fragen

aufgeben wollen, wie sie wahrscheinlich schon an manchem Minnehof erwogen waren, etwa welche Tugenden und welche Fehler am geliebten Gegenstand wünschenswert, welcher Narreteien Liebende fähig seien und dergleichen mehr, dazwischen hatte der burleske Mönch Fra Serafino behäbig schmunzelnd aufgefordert, ernstlich in Betracht zu ziehen, warum sich die holden Herrinnen stets vor Mäusen fürchten.

Man beschloß jedoch, da so viele der ausgezeichnetsten Köpfe Italiens zusammengekommen die angeregten Abendstunden einem Spiel zu widmen, bei dem jeder Anwesende dazu beitragen solle, festzustellen, welche Vorzüge den vollkommenen *cortegiano* auszeichnen müßten.

Daß er eine wertvolle Persönlichkeit sei, ist ausschlaggebend für Wohl und Wehe der Regierungen. Wenn der Hofmann sich selbst erzieht, erzieht er seinen Fürsten, indes der unedle Begleiter ihn verzieht und verdirbt. Regierung ist nicht Schicksal, der Mensch ist dazu berufen, sein Staatsoberhaupt und somit seinen Staat zu erziehen, indem er Selbsterziehung übt, eine strenge Zucht, die aber von ästhetischem Geschmack gemildert jede Pedanterie ausschließt.

Tägliche Erfahrung, nicht Theorie ist den Staatsgeschäften nütze, nicht nach öder Theorie und nicht nach Laune darf regiert werden, sondern nach Liebe, die Weisheit ist.

Vorbildlich wirken sollen die Nächststehenden des Fürsten, sie müssen die Wichtigkeit edler Muße kennen und ihn davor bewahren, ein nüchtern liebloser Pflichtmensch oder ein leichtfertiger Vergnügungsjäger zu

250

werden. Liebevolle Weisheit macht natürlich geneigt zum Guten und Nützlichen, zwanglos folgt ihr der also Geneigte, er ist der Vernunft anhänglich *wie das Lämmchen der Mutter folgt auf Schritt und Tritt.*

.... non sforzando l'animo ma infondendogli per vie placidissime una veemente persuasione che lo inclina alla onesta, lo rende quieto e pien di riposo, in tutto uguale, e da ogni canto composto d'una certa concordia con sé stesso — ed in tutto diviene obenditissimo alla ragione, pronto — a seguirla ovunque condur lo voglia — come tenero agnello che corre stara sempre presso alla madre.*)

Wie aber zu liebevoller Weisheit gelangen? Diese Frage wird von verschiedenen Seiten, bald im Ernst, bald im Scherz beleuchtet. Trotz seiner geistlichen Würde tritt Graf Canossa zuerst für körperliche Vorzüge und Fertigkeiten ein, unerläßlich erscheinen ihm die Tugenden des Kriegs- und Sportsmannes. Wohl erwidert Bembo, die ausschließliche Wertung des Waffenhandwerks sei für den vornehmen Mann überwundener Standpunkt, so hoch die Seele über dem Leib stehe, so hoch erhaben seien alle Übungen des Geistes (*le buone lettere* wie man zur Renaissancezeit die Geisteswissenschaft zärtlich nannte) über die gepriesenste ritterliche Übung und Kriegskunst zu stellen.

---

*) Die Seele nicht zwingend, allein ihr auf sanftestem Wege eine unwiderstehliche Neigung zum Guten einflößend, eine Neigung, die gelassen ruhig macht, in allem gleichmäßig und nach allen Seiten bestehend aus einer gewissen Harmonie mit sich selber und in allem bereit, der Vernunft zu folgen, wie das Lämmchen der Mutter.

Er muß sich die neckische Abfertigung gefallen lassen, daß bei einem Zusammenstoß der Ritter des Schwertes und des Geistes letztere für ihre Verachtung der Muskeln schwer büßen müßten. Man kommt aber überein, daß ritterliche Übungen nur zur Vorstufe der Bildung gehören, allerdings insofern unentbehrlich, als sie den physischen Mut fördern, ohne den auch geistiger oder seelischer Mut schwer denkbar sei.

Todesverachtung hat von jeher den Herrn über den Knecht, den Edlen über den Unedlen erhoben, freiwillig gern einer Gefahr ins Auge zu sehen, gehört zum Adel der Menschheit.

Durchaus zu verachten ist der brutale Raufbold und der lächerliche Matamor, der sich selbst in Damengesellschaft seiner Kriegsschrecklichkeit rühmt, er gehört in die Rumpelkammer zu rostigen, veralteten Rüstungen. Die Kraftmeierei des Nur-Sportshelden ist zu vermeiden, wenn es auch für den Kavalier empfehlenswert bleibt, Geschicklichkeit im Lanzenstechen, Ballspielen und dergleichen zu gewinnen, besonders in der edlen Reitkunst. Canossa geht soweit, das Voltigieren am Pferde zu empfehlen, das damals in Italien zu den nationalen Ritterspielen gehörte, weil es ein *bel spettacolo* für Damen bilde und stärkste, anmutigste Beherrschung der Körperkraft zu zeitigen vermöge.

Widerraten wird, sich einer dieser Geschicklichkeiten so ausschließlich zu widmen, daß für nichts anderes Interesse bleibt oder akrobatischer Virtuosität nachzustreben. Als verächtlich verurteilt Canossa das gegenteilige Extrem gewisser weibischer Stutzer, die es für elegant hielten, möglichst schmachtend und zart zu tun, die sich nicht nur zierlich die Haare lockten, sondern gleich den Damen künstlich sanften Ausdruck verliehen durch Beseitigung der Augenbrauen und die in jeder Bewegung, im Gehen, Stehen und Sitzen sich so lässig affektiert benahmen, als fielen ihre Glieder auseinander, dabei so melancholisch lispelten und seufzten, als entschwebe ihnen gerade der letzte Seufzer.

Solche Affektation ist die größte Feindlichkeit jener wahren Anmut, die aus dem Maße der Gesundheit und der zweiten Natur gewordenen Selbstbeherrschung entspringt.

Überlegene Grazie ist die Quintessenz wahrer Vornehmheit. Cesare Gonzaga, der Ritter und Dichter widmet ihr schöne Worte. Ihre Wichtigkeit ist in der Tat sehr groß, nichts kann sie zerstören, verunglimpfen oder rauben, ohnmächtig ist jede Art von Pöbel gegen den von ihr verliehenen Adel. *La grazia è condimento d'ogni valore. Chi ha grazia è grato.* (Anmut ist Würze jeden Wertes. Wer Grazie besitzt, ist bei allen in Gunst.)

Törichte äußerliche Nachahmung kann nur lächerlich wirken. Denn Grazie läßt sich nicht mühsam hervorbringen, ja es gehört zu ihr eine gewisse *sprezzatura*, nämlich eine liebenswürdige Lässigkeit, die von Sicherheit in allen Regeln des Benehmens gezeitigt wird. Ihr verdanken körperliche Vorzüge den Ausdruck unnachahmlicher Eleganz und nicht etwa modisch stutzerhaften Bemühungen, wie Spiegelchen im Innern der Kappe um Rat zu fragen oder den Kamm im Ärmel stecken zu haben oder die Begleitung eines Pagen, der Schwamm und Bürste nachträgt.

Genau so wünschenswert als das Ebenmaß der Erscheinung ist, das sein Äußeres und sein Betragen auszeichnet, gilt das Ebenmaß geistiger Bildung, das der Cortegiano offenbaren soll. Er beherrsche mit Anmut seine eigene Sprache, sowie moderne fremde Sprachen, namentlich die spanische und französische. Er kehre sich nicht daran, wenn altmodische Gesellschaft, wie etwa noch ein großer Teil des· Adels in Frankreich humane Bildung bespöttelt und verachtet. Denn die geistigen Schätze, die sie bietet, sind die großmütigste Gabe Gottes an die Menschen.

Le lettere le quali veramente da Dio sono state agli uomini concedute per un supremo dono.

Sie allein verleihen Menschenwürde und deren Königskrone, den Nachruhm — *vita famosa, quasi perpetua, la quale, a dispetto della morte, viver fa più chiaro assai che prima.* (Ruhmgekröntes Leben, fast unsterblich, denn dem Tode zum Trotz gibt Ruhm dem Leben Schönheit, die überdauert.)

Der redende Bildner des Cortegiano erklärt die Unentbehrlichkeit humanistischen Wissens, doch bloße Ansammlung von Kenntnissen genügt nach seiner Ansicht nicht, eine Persönlichkeit zu festen: *Ich schätze den allein für einen Meister der Tugend, der den Willen hat, gut zu sein und wenn solcher Wille ernstlich vorhanden ist, braucht es keiner weiteren philosophischen Regeln. Außer der Güte ist die Hauptzierde des Gemüts die Kenntnis humaner Bildung.* (*Ed io estimo quel solo esser vero filosofo morale, che vuol esser buono, ed a ciò gli bisognano pochi altri precetti, che tal volontà — Oltre alla bontà il vero e principal ornamento dell'anima sono le lettere.)*

Darum soll der Weltmann nicht nur die lateinische sondern auch die griechische Sprache beherrschen, um der göttlichen Dinge teilhaftig zu sein, die sie bietet. Über Kunst sei er wohlunterrichtet und womöglich so weit darin geübt, daß er zu spielen, singen und tanzen versteht in den Grenzen des guten Geschmacks und dadurch diese Grenzen seinem Fürsten stets vor Augen halte sowie der am Hof versammelten Gesellschaft.

So wird die Unterhaltung stets die nötige Heiterkeit und Entspannung bieten nach ernstem Geschäft und nie in Roheit und läppisches Tun entarten. Gebührende Schelte erhält an dieser Stelle der modische Geck, der sich *buon compagno* nennt und es für *nobel* hält allerlei Unfug zu treiben, mit Damen ungezogen zu sein und bei Tisch mit Brocken um sich zu werfen.

Selbst harmlose Spiele soll der Gebildete nicht übertreiben. Zwar sei das Schachspiel eine liebenswürdige und bedeutende Unterhaltung — *gentile interteminento ed ingegnoso*, allein man könne behaupten, daß gerade hier Mittelmäßigkeit lobenswerter sei als Meisterschaft, denn die allzu ausschließende Beschäftigung, die zur Meisterschaft führe, mache die Spieler einseitig verbohrt, wie gewisse Spanier, die sich vollständig fanatisch nur auf das Schachspiel verlegen.

Notwendig für den Vornehmen, dem es obliegt, Kenner und Gönner der Kunst zu sein, ist Übung im Zeichnen. Ja, ohne solche Übung, die das Auge von Blödigkeit befreit und es erst eigentlich wissend, das heißt, sehend macht, ist vollendete Vornehmheit gar nicht möglich. Man erinnere sich, daß in Griechenland die Kinder der Freien zeichneten, indes die Übung dieser Kunst den Unfreien verboten war. Die bildenden Künste edel zu erhalten, gehört zu den wichtigen Aufgaben der Vornehmen, es ist Frevel, wenn sich gemeiner Pöbel daran vergreift.

Nunmehr entspinnt sich die für Renaissancemenschen äußerst wichtige Frage, wie sich der *cortegiano* Witz und Scherz gegenüber verhalten· solle. Ihm liegt es ja ob, den Fürsten heiter und daher gelassenen Gemütes zu erhalten. Wie weit darf er sich dabei des Humors bedienen? Auch hier empfiehlt Castiglione durch den Mund seiner Freunde richtiges Maßhalten, die Mittelstraße oder *mediocrita*. Nicht als griesgrämiger Mentor und Spielverderber soll der *cortegiano* wirken, aber ebensowenig ein gefälliger Wilzbold oder Gelegenheitsmacher für billige Witzbolde sein, wohl aber soll er ein befreiendes oder strafendes oder das Lächerliche deutlich machendes Lachen wie ein würziges Heilkraut pflegen. Um recht klar zu legen, wie dies geschehen kann, wird eine kleine treffende Abhandlung über das feinkomische in seiner gesamten Betätigung gebracht mit der scharfen Definition an ihrer Spitze: lachhaft ist, was schlimm scheint, aber nicht ist.

Bernardo Bibbiena, der erste Lustspieldichter seit dem Altertum urteilt: *si ride di quelle cose che han disconvenienza, e par che stian male, senza però star male.*

Am gesündesten lacht man über Sachen, die glücklicherweise nicht wahr sind, aus Freude, daß sie nicht

256

wahr sind, aus Entspannung über einen Schrecken, der aber nur gelinde sein darf. Es ist dies die ursprünglichste Operation des Lachens, wie man unwillkürlich lacht, wenn man hinfällt, ohne sich wehe zu tun. Feinkomische Effekte, die dem gebildeten Mann zu erzielen erlaubt sein mögen, werden hervorgebracht durch drei Arten von *facezie*. Erstens der humorvollen Erzählung einer Novelle, bei der auch Mimik und Nachahmung wirken mögen, sie kann elegant und nützlich münden in geistvoller Parabel. Eine zweite Art, die plötzlich unwiderstehlich Lachlust erregt und zuweilen nützliche Kritik enthält, ist der kurze, schlagfertige Witz *di subito e aguta prontezza, che consista in un detto solo*, und eine dritte ist die *burla*, welche die beiden früheren Arten vereinigt und mit improvisierter Komödie verbindet.

Die Hauptschattierungen dieser drei Arten illustriert Bibbiena mit einem Reichtum von Exempeln, die seine Zuhörer in heiterste Laune versetzen. Einige sind heute noch spaßhaft, so die Geschichte des Florentiners, der zur Zeit, als Florenz nach dem Krieg in Geldnot stak, feierlich meldete, er habe entdeckt, wie den Finanzen aufzuhelfen sei. Da die Stadt ihre Einnahme hauptsächlich vom Zoll erziele, der an den elf Toren erhoben werde, gelte es schnell die Zahl der Tore zu verdoppeln, denn dann wären auch die Einnahmen sofort verdoppelt.

An die Geschichte des Palazzo, in dem die Unterhaltungen stattfinden, knüpft sich ein ähnlicher Abderiteneinfall. Man war besorgt, als das große Gebäude errichtet wurde, wohin die für die Grundmauern ausgehobene Erde zu verbringen sei. Da meldet sich Einer mit gewichtigem Rat, man möge eine große Grube machen und sie mit der Erde ausfüllen. *Aber wohin mit der Erde der Grube?*, erhält er verdutzte Antwort. Doch unbeirrt meint der Schlaue: *Ei nun, man mache nur die Grube groß genug, da geht eines hinein und das andere auch.*

Solche Witze über ungeschickte Vorschläge sind fürwahr im Munde des Cortegiano zu loben, denn ähnliche finanzielle und politische Pläne werden immer wieder gemacht und auch ausgeführt. Sie in ihrer Lächerlichkeit rechtzeitig zu beleuchten, wäre zu allen Zeiten wünschenswert. So ist der vollendete Cortegiano gegebenenfalls mit einem Witz bereit, gute Lehre zu erteilen, geschmeidig im besten Sinn, sattelfest und schlagfertig auf verschiedensten Gebieten und stets von jener überlegenen Grazie der Form, die unwiderstehlich anzieht und dennoch Distanz hält.

Man kann Castigliones Ideal Dilettantismus nennen. Allein es ist Dilettantismus nicht im parodistischen Sinn der Pfuscherei und Oberflächlichkeit, sondern im ursprünglichen edlen und ernsten Sinn. Ein Streben nach Vielseitigkeit, weil Einseitigkeit eng und unvornehm macht. Ein Streben, an alles, was man beginnt, nicht mit verdrossener Pflicht, sondern mit *diletto*, das heißt, mit Freude, mit Genuß zu gehen, was elegante Leichtigkeit und Fertigkeit auslöst.

Ein Ausweichen vor der Nüchternheit und Einsamkeit des Nurfachmanns, denn es ist für den Menschen nicht gut, allein zu sein, nicht einmal im Paradies, es ist für ihn aber auch nicht gut im Gedränge zu sein, wo Persönlichkeiten zerdrückt werden, und komisch sind wie die anderen. Kleiner, trauter Verein, eine Sodalität von Freunden, die sich für weitere Kreise tätig interessieren und auf diese zu wirken berufen sind. Das ist der Dilettantismus, den der Cortegiano anmutig und behutsam anregt.

Merkwürdiger Freimut! Am Fürstenhof von Urbino gegenüber der regierenden Herzogin wird unter anderen philosophisch-politischen Fragen die Frage aufgeworfen und objektiv behandelt, ob eine gute Monarchie oder eine gute Republik grundsätzlich vorzuziehen sei. Man kommt überein, daß gegebenenfalls Beides Berechtigung habe, daß aber die republikanische Staatsform ein künstlicheres Gebilde sei, das weniger natürliche Menschen und Verhältnisse voraussehe und daher weniger Möglichkeiten idealer Beglückung der Regierten enthalte.

Die monarchistische Staatsform ist erfahrungsgemäß die dem Menschen natürlichste, ursprünglichste, wie es natürlich erscheint für jeden größeren Bau, den er aufführt, einen Bauherrn verantwortlich zu machen, wie es dem Leib natürlich ist, vom Herzen aus regiert und am Leben erhalten zu werden. Freilich muß das Herz gesund bleiben durch weise Mäßigkeit. Ebendafür soll der Cortegiano allen vorbildlich, edel diensteifrig sorgen. Aus naheliegender Einsicht urteilt Castiglione, daß ein aufgeklärter Fürst mit aufgeklärter Umgebung die größte Harmonie schaffen könne. Das glückliche Urbino ist Probe aufs Exempel. Hier ist augenfällig der Beweis erbracht*). Die Gesetze müssen

---

*) Bericht des venezianischen Gesandten: *Perché la reggia sia la norma e l'esempio di bene istituta corte agli altri principi del mondo.*

sich auf den Brauch stützen, guter Brauch ist notwendig zur Sittlichkeit und der gute Brauch kommt unwiderstehlich von guten gesellschaftlichen Gepflogenheiten, in deren Zielstrebigkeit es liegt, die Gelüste zu beschneiden, daß keine Wildnis entstehe.

Zwar birgt die Macht eines Einzelnen Gefahren, allein gerade dadurch, daß er offenbar und offensichtlich steht, kann diese Gefahr erkannt, gemildert oder beseitigt werden, was bei anonym Regierenden nicht der Fall. Auch ist es mühsam, die Tradition zu entbehren, die jede Art von Geschäft, Arbeit und Kunst, also auch die Staatskunst erleichtert durch ihre vorgetane Mühewaltung im Sammeln von Erfahrungen.

Wohl und Wehe eines Landes hängen von den Menschen ab, denen ein Fürst sein Vertrauen schenkt: Nur der Würdigste weiß die Würde des Hauses zu hüten. Zur Würde blickt jeder vertrauensvoll empor. Indes Hochmut drückt und quält, tut Würde wohl, sie hebt unsere Last, sie schenkt uns das Herrlichste, den Vertrauensstolz. Allein, was ist das Wesen der Würde, ihre natürliche Vorbedingung erfahrungsgemäß? Es ist strenge Selbsterziehung, wahre Selbstzucht im Bezirk des Geschmackes, der zusammenfällt mit dem Bezirk schöner Tugend.

Eigentliches Ziel und Lebenszweck des vornehmen Menschen ist zu beglücken. Gelingt es ihm, so ist er gut, welche Art von Ordnung er wähle. Eigentliches Ziel und Daseinszweck des Staates ist zu beglücken, gelingt es ihm, so ist er gut und recht, welcher Art von Ordnung er sich bedienen mag. Die Wahl, die der Cortegiano zu treffen hat zwischen Schön und

Häßlich entscheidet für seinen Fürsten und dessen Land. Fällt die Wahl glücklich, so ist das Verhältnis des Fürsten zu anderen Fürsten, des Staates zu anderen Staaten nicht mehr unklar, unsicher oder irgend gefährlich, denn ein Gesetz der Verbindlichkeiten hütet sein Betragen.

Wie es Lorenzo Medici sah und übte, sieht der erfahrene Diplomat Castiglione das politische Ideal darin, dem Egoismus des Einzelnen und der Sippe die Stirn zu bieten durch eine Gesellschaft der Staaten, beziehungsweise Nationen, wo freundliche Sitte angenommen ist als Notwendigkeit im Verkehr.

Castigliones Buch ist die höchste Anstandslehre, der Staatsmann will den Fürsten und Völkern wie den Einzelnen untereinander ein Ideal für den Anstand im Verkehr zeigen, ganz ähnlich, wie das politische Ideal, das Lorenzo mit seinem mediceischen Frieden bereits erfolgreich in die Zeit gestellt hatte, von gesellig holdem und heiterem Kreis ausgehend, die Rücksicht, Freundlichkeit, Höflichkeit, die dieses Kreises Spielregel bilden, auf die europäische Gesellschaft übertragen als lebendige Quelle friedlicher Entwicklung für alle. Das kann sich freilich nicht kunstlos fügen, sondern muß mit äußerster Kunst ineinander gefaßt werden, jede Stimme berechtigt aber mit den anderen im Verhältnis harmonisch klingender Höflichkeit wie in der Meisterfuge oder jede Farbe schön und wertvoll für sich aber zusammen in einem Gesamtton sich schmiegend und schließend wie im Meistergemälde.

Macchiavelli, der Diplomat, verfaßte das Buch vom Fürsten in bitter satirischer Laune nach enttäuschenden

Erfahrungen, in leidenschaftlichem Schmerz über Italiens Zerrissenheit.

Castiglione, der Diplomat, träumt seinen politischen Traum optimistisch in liebenswürdigem Menschenglauben, jedoch nicht ohne Erfahrung in Psychologie. Er hat die Kenntnis gesammelt, daß ein Fürst, als Fürst von anderen Menschen losgelöst, nicht denkbar ist, daß er praktisch und sittlich von seiner Umgebung abhängt, daß der Cortegiano als schnöder Schmeichler seinen Charakter verdirbt, als treuer Freund*) den Charakter des Fürsten hebt und die Staatsform, die von der Zeit gefordert ist, die *Signoria* stilvoll veredelt.

In erweitertem Sinnbild kündet diese hohe politische Lehre, daß keine mechanische Regierungsart beglücken kann, nur eine ideal persönliche, von Persönlichkeiten getragen. Der Mensch muß fortwährend Selbstzucht üben und dadurch dem jeweiligen Regiment, dem er untersteht, Selbstzucht auferlegen, genau wie in gesittetem geselligem Verkehr solche Selbstzucht mit dem Ergebnis feiner Wohlerzogenheit unentbehrlich ist und bleibt, vom Einzelnen wie vom großen Kreis gefordert werden muß.

Die Vollendung der Wohlerzogenheit besteht nicht in äußeren Manieren, sondern ist die Grazie, die vom Gleichmaß der Seele erzeugt wird, wie die Holdseligkeit des Leibes vom Gleichmaß der Glieder. Indes Macchiavell die Muskeln des Individualismus auf das äußerste spannt zu einer gigantisch gedachten,

---

*) Im Sinn eines Posa.

aber zu Häßlichkeit entarteten neuen Kraftmeierei, genau wie die Barockausläufer der Renaissancemaler und Bildhauer, bleibt Castiglione, Raffaels Freund, wie dieser maßvoll vornehm in seiner Gestaltung.

Den Auswüchsen der Sippe und des Einzelnen gegenüber, dem waghalsigen Akrobaten und Feuerfresser in der Politik entgegen stellt er seinen gelassenen Weltmann auf, der aus gewähltem Kreis hervorgegangen nie den platonischen Traum eines edlen Zusammenseins und zusammen sich Freuens aus dem Herzen läßt. Guter Geschmack scheint diesem Renaissancediplomaten für Politik wie für Geselligkeit die gültige Spielregel.

Nichts kann bedauernswerter sein als das geringe Verständnis, das seinem Gedanken begegnete. Statt Castigliones schönen Traum mitzuträumen, überläßt man sich dem Alpdruck, den die Herrschmethode eines Cesar Borgia über Italien verhängt, und die schließlich Italiens Knechtschaft herbeiführt.

Zwar wurde Castigliones Buch in alle Sprachen übersetzt und viel zitiert, sein politischer Gehalt aber nie recht begriffen und verwertet, wiewohl das von ihm gepriesene System bereits von Lorenzo als segensreich erprobt war, indes das gegenteilige System, Borgias Politik, nur schmähliche und klägliche Ergebnisse hatte. Und auch die folgenden Jahrhunderte lernten nicht, daß vornehme Geselligkeit das Prototyp für eine vornehme Gesellschaft der Staaten ist, daß ihr Sittenkodex das Beispiel für die Notwendigkeit und Klugheit einer gesitteten Politik, und jenes bedeutsame *gioco*, das in Elisabetta Gonzagas Kreis vorgeschlagen, die Spielregel weist für das große Spiel des Lebens — *gioco del mondo.*

Allein Pietro Bembo ergreift das Wort und beweist, daß alle jene Vorzüge und Fertigkeiten, die bisher für den Cortegiano als wünschenswert aufgezählt worden, nicht genügen, um sein wichtiges Amt im Staatswesen und der Gesellschaft richtig aufzufassen und zu betreuen. Sie bauen nur den Grund, auf dem die mystische Rose der Liebesweisheit aufwachsen und blühen mag. Jene Liebesweisheit, die jede andere Weisheit beschämt, einzupflanzen und zu warten, ist das Werk verklärter Minne, deren Vorbedingung und auch Gleichnis vornehme irdische Minne bietet.

Hier lauschen alle atemlos und gespannt, es finden keine Zwischenfragen mehr statt. Und Bembo spricht mit schwungvoller Begeisterung von den Seligkeiten solcher Minne im Vergleich zu den Qualen, die der verirrt und leidenschaftlich Strebende durchmacht, von dem Seelenfrieden, den die Minneherrin und ihr würdiger Ritter hauptsächlich durch die *virtù visiva* voneinander empfangen. (Dies Wort läßt sich am nächsten mit *Augenfreude* verdeutschen.)

Die Minnehöfe hatten einst die heikle Frage behandeln müssen, wie weit die Herrin dem schmachtend ergebenen Ritter entgegenkommen dürfe und spitzfindige Urteile darüber gefällt. In der naiven romanischen Zeit wurden die Befugnisse sehr weit gesteckt. Die gotische Zeit war strenger, die Renaissance sucht nun ihrerseits schiedsrichterlich in dieser Angelegenheit zu wirken.

Gespannt sind Herren und Damen, als Pietro Bembo die zarte Frage behandelt. In Frankreich, Deutschland

264

und laut einigen Novellen auch in Norditalien war es Sitte oder Mode, die Gäste wahllos abzuküssen. Besonders zu Willkomm und Abschied gehörte es zu den Obliegenheiten der Hausfrau, den Gast küssend zu begrüßen und zu entlassen, manche Gedichte erwähnen diesen Brauch. Der höheren Eleganz dünkte er ein Mißbrauch. Nach Bembos Meinung soll der Kuß Willkommgruß für den liebenden Ritter im gastfreundlichen Reich edler Minne sein, Erquickung für den Entsagenden und Opferbereiten, Vollendung des gewährten Minnegrußes, den zu verdienen das ernstliche Bestreben des Ritters und platonischen Liebhabers sei. Zu allen zärtlichen Freundlichkeiten, die platonische Sitte genehmigt, gehört für jene, die Meisterschaft über die niedrigen Wünsche des Blutes errungen haben, als letzter Lohn, als Ausmaß der irdischen Seligkeit und Vorgeschmack der Himmlischen — der Kuß von Mund zu Mund.

Il bacio si può più presto dir congiungimento d'anima che di corpo perchè in quella ha tanta forza che l'attira a se e quasi la separa del corpo, per questo tutti gl'inamorati casti desiderano il bacio, come congiungimento d'anime e però il divinamente inamorato Platone dice che baciando vennegli l'anima ai labri per uscir del corpo. (Der Kuß kann eher Seelenvereinigung als leibliches Berühren genannt werden, denn in ihm hat die Seele so viel Kraft, daß sie die andere Seele an sich zieht und fast der sterblichen Hülle entrückt, deshalb verlangen alle keusch Liebenden unaussprechlich nach dem Kuß als einem Zusammenfinden der Seelen und der göttliche Platon sagte, daß im Kuß ihm die

Seele an die Lippen gedrungen sei, wie um den Körper zu verlassen.)

Vor jeder niedrigen Begehrlichkeit, vor jedem Sinnestaumel, vor jeder läppischen Verliebtheit, die im Hof- und Weltleben so verhängnisvoll werden kann, wird hier endgültig und eindringlich gewarnt und zwar nicht mit der strengen Miene dessen, der jedes Glück aus dem Pflichtdasein verbannt, sondern mit der Verbindlichkeit desjenigen, der den Weg zu wahrem Glück mutig selbst betritt und weist.

Nicht Spielzeug fürstlicher Laune, nicht geplagte Hausfrau und Magd sei das Weib, ihr Wesen sei so hold und harmonisch gestimmt, daß der glücklich Liebende von ihr sagen kann: *la mia donna è musica.*

So andächtig und hingerissen hat man Bembos Rede gelauscht, daß niemand merkte, wie schnell der letzte Abend, die letzte Nacht unter bedeutsamen Gesprächen vergangen. Da ertönt Vogelsang andächtig in die andächtigen Liebesworte hinein, einer öffnet das Fenster und wie man hinausblickt weht hell und klar des Morgens erstes Fächeln von den Bergen her, die Morgenröte entflammt und es verblaßt der Venus nächtliches Leuchten. *(Aperte adunque le finestre di quella banda del palazzo che riguarda l'alta cima del monte di Catri, videro già essere nata in oriente una bella aurora color di rose, e tutte le stelle sparite, fuor che la dolce governatrice del ciel di Venere, che della notte e del giorno tiene i confini, della qual parea che spirasse un aura soave, che di mordente fresco empiendo l'arie, cominciava tra mormorante selve de colli vicini a risvegliar dolci concerti dei vaghi augelli.)*

266

ZWÖLFTER ABSCHNITT

Unter den Retorten des Alchimisten — Das Gleichnis des himmlischen Eros — Die Wandlung in Liebe — Giordano Bruno —
Raffaels Bilderbuch — Der Brief an Castiglione — Urbinos Idealschüler — Der große Mythos — Die *stanza della segnatura* —
Vom Kreis der Platoniker — Fanatiker und Pedanten — Von der
Sprache in Nord und Süd — In der Farnesina — Die Liebe zu
schönen Dingen — Christus vera lux — Holbein und Raffael —
Der okkulte Kampf — Nordische und südliche Götter — Marienverehrung — Geselligkeit als Sinnbild des Lebens.

Unter ihren Retorten und Gebläsen glauben die
Alchimisten des Cinquecento an die Wandelbarkeit
der niederen Substanzen in höhere und suchen Gold
zu gewinnen, Gold, das hinwiederum zu edlen und
edelsten Zwecken sich verklären kann, denn gilt es
nicht dafür, daß *aurum potabile* alle Leiden heilt, gilt
es nicht dafür, daß Gold Seelenheil erringen kann,
wenn es sich verwandelt in schöne Dinge zu Ehren
der Himmlischen. — Analog — mit tiefer Philosophie
und kindlicher Naivität — wird an die große Alchimie
geglaubt, die niedere Gelüste in höhere Neigung verwandelt. Und diese höhere Neigung ist gleichsam
eine Erlösung, ein seliger Tod für das wild brennende
Gelüst, für die Gier des Besitzes jeder Art, welches
die niederste Stufe des irdischen Eros darstellt. (Con-
cupiscentia im theologischen Sprachgebrauch.)
Diese niedere Stufe ist unerläßlich, wenn auch demütigend, heilsam demütigend für die Erdgeborenen.
Sie ist Ansporn, Anreiz, sie ist das noch Unreine,
Blasenwerfende, unheimlich Zischende im Sud, über
den sich der Alchimist beugt mit eigensinniger Hoffnung
auf ein Wunderbares, das ihm entsteigen soll. Okkulte

Kräfte wirken — und der brodelnde Sud gärt sich aus zu Gold, die dunkellodernde Leidenschaft hellt sich auf und beruhigt sich zu Liebe, die aus Tieren Menschen und aus Menschen Götter macht, wenn die Hingabe voll und ganz gelingt, wenn Unberufene diesen höchsten Zauber, der über allen Zaubern ist, nicht stören.

Alles strebt der Liebe zu als der einzigen Rast auf dem Pilgerweg zum Reich ewig gültiger Schönheit, wo die Müdigkeit des Werdens und Vergehens auf immer ruht. Wohl zeugt der irdische Eros nur flüchtige Schönheit. Doch also zeugend bietet er Erquickung als Versprechen und Gleichnis der endgültigen Erquickung, von der wir nicht mehr aufstehen müssen den Pilgerstab zu ergreifen*).

Haben nicht die alten Götter durch ihre liebebedingten Metamorphosen darauf hingewiesen, von derselben Sehnsucht besessen wie wir alle, von irdischer Schönheit trunken wie wir? Mit unsichtbarem Arm greift, hebt und stützt die Magie der Liebe, mit Sichtbarem lockt und lädt sie die Sinne und die Seele abwechselnd, zugleich in steter Wechselwirkung, da sie vom Geistigen ins Leibliche sich verwandelt und vom Leiblichen ins Geistige, Form und Gehalt in eins schließen kann und vollendet, den Schrei unserer Widersprüche zu stillen vermag, wie man kindliche Unruhe stillt.

Sie schmeichelt im Fall schöner Gewänder und im Streben geschmückter Säulen und in den festlichen Gewinden der Kränze, die sich von Gesims zu Gesims

---

*) Vergleiche Michelangelos Sonette.

268

schlingen, im Glanz des Bechers, im Wohllaut der Viola, in holder Frauenstimme. Das gefällige Hinschmelzen, das von solchen Harmonien ausgeht, ist keine grobe, geizige Besitzlust, sondern ein mitteilsam, frommes Entzücken, das nichts anderes ist als verwandelte Liebe. Kraft der Schönheit ist alles Irdische in Liebe wandelbar und Kraft der Liebe ist alles wandelbar in Schönheit. Diese Erkenntnis der Gnosis, in den Albigensern aufgelebt, mit ihnen scheinbar gemordet, lebt im Glauben der Renaissance wieder auf und bildet, was ihr zu höchst zu bilden vergönnt war. Ein letzter Nachzügler der Albigenser, Giordano Bruno, besiegelt diesen Glauben, als er zur Neige geht, mit seinem Feuertod. Was in der Kirche materialistisch geworden, sträubt sich gegen seine Mystik, die jedoch längst edelste Gemüter vollkommen durchdrungen und sich in jeder ihrer Lebensäußerungen offenbarte.

Eine Reihe bedeutender Prälaten setzte sich dafür ein. Sie begegnen jedoch einem dumpfen Widerstand bei der stumpfsinnigen Menge. Ihr Hauptfeind ist der ungebildete Mönch, der ähnlich dem neuzeitlichen Kommunisten und Bohémien Reinlichkeit und Arbeit scheut, von dem Aberglauben der Menge gut zu leben weiß, indem er billig naive Paradiese verspricht.

Ablaßkrämerei stirbt nie aus, sie nimmt nur verschiedene Formen an, und die Krämer, die so unverfroren sind, irdische und himmlische Seligkeiten feil zu halten, finden immer Zulauf, unsaubere Bettelgelehrte wie Bettelmönche.

Vereinsamt bleiben jene, die bescheiden den Menschen aufmerksam machen, daß es auf ihn ankommt, daß

269

ihn keine Formel selig machen kann, daß kein Sternen-
einfluß und kein irdisches Regiment seine Fehler be-
schönigt und entschuldigt, daß seine eigene Tüchtigkeit
die Arme des Himmels herbeiruft, und jede Arbeit
an sich selbst Arbeit für das Ganze darstellt.
Diese Philosophie, die praktisch und ideal zugleich an
des Lebens Gestaltung ging, und die Erinnerung an
Urbinos erhabene Kunst der Geselligkeit erhielten sich
nicht nur in den heute vergilbten Blättern des großen
Renaissancebuchs vom *Cortegiano*. Sie lebten fort,
wenn auch unerkannt, in den Seiten des anmutigsten
und tiefsten Bilderbuchs der Welt, in dem weisheits-
vollen Gemäldezyklus, den Raffael, von den Montefeltre aus Urbino an den verwandten Papst empfohlen,
offenbar unter dem Einfluß der bei Elisabetta ge-
nossenen Gastfreundschaft in der *stanza della Segnatura* schuf.
Die Macht und Klarheit, die Größe und Feinheit, die
gedanklich so scharfe Durchbildung, die der jugendliche Meister hier zeigte, hat oft Wunder genommen
und man bemühte sich kleinlich nach dem Rezept oder
philosophischen Leitfaden zu fahnden, der ihm so
Gewaltiges ermöglichte. Wer in den Cortegiano blickt,
ist rasch belehrt. Raffael hatte Urbinos Geselligkeit
genossen — (er wird von Castiglione liebevoll genannt
als Freund des Hauses, jedoch nicht redend eingeführt,
da er im Jahre 1504 in Rom war); er wechselte mit
Castiglione vertraute Briefe und gewiß manches vertraute Wort bei Gelegenheit der Sitzungen zu dessen
berühmtem Porträt, vielleicht dem schönsten Bildnis
des Meisters.

270

In einem erhaltenen Brief an Castiglione bekennt sich Raffael als erleuchteter Platoniker, indem er dem Freunde anvertraut, daß keine irdische Schönheit seinem Vorwurf genüge trotz schönster Modelle, ihm diene am besten eine *gewisse Idee, una certa idea.* Die geringwertige Anekdote der *Fornarina* hat uns Raffaels Bild vergröbert und das Wichtigste seines Wesens unkenntlich gemacht — ungerechterweise, denn hatten nicht auch Petrarca und andere Platoniker Gelegenheits-liebeleien?

Hauptsächlich an Raffaels Lebensgeschichte ist, daß er als typischer Idealschüler des Hofes von Urbino angesehen werden kann. Das herzgewinnende Lächeln der freundlichen Philosophie, die dort gelehrt wurde, strahlt aus seinem Wesen, gibt die unnachahmliche Grazie des Gemüts, die ihm erlaubt trotz seiner Jugend in weitem Schülerkreis erfolgreich zu herrschen. An 50 junge Maler umgeben den Meister dienstfertig mit Bienenemsigkeit in allen Techniken und stets bereit zu fröhlicher Geselligkeit.

In erstaunlicher Eintracht leben sie, denn Raffael weiß den so leicht in Neid entbrennenden Künstler-ehrgeiz davor zu bewahren, daß er fressende Flamme wird, er macht nützliches Leuchten edlen Wetteifers daraus mit dem Zauber seines weltmännischen Wesens, dessen Vollendung nicht äußerlich ist, son-dern von tiefsten Quellen mystischer Erkenntnis gespeist.

Hören wir Vasari davon erzählen, so sind wir an Elisabettas Vorbild und weise Spielregel des Lebens erinnert: *Egli va dotato di somma civiltà e per questo* *era nel parlare e nel operare, nelle civile conversazione onestissimo**).

Vasari warf den zeitgenössischen Künstlern vor, sie seien öfters *astratti e fantastici* gewesen oder hätten ein *che de pazzia e di selvatichezza* zur Schau getragen. Was zur Gesellschaft Raffaels gehörte, eignete sich vornehme Art an, *stavano uniti e di concordia tale che tutti i mal umori nel veder lui s'ammorzavano ed ogni vile e basso pensiero cadeva loro di mente***).

Nur ein also selig harmonischer und Harmonie um sich verbreitender Jünger des Schönheitskultus konnte die Harmonie schaffen, die seine Schule von Athen, seine Disputa, sein Parnaß und den Mythos der Himmelsgestalten darüber in Eins faßt und fügt.

Welch ein Niederschlag von Urbinos Gesprächen!

In den andern *stanze* ist Raffael ein glänzender Hofmaler, der Bestellungen ausführte zur Zufriedenheit eines besonderen Gönners. In der *stanza della segnatura* feiert er Jugendglück und Jugendglauben, er malt für das Gönnertum der Besten zeitgenössischer Menschheit, er gibt ihr Bestes und sein Bestes und das Beste an Erkenntnis, das die Tempelweihe des Humanismus schenken konnte.

Er schildert ideal, was er im Kreis Elisabettas und vielleicht noch in verwandten schöngeistigen Kreisen

---

*) Er war begabt mit äußerstem Anstand und darum hervorragend in vornehmer Art, im Gespräch wie am Werk, in allen schöngeistigen Unterhaltungen.
**) Sie waren in Eintracht solcher Art verbunden, daß jede böse Laune schwand, wenn sie Raffaels ansichtig wurden und jeder niedrige oder gemeine Gedanke entfiel sofort dem Gemüt.

erfahren, die Gabe geistig und seelisch beglückenden Zusammenseins, bei dem über die höchsten Dinge ehrfürchtig und mit Gelassenheit gesprochen wird, in rhythmisch vollendetem Ton, der sich steigert bis zum Violengesang Apollons auf dem Parnaß und bis zu den Engelstönen, welche die Disputa überwölben. Denn diese Disputa ist nicht etwa ein heftiges und böses Disputieren, wie es die Konzile boten, sondern eine von verschiedenen Stimmen und Temperamenten getragene, immer glückseliger bejahende Erkenntnis. Eine Liebesweisheit, deren Gnade die stolze und begeisterte Erkenntnis noch überhöht und vollendet, die, ihr gegenübergestellt, von der in wichtiger Unterhaltung begriffenen Schule von Athen angebahnt wird und die des Parnaß dichterische Begeisterung, auf Augenblicke den Schleier zerreißend, ahnen läßt. In diesem wichtigsten Saal, von dem aus die päpstlichen *breve* unterzeichnet in die Welt gehen, malt Raffael die zur Läuterung der Kirche notwendige Vermählung antiker und christlicher Weisheit, dem Papst zu Angesicht.

Sie war oft unglücklich versucht worden, hier erscheint sie möglich, glaubwürdig, freundlich, selbstverständlich, weil von innen heraus geglückt, wie sich Raffael entsann, im geselligen Kreis erlesener Platoniker gehört und gefühlt zu haben. Nicht nach ausgeklügelter Vorschrift konnte diese beglückende Philosophie in lebendig holden Gestalten verkörpert erscheinen — Erleben der vornehmsten Geselligkeit des eigenen Jahrhunderts und vieler Jahrhunderte ermöglichte allein dies Werk majestätisch heiterer Menschenvollendung, die offenbar bestimmt ist, zur Göttlichkeit zu reifen durch ein Gesetz von Schönheit und Liebe.

Vielleicht hat eine Diotima das letzte belehrende Wort gesprochen, denn auf der Zeichnung zur Disputa finden sich die drei Sonette Raffaels, die geheimnisvoll an eine geheimnisvolle, vornehme, an eine grenzenlos und selig verehrte hohe Frau gerichtet sind — nicht etwa an eine Fornarina, sondern an eine Herrin, die wohl von himmlischer Liebe zu unterrichten wußte.

Als Raffael die Schule von Athen zu malen anhebt, gibt es inmitten von Roms Bauten ähnlich gedankenreich Wandelnde, Lauschende und Vortragende, eine internationale Gelehrtengeselligkeit, für welche freies Mitteilen des Wissens höchste Freude bildet.

Erasmus genoß und pries die kosmopolitischen Freundschaften, *die schönen Spaziergänge unter den Ruinen, die Bibliotheken, die Gelehrten, diese Leuchten der Gesellschaft, dieses Zentrum, wo Wissen Ruhm bringt.*

Und er war doch verwöhnt, denn er kam soeben aus Venedig, wo er viel bei Aldus Manutius verkehrte, in desen *bodega* die feinsten Köpfe der Universität von Padua mit ausländischen Gelehrten Stelldichein hatten, die vornehmsten Gönner und Gönnerinnen der neuen Buchkunst mit dem Gründer der Verlegerdynastie der Aldi die kostbare *editio princeps* (Erstausgabe) dieses oder jenes Werks besprachen, denn der Bibliophile — allen voran Isabella d'Este — wendete sich dem gedruckten Buch zu, seit es durch Aldos Sorgfalt und Kunst Vollkommenheit gewann. In Rom empfing Kardinal Grimani, Besitzer einer Bibliothek von über 8000 Bänden, die er großmütig geöffnet hielt, Erasmus mit so großer Auszeichnung, daß er ihn nicht nur nötigte in seiner Gegenwart zu sitzen, sondern bat den Hut aufzubehalten. Da nach damaliger spanischer Mode mit dem Hut eine große Zeremonie verbunden war (mancher vornehme Spanier ließ sich bei Tafel von einem Diener den Hut über dem Haupt halten und dann wieder aufsetzen), galt dies für eine so außerordentliche Ehrung, daß Erasmus sich ausführlich voller Genugtuung der schmeichelhaften Aufnahme rühmt.

Er schloß sich an den Kreis gebildeter Prälaten, unter denen Giovanni Medici, der künftige Papst Leo X. hervorragte, Oliviere Caraffa Galeotto della Rovere, Egidius Canisius, der Diplomat Alberto Pio da Carpi, mit dem ihn später der religiöse Kampf entzweite, Sigismondo Conti und Inghirami. Mit diesen Männern erfreute sich Erasmus der bescheiden anmutigen Gastfreundschaft des Luxemburgers Goritz (Coricio), dessen ländlicher Besitz am kapitolinischen Hügel, *bosco di Coricio* genannt, einen freundlichen Hain bot.

Der Brunnen in dessen Mitte trug die Worte *bibe lave tace*, womit gemeint war, alles Böse, Giftige müsse schweigen, die Gäste sind zu der Seligkeit friedlichen, wenn auch geistig bewegten Gesprächs geladen. Goritz und Erasmus waren die feinsten Weltleute unter den Nordländern in Rom und ihre Weltläufigkeit wußte die Weltläufigkeit zu schätzen, ersterer als milde, humorvoll bekannt, letzterer Voltaire ähnlich, voll hochherzigen Spottes gegen alle gefährlichen Narreteien und sein Stil durch die Übung des Gesprächs mit den gesprächkundigsten Männern Europas scharf und

sicher. Erasmus kannte den Wert stilvoller Konversation, von dem sich Nordländer schwer einen Begriff
machen, da im rauhen Norden die Sprache niemals
mit solcher Andacht gepflegt ist, er kannte den
hohen ästhetischen Genuß kunstvoller Sprachübung,
der im Cinquecento entdeckt und fast schwelgerisch
geübt wurde in den italienischen Bildungszentren.
Die reine Latinität, der man zustrebte und an der
sich die *lingua volgare* schließlich emporrankte, wie
die Weinrebe an der Ulme in italienischer Landschaft,
war für das feiner empfindende Ohr ein Genuß,
vielleicht mehr noch als für Auge und Geist, die
sich an den Ausgaben klassischer und neuer lateinischer Werke erfreuten, wie der Anblick herrlich
gekleideter Männer und Frauen, die sich in geschmückten Sälen und Gärten plaudernd ergingen oder
in buntem Kreis sich versammelten, wie es Castiglione
wohlgefällig beschreibt.
Indes für nordische Sprache die Periode meist zu einem
Satzungeheuer anschwillt, das für den Zuhörer beängstigend und atemraubend für den Redner wirkt,
ist die Periode des eleganten Lateiners ebenso wie
in der toskanischen Umgangssprache harmonisch und
beruhigend gleich einem sicher geführten Satz schöner
alter Musik. Heute da sich zur allgemeinen Verwilderung Sprachverwilderung gesellt, da Mißverständnis für alle einstigen Bildungswerte Platz greift
und die humanistischen Errungenschaften verachtet sind,
ist es für den gerecht Betrachtenden ergreifend, sich
in eine Welt zurückzuversetzen, die im Humanismus
die Bildung von Mensch und Menschlichkeit suchte
276

und oft auch fand. Man bediente sich damals für die Geselligkeit der erlesenen Kreise einer Schmucksprache, wie man Schmuck und Schmuckgewand für gesellige Stunden anlegte. Der Schmuck stilstrengen Anstands suchte die Gewöhnlichkeit von Geplapper und Gekreisch durchaus zu verbannen.

Totgeritten wurden später die Sprachen, die man heute *tote Sprachen* nennt durch den Unverstand von Generationen nüchterner Schulpedanten. Einst trat aber die lateinische Sprache den Entdeckern blühend und lebendig entgegen und als mit ihr verschlungen die ältere, noch schönere Schwester, die griechische erschien, kannte die Begeisterung keine Grenzen, es war ein ästhetischer Seligkeitszustand, wie ihn die Welt vorher und seitdem nie erlebt. Die Möglichkeit zu dieser idealen Verzückung zu gelangen, gab der Renaissance den eigentlichen geheimen Reichtum, wertvoller als das Gold und die Spezereien, die Seefahrer fanden und verfrachteten.

Solch seliges Entzücktsein zu erleben, brachte eine mystische Tempelweihe, auf die alle Eingeweihten stolz waren. Dies Bekränzen von hellen oder schon silbernen Schläfen, dies Ankleiden festlicher weißer, wallender Gewänder, dies ehrfürchtige Eintreten der Neophyten in die endlosen Säulenhallen antiker Weisheit, diese andächtig zitternden Schritte die Tempelstufen empor, dies Empfinden des nahen, des gegenwärtigen, des ewig freundlichen Gottes — welche Süßigkeit der Andacht, welches triumphierende Flügelschlagen befreiter, stolzer Seelen! So einzig und groß war das Erlebnis des Eingeweihten.

Das geheimnisvoll Glückselige, das aus so vielen Gemälden der Renaissance spricht wie aus den Dingen, die sie bildete, und von den ruhigen Himmeln ihrer Kuppeln verkündet wird, rührt von solchen Entzückungen her. Ihre Schriftzeichen, einst so vielen vertraut, sind uns Fernen rätselhaft geworden, wir sind wie Schiffbrüchige, die ihre alte Heimat und was deren Bildung bedeutete vergessen haben und vielleicht nur im Traum und in der Todesstunde uns der einstigen Schätze erinnern.

Um diese Zeit scheint die italienische Sprache das bedeutungsvolle Wort *affetto* für alles irdisch Geliebte und Liebenswerte geprägt zu haben, es umfaßt in edelster Bedeutung das Gebiet des irdischen Eros.

Nicht lange sollte es währen und Asketen verachten und verurteilen bei Katholiken wie bei deren Widersachern alles, was sinnliches Wohlgefallen auslöst, reißen die Blumen aus dem Garten des Lebens wie Giftkraut, verstümmeln den heitern Mutwillen des Gezweiges seiner schattenspendenden Bäume, daß die Welt voll gequälter Stümpfe starrt. Es gelingt Fanatikern und Pedanten Schleier auf Schleier des Mißverstehens und Mißwollens vor jene Weltanschauung zu ziehen, die den großen Augenblick der Hochrenaissance begnadete und ihre Bilder mit nüchternem Kalk zu übertünchen, so daß es Spätgeborenen fast unmöglich wurde, sich den Traum jener Schöpfungstage der Kunst vorzustellen.

Gottes Schöpferdrang nachzudrängen schien damals den Besten die willkommenste Huldigung, die man ihm zu bringen vermochte. Alle schönen Dinge wurden

278

geliebt als göttliche Geschenke. Freude an menschlichen Fertigkeiten scheint nicht nur gestattet, sie ist heilig, mag es sich handeln um köstliche Steine, die man glatt und funkelnd schleifen kann, ihren Schmelz fein gegeneinander abwägend, um erlesene Hölzer, die kunstvoll eingelegt werden nach ihrer Art, um Seide, die zahllose Sticker und Stickerinnen noch prächtiger machen mit erhabenen Mustern, um kühn gehämmertes Eisen, um spinnwebgleich gearbeitete Spitzen, um Geräte aus Kupfer, Silber und Gold, wie Agostino Chigi sie sammelte, vertrauend auf Raffaels Künstlerblick, oder um edle Bauten wie Chigis Villa suburbana, die Farnesina, eine Schöpfung, die mit so natürlich überquellender Freude aus dem Boden steigt, als wäre sie geboren, nicht gebaut *non murato, ma nato.*

Hier empfing der größte Kaufherr der Christenheit *maximus mercator christianus,* wie ihn seine orientalischen Geschäftsfreunde nannten, Roms glänzendste Gesellschaft. Eines der schönsten Feste wurde in der Farnesina gefeiert zu Ehren der Gäste aus Urbino, als Elisabetta mit ihrer jungvermählten Nichte Eleonore — Isabellas Tochter — in Rom erschien und die Geselligkeit beherrschte. Begleitet war sie von Gonzagas natürlicher Tochter Margherita, die so artig zu tanzen verstand. Um ihre Hand bewirbt sich Chigi. Vielleicht ruft der Gastgeber, nachdem man Peruzzis Sternenmärchen bewundert, geheimnisvolle Symbole des Tierkreises, um die Bogen der Loggien angebracht, die erlauben, Roms prachtvollen Sternenhimmel zu schauen, Fackelträger herbei, Raffaels

Galatea zu beleuchten, an der soeben der Meister den letzten Pinselstrich getan, und es verbeugt sich der Urbinate stolz zufrieden vor Elisabetta, der Gönnerin seiner Jugend. Man plaudert über das Märchen der Psyche, das in Arbeit steht, und in die heitere Stimmung schlingt sich wie einst am Hof der Montefeltre die Poesie platonischer Betrachtung. Kräftig einbegriffen und eingereiht ist alles in Schönheitsdienst, und der Menschheit Stolz vollendet sich in ihm gleich eines Minnenden Stolz in der edlen Demut seines Dienens.

Man blickt verliebt auf den strahlenden Rubin am Finger, den *oro brunato* noch wirkungsvoller macht, man lauscht auch verliebt, voll *affetto* auf schönen Tonfall der Sprache, denn die Sprache ist ebenso ein Geschenk Gottes und der Kunst, ein Kleinod, das funkelnd zu schleifen, kostbar zu fassen und stolz zur Schau zu stellen des Vornehmen würdig ist.

So lautet das Bekenntnis der italienischen Hochrenaissance, deren Festlichkeit Raffael unvergängliche Kränze wand.

Der Meister aus Urbino war die liebenswürdigste der geselligen Naturen, die aus irgend einer Zeit bekannt geworden, und wußte das Feinste und Kostbarste aus der Geselligkeit sich und seiner Kunst gänzlich zu eigen zu machen, die Weitherzigkeit, das liebenswürdige Allumfassen der großen Dinge aller Zeiten, die begeisterte Andacht vor den erhabenen Freunden, die der Menschheit Freunde waren.

Die Schulen mögen pedantisch und kleinlich Platon gegen Aristoteles, Aristoteles gegen Platon ausspielen, rückständige Mönche und Fanatiker beide verketzern — ein Raffael stellt sie in gleicher Höhe unter die Wölbung desselben Tempels wie vornehme Freunde in belebtem Gespräch und ihnen gegenüber die mächtigen Bekenner alles Heiligen und Schönen des christlichen Glaubens.

Welche Höhe der Weltanschauung mit Pinsel und Farbe einen solchen ewigen Frieden zu stiften! Und — welch grauenvoller Abstand, wenig später in einem vielverbreiteten Holzschnitt — Cristus vera Lux genannt — drückt ein könnender, aber fern von Urbino stehender Künstler, der keine so edle beglückende Geselligkeit gekannt und von fanatischer Umgebung sich beeinflussen ließ, seine Weltanschauung aus.

Holbein stürzt Aristoteles und Platon in höllischen Abgrund und sucht Aristoteles besonders hassenswert zu machen, indem er ihm den verhaßten Türkenturban aufsetzt.

Der Gegensatz zwischen diesen Darstellungen zweier großer Künstler, so verschieden geraten, weil dort verbissene Einseitigkeit des Denkens, hier ein durch feine Geselligkeit flügelbegabtes Allverstehen und Allieben bestand, tut dem ernst Betrachtenden bitter weh. Ist es nicht, als wäre der Kampf, der bald zwischen Süd und Nord tragisch entbrannte, vor allem ein okkulter Kampf zwischen nördlichen und südlichen Göttern, die da wie dort eigentlich nie vergessen waren, tief im Volksbewußtsein blieben und dessen Psyche bildeten trotz allem, was über die Lande getobt? Im Süden die Götter luftiger Tempel und Säulenhallen, sonniger Stätten und

Gärten — mit holden, zuweilen unartigen, stets kunst-
reichen Spielen, lange heimlich geliebt und nun —
nicht etwa plötzlich, sondern unaufhaltsam allmählich
zu seltsamer brüderlicher Eintracht mit den Gestalten
christlicher Symbolik gelangt. Es ist nicht wahr, daß
die Renaissance-Italiener durchaus Heiden geworden
— vielmehr die Erlesenen unter ihnen hatten einstige
heidnische Frömmigkeit der christlichen zugesellt und
was mit plumpem Aberglauben die schönen Götter
verurteilte, wegzuräumen gesucht.

Dem Gebildeten galten die alten Götter als lebend, wenn
auch nur als Wesenheiten, als *virtù*, Kräfte, die unsere
Welt regieren und die der Christengott dazu braucht,
gleich den ihnen verwandten und ähnlichen Heiligen —
freundliche Mittler zwischen Schöpfer und Geschöpf.

Im Norden welch andere Begriffswelt! Dort lebt im
Unterbewußtsein das wilde Heer einer höchst *gegen-
sätzlichen* Mythologie — geographisch und historisch
bedingt — nicht die Götter sonniger Tempel und Gärten,
sondern die Götter aus Schluchten und Nebelbergen,
zu denen dumpfes Schlachtgetöse gehört und deren
höchstes Glück Taumel der Trunkenheit, Erzählung von
Jagd und Abenteuer, niemals ein geistig belebtes Symposion war.

Nicht als Kräfte, die himmlisch wirken können, nicht
als *virtù* im Sinn der Humanisten gelten die Heidengötter im Norden, sie sind böse Geister, sind *Teufel*,
denen man, wenn man mutig ist, das Tintenfaß an den
Kopf wirft. Auch im Norden haben die alten Götter
nie zu leben aufgehört, doch Furcht, nicht Liebe hat
sie lebendig erhalten.

Das mystische Wesen des Weibes, das im Süden zum Minnedienst, zum Marienkult und, mit diesem Ideenkreis verbunden, zur Herrschaft der Dame in gesitteter Geselligkeit geführt hat, war im Norden von Grauen umgeben. Man witterte die Teufelin. Ein Frisio blieb auch in Urbinos Kreis dabei, das Weib gehöre in die Küche und an den Spinnrocken, und die Marienverehrung, die eng mit der platonischen Idee verschmolz, wurde im Norden angezweifelt und dann verpönt. Es hängt dies nicht so sehr mit religiösen als mit allgemeinen kulturellen Gründen zusammen.

Indes hatte Raffael gerade noch Zeit gehabt, die kindliche Marienverehrung mit dem Gehalt der platonischen Philosophie tief und bedeutungsvoll zu durchdringen. Seinen zärtlich gestifteten Frieden zwischen Göttern und Menschen, der ruhig thronenden Vornehmheit seines Traums setzten die Fanatiker einer und der anderen Weltanschauung einen wilden Zentaurenkampf entgegen, bei dem das Tierische immer mehr überhand nahm, die Stirnen kleiner und niedriger, die Augen versunken und irrlichternd wurden, die Hände gemein und dem verbissenen Mund konnte unmöglich das Weisheitswort und zarte Geplauder entweichen, das Raffael, der Schüler Urbinos, unvergeßlich im Herzen bewahrt und in seine Kunst aufgenommen hat.

Eingeweiht in die erhabene Geheimlehre Platons und Plotins, zeigte er sich in der himmelan wachsenden, mystisch immer mächtiger singenden Kunst, die das letzte Wort der Hochrenaissance verkündet, das, was ihre zu höchst Gediehenen endgültig zu sagen hatten. Darum steigt die Auffassung seiner Madonnen und vertieft sich in dem Maß, wie er als Eingeweihter von einem inneren Gemach zum Innersten des mystischen Tempels dringt.

Seine Madonna tritt als kindliche Jungfrau hervor, wird mächtig und mächtiger, endlich zeit- und weltumfassend. Zuerst die reine Magd, dann die ahnend mütterliche Maria, endlich und letztens in der sixtinischen Madonna als Ausdruck der vollerfaßten gnostischen Symbolik die Himmelsherrscherin Maria, die Allweisheit ist, Sophia, das ewig Weibliche, das uns hinanzieht nach Plotins Lehre, die ewige Mutter des erlösenden *logos* für fromme Heiden wie für fromme Christen.

DRITTER TEIL
GEGENSÄTZE

DREIZEHNTER ABSCHNITT

Unico Aretino — Tag und Stunde — Aus dem Stegreif — Das neckische Versgefecht — Vorträge — Improvisierte Politik — Der Hang zum Ulk — Im Spiel der Welt — Spaßmacher — Die schamroten Apostel — Künstlergesellschaften — Makaronische Verse — Der travestierte Roland — Die Musen auf dem Käseberg — Der Mut des Lachens — Aretinos Tod — Pasquino — Der lachende Faun — *Poor Yorick* — Narrentracht — Der kurzweilige Rat — Verulkte Stammbäume — Der Mönch im Wasser — Des Narren Leichenrede.

Nach Raffael war der interessanteste Künstlergast am Hofe von Urbino der Dichter Bernardo Accolti, genannt Unico Aretino nach seinem Geburtsort Arezzo, so hochgepriesen in eigenen Tagen wie der große Maler, aber seitdem vergessen. Er war ein besonderer Liebling der Damen und Isabella d'Este schrieb ihm mit überschwenglicher Anerkennung: *Wir dachten in unserem Gemüt die höchste Meinung aufgefaßt zu haben, die möglich — — wegen des unübertrefflichen Lobes, das im Gespräch mit mir die Herzogin von Urbino und Madonna Emilia Pia laut werden ließ, so wie beim Lesen Ihrer unvergleichlichen Verse*).* Nach ihrer Meinung *könnte Vergil allein den Dichter gebührend preisen.* Bernardo war der größte Improvisator der Hochrenaissance, wie Lionardo als Jüngling jener der Frührenaissance. Ihre Dichtungen, die so hell und kühn und keck vom Stegreif flossen, sind

---

*) *Credevano haver concepita ne la mente nostra quela magiore opinione — che se potesse — per la innumerevole laude, quale assiduamente gli hanno dato con mi ragionando la Illma duchessa di Urbino e Madonna Emilia Pia e la lectione de le sue incomparabile rima — —*

verklungen mit den wundervollen Stimmen, mit dem Lautegreifen, dessen die Sänger kundig waren. Sie spendeten verschwenderisch für Tag und Stunde. — Tag und Stunde waren begeistert dankbar.

Heute künden nur vereinzelte Aufzeichnungen den einst so deutlichen, so bekannten Ruhm. Bernardos Kunst war volkstümlich, wie in Gesellschaft geliebt und gepriesen, jede Stadt, in der sich der Improvisator aufhielt, war stolz auf ihn, der kleine Mann wie der Hofmann wollte ihn hören, und gütig schenkte er allen von seinen Schätzen, verschmähte nicht, trotz Amt und Würde, für das Volk im Freien zu improvisieren, wie er in den schönen Sälen der Montefeltre in Urbino vor erlauchter Versammlung tat. Es wird berichtet, daß die Leute Geschäft und Hantierung verließen, um dem Sänger nachzudrängen. Trug er im päpstlichen Palast vor, war Leo X. so liebenswürdig, die Tore weit öffnen zu lassen, um der begeisterten Menge für den künstlerischen Genuß Einlaß zu gewähren. Wie Seifenblasen verschwanden die aufgeworfenen, schillernden Perlen der glücklichen Einfälle — allein sie machten den Improvisator zum Helden des Tages.

Improvisation ist bezeichnend für das kühn genußfreudige reiche Jahrhundert, nicht nur auf dem Gebiet von Dichtung und Gesang — die Freude am Stegreif erstreckt sich auf alle Gebiete des Daseins in jeder Kunst, in jedem Beginnen.

Die große Beweglichkeit, die während der Renaissance in allem herrschte, führte dazu. Man schüttelte manche ehrwürdige Steifheit und Gewissenhaftigkeit ab, wie sich der Schmetterling befreit vom Kunstgespinst des

288

Puppenzustands, und verachtete diesen Puppenzustand, als wäre er nur Tod und Gefängnis gewesen — etwas undankbar, denn sein bewundernswertes Gespinst hat ja doch das Wachstum der bunten Flügel ermöglicht, mit denen man jetzt stolz und leichten Mutes spazieren fliegt.

Etwas Genie, ja etwas Talent genügt nun in vielen Fällen, um das Leben zu improvisieren von Einzelfall zu Einzelfall, um es von überraschender Wendung zu überraschender Wendung zu führen. Wie romanzenhaft abenteuerlich ist manches Dasein, welches Schaukeln und Gaukeln, welch reißender Aufstieg und wie manch jäher Sturz, ein schwindelnd schnelles Emporschnellen, Herabsausen, wieder Emporschnellen mancher Lebensbahn. Dazu gehört eine ungeheure Schlagfertigkeit des Geistes und Witzes, auch eine heitere Rücksichtslosigkeit in den Mitteln, die Fähigkeit, rasch Kostüme und Maske zu wechseln.

Improvisiert wird der eine zum Staatsmann, zum Feldherrn, zum hohen geistlichen Würdenträger, zum Kanonengießer, Maler, Hofmann, Hofnarren, wie es Gelegenheit heischt. Man muß auf alle Gelegenheiten gefaßt sein und Fortuna hat sich nie so beim Schopfe packen lassen wie in diesen abwechslungsvollen Tagen. Bald gilt es Dienst zu nehmen in den unglaublichsten Lagen, zu Furcht oder Liebe zu zwingen, zungengewandt, pinsel- oder meißelmächtig oder waffentüchtig oder nur Held spaßiger Laune zu sein.

Großes Können wird belohnt, aber auch mäßiges Können, wenn die Gunst des Augenblicks rasch gefaßt wird. Ein Sonett, ein Spottvers, die Erfindung einer Pastete —

du bist ein gemachter Mann und kannst nun deinerseits bunt und wahllos Gnaden erteilen.

Auch die Geselligkeit steht im Zeichen der Improvisation, sie ist Schule und Übung derselben. Jedes gegebene Thema muß geistvoll behandelt werden, je nach Stimmung der Dame oder des gebildeten Prälaten, der den Kreis beherrscht. Jeder muß dekorative, musikalische, literarische oder künstlerische Einfälle den geplanten Festen schnell und geschickt zur Verfügung stellen, aus dem Stegreif dichten, malen, philosophieren und politisieren können, sofern er zur guten Gesellschaft gehören will.

Nicht umsonst ist das Füllhorn ein bezeichnendes Ornament für das Cinquecento. Allüberall tut sich ein Füllhorn an Schätzen auf und es gehört sich, bald anmutig bald großartig zu verschwenden.

Anfangs belebt, bereichert, beflügelt die genial verschwenderische Improvisation unendlich, doch als die Renaissance ebbt, geht auch das Füllhorn zur Neige, Improvisation wird schließlich zur seichten Modespielerei.

Man beherrscht das elegante Latein und bald auch das elegante Toskanisch so sehr, daß man diese Herrschaft gern zeigen mag. So gehört das Improvisieren lateinischer wie italienischer Verse zu den Genüssen geselliger Unterhaltung und namentlich während der Regierung Leos X. herrscht eine wahre Leidenschaft dafür.

Leo X. ist selbst ein schlagfertiger Improvisator in lateinischen Versen und zuweilen zeichnet irgend ein Tischgenosse gelungene, scherzhafte Entgegnungen auf,

die der Tafelrunde fröhlicher Prälaten besonders Spaß
gemacht, zum Beispiel, ein neckisches Versgefecht zwischen dem trinkfesten Querno, der ob seiner unge-
beuren Leichtigkeit im Versemachen berühmt war, und
dem Papst. Querno, mit dem Spitznamen *Archipoet*
genannt, beginnt mit erhobenem Becher:

Archipoeta facit versus pro mille poëtis.

Leo erwidert: *Et pro mille aliis archipoëta bibit.*

Darauf Querno: *Porrige quod faciat mihi carmina*
docta, Falernum.

und Leo schließt: *Hoc etiam enervat, debilitatque pedes.*

Es macht der Archipoët für tausend Dichter Gedichte.
— Und für tausend andere trinkt der Archipoët.
Stelle doch fest, was an Liedern mir gab der Falerner.
— Gibt er doch auch dir die Gicht und macht die Füße dir schwer.

Solch leichtes Hinwerfen und Sichwiegen auf anmutigem
Rhythmus war beliebt und begehrt, jede Tafelfreude
wurde durch glänzende Einfälle gehoben. Jedes Fest,
jeder Einzug, jeder Empfang rief Künstler herbei, ihr
Können blendend auszuschütten den Gefeierten zu
Füßen. Bei Leos Einzug in Florenz und bei seinem
Processo, der feierlichen Ankunft in Rom, wurden die
kühnsten Malereien in täuschender Manier ausgeführt,
um unvollendete Fassaden zu bekleiden, Häuser und
Triumphbogen prächtig auszugestalten. Antike Statuen
mußten herbei wie die schönsten der Mädchen und
Kinder, Blumengewinde, Fruchtschnüre, kostbare Ketten
und Tücher verbanden vielverschlungen, rahmten und
lösten die Gruppen.
Erinnerung an die Fülle der Erscheinung hält manches
leicht spielerische und doch unendlich kunstvolle Or-

nament fest, wie Raffaels Phantasien in den Loggien. Bald wird nicht mehr geduldig ersonnen und ausgeführt, sondern das meiste muß kühn, leicht und keck hingeworfen werden, wie man sich spielend im Reigen Blumen und Schleierzipfel wirft und sofort neue Figuren daran knüpft. Der einst steife und fest bestimmte Tanz löst sich auf in Improvisation, der gotisch strenge Stil in der Musik wird verschmäht, Laute und Viola gehorchen der Eingebung.

Zuweilen diente die Improvisation dem Popularisieren herrschender, philosophischer Ideen, wie eine merkwürdige Stelle aus dem Diario von Marin Sanudo beweist (1518): *In diesen Tagen bestieg auf dem freien Platz, wo öffentlich vorgetragen wird, ein junger Florentiner, genannt Altissimo (der Zuhöchststehende) die Rednerbühne und zog viele Zuhörer an, darunter mich, Marin Sanudo. Jener Florentiner trug aus dem Stegreif vor, einer spielte Laute dazu, er aber deklamierte. Er begann damit, das Lob dieser Stadt sagen zu wollen, allein dann setzte er hinzu, er sei von der Scuola aus gebeten worden, einen Vortrag über das Wesen der Seele zu halten*).*

Gewiß eine für die Renaissance bezeichnende Art der Unterhaltung, dieses melodramatische Verkünden von

---

*) Diario di Sanudo. 10. Maggio 1518. In questo giorno in terra nuove, dove si lege publice, uno Fiorentino poëta, chiamato lo Altissimo, monto in cariega, facendo radunar gran numero, di auditori, tra i quali io, Marin Sanudo. Il qual Fiorentino recitò all improviso, uno sona la lira, e lui recitava. Commenzio prima voler dire in laude di questa terra poi entro con dire li era stata una poliza su la Scuola, dovesse dire di Anima.

Platons Lehre unter freiem Himmel und eine Art, die den Griechen des Altertums gefallen hätte.

Manchmal hob die Improvisation die ausgelassene Freude des Gastmahls und in diesem Fall ließ sich der Sänger ungebunden hinreißen von dithyrambischem Feuer. So erzählt Romanin *), daß bei Gelegenheit der Vermählung des Francesco Foscari in Venedig mit einer Tochter des Giovanni Venier nach vollendetem Tanzvergnügen der anwesende Bischof die Gesellschaft fragte, ob man seinen Schützling Galeazzo da Valle, einen Vicentiner, anhören wolle, einen Sänger, der große und weltumfassende Dinge sage, wenn ihn die poetische Leidenschaft entzünde (un gran cantore, che dice cose grande e pellegrine quando egli è in lui il poetico furore).

Doch auf allen Gebieten wurde die kecke Laune wie die Begeisterung des Improvisierenden freudig begrüßt. Jede Tafel bot die unglaublichsten Überraschungen, denn die Künstler verschmähten nicht, aus dem vergänglichsten Material erlesene Dinge zu formen und zur Schau zu stellen. Je plötzlicher der Einfall, je unwiederbringlicher, was er an Schönheit, Seltsamkeit oder Neuheit brachte, desto lauter beklatschte man den Improvisator. Was uns heute in den verknäuelten Berichten der Chroniken als Wankelmut oder Verrat oder Zickzack unbegreiflicher Art erscheint, war dem Zug der Zeit folgend plötzliche Eingebung, Improvisation, ein möglichst überraschender Zug im Spiel der Welt.

*) Storia documentata di Venezia (aus den Diarien des Priuli [1510] Bibl. Marciana). Auch Bandello erwähnt diesen Improvisator in der Vorrede zur 56. Novelle.

Was dabei Grausames geschieht, gehört eben zum Spiel. Stürzen nicht auch bei festlicher Gelegenheit schnell erbaute Gerüste ein, oder werden Neugierige im Gedränge erdrückt oder unterliegen bei glänzenden Rennen einige Reiter dem Tode? Jeder genieße das improvisierte Spiel, solang er kann, solang er glückliche Einfälle hat, in der Politik, in der Kunst, im Leben; nur kein Beiseitestehen und Gelegenheiten vertrödeln!

Verwandt mit diesem merkwürdigen, für das Gepräge der Zeit ausschlaggebenden Hang zum Stegreif und ebenso bedeutsam für jedes gesellige Vergnügen ist die Vorliebe für Scherz und Spott, für Neckerei und Witz, vom gröbsten bis zum feinsten.

In der Mannigfaltigkeit psychischer Erscheinungen ist ein vorherrschender, höchst eigentümlicher Zug der Renaissancezeit noch nicht genügend beachtet worden. Dies ist der große allgemeine Hang zum Ulk, vom harmlosesten zum grausamsten, der Hang zur Fopperei, der *beffa*, die in Florenz vor allem schon lange im Privatleben beliebt und geübt war und nunmehr in das öffentliche Leben hinüberspielt — der Sport, möglichst zu prellen, zu hänseln, anzuführen, zu übertölpeln und dem Gutmütigen oder langsam Denkenden Schalkstücke zu spielen.

Novellen und Komödien bringen deutlich zum Ausdruck, wie allgemein üblich und allgemein beliebt dieser Brauch war, auch wie er Anklang fand und Lachlust erregte, mochten die Gefoppten an Ehre, Leib und Leben leiden. Dies war aus dem Geschehen des Tages gegriffen.

294

Die Renaissance lachte bis zur Grausamkeit, wollte, mußte lachen. Sie ist das klassische Zeitalter des Hanswurst, der fortwährend die Weisheit des Narren und auch das Narrentum aller Weisheit zeigt mit derben Spässen, mit Kapriolen, mit Stockschlägen und auch mit Schwerthieben.

Als Spiel, als *gioco del mondo* gilt die große Politik und man sucht den Gegenspieler zu überlisten, zu foppen, naszuführen mit Kreuz- und Querzügen oft schnurriger, jedenfalls amoralischer Art, bei denen jener am besten lacht, der zuletzt lacht. Man empfiehlt diese Schachzüge als *dissimulationes, Finten, Finessen, Galanterien* (im Französischen *gentille industrie* genannt) — auch ein politischer Mord wird gelegentlich euphemistisch mit *gentille industrie* bezeichnet und Ludwig XI. Spruch kommt zur allgemeinen Geltung: *Qui nescit dissimulare, nescit regnare.* (Wer sich nicht verstellen kann, versteht nicht zu herrschen.)

Fürsten und große Herren, Geistliche und Weltliche, sogar Liebesleute foppen einander, alle haben leidenschaftliche Vorliebe für die Tollheiten der zünftigen wie der freiwilligen Spaßmacher, und es gilt für elegant, deren Scherze, die meist Komödienmotive sind, lässig hoch zu bezahlen und niemals übel zu nehmen.

Spaßmacher finden sich scharenweis ein, wo Geselligkeit großen Stils geübt wird, so zählte man einst Hunderte von Narren beim Konzil von Konstanz und Leo X. wußte sich nicht besser zu trösten über die Sorgen, die ihm Luther machte oder die Kardinäle, die ihn zu vergiften beabsichtigten, als mit einer Schar hervorragender Lustigmacher.

Am päpstlichen Hof liebt man sehr zu lachen und findet finstere, einsame Laune unbegreiflich. Die Zeremonienmeister notieren die Munterkeit ihrer Herren, Burkhart jene eines Alexander VI., Paris de Grassis verzeichnet des öfteren, wie Leo lachte oder gar wie Seine Heiligkeit aus vollem Halse lachte. Serafino dell'Aquila, ein Sänger, der bei Cesare Borgia in Gnade stand, brachte seinen Herrn in gute Laune durch die *Strambotti*, die sehr in Mode kamen. Dem Augenblickseinfall, dem politischen Witzeln waren diese oft verwegenen Reime gewidmet.

Scherz und Schabernack sind besonders bei den Künstlern beliebt und Vasari weiß allerlei davon zu erzählen Selbst der sanfte Raffael, dem er soviel Anmut und Freundlichkeit nachrühmt, wußte gelegentlich scharf zu spotten. Als gewisse Kardinäle ihn damit neckten oder tadelten, seine Apostel hätten zu rote Gesichter, gab er zur Antwort: *Das glaube ich wohl, die Apostel sind schamrot über eure Mißwirtschaft.*

Derb jovial war Bramante und ausgelassen lustig ging es an seiner Tafel zu, wo sich alle jungen, am großen Werk beteiligten Künstler versammelten, darunter Suardi, Sodoma, Peruzzi, Lorenzo Lotto, Michele del Becca (1508—1509). Der Meister, der den herrlichsten Tempel der Welt bauen wollte, war kühn heiteren Temperaments und ein neckischer Improvisator auf der Laute. Er setzte sich auf den Tisch und gab Verse zum besten, die mit weitgellender Lache begrüßt wurden. Freilich rächte man sich für seinen Spott, indem man ihn *maestro rovinante* benamste und erzählte, am Himmelstor angekommen, würde er den Himmelsbau als abge-

296

schmackt und altmodisch kritisieren und sich berühmen,
ihn einreißen zu wollen, um einen besseren neuen an
dessen Stelle zu setzen mit bequemer Fahrstraße statt
des alten holperigen Weges.

Es gab auch Künstlergesellschaften mit dem besonderen
Zweck ulkiger Veranstaltungen, zum Beispiel jene, die
der Maler Rustici gründete unter dem Namen *Gesell-*
schaft des Kessels. Die Pflicht der Bewirtung ging von
einem zum anderen und der Wirt hatte für Überraschungen zu sorgen.

Dieselben trugen meist den Charakter amüsanter
Atrappen, was man später unter Kotillonscherzen und
in Süddeutschland unter *Gschnas* verstand. Phantastische Gerichte wurden aufgetischt, jeder mußte, wenn
an ihn die Reihe kam, etwas neues Derartiges erfinden
und man wetteiferte in künstlerischer Behandlung dieser
Obliegenheit. Als einst Rustici Gastgeber war, brachte
er einen Kessel aus Pastetenteig, in dem zwei zu
menschlichen Gestalten zugeschnittene Kapaune lagen.
Aber ein anderes Mitglied brachte Geschmackvolleres,
nämlich einen auf Säulen ruhenden Tempel, der aus
verschiedenen Eßbarkeiten gebaut war, der glänzende
Fußboden bestand aus Gallert, die Säulen aus feinen
Würsten, die Tribünen aus Marzipan. Die Tempel-
sänger waren Krammetsvögel, gebratene Tauben und
dergleichen.

Die Mitglieder einer anderen Gesellschaft, *zur Kelle*
genannt, führten als Maurer gekleidet ein Gebäude
auf — echter Renaissancespaß, Götterwitz schöpferi-
scher Kraft und Laune. Die Handlanger trugen statt
Kalk Nudeln, statt Wasser süße Brühe, statt Sand ge-

riebenen Käse und als Steine Zuckerwerk und Kuchen herbei. Die Säulen wurden aus gebratenem Kalb- und Schweinefleisch gebildet, die Kapitelle und Orna- mente schnitt man aus Kalbslebern, Kapaunen und Ochsenzungen, Form und Farbe waren anmutig ge- stimmt bei diesem Kunstwerk aus Schlaraffenland, das eine herrliche Fülle des Materials voraussetzt, wie glück- liche Laune und Geschmack.

Weniger harmlos als diese Scherze der bildenden Künstler waren die Scherze der Literaten. Sie arbeiteten eher mit Gift als mit Leckerbissen und Zuckerwerk. Viele lebten von ihrem Witz, je bissiger und beißender er war, desto besser. Eine literarische Gesellschaft, die zu ihrem Vergnügen den Ulk pflegte, war zur Zeit der Frührenaissance jene *Lügenschmiede* unter Martin V. gewesen, gesellige Zusammenkunft der päpstlichen Beamten im Lateranpalast. Wie in einer Künstlerkneipe ging es ausgelassen zu, voll köstlicher Flunkereien. Da- rum nannten sie die Herren selbst *Buggiale* oder *Menda- corium veluti offiziana*. Hier gab es Witze des Bolo- gnesers Ragello, Scherzverse des Agapito Cenci de Rustici, die kecken Erzählungen des Poggio Braccio- lini, die er später unter dem Namen *facetie* teilweise sammelte als Niederschlag der übermütigen Laune jener Gesellschaft.

Unter späteren Päpsten tauchen noch kühnere Witz- bolde auf, etwa Bini, Mauro, Giovanni della Casa, Agnolo Firenzuola, Molza, Nelli, Folengo mit den so- genannten makaronischen Versen, Berni, der die ulkige *poesia bernesca* begründet, Andrea Marone, der poli- tische *Strambotti*, das heißt, etwa *Gstanzerln* zum

298

besten gibt. Fast berufsmäßige Spaßmacher sind Mozza-
rello und Brandolino, ein Liebling Leos X., den man
darum *oculo pontificis* nannte.

Leise, graziös und elegant, kaum angedeutet fängt die
Ironie der italienischen Dichtung an, etwa mit dem
überlegenen Lächeln eines Ariost im *Orlando furioso*,
der noch vor Don Quixote die Extravaganz der aus-
gearteten Ritterphantasien ins Groteske überführt. Nicht
mit Unrecht entgegnete der Kardinal d'Este, als ihm
Ariost sein phantastisches Ritterepos widmete: *Das ist
ja alles Schabernack (corbellerie).* Die Schwertminne
wird von dem höfisch feinen Dichter schon als ein
wenig abgeschmackt empfunden und dargestellt, das
nur Kriegerische als barbarisch und eines Weltmannes
der Renaissance unwürdig betrachtet.

Die von Ariost zuerst geschlagene Bresche erweitert
sich und nachfolgende Dichter verziehen sein feines
Lächeln zur Grimasse, vielleicht als Trotz den fremden
polternden Kriegsleuten gegenüber, die schlaue Politik
überrumpeln und mit ihrem Getöse barsch den schelmischen Lautenklang der Italiener übertönen.

Da erschallt das freche Gelächter eines Folengo und
eines Berni, ein soziales Revanche- und Spottlied gegen
den rauflustigen Adel und gegen die ebenso unver-
träglichen Humanisten, denn nicht nur die *lingua volgare*, auch die Kraft des Dialekts wird aufgeboten
gegen elegante Sprachübung und gewähltes Latein,
indem eine Art Kauderwelsch — für damalige Zeit
höchst spaßhaft — zwischen einfachem Sprachgebrauch
und feierlichem Latein auftritt oder die Strophe des
Heldengedichts dazu dienen muß, komische Dinge zu

besingen. Die Lacher sind auf Seite der kühnen Neuerer*). Es gab eine Zeit, da Orlando und mit ihm die Ritterromane so einzig beliebt waren, daß ein erfolgloser Dichter Trissino die bitteren Scherzreime schrieb:

Maledetto sia il giorno e l'ora quando
*Presi la penna e non cantai l'Orlando**)!*

Doch plötzlich, wenig später war Orlando parodiert und die Gesellschaft, die noch eben für ihn geschwärmt, konnte nicht genug lachen, als der entlaufene Mönch Folengo***) unter dem Pseudonym Merlino Cocaio (1518) in Venedig Orlandos Abenteuer travestiert herausgab in dem lachhaften Heldengedicht *Orlandino pitocco (Bettelheld) di Mantova.* Dieselbe Richtung verfolgt ein Werk neuer Art, die Dichtung *Maccaronicum,* welche die Taten des Ritters Baldo besingt und mit einer Anrufung der Musen beginnt, die auf einem Berg von Käse wohnen, beschäftigt mit der Bereitung von *Maccaroni* und *Gnocchi.* Burlesk hebt die Dichtung an:

Phantasia mihi quaedam phantastica venit
Historiam Baldi grossis cantare Camoenis
Altisonam cujus faman nomenque gajardum
Terra tremit, Barato umque metu se cagat adossum.

---

*) La maccaronica espresse lo sforzo del nudo e furbo volgare contro l'armato e superbo latino. (Settembrini, Geschichte der ital. Lit.) Vol. II Napoli 1881 (Letteratura Italiana).

**) *Verflucht seien Tag und Stunde, da ich die Feder zur Hand nahm und den Orlando nicht besungen habe.*

***) Der Erfolg war so groß, daß sogar eine türkische Übersetzung erschien. Folengo lebte lang am Hof des Vizekönigs Ferrante Gonzaga in Sizilien, wo auch mehrere seiner phantastischen Dramen Aufführung fanden.

und bewegt sich in einem Reich phantastisch blühenden Unsinns von *beffa* zu *beffa*. Die Abenteurer, die Baldo um sich schart, nennen sich *baroni* und teilen in grotesker Rüstung ordinäre Rippenstöße aus, eine politische Anspielung, die gewiß beschmunzelt wurde. Ebenfalls eine Satire gegen das Kriegsspiel sind Folengos *Moscheïde*, der heroische Kampf zwischen Mücken und Ameisen und Bernis *Rifacimento* des Orlando, wo zwischen die Zeilen der Originaldichtung neue furchtbare Abenteuer des Helden eingestückt sind, zum Beispiel, Orlandos gutes Schwert schneidet einen seiner Gegner in der Mitte durch, so kunstvoll, daß letzterer gar nicht merkt, daß er tot ist, sondern weiter Stöße austeilt, bis seine beiden Hälften außer Gleichgewicht kommen und auseinanderfallen:

> *E cadde il busto sopra la cintura,*
> *Proprio ove la persona era recisa*
> *E fè morir chi il vide delle risa.*

Damit ist das aufgeblasene Heldentum durch Komik sogar in den Augen der Damen erledigt, die am längsten dafür schwärmten.

Berni machte sich ebensogern lustig über die Schwächen der eleganten geistlichen Welt und rezitierte inmitten allzu weltlicher Prälaten seine gewagten Späße, über die sich Bibbiena und Ippolito de Medici herzlich amüsierten. Leider gewann er viele Feinde dadurch und soll an Gift gestorben sein. Bekanntlich wurde Aretino wegen seiner allzuguten Witze in Rom mit Dolchstichen angefallen. Es gehörte ein gewisser Mut dazu, das große Lachen der Zeit auszulösen und in diesem

Kampf — wie in jedem anderen — galt es, die Haut zu Markte zu tragen.

Der burleske Stil eines Folengo, eines Berni wirkte auf den Ton der Unterhaltung und mancher übte sich aus dem Stegreif in ähnlichen Versen.

Es war das Zeitalter, da Pasquino und Marforio ihre gewagten Dialoge führten, ein Marmortorso mit dem anderen, und der Bericht ihres Witzes fehlte bei keiner römischen Unterhaltung, flog aus von Rom und ließ ganz Italien belustigt sein.

Aretin verehrte den Pasquino wie einen Schutzpatron. Dieser größte aller Witzbolde der italienischen Renaissance, ein Condottiere der Feder und des Wortes, eroberte sich mit seinen pfeilsicheren Sarkasmen und laut platzenden Bosheiten ein eigenes eigentümliches Königreich und wehe demjenigen, dem er Fehde schwor.

Darum zollten ihm Große und Größte schmeichelnd Lösegeld, seine Possen machten ihn zu einem Gesellschafter, um den Fürsten, Kardinäle, Patrizier und Künstler sich rissen.

Der große Schalk soll am Lachen gestorben sein.

Mag es sich nur um eine Legende handeln, bezeichnend genug ist die Darstellung von Aretins Todesstunde. Ein unmöglicher Witz reizt ihn so unbändig, daß er seiner Gewohnheit nach sich vor lauter Gelächter im Stuhl zu stark rückwärtslehnt und mit diesem sterbend zusammenstürzt grotesk bis zuletzt, während sich die Gäste noch lachend die Seiten halten.

Dieselbe Lachlust, ja eine noch heftigere, ist in Deutschland, Spanien und Frankreich laut. Hört man genau zu — an allen Ecken und Enden Schnurren und Streiche, vom Pagenstreich zum Schurkenstreich und allesamt lösen ein homerisch dröhnendes Gelächter aus. Dem kolossalischen Lachen seiner Zeit widmet endlich Rabelais ein feierliches Monument, kühn und groß gebaut wie ein echter Renaissancebau. Er verulkt darin groß und klein, gelehrt und ungelehrt, Tugend und Laster und thront über allem Schabernack gleich einem ulkigen Pontifex. Man könnte sein Werk den Tempel des Lachens nennen. Auf dem Giebel steht bedeutsam: *Mieux vaut de rire que de pleurs escrire, pour que le rire est le propre de l'homme.* (Besser ist von Lachen als von Tränen zu schreiben, weil Lachen der Menschen Eigenart ist.)

Selbst der schwermütige Michelangelo hat als Jugendwerk, das ihn in die Gnade des Medicäers bringt, einen großartig lachenden Faunkopf geschaffen. Er hatte das antike Bruchstück eines Faunkopfes gefunden und die fehlende untere Hälfte ersetzt mit einem über alle Maßen lachenden Mund. Höchst symbolisch — die Renaissance vervollständigt auf solche Art den ausgegrabenen Faun, vielleicht lächelte er im Original nur wehmütig, sie fühlt sich berufen, ihm einen über alle Maßen lachenden Mund zu geben.

So über alle Maßen wird auch bei Shakespeare gelacht und die Scherze seiner Narren und Rüpel haben bis heute ihre Kraft noch nicht eingebüßt, obwohl gerade das Lachhafte von einer Zeit zur anderen am meisten verrostet und veraltet.

Viel von dem, was unsere Ahnen so ungeheuer belustigte, kommt uns Nachfahren nicht mehr besonders spaßig vor. Freilich, wir haben nur noch trockene

Andeutungen oder langweilig gewordene Verse — die lebendige, komische Mimik der Lustigmacher fehlt zu unserem Verständnis. Längst sind selbst ihre Schädel nicht mehr grinsend und keiner betrachtet sie mit dem wehmütigen Seufzer: *Poor Yorick*. Sie sind Staub — und höchst staubig, kaum jemals durchblättert, modern die alten Chroniken, in denen hie und da etwas von ihren lachenswerten Taten zu finden ist.

Ursprünglich hatten die zünftigen Narren ein eigenartiges Gewand, im 16. Jahrhundert wurde dies von manchen beibehalten, von manchen beiseite gelegt, als die Zunft sich hob und der Narr kleidete sich dann nach persönlichem Geschmack und Phantasie. Zu den Bestandteilen der klassischen Tracht gehörte der geschorene Kopf (schon die Spaßmacher des Altertums *moriones* trugen solchen), da er an sich leicht komisch wirkt. Brants *Narrenschiff* zeigt solche Kahlköpfe bei weggezogener Kappe. An der Kappe oder Gugel befestigte der Narr zuweilen Eselsohren. Erasmus spottet der Franziskaner, sie trügen ähnliche Gugeln wie die Narren, es fehlten nur Eselsohren daran. *Verbürg man einen Narren hinter der Tür, er steckt die Ohren doch herfür* reimt Sebastian Brant. Die Narren, die Holbein zeichnete, haben fast sämtlich Eselsohren, auch in Frankreich bestand diese Mode noch im 16. Jahrhundert. Französisch hieß deshalb der Narr *vis d'âne* (visage), woher vermutlich der Name *vice* für den englischen Hanswurst entstanden ist.

Einen weiteren Aufputz der Narrenkappe bildete des öfteren ein Hahnenkamm aus gezacktem rotem Tuch, wohl um lächerliche Streitbarkeit zu bezeichnen. Hievon stammt der englische Ausdruck *Coxcomb* für einen läppisch und närrisch sich benehmenden Menschen, ein Ausdruck, der sich bis heute erhalten hat.

Ferner zierte den zünftigen Narren ein großer Kragen; Abkömmling dieses Schmuckes ist die Krause des Polichinell, Pierrot und anderer Figuren der Stegreifkomödie. Die Schellentracht, die im 14. und 15. Jahrhundert zur vornehmen Mode gehörte, dann von der Dienerschaft getragen wurde und endlich auch für diese abkam, behielt der Narr des weiteren, er befestigt die Schellen an Kappe, Gürtel, an Knieen, Ellenbogen und Schuhspitzen. Hans Sachs singt im Schönbartspruch:

Desgleichen deuten die Schellen
Ihre Thorheit in den Fellen
In Aufruhr zu verharren
Gleich unbestimmten Narren.

Der Narrenkolben, auch Szepter oder Pritsche genannt, wird vom Narren geschwungen als Zeichen seines mystischen Herrschertums. Die höhere lustige Person oder *kurzweiliger Rat* trägt zuweilen ein wirkliches Schwert und die Tracht erinnert nur noch leise an den Beruf des Possenreißers.

In der kostbaren Handschrift Hans Jakob Fuggers von den Erzherzögen Österreichs befindet sich eine Abbildung des um Kaiser Maximilian in Treuen hochverdienten Narren oder kurzweiligen Rates Kuntz von der Rosen. Auf dem Kopf trägt er ein blaues Barett, von goldener Schnur durchzogen, an der kleine goldene Knöpfe hervorragen, die Schellen zu sein scheinen, ein Teil der Brust ist entblößt. Bis auf den Gürtel trägt Kuntz ein blaues Gewand, an dem sich gelbe,

längliche Flicken befinden, in der linken Hand ·hält
er sein am Wehrgehänge befestigtes Schwert, an
dessen Scheide Messer und Löffel zu erkennen sind.
Das *Niedergewand* ist rot, in weiß gerissen. Auf einer
anderen alten Abbildung ist Kuntz von einem kleinen
Pagen begleitet, er tritt also recht stattlich auf. Sein
schönster Streich, der die Befreiung des Kaisers
bewirken sollte, ist dichterisch behandelt worden,
einer seiner Scherze von einem Zeitgenossen, Reiffen-
stein, in lateinische Verse gebracht.
Sein klügster Witz war die Verulkung der genealo-
gischen Mode, von der sich Max allzugern huldigen
ließ, so daß ein Stabius den Stammbaum des Herrscher-
hauses schließlich bis zu Noah brachte.
Weniger geistvoll waren die handgreiflichen Foppereien,
zum Beispiel, gelegentlich der Hochzeit des Casimir
von Brandenburg mit Susanna von Bayern (1518).
Auf dem Markt wurde ein Stechen gehalten, der Hof
mit dem Kaiser an der Spitze sah zu, Kuntz verschwor
sich mit einigen anderen Narren und Hofdienern, die
zusamt einem Mönche von einem *Rohrkasten* aus das Fest
betrachteten, nahe am Wasser. Er taumelte, fiel zurück,
riß die anderen Zuschauer mit, so daß etliche sechzehn
Personen samt dem Mönch ins kalte Bad fielen und lockte
dem Kaiser, wie auch der Braut und dem *ganzen Frauenzimmer* großes Gelächter ab, zumal als der Mönch von
Kuntz beschuldigt wurde, er habe ihn hineingerissen.
Ähnliche Späße trieben die lustigen Räte und *Freuden-
macher* an den kleinen Höfen, den geistlichen und
weltlichen. Ansbach, Baden, Bayern und andere haben
beliebte Narren, ihrer aller Vorbild und Meister war

etwa der bekannte Pfaffe vom Kahlenberg mit seinen derben Einfällen und Schnurren, die im 16. Jahrhundert viel gedruckt und sprichwörtlich bekannt waren (auch Luther führt sie an) oder Claus Narr, dessen *Historien* 1551 zuerst erschienen. Ihr Titel erwähnt *feine schimpf- liche Wort und Reden, die ehrbare ehrenwert Leut Clausen abgemerkt und nachgesagt haben zu bürger- licher und christlicher Lehr, wie andere Apologen dienlich und förderlich.* Besonders vermerkt sind die Abteilungen: *von sauberen und reinen Pößlein zu mannigfaltiger Lehre wohl zu brauchen.*
Merkwürdig ist eine ernste Leichenrede, die auf einen Lustigmacher gehalten wurde. Das seltene Blatt hebt an: *Eine Lehr-, Trost- und Vermahnungspredigt bei der Leich und Begräbniß des Weyland albern und un- weisen Herrn Hans Miesko fürstlich alten Stettinischen Naturalisphilosophi und kurzweiligen Tischrats.* In der Disposition zur Rede erwähnt der Prediger, es möchte sich mancher wundern, warum man einen Narren so prächtig begräbt. Die Ursachen seien *erstens der Be- fehl Franz I. Herzogs zu Stettin-Pommern, zweitens der Verstorbeue ist es nicht unwürdig, wegen seiner treuen Dienste, die er durch seine Albernheit, Blödig- keit, närrischen Aufzüge und Torheit geleistet, zweien Potentaten und ihren Gemahlinnen — —, denen er mit seiner Gegenwart, kurzweiligem, abenteuerlichem Geschwätz und Vornehmen unter den schweren Regi- ments- und Haussorgen viele melancholische Gedanken vertrieben.* In der Leichenrede wird ermahnt, daß wir zwar an närrischen Leuten unsere Kurzweil haben sollen, aber in christlichem Maße.

VIERZEHNTER ABSCHNITT

Fastnachtsgötter — Der Narr bei der Disputation — An der Tafel des Marschalls — Brusquets Streiche — Herzog Albas Fest — Die Masken der Stegreifkomödie — Borsos lustige Zeit — Der Narr sitzt oben — Erasmus Schilderung — Der unsterbliche *buffo* — Leos Elefant — Die *beffa* — Raffaels Theatervorhang — Der Mönch auf der Tafel.

In den Fastnachtszügen der verschiedenen Völker kommt die verschiedene Götterwelt zu auffallender Auswirkung. Im Süden der feierlich sich bewegende, von stilvollen Tänzen umspielte Triumph schöner Götter, die vor allem metaphorisch schönes Wetter und Fruchtbarkeit bedeuten, weshalb erotische Scherze beim Fastnachtstreiben nicht fehlen dürfen. Ein Poltern, Laufen, Saufen, Lärmen und Stürmen im Norden, denn der Zug der möglichst schauerlich Vermummten oder *Verhutzten* soll das wilde Heer darstellen und dieses ist letzterdings nichts anderes als eine poetische Metapher für die Furchtbarkeit nordischer Naturgewalten.

Zur Zeit der Reformation wurden die überall in Deutschland üblichen und oft zu schlimmen Prügeleien entarteten Mummereien lebhaft angefeindet. Sie hießen *Karne*, was möglicherweise nicht vom lateinischen *Carnevale* abgeleitet ist, sondern von dem Ausdruck *Karne* für das wilde Heer kommen mag, den Zug der alten Götter, der johlend und pfeifend vorüberzog.

Feiner gestaltete sich das Treiben in Nürnberg, als die Patrizier den Metzgern das Recht der Maskenzüge abkauften, das unter dem Namen *Schönbartlaufen* bekannt war. Fortan zeigten sich die vornehmen jungen Leute der Stadt in diesem Zug mit prächtigen Kostümen

308

aus *purem Atlas mit goldenen Flügeln auf weißen Hüten.* Den zuschauenden Frauenzimmern warfen sie Eier zu, die galanterweise mit Rosenwasser gefüllt waren. Politische Witze wurden geübt, so lief im Jahr 1523 ein Mann mit im Zug, dessen Kleidung aus Ablaßbriefen mit daran hängenden Siegeln bestand, und die sogenannte *Hölle,* ein phantastischer Wagen, in dem Narren aller Art vom Glücksrad herumgedreht oder von irgend einem Drachen verspeist wurden, bot Gelegenheit zu Demonstrationen gegen unliebsame Leute, die darin gleichsam am Pranger des Humors standen.

Schlecht bekam es den Nürnbergern, als sie wagten, Dr. Andreas Osianders Maske in ihrer *Hölle* mit herumzuführen, denn dieser Pedant verstand keinen Spaß und erwirkte das Verbot der alten Lustbarkeit. Liebenswürdiger verhielt sich Luther, der zwar gegen den Fasttag und *Fraßtag* eiferte, jedoch gestattete, *in Ehren und Züchten fröhlich und guter Dinge zu sein* und sich in guter *Charitate* zu versammeln.

Einer lustigen Gesellschaft von Studenten gelang es, den gelehrten Mann in ihre Schelmerei zu ziehen, wiewohl er sich vorgenommen, *als ein Doktor und Prediger* abseits zu bleiben. Die Studenten vermummten sich als Bergleute und rüsteten sich wie *Schieferhauer mit ihren Hämmern ohne Leichtfertigkeit zu höflicher Kurzweil. Wo Tugend inne ist, als bei denen, die fein studiert haben, da kommt sie auch heraus,* bemerkt Mathesius lehrhaft und erzählt weiter, wie diese *ehrliche Cumpanei* sich bei Luther meldete als Bergleute, weil er von einem Bergmann geboren und auf einem

Bergwerk erzogen sei. *Sie kommen nit mit Königen, Teufeln und Säuen noch Schelmenbeinen, sondern staffieren sich mit einem künstlichen Schachspiel, darin der Doktor wie viele große Leute gern pfleget zu ziehen. Wie der Doktor höret, daß eine Mummerei von ehrlichen Schieferhauern vorhanden: Die laßt mir herein, spricht er, das sind meine Landleute und meines lieben Vaters Gesellen. Den Leuten, weil sie die ganze Woche unter der Erde stecken, in bösem Wetter und Schwaden, muß man bisweilen ihre ehrliche Ergötzung und Erquickung gönnen und zulassen. — Darauf tritt die Gesellschaft vor des Herrn Doktor Tisch, setzt ihr Schachspiel auf. Der als ein geübter Schachspieler nimmt's mit ihnen an. Darauf mattet der Doktor seinen Schachgesellen, der läßt ihm das Spiel und sind in Ehren und Züchten fröhlich, singen und springen —*

Zu überraschender Kurzweil und mit allegorischen Anzüglichkeiten gab es zuweilen Mummereien am Hof. Ein merkwürdig kühner Maskenscherz wurde vor Kaiser Karl V. und Ferdinand improvisiert. Es erschienen maskierte Leute, gebeugt unter einer Last von krummen Stäben. Einige mit der Maske des Erasmus von Rotterdam suchten die krummen Scheite zurechtzubiegen. Andere in der Maske von Dr. Luther und seinem Anhang steckten Feuer daran, darauf goß Papst Leo mit seinem Gefolge Öl auf das Feuer, damit es noch mehr brannte, der Kaiser selbst als Maske warf sein Schwert hinein. Hierauf brannte das Feuer so lichterloh, daß Schrecken in der Versammlung entstand, und im Getümmel konnten die allzu verwegenen Possenreißer entfliehen.

310

Oft waren die Fürsten so unzertrennlich von ihren Narren, daß sie selbige zu Gelegenheiten mitnahmen, bei denen sie uns Nachfahren recht wenig angebracht erscheinen. So hatte bei Luthers berühmter Disputation mit Dr. Eck im Schloß zu Leipzig (1519) der Herzog Georg von Sachsen seinen einäugigen Narren bei sich und das ganze Benehmen der Hofleute bei dieser Gelegenheit beweist männiglich, wie wenig ernst es ihnen um die theologischen Streitfragen war und daß sie den Redekampf nur als unterhaltende Sensation genossen.

Dem Narren machten sie vor, es handle sich um seine, des Narren Hochzeit, Dr. Luther spreche für ihn, Dr. Eck gegen seine Heirat, eine boshafte Kritik jener theologischen Spitzfindigkeiten, deren Erörterung die munteren Weltleute oft genug tüchtig langweilen mußte, so sehr sie Mode war. Der Narr stierte dann mit seinem Auge wütend auf Eck und dieser, ärgerlich gemacht, ulkte ihn an, indem er das eine Auge zuhielt und ihn mit dem andern scharf ansah. Darauf schimpfte ihn der Narr einen verlogenen Pfaffen und lief wütend hinaus, *worüber ein großes Gelächter entstand**).

Welches Zeitbild!

In Frankreich erhielt damals die Schachfigur, die zu deutsch Läufer heißt, den Namen des Narren *fol*, und Regnier macht in seinen Satiren die Anspielung: *Les fous sont aux échecs les plus proches des rois.* (Im Schachspiel sind die Narren dem König am nächsten).

Renaissance ist die klassische Zeit der großen Hofnarren, deren berühmtester Triboulet am Hof Franz I.

---

*) Pfeiferi Lipsia. S. Origines Lipsienses III.

von Frankreich sein Wesen trieb, sein Nachfolger bei drei Königen (Heinrich II., Franz II. und Karl IX.) ist jener Brusquet, von dessen Wettkampf in derber Fopperei mit dem Marschall Strozzi Brantôme merkwürdige Dinge erzählt. Der Marschall war nicht nur ein angesehener Feldherr, er war auch ein feingebildeter Humanist, der zu seinem Vergnügen Werke aus dem Lateinischen ins Griechische übertrug, eine herrliche Büchersammlung besaß und aus Fexerei die interessantesten Kriegslisten, die das Altertum überlieferte, bei seinen eigenen Feldzügen genau nachzuahmen suchte. Um so merkwürdiger ist es, daß dieser Gebildete und bildungsstolze Mann regen Verkehr mit dem Narren pflog und dessen groteske Einfälle mit noch groteskeren zu überbieten pflegte. Zu den harmlosesten gehört eine Tischeinladung Brusquets an den Marschall und des Marschalls an Brusquet.

Ursprünglich war der Narr bei der Armee als Wunderdoktor aufgetreten, einige Leute genasen vor Lachen über seine absonderlichen Verordnungen, andere aber, die selbige ernst nahmen, starben und Brusquet war nahe daran als Pfuscher gehenkt zu werden. Da aber der König auf seine Schnurren und Späße aufmerksam gemacht wurde, begnadigte er ihn und bald stieg der Narr hoch in Gunst, wurde zum Postmeister ernannt, der hundert Pferde unter sich hatte, und betrieb dies Amt mit viel Schabernack, zum Leidwesen der Reisenden, allein zur großen Belustigung des Königs und der Hofleute.

Er verdiente mit seinen Späßen viel und lebte als großer Herr, so konnte er den Marschall und die

312

eleganten Kavaliere zur Tafel laden und mit Gepränge empfangen. Dreißig Posthornbläser bliesen zu Tisch und alles war mit Emblemen der Postmeisterei geschmückt. Der Gastgeber ließ dreißig verschiedene Pasteten auftragen, die so wunderbar dufteten nach allerlei teurem Gewürz, daß die Gäste vergnügt zugriffen. Unterdessen lief er zum König, ihn zu holen, damit er sich über die verdutzten Gesichter belustige. Denn die Pasteten waren gefüllt mit allerlei Lederabfällen und Unrat aus der Posthalterei, Pferdeäpfeln und sonstigem Schnick und Schnack.

Beim Marschall eingeladen, machte sich Brusquet mißtrauisch an die Speisen, doch alles war eßbar und schmeckte vorzüglich. Zum Schluß erschien aber geschmückt der Kopf eines Maulesels, der des Narren Lieblingstier gewesen, man hatte es für dieses Festmahl heimlich geschlachtet.

Das waren jedoch nur kleine Plänkeleien zwischen Marschall und Narr.

Brusquet begab sich nach Rom, bei welcher Gelegenheit der Vers entstand:

Brusquet à son retour, vous racontera, Sire,
De ces rouges Prélats la pompeuse apparence,
Leurs mules, leurs habits, leur longue révérence.
Qui se peut beaucoup mieux représenter que dire.
Il vous racontera, s'il les sait bien décrire,
Les moeurs de cette cour, et quelle différence
Se voit de ces grandeurs, à la grandeur de France,
Et mille autres bons points, qui sont dignes de rire*).

*) Sire, zurückgekehrt wird Euch Brusquet erzählen von der prächtigen Erscheinung der rotgekleideten Prälaten, von ihren Schuhen,

313

Während des Narren Abwesenheit ließ Strozzi die Nachricht von dessen Tod verbreiten und das Gerücht, er habe seiner Witwe sein stattliches Vermögen vermacht. Darauf führte ihr der Marschall einen Freier zu, den sie sofort erhörte.

Bei seiner Rückkehr fand Brusquet sein Ehebett besetzt und einen Teil seines Vermögens verjubelt. Höchst bezeichnend für die Zeit ist die Antwortfopperei, die er ersann. In Abwesenheit des Marschalls ließ er aussprengen, dieser habe sich in den Dienst des Großtürken begeben und gedenke Italien mit Krieg zu überziehen, er sei schon in der Nähe von Loretto gelandet und bereit das Heiligtum zu plündern. Man schenkte dieser Nachricht Glauben und rüstete gegen Strozzi, der aber der Falle zu entgehen verstand.

Wenig bekannt und schwer vorstellbar ist es, daß sich auch Philipp II. von Spanien an derbem Schabernack gern ergötzte. Als er bei einem Friedensschluß (1554) in Brüssel feierlich tafelte und das vom Herzog von Alba gegebene Fest gegen Schluß recht langweilig wurde, überraschte Brusquet, der mit dem Kardinal von Lothringen gekommen war, durch schnurrigen Einfall. Er sprang auf den Tisch und griff nach dem kostbaren Tafeltuch, auf dem Silber- und Goldgerät schön aufgebaut stand, er zog es herab und wickelte es sich mitsamt den Geräten um den Leib, gewiß ein

ihren Gewändern und ihren tiefen Verbeugungen, was sich viel besser vorstellen als berichten läßt. Er wird Euch erzählen, wenn er es gut zu beschreiben weiß, von den Sitten dieses Hofes und von dem Unterschied seiner Größe von Frankreichs Größe und viele andere gute Geschichten, die lachens wert sind. (Bellay Oeuvres VI. 31.)

314

nicht unbeträchtliches Kunststück, insonderheit wegen der spitzen Messer, die ihn leicht hätten spießen können. Allein der Scherz lohnte sich, denn Philipp schenkte ihm das Tuch mit allem, was er an sich gerissen. Auch lud er ihn an den Hof nach Madrid.

Zum Dank für den gewährten Urlaub sandte Philipp dem französischen König seinen eigenen Narren zu Besuch. Dieser war aber nach dem Urteil der Hofleute ein einfältiger Schalk, der nur einige spanische Couplets krähen konnte, und hatte keinen Erfolg trotz spanischer Mode.

Brusquet scheint die berühmtesten Narren seines Jahrhunderts, wie Pinan, Arlot, Thomy, Morel, Chirot, Ragot überragt zu haben, und die Franzosen waren stolz auf ihn.

Besonderes Talent zur Spaßmacherei zeigten von jeher die Italiener durch ihre Behendigkeit und wußten ihre verschiedenen Dialekte komisch auszunutzen. Viel verdankt ihnen die *commedia dell' arte*, deren stehende Typen den an verschiedenen Höfen erfolgreich aufgetretenen Narren nachgebildet wurden. Denn jeder trachtete, eine besondere Spezialität des Schalkes darzustellen. Vorzüglich gelang dies, zum Beispiel, dem Gonella, Hofnarren bei Borso von Ferrara, dem großen Bastard, der eine Glanzzeit seiner Hauptstadt begründete.

Herzog Borso brachte eine so lustige Zeit, daß die Narren niemals so angesehen waren, und als die Tage nach ihm ernster wurden, pflegte man sprichwörtlich zu sagen: *non è più il tempo del duca Borso*. (Es ist nicht mehr die Zeit des Herzogs Borso). Von Gonella erzählt Bandello viel übermütiges Geschehen.

Der Narr Dioda wirkt so belustigend, daß sich die Höfe von Ferrara, Mailand und Mantua um ihn reißen. Man nimmt ihn gern auf Landpartien mit, wo er die Gesellschaft so sehr zu allerlei Schalkheit und Schelmenliedern hinreißt, daß sie sich rühmt, närrischer als der Narr gewesen zu sein. So schreibt Gian Galeazzo, der junge Herzog von Mailand, den sein Ohm später vergiften ließ, an Isabella von Este und erzählt von einer tollen Landpartie, die man mit Dioda unternommen*).

Die Kritik bleibt nicht aus. So äußert sich Garzoni**) absprechend über die Sitte der Possenreißer an allen Höfen und gibt bei dieser Gelegenheit ein lebendiges Bild ihres Treibens. *Zu unserer Zeit ist das Possenreißen so hoch gestiegen, daß man die Schalksnarren an Höfen und Herrentafeln mehr findet, haben auch einen freieren Zutritt als ansehnliche und ehrliche Leute. Man glaubt, eine Hofhaltung werde in Abnahme kommen, wo nicht ein Carfulo, ein Gonella, ein Bocca fresca die ganze Gesellschaft der Höflinge und der Herren mit kurzweiliger Rede, geschwinden Antworten, auch mit ziemlich groben Zoten unterhält. Da sitzt oft Herr und Knecht, sperren Maul und Nase*

---

*) Questa mattina, che è venerdì, la duchessa cum tutte le sue donne e io in compagnia siamo montati a cavallo a XV ore e siamo andati a Cuago e per advisare bene la V.S. de tuti li piaceri nostri, la adviso che prima per la via a me bisogno montare in careta insiema cum la Duchessa e Dioda e qui cantasemo piu de XXV canzone, molto ben accordate a tre voce, e quando soverano e la duchessa soverano, faciendo tante patie de havere fato questo guadagno da essere magiore pazzo che Dioda.

**) Tomaso Garzoni. Piazza universale di tutte le professione de mondo 1587. Dicorso (118).

auf und hören dem Narren zu, der allerhand Schnacken
vorbringt. — Er redet von den Gesetzen wie ein
Gratiano zu Bologna, von der Arzneikunde wie ein
Grillus (Vorläufer von Shakespeares und Molières
Figuren sind diese Lustigmacher), peroriert auf gut
pedantisch wie ein Fidentius Glottokrisus, spricht berga-
maskisch wie der gröbste Bauer. Bald macht er einen
Spanier in höflichen Gebärden, bald einen Deutschen
im Gang, bald einen Florentiner in Rede und Schnarren,
bald einen Neapolitaner im Krähen nach. Er kann
die ganze Welt in Reden, Gebärden und Kleidern
nachäffen; auch das Angesicht fast auf tausenderlei
Weise verändern und verstellen — bald zieht er die
Lippen so seltsam, daß man glaubt, er habe eine Maske
vor das Gesicht gezogen, bald streckt er die Zunge
spannenlang heraus, bald reckt er den Hals, als ob er
am Galgen hinge. — Dieses sind die Tugenden der
Possenreißer, um deretwillen sie bei Fürsten und Herren
angenehm sind, auch in Freuden leben und reich be-
schenkt werden. Solche Gesellen muß jedermann in
Ehren halten und sich um ihre Gunst bewerben, da
sie beständig um den Herrn, in seinem Zimmer, an
seiner Tafel, auf seinem Wagen sind. Wer bei dem
Herrn etwas zu tun hat, darf es nur mit diesen Leuten
halten, sie verschaffen ihm leicht Zutritt oder legen
ein gutes Wort für ihn ein.

Oft mag die Milderung nützlich gewesen sein, die das
steife Zeremoniell und lange Antichambrieren durch die
Dazwischenkunft des Narren erfuhr. Beschämend empfand jedoch mancher Biedermann bei Hof den Vorrang,
der dem Narren scherzhaft eingeräumt wird.

Der Narr muß allezeit oben sitzen, da es einem weisen, gelehrten und verdienstvollen Rat sehr wohl tut, daß er vor der Tafel stehen und mit entblößtem Haupte aufwarten kann. Die Narren sind nunmehr die vornehmsten Räte, *sie erinnern alles, verbessern alles, gebieten und verbieten alles.*

Ist dieser Einfluß toller Schalkslaune, der spielend in die Politik greift, nicht eine überraschende Erklärung mancher seltsamen Abenteuer darin, die bedenklich an Ulk und Fopperei streifen?

Der Verfasser des *Rosalva* erwähnt ausdrücklich, daß die Geheimgeschichte von Spanien oft zuguterletzt von derlei Einflüssen bestimmt war und daß ein Hofnarr die Weisheit von einigen Dutzend spanischer Mäntel und Perücken überwogen habe.

Am Schluß seines Gesprächs ermahnt Garzoni die Possenreißer und sagt, so mancher unter ihnen, der allzu unverschämt geworden, sei in Ungnade gefallen. Dann habe man ihn auf einen Esel gesetzt, der am Schwanz gezäumt gewesen, mit einer strohernen Krone beehrt und hinausgestäupt.

Viel freundlicher als dieser strenge Kritiker des Narrentums behandelt Erasmus die Frage im *Eucomium moriae* und rechtfertigt als Humanist den Hofnarren damit, daß schon die Götter des Altertums bei ihren Gelagen Lustigmacher gehabt hätten. Die Narrheit spricht: *Nachdem der Tadler Momus aus dem Olymp verbannt war, konnten die Götter ihre Possen viel freier und anmutiger treiben.*

Erasmus entwirft ein Gemälde dieser Possen, das wohl auf die Sitten der zu seiner Zeit modischen Hof-

318

haltungen schließen läßt. *Wie viel Späße machte ihnen nicht der klotzige Priap! Was für Komödien spielte nicht Merkur mit seinen Diebstählen und Gaukeleien. Ja, Vulkan spielte gar bei den Göttermahlzeiten den Lustigmacher und erheiterte bald durch sein Hinken, bald durch sein Schimpfen, bald durch lächerliche Reden das Trinkgelage im Olymp. Silen, der alte verliebte Narr tanzte den Kordax mit Polyphem, die Nymphen den Gymnopodion. Die halbnackten Satyrn spielten atellanische Possenstücke, Pan brachte alle Götter mit seinem groben Dorfgesang zum Lachen, den sie lieber hörten als die Musen selbst, wenn ihnen der Nektar zu Kopf stieg*).*

Solch klassische Beispiele ermuntern die Renaissanceherren, an ihren Spaßmachern viel Gefallen zu finden, denn das Beispiel des Altertums ist für Alles und Jedes maßgebend. Sie behandeln ihre Narren viel besser, als es im Mittelalter Brauch gewesen, denn aus früheren Jahrhunderten sind Fälle berichtet, wo Narren so hundsmäßig traktiert wurden, daß sie sich plötzlich ihrer Menschenwürde besannen und, wütend geworden, ihren brutalen Herrn ermordeten. Aus der Zeit ihres Glanzes, der Renaissance, sind dagegen manche Beispiele von Treue und Ergebenheit der Narren im Unglück berichtet, sie blieben zuweilen die einzigen Freunde der Fürsten, weil sie ihre einzigen Vertrauten gewesen und ihnen menschlich am nächsten gekommen.

---

*) Die Schilderung des Erasmus nimmt Wieland auf mit der Behauptung: Denn glaubt mir's, ihr gravitätischen Herrn,
      Gescheite Leute narrieren gern.

Oft war es gewiß von Nutzen, wenn ihre schrullenhaft vorgebrachten Wahrheiten die gemeinen Schmeicheleien des Kammerdieners und die feinen Schmeicheleien des Hofpoeten besiegten.

In Ungnade gerieten sie am ehesten, wenn sie sich zu sehr in Politik betätigten, denn es war natürlich für die Narren, wie für andere Günstlinge eine große Versuchung, ihrerseits den Günstigen und Gnädigen zu spielen.

Ariosto tadelt das Überhandnehmen der Narren:

> I buffoni più grati assai
> Che'l virtuoso e buono.

Castiglione findet sich jedoch mit ihnen ab als einer Gepflogenheit, die eben zur Hofhaltung gehört: *pare che si richieggano alla corte.* Einige Autoren loben sie überschwenglich, ja verheißen dem berühmten Narren — Unsterblichkeit. Ortensio Lando rühmt den Rosso, buffone des Kardinals Ippolito von Medici als würdig in dieselbe einzugehen*).

Gebildete Narren waren am Hof Heinrichs III. Sibilot, unter Heinrich IV. Maitre Guillaume, der gern den Kavalier spielte und sich *chevalier des chiffres* nannte. Er scheint die Satire *Ménippée*, das berühmteste Zeit- und Spottgedicht mit angeregt zu haben durch seine satirischen Ausfälle. Ähnlich gebildete Lustigmacher, die auf latein und italienisch aus dem Stegreif Verse improvisierten, finden sich am Hofe Leos X. und von ihnen ging wohl die Anregung zu burlesker Dichtungsart aus, die sich bald großer Beliebtheit erfreute.

---

*) Il Rosso buffone acquiestò e faculta e fame grande, e ne vivera immortalmente.

Die unfreiwillige Komik eingebildeter Sonntagsjäger auf dem klassischen Parnaß gab in Rom Anlaß zu manchem Scherz. So wird Querno, der eitle Dichter, verspottet durch Aufsetzen eines Kranzes aus Kohl und anderem Suppengrün bei fröhlicher Tafel und zum *Archipoeta* ernannt. Ein anderer eitler Tropf, Barrabo, der sich einbildet, mit seinen lächerlichen Versen die Dichterkrönung auf dem Kapitol zu verdienen, wird von Leo und dessen Umgebung auf das großartigste gefoppt, indem eine solche Krönung ihm ernstlich verheißen wird. Im Festzug soll der berühmte Elefant des Papstes, den er vom König von Portugal zum Geschenk bekommen, den Barrabo auf das Kapitol tragen. Das Tier wird prächtig geschmückt, Barrabo, antik in Purpur gekleidet und lorbeerbekränzt, muß heimlich zitternd den Elefanten besteigen und zum Gaudium ganz Roms setzt sich der Zug in Bewegung, wobei es Spott aus der Menge regnet. Als der Elefant niederkniet und genug an der Aufführung hat, ist der arme Poet froh, seinem Reittier und der johlenden Menge zu entkommen. Ein Intarsiakünstler hat die Begebenheit in Holz gelegt, die Darstellung befindet sich noch am Fenster eines Saales im Vatikan.

Der Florentiner liebt und schätzt die *beffa*, die Gaukelei, die Fopperei des Dummen, mag sie auch grausam ausfallen für den aufgeblasenen Narren wider Willen. Als echter Renaissancefürst hatte Leo X. besonderen Spaß an jeder Art von Lustigmachern und es ist vielleicht an keinem Hof der Welt so homerisch gelacht worden wie am Hofe dieses Papstes.

In Rom gerät alles ins Kolossalische, ins Ungeheuere

und auch ins Ungeheuerliche. Hier träumt ein Michelangelo davon, einen ganzen Berg als Statue auszuhauen und es gelingt ihm immerhin die gewaltigste Kuppel der Welt zu wölben. Angesichts der Riesentrümmer, eingedenk der Riesenvergangenheit waren die Päpste zu weltüberschattenden Riesen angewachsen und wollten Riesenwerke um sich sehen. So ist es nicht verwunderlich, daß auch die Vergnügungen des römischen Cinquecento ähnlich denen des kaiserlichen Roms kolossalisch sich gebärdeten; das Lachen wird monumental, die Scherze von gewaltiger Dimension. Lacht man in den Sälen des Vatikans, so ist es kein zartes Schäkern, sondern man hält sich den Bauch, man schüttet sich aus, es dröhnt die weitläufigen Räume entlang von derber, platzender Lache.

Fra Mariano, der Lieblingsnarr eines Leo belustigt durch eine Gefräßigkeit, die an Gargantua erinnert. Er rühmt sich, statt Aalen auch gebackene Stricke zu verschlingen.

Vor zweitausend Personen wird Ariosts lockeres Stück: *I suppositi* aufgeführt und Raffael verschmäht nicht den Theatervorhang mit lustigen Teufelchen zu bemalen. Fra Mariano, in deren Mitte abgebildet, jongliert mit ihnen. Raffael verschmäht auch nicht, den Elefanten zu malen, der viel zum Vergnügen beiträgt. Dieses Tier ist Roms Stolz und macht Leo X. populär. Ein Papst, der einen wirklichen zahmen Elefanten besitzt, und der Menge gestattet, sich an diesem Besitz und an den anderen Tieren der päpstlichen Menagerie zu ergötzen, ein Papst, der so gutmütig lacht vor dem Volk und mit dem Volk, ist recht nach der Römer Herzen.

Aber auch die elegantesten Prälaten und Künstler tun nicht ungern mit. Vielleicht beteiligte sich Raffael mit seinen jungen lustigen Schülern am tollen Festzug, in dessen Mitte der Narr Barrabo auf eben diesem Elefanten zum Kapitol ritt. Denn es schmeckte nach Antike und solche Munterkeit mußte dem Humanisten recht sein.

Wohl hat jeder kleine italienische Hof seinen Hauptnarren, *buffone*, amüsante Parasiten und Nebennarren, allein nur in Rom wächst diese Figur ins Phantastische wie bei Fra Mariano. Vielleicht spielt etwas politische Laune hinein, denn Fra Mariano ist Mönch, ist Dominikaner und ihn auffallend als Lieblingsspaßmacher hinzustellen, mag von seiten des klugen Medizäers eine ungeheuere Verulkung der Möncherei gewesen sein, die ihm in der Seele verhaßt war. Mariano verkörpert die Gefräßigkeit und Roheit der Mönche, die ja schon längst als Possenfiguren in Novelle, Dialog und Theater herhielten. Die humanistisch Empfindenden spürten im mönchischen Wesen und Aberglauben eine tiefgehende Feindschaft gegen ihre der Antike abgelauschte Lebenskunst.

Wenn Fra Mariano auf die Tafel sprang und deren herrliche Anordnung zerstörte, mag Leo unter jovialem Lachen bedeutsam seinen Kardinälen zugewunken haben: *So möchte sich das barbarische Mönchsgesindel am liebsten auf unsere frohe Tafel schwingen und die Zerstörung, die hier an diesem künstlerischen Aufbau in Schabernacklaune geschehen, allen Ernstes vollbringen. Seht, wie spritzt der Narr diese unvergleichliche Sauce mit Unverstand herum, so möchte mancher,*

der in seinem Rock steckt, am liebsten alle köstlichen
Säfte vergeuden.
Die päpstlichen Tafelfreuden hatten die Höhe jener des
kaiserlichen Rom erreicht, wenn wir den Rezepten
trauen können, die etwa ein Kardinal Giovio mitteilt.
Und nach vielen Jahrhunderten trieben höchst ähnliche
Parasiten wie an Imperatorentafeln mit ähnlichen Witzen
in ähnlichem Latein ihr Wesen in der *nova urbs* —
fast gespenstisch, wenn auch noch so heiter und ge-
räuschvoll.

FÜNFZEHNTER ABSCHNITT

Fra Marianos Wort — Der karmesinfarbene Beutel — Der Empfang
des Dichters — Der Papst als Jagdherr — Affen und Krähen —
Roma felix — Das Lob des Erasmus — Die Deutschen in Rom —
Rausch und Geselligkeit — *Trinkeswein* — Hübscherin und Cur-
tisane — Der Landsknecht mit der Laute — Chigis Gastereien —
Das Diner im Stall — Künstler am Hof — Merkur und Apoll beim
Brettspiel — Phaedra — Heikle Dinge — Lächelnde Toleranz —
König Herbst.

Godiamoci il papato, Danccḥè Iddio ce l'ha dato
(Genießen wir das Papsttum, da es uns Gott gegeben), soll Fra Mariano, Leos *famigliaro*, bei dessen
Wahl ihm zugeflüstert haben. Derselben Meinung war
der Florentiner Anhang des Papstes. Viele entdeckten
ihre Treue für das Haus Medici, ununterbrochen strömte
Florenz nach Rom. Die päpstliche Kasse litt darunter,
allein die Stadt verfeinerte sich zusehends durch die
Aufnahme des toskanischen Elements. In den Relationen
des Marino Giorgi (1517) wird erzählt, daß viele Florentiner, angeblich päpstliche Verwandte, nach Rom kamen,
um mitzuessen (vengano molti florentini che si fanno
in tinnello a mangiare).
Jene kluge Großmut, die Cosimos und Lorenzos Stärke
gewesen, wurde allerdings bei Leo dem Papst aus-
gebuchtet zu uferloser Verschwendung. Freude zu
machen, wohl zu tun, war für ihn nicht nur Bedürfnis
und feine Neigung, wie bei seinem Vater und Großvater, sondern Leidenschaft. Rastlos tat sich die weiße
Epikuräerhand auf, die Raffael so treffend gemalt hat
auf Leos Bildnis, abgehoben von wohlig sattem Sammet-
dunkel. Jeden Morgen ließ sich der Papst auf goldener

Schüssel einen schönen Haufen neuer Goldstücke reichen, und entnahm daraus genug, einen karmesinfarbenen, eleganten Beutel zu füllen für den Bedarf des Tages. Da ging kein Bittsteller, ohne glänzende Goldstücke bekommen zu haben, die der Papst gutmütig lächelnd aus dem Beutel zog und selbst dem Bittenden gab — es gehörte zu seiner Art, das Papsttum zu genießen, wie es ihm Fra Mariano im Conclave anempfohlen.

Leider wurde Leos bekannte Großmut von manchem Unverschämten ausgebeutet und zuweilen war gerade Ebbe in seiner Kasse, wenn ein Würdiger beschenkt werden sollte. Das empfand Leo schmerzlich beim Empfang Ariostos und da er ihm nicht soviel schenken konnte, als er wünschte, suchte er den Dichter mit Umarmungen und Ehrungen zu entschädigen.

Leo ist der letzte Papst, der als gewaltiger Jagdherr auftritt. Der Zeremonienmeister ist etwas ungehalten, wenn seine Heiligkeit an der Spitze einer lustigen Schar, halb geistlich, halb weltlich angetan, mit der Meute ausrückt, denn Paris de Grassi findet das phantastische Jagdkostüm der päpstlichen Würde nicht entsprechend. Leo lacht über die Kritik, er ist nie so gut aufgelegt, als wenn er den römischen Sorgen den Rücken zukehrt und sich dem Jagdvergnügen ergibt mit einigen ausgesucht munteren und harmlosen Freunden, darunter natürlich Versemacher, die alle komischen Erlebnisse der Jagd sofort in Reime bringen und bei den zwanglosen Mahlen in der Villa Magliana vortragen. Leo spricht deshalb von seiner süßen Jagd *dulces venationes*. Er benützt die Gelegenheit, um seinem Hang persönlich liebenswürdigen Wohltuns zu fröhnen

326

und findet bei der ländlichen Bevölkerung, die er zu beglücken strebt, wohl mehr Dankbarkeit als bei den Parasiten, die seine Freigebigkeit in Rom umdrängen.

Mit Jubel empfangen ihn die Dörfer, durch die der Papst als heiterer Jäger zieht, Blumengrüße werden zugeworfen, man kniet und umlagert Leos weißen Zelter, der Papst segnet und schenkt. Er läßt sich alles aus dem Dorf berichten, unterstützt die Alten und Kranken und die kinderreichen Familien und hat besonders Freude daran, arme Liebespaare durch seine Gnade zusammenzuführen.

Das Jahr darauf begrüßen ihn glückliche junge Paare und bitten ihn zum Paten.

Dieser heiter poetisch großmütige Medici ist gewiß nicht im geringsten getroffen durch die gehässigen Bildnisse, die seine religiösen und politischen Feinde von ihm entwarfen. Seine tragische Schuld ist, daß er zu sehr unter den Einfluß seines Neffen Lorenzino Medici geriet, der ihn zu verhängnisvollen politischen Fehlern veranlaßte, deren schlimmster die Vertreibung des zu Recht adoptierten Erben der Montefeltre war, des Fransesco Maria della Rovere aus Urbino, wohin sich *Lorenzino**) selber setzte.

Überschwenglich bis zum Märchenhaften war des mediceischen Papstes Gastfreundschaft bei Tafel. Eine Welt war geladen und die Einkünfte des Kirchenstaates sollen

---

*) Ihm hat Macchiavelli den *principe* gewidmet. Er ist der Vater der Katharina von Medici und vererbte ihr seinen Ehrgeiz. *Il papa è uomo dabbene e liberale molto. Suo nipote Lorenzino è astuto e alto a far cose.* (Relazioni di Marino Giorgi [1517]). (Der Papst ist ein guter großmütiger Mann. Sein Neffe Lorenzino ist schlau und ein Streber in allen Dingen.)

zum größten Teil im buchstäblichsten Sinn *verzehrt* worden sein. Der Papst selbst war äußerst mäßig, speiste einfach, trank wenig, die laute und ausgiebige Tafelfreude der Klienten scheint ihn aber sehr vergnügt zu haben und es interessierte ihn als Humanisten, wenn seine Köche — wie Paolo Giovio berichtet, nach antiken Rezepten Versuche machten, etwa eine Sauce aus allem Denkbaren an Geflügel, Fasanen, Rebhühnern, Kapaunen und Pfauen oder wenn die Gäste geneckt wurden, indem man ihnen einmal, zum Beispiel, statt der erwarteten Leckerbissen Affen und Krähen vorsetzte.

Zuweilen brachten die Kardinäle ihre Hofnarren mit und es entstand zwischen den *Buffoni* ein tolles Wettlachen und Wettlauf grotesker Erfindungen. Diese Dinge gehören zur grenzenlos gütigen Gastlichkeit, an der die gesamte Dienerschaft, ein fröhlich unverschämtes Völklein, freudig lärmend teilnahm in Leos improvisiertem Schlaraffenland.

Seine Großmut wogt durch ganz Rom, die Stadt fließt über von gutem Essen und Trinken, fast buchstäblich können einem gebratene Tauben oder Kapaunen in den Mund fliegen, denn bei gewissen Kardinalstafeln oder bei dem großen Protzen Chigi gehört es zur Unterhaltung, die überzähligen Braten der brechenden Tafel aus dem Fenster oder vom Balkon aus der Menge in Karnevalslaune hinauszuwerfen und der fröhlichen Balgerei um die Beute zuzusehen. Gelächter oben und unten. Man stand sich gut mit dem Volk bei solchen Späßen, denn es verstand Spaß ebenso wie die großen Herren.

Bezeichnend für Leos *Roma felix* sind die *feste agonali* die von dem ewig jovialen Phaedra Inghirami inszeniert wurden. In einem Triumphzug wirkten 18 allegorische Festwagen mit, die von der um Raffael tätigen Künstlerschaft geschmückt waren, sie stellten unter anderem die *Freundschaft* dar, die *Milde*, die *Heiterkeit*, die *Großmut*, die *Gunst*, diesen Eigenschaften gedachte Leo seine Herrscherzeit zu weihen. Erasmus lobte ihn darum (lib I. epist. 30): *Quantum Romani pontifices fastigium inter reliquos mortales eminent, Leo pontifex excellit.*

Dreimal kam Erasmus nach Rom und wurde höchst ehrenvoll aufgenommen. Der Deutschrömer Goritz von Luxemburg genoß großes Ansehen und seine schöngeistige Gastfreundschaft wurde in einem interessanten Sammelwerk: *Gorcyana* gefeiert.

Wir haben gesehen, daß auch ein Frisio trotz gegenteiliger Ansichten im Kreis von Urbino freundlich willkommen war — ein Beweis, daß bedeutende Nordländer, die sich weltläufig zu benehmen wußten, durchaus nicht verkannt blieben.

Zu Leos Zeit scheint Rom und Italien erfüllt von Deutschen, Macchiavelli behauptet, *condito* eingemacht in Deutschtum, es wimmelten Bankleute, Buchdrucker und Händler aller Art. Wenn trotzdem ein nationaler Widerwille gegen die *Walen*, wie sie Luther nannte, im Norden entstand, so läßt sich dies wahrscheinlich in großem Maß zurückführen nicht nur auf etwaige religiöse Unzufriedenheit, sondern auf Enttäuschung und Neid von allerlei Literaten und Abenteurern, die angelockt vom strahlenden Rom einträgliche Ämter und gesellschaftliche Stellung daselbst erhofften, sich aber zurückgewiesen sahen womöglich mit Spott wegen ihres Mangels an Geschmeidigkeit und Weltläufigkeit.

Natürlich beschützten die Italiener lieber eigene Streber und Parasiten als Fremde, die mitgenießen wollten, und Menschen, die sich nördlich der Alpen für gelehrt und große Männer genommen, galten in Roms klarer Sonne mehr als einmal für lächerliche Figuren mit ihrem holperigen Latein und plumpen Manieren. Gesellschaftliche Kränkung läßt sich aus manchen Schriften damaliger Romfahrer deutlich genug erkennen.

Ein Magister Berthold, der im Gefolge eines Kardinals Würden und Ehrenämter erhoffte, gelangt gar nicht an dessen Tafel und als Stellung wurde ihm angeboten, das Maultier seiner Eminenz zu besorgen — wahrscheinlich werden sich seine Manieren am besten für den Stall geeignet haben. Ein anderer Streber klagt possierlich bitter, der Teufel habe ihn nach Rom geführt, es gäbe keine gemütliche Geselligkeit wie in Deutschland, man sei höchst ungesellig, denn wenn sich einer betrinke, nehme man es übel und nenne einen im Rausch befindlichen ein Schwein. Dies kam dem guten Mann höchst befremdlich, beleidigend und närrisch vor, da nördlich der Alpen das Saufen ehrenwert und nobel hieß. Eine komische und doch sehr ernste Kluft der Weltanschauung!

Bis heute hat sich in Italien als Spott- und Schimpfname für einen Trinker in Erinnerung an die staunenswerten Leistungen deutscher Renaissancegäste auf diesem Gebiet das Wort *Trinkeswein* erhalten. Höchst ärgerlich ist für die von den Alpen heruntergestiegenen

330

Gäste, wenn sie die Spottlieder anhören müssen, die
Aussprache und Gebahren der Landsknechte verulken,
wie etwa dieses:

> Per cazzar maninconie
> Sempre Lanze ha flasche in mane
> E per biver liete a sane
> Trinche e bombar tuttavie.

Man findet bei dem Frauenzimmer wenig Trost, unbegreiflich ist für den Nordländer die für das Rom
Leos bezeichnende Erscheinung der *cortegiana onesta*,
die schöngeistig platonisiert und Salon hält, und die
Sitte für ausschließlich poetisches Getändel und künstlerische Unterhaltung ihr Geschenke zu widmen, wird
empörend gefunden.

Derselbe Gewährsmann, der Rom ungesellig nennt,
klagt über dessen allzufein tuende Kurtisanen und
wünscht sich zu den derben weißroten deutschen
Hübscherinnen zurück. Ähnlich urteilt Ulrich von Hutten
in den Dunkelmännerbriefen und der *epistola Italia
ad maximum Caesarem*, nachdem er nach seiner Ansicht am Mainzer erzbischöflichen Hof, dem feinsten
Prälatenhof in Deutschland, große Rolle gespielt, fühlt
er sich beleidigt, als er keine Einladung an den päpstlichen Hof erhält und die Pracht des Hofhalts nur vom
Hörensagen kennen lernt.

Scharfe Neckereien gingen wohl hin und her, die

---

*) In freier Übertragung:

> Trübes Denken zu vertreiben
> Landsknecht seine Flasche hat,
> Lustig und gesund zu bleiben
> Immer munter, nimmer matt.

Deutschen spotteten der platonischen Mode und wurden ihrerseits wegen des brutalen Liebesbegriffes verulkt, so in einem anstößigen, aber höchst witzigen Liedchen, das einem Landsknecht zugeschrieben wurde und das Orlando di Lasso nicht zu komponieren verschmähte. In diesem Liedchen zupft der Landsknecht derb eine italienische Laute zu Ehren einer Schönen mit der Versicherung, er sei weder ein Platon noch ein Petrarca, jedoch sehr geeignet für die dreizehnte Arbeit des Herkules. Gereimt ist das unartige Liedchen auf den plump gegriffenen Lautenakkord *Don-Don*:

> *Petrarca mi non son*
> *Don-Don,*
> *Mi non son un Platon*
> *Don-Don.*

So sind die ernsten Mißverständnisse und Anfeindungen stets von grotesken Hänseleien und Unverträglichkeiten, sowie von Kränkungen gesellschaftlichen Ehrgeizes in den Kulissen des Welttheaters begleitet. Leos Großmut und die Herrlichkeiten des päpstlichen Hofhalts werden natürlich mit besonderer Gehässigkeit von jenen beschrieben, die nicht zugezogen und von den Zugezogenen ausgelacht waren. Nachgeahmt und womöglich phantastisch überboten wurde die Verschwendung des Papstes von dessen Bankiers und geistlichen Würdenträgern.

Berühmt blieben manche Taten des Agostino Chigi*),

---

*) Geb. 1465 in Siena. Sein Reichtum kam hauptsächlich von Alaunbergwerken. Er rühmte sich, über 100 Kontore zu haben und 20 000 Leute zu beschäftigen. Palast und Garten des Chigi lagen bei der Via Settimana, Aretino war eine Zeitlang in seinem Dienst.

wie das Gastmahl, das er dem Papst und vierzehn Kardinälen bot (1518) in einem herrlich proportionierten Raum mit Marmor und Mosaikboden, die Wände mit Goldstoffen verhängt. Zum Schluß wurden diese Stoffe weggezogen und es enthüllte sich, daß der prachtvolle Raum nichts anderes gewesen als Chigis neuerbaute Pferdeställe, zu denen Raffael den Plan entworfen.

Eine derartig luxuriöse Stallung (auch hier welche Erinnerung an das antike Rom!) war vermutlich recht nach dem Geschmack des Papstes, der als leidenschaftlicher Tierfreund einen reichen zoologischen Garten besaß. Oft versahen ihn befreundete Fürsten mit seltenem Getier. Den Höhepunkt seiner Volkstümlichkeit erreichte Leo, als ihm der König von Portugal eine Auswahl der merkwürdigsten Tiere aus den neuentdeckten und vom Papst zu Lehen gegebenen Ländern mit feierlicher Gesandtschaft schickte, darunter jenen berühmten zahmen Elefanten, dessen Kunststücke Rom mit Jubel erfüllten. Er nahm Wasser in seinen Rüssel und spritzte auf possierliche Art umher, wofür dem klugen Tiere ungeheurer Applaus wurde.

Künstler studierten die Insassen von Leos Tierpark und verwendeten sie zu dekorativen Motiven und jenen über alle Maßen heiteren Fresken der Loggien, der einzig sichtbaren Erinnerung, die von Leos Schlaraffenland noch verständlich suggestiv erzählt. Das waren die kühlen Wandelgänge, in denen zur heißen Zeit die Gesellschaft sich gerne plaudernd auf und ab bewegte oder Musik genoß.

Leos Musikliebhaberei war so stark, daß er sich leicht

zu Tränen rühren ließ und in eine Art Verzückung geriet*). Musikalischer Genuß war auch das melodische Versespiel, das zu seiner Zeit Mode geworden und in dem sich sein Freund Bembo besonders hervortat.

Die Gespräche, die ein Sadolet, ein Bembo, mit Leo auf und ab wandelnd, in Raffaels Loggien führten, mögen ähnlich graziös und abwechslungsreich gewesen sein wie die Ornamente der Loggien, zart geschmückt mit Gewinden von Scherzen, mit tragenden mythologischen Gestalten und allegorischen Einfällen, mit Anspielungen auf alle Künste und Fertigkeiten wie die unerschöpflich phantastischen Wandornamente. Hoch über denselben schwebt nicht umsonst ein freundlich majestätisch aufgetanes Bilderbuch, Raffaels Bibel in Deckengemälden, an die schönsten Erzählungen frommen Glaubens erinnernd, denn alles, was in der christlichen Überlieferung schön und erhaben ist, wird mit Geschmack gewürdigt.

Man unterhält sich ähnlich reich an Gedankenschätzen und Bildern. Man freut sich im Gespräch, daß Lorenzos köstliche Bibliothek von Leo wieder gewonnen wurde, daß alte Weisheitsbücher neu übersetzt, aufgelegt, kommentiert erschienen, daß Leo diesen und jenen Gelehrten, diesen und jenen Künstler für Rom gewann**),

*) *Il papa è sopra tutto musico eccelentissimo, e quando canta con qualchuno gli fa dare 200 e più ducati.* (Relazione di Marino Giorgi.)

**) Unter den Künstlern und Schriftstellern aus der Zeit Leos befinden sich Baldassare Peruzzi, zwei Sansovino, Sodoma, Sebastiano Giocondo, Giovanni Barile, Caradosso, Boltraffio, Melzi, Salai, Lorenzo Fanfoja, ferner Bembo, Bibbiena, Sadolet, Inghirami, Beroaldo,

334

besprach die Verdienste der Kandidaten für den neu-
gegründeten griechischen oder hebräischen Lehrstuhl,
erwog, bei dem feinen Latinisten Vida (geb. Cremona
1490 gest. 1566) die *Christiade* zu bestellen, eine elegante lateinische Dichtung der Taten und Leiden des
heroischen Christus, da die Evangelien sprachlich die
Humanisten wenig zufrieden stellten. Vida unternahm
die klassisch gehaltene Übertragung der Evangelien
im Stil der Aeneide. Besser gelangen ihm allerdings
weltliche Stoffe, zum Beispiel, ein reizendes Gedicht
über das Schachspiel, in dem Merkur und Apoll als
Gegenspieler auftreten und alle Götter Partei nehmen.
Es hebt an mit den Versen:

> *Ludimus effigiem belli, simulataque veris*
> *Proelia, buxo acies fictas, et ludicra regna.*
> *Ut gemini inter se reges albusque nigerque*
> *Pro laude oppositi certent bicoloribus armis.*

(Spielen wir das Gleichnis des Krieges mit den Sinn-
bildern, hart geschnitten aus Buchs, um die vermeintlichen Reiche, auf daß die Könige, der weiße und
schwarze, um Ehre einander gegenübergestellt kämpfen
mit der zweifarbigen Waffe.)
Leo beschloß, die neue Übersetzung des Tacitus dadurch zu schützen, daß Unberechtigte mit Exkommuni-
kation bedroht wurden — eine neue Art den Bann-

Beazzano, Tebaldeo, Navagero, Colocci, Acciaiolo, Andrea Fulvio,
Raffael Maffei da Volterra, Paolo Giovio, Lascaris. Auch Aretino
macht sich heran, scheint aber bei Leo keine Gunst gefunden zu
haben, besser gelitten war Berni, der den *Orlando* parodierte und
die Welt der Prälaten in spöttische Verse brachte, wie jener die
Ritterwelt.

strahl zu verwenden zum Schutz des geistigen Eigentums, auch verschmäht er nicht, selbst eine empfehlende Vorrede zu entwerfen, in welcher er betonte, daß literarische Studien Gott wohlgefällig seien als Schmuck und Führung des Lebens, im Unglück ein Trost, im Glück ehrenvoll und erfreulich.

Man lobte im Gespräch die neuen Liebhabervorstellungen, die manche Freude und Anregung gewährten, die große Wirkung, die Inghirami als Phädra in der klassischen Rolle des Euripides erzielte, so daß ihm der Beiname Phädra blieb, die Aufführung der Calandra, Bibbienas selbständigen, wenn auch nach antikem Muster entworfenen italienischen Lustspiels, das am päpstlichen Hof mit Gepränge aufgeführt wurde.

Zu Anfang und Schluß der Vorstellung erteilte Leo den Segen, was im Zusammenhang mit einem so verwegen munteren Stück den Nachfahren und einigen Zeitgenossen nicht recht paßte. Es ist unbeachtet geblieben, welch großen Fortschritt in sittlicher wie technischer Beziehung diese Komödie bedeutete und der Nachfahre stößt sich zu leicht mit Prüderie an Ausdrücken und Situationen, die im Cinquecento mit munterer Natürlichkeit aufgefaßt wurden. Sogar ein Castiglione empfahl zwar den Damen beim Anhören heikler Dinge zu erröten und dieselben nicht herauszufordern, hatte aber für Anekdötchen Nachsicht, so selbstverständlich war es, sich über Keckheiten zu unterhalten.

Im Vergleich zu den Schaustellungen, die bis dahin üblich gewesen, erschien Bibbienas Calandra als ein Beispiel des Fein-Komischen und als gesittetes Stück. Nichts hätte die vornehmen und zum großen Teil

336

geistlichen Zuschauer, denen es vorgeführt wurde —
zuerst in Urbino 1513, dann 1514 in Rom, 1521 in
Mantua, wenig später in Venedig, endlich als große
Kunstoffenbarung zu Ehren des französischen Hofes
1545 in Lyon — so sehr gewundert wie die Kritik
späterer Zeiten, die das Lustspiel für durchaus anstößig
erklärte. War die Fabel doch dem unbedingt verehrten
Altertum entlehnt, die spaßigen Zoten nicht mehr so
derb wie in der gotischen Zeit sondern in leichter Art
vorgebracht, dazwischen philosophisch feine Bonmots
und Pointen, wie sie nunmehr elegante Konversation
zieren mußten. Gewisse Sentenzen, damals noch nicht
abgegriffen, muteten geistreich an und die Verkleidungs-
situationen sind von so unsterblich wirkender Komik,
daß Shakespeare sich ihrer bemächtigte, freilich ihre
Keckheit mit zarter Poesie umkleidend, indem er in
Was ihr wollt Viola als Jüngling kostümiert lieben,
leiden und siegen läßt.
Kühn und lobenswert trat außerdem Bibbiena auf mit
Verulkung des Zauber- und Hexenglaubens. Wie aufgeklärt erscheint der päpstliche Hof, der solches mit
Wohlgefallen vernimmt, wenn man bedenkt, daß zur
selben Zeit in Deutschland Scheiterhaufen über Scheiterhaufen sich türmte, um Hexen zu verbrennen, daß es
nördlich der Alpen zur Frömmigkeit gehörte, an Hexen
zu glauben und manch ein Doktor Faust für einen
Schwarzkünstler galt.
Weitherzige, lächelnde Toleranz ist bezeichnend für
Leo und seinen geselligen Kreis.
Er wollte ursprünglich auch seinem Widersacher Luther
mit Verständnis und womöglich mit feinmediceischem

Lächeln begegnen. Gewiß wurde an Leos Tafel gescherzt, der Mönch errege nur deshalb Aufruhr, weil er dem Tetzel das gute Ablaßgeschäft mißgönne und selbst dessen Einnahmen wünsche, dann würde er schweigen. Der Papst aber lobte den Augustiner als aufrichtig und fand ihn für einen Mönch auffallend gebildet. Er nannte selbst den Ablaß, wie er in Deutschland gehandhabt wurde, geschmacklos, verurteilte Tetzel und war bereit, eine vernünftig ruhige Kritik dieses Treibens anzuhören, um demselben zu steuern.

Nicht ungern hatte der Papst den reformatorischen Erwägungen eines Erasmus und anderer gelauscht, freilich lag es nicht in seiner Natur, energische Verbesserungsmaßregeln zu ergreifen und die langdauernde Einmischung der Päpste in allerlei weltliche Händel hatte ihnen zu viele Feinde gemacht, die sich einer ursprünglich inneren Angelegenheit der Kirche eifrig bedienten, um deren äußere Angelegenheiten zu eigenem Vorteil oder zur Rache zu verwirren. Überall, wo die Päpste politisch Anstoß erregt, also in Deutschland vorzugsweise, später in England, in Neapel, in Navarra waren politische Köpfe tätig, die Bewegung der religiös Unzufriedenen für sich auszunützen. Sie nahm sehr schnell sozialen Charakter an, der da und dort aufflammende Haß gegen die Kirche ist sehr ähnlich dem heute überall aufflammenden Haß gegen das Kapital.

Und wie das alte römische Imperium gerade durch die Mächte gestürzt wurde, auf die es sich stützen wollte, die Barbaren und Prätorianer, so arbeitete zum Sturz des unter politisch bedeutenden Päpsten auf Jahrzehnte wiedererstandenen römischen Imperiums alles, worauf sie sich gestützt, die Nepotenwirtschaft und die übrigen weltlichen und finanziellen Regierungskünste. Mechanisch sicher und unabwendbar wirkte deren Gefährlichkeit.

Zum Schluß erhielt Leos Reich etwas phantastischmythologisches wie das Reich eines herrlich verschwenderischen König Herbst, eines italienischen Herbstes voll schleppender Purpursammet- und Brokatgewänder und hochgeschwungener, herrlich geformter Becher und lebendig gewordener Rebenreigen von Ulme zu Ulme.

Es lächelt König Herbst, vielleicht ein wenig kindisch geworden, und freut sich des wahllosen Beglückens, das er ausübt, und seine Narren, lustig, bunt und frech, raunen ihm ins Ohr: Väterchen, leben und leben lassen sei Deine Weisheit, Du bist König Herbst, dessen Gaben unvergessen bleiben, Dich entthront König Winter, der Kahle und Kalte, schon sendet er von Norden her manch eisigen Schauer in den Garten Deiner Früchte — so spende die süßen platzend reifen ohne zu zählen, ohne zu wählen. . . .

Leo lauscht der Weisheit seiner Narren.

SECHZEHNTER ABSCHNITT

Das Behagen des Südländers ist wohlige Kühle.
Die großen Novellenerzähler schildern meisterhaft
dies Behagen, wenn in heißen Stunden die Gesellschaft
von graziösen Herren und Damen den kühlsten Laub-
gang des Gartens aufsucht, wo klares Plätschern ver-
nehmbar, oder den kühlsten Saal des Palastes. Da
wird auf Marmor gewandelt und geplaudert in möglichst
feingebildeten Sätzen.

Das Behagen des Nordländers ist wohlige Wärme in
niederer Stube, wo Butzenscheiben Welt und Wetter
ausschließen, wo mächtiger Ofen den größten Teil des
Zimmers einnimmt und seine Bewohner offenbar sitzender
Lebensweise huldigen, stundenlang vereint um einen
kräftigen Tisch, darauf kräftiger Trunk steht, wenn sie
Geselligkeit pflegen.

Dies ergibt einen sehr verschiedenen geistigen Habitus,
ebenso wie die Gewohnheit, das Frauenzimmer von höherem Gespräch grundsätzlich auszuschließen.

Indes die Prälaten um Leo Damengesellschaft herbei-
sehnten, und der Papst selbst in einer Versammlung, in
der sich viele Schöne befanden, galant einen Vers Virgils
zitierte: *formosi gregis pastor*, worauf eine der Huldinnen ihm schlagfertig erwiderte: *formosior ipse*, ist

340

Luthers geselliger Kreis grundsätzlich gegen jede schön-geistige Anwandlung der Weiblichkeit. *Ein Engländer, ein gelehrter, frommer Mann, ging mit Dr. Martin zu Tisch, verstand die deutsche Sprache nicht.* Mit diesem Engländer scherzt Luther: *Ich will euch mein Weib zum Präzeptor geben, die soll euch die deutsche Sprache fein lehren, denn sie ist sehr beredt, kann es so fertig, daß sie mich darin weit übertrifft. Wiewohl, wenn Weiber beredt sind, das ist an ihnen nicht zu loben, es steht ihnen besser an, daß sie stammeln und nicht wohl reden, das ziert sie viel besser.*

Ein andermal versichert er streng: *Es ist kein Rock noch Kleid, das einer Frauen oder Jungfrauen übler ansteht, als wenn sie klug sein will.* Er meint: *Wie-wohl die Weiber Worte genug haben, so mangelt es ihnen an Sachen, als die sie nicht verstehen, drum reden sie auch davon läppisch, unordentlich und wüste durcheinander über die Maße,* und stellt damit dem Konversationstalent der Frauen aus seinem interessanten Kreis schlimmes Zeugnis aus.

Sie werden demnach nur im Haushalt geschätzt und die Geselligkeit der Gelehrten ist eine durchaus männ-liche. Eine ritterliche Verehrung, eine platonische Schwärmerei, eine gesellschaftliche oder gar politische Rolle der Frau wäre dem geistig höchststehenden Kreis der deutschen Renaissancegesellschaft nicht nur lächer-lich, sondern einfach für die Männerwelt schmählich erschienen.

Denn die hervorragendsten Männer sammeln sich um einen der genialsten Emporkömmlinge, um den Bauern-sohn Luther, der im geselligen Auftreten halb Bauer, halb Gelehrter, halb jovialer und halb leidenschaftlicher Mönch war, und dessen weltliche Ansichten dementsprechend kernig herb klangen, wie noch heute die Ansichten tüchtiger deutscher Bauern, die ihre eigene Vornehmheit, ihren sehr berechtigten Ahnenstolz haben und stets ihren naiven Eigensinn behaupten, der etwas Erdgeruch in die Stube bringt.

Es ist ein liebenswürdiger Zug Luthers, daß er sich gern seiner bäuerlichen Abstammung erinnert, obwohl er ein großer Magister geworden, der seine welterschütternde Bedeutung ernst nimmt und von Europa ernst genommen wird. Er, der als Knabe armselig gehungert hat, sieht jetzt täglich Deutschlands Geistesgrößen an seinem wohlbestellten Tisch, und das Ausland sendet ihm hervorragende Gäste, so daß die Tafelrunde zuweilen eine kosmopolitische genannt werden kann.

Mathesius erzählt in seiner Lutherbiographie: *Unser Doktor ließ sich zu gelegener Zeit sehr lustig hören, wie wir denn seine Reden condimenta mensae pflegten zu nennen, die uns lieber waren denn alle würzige und köstliche Speise. Wenn er uns wollte Rede abgewinnen, pflegte er einen Anwurf zu tun: was hört man Neues? Die erste Vermahnung ließen wir vorübergehen. Wenn er wieder anhebt: Ihr Prälaten, was Neues im Lande? da fingen die Alten am Tische an zu reden. Doktor Wolff, so der römischen königlichen Majestät Präzeptor gewesen, saß oben an, der bracht was auf die Bahn, wenn niemand fremdes vorhanden, als ein gewandter Hofmann.*

Stets mußte also eine gewisse Schüchternheit und Schwerfälligkeit überwunden werden und dies gelang dem deutschen Cortegiano am besten: *Wenns Gedöber* (eifriges Gespräch) *doch mit gebührender Furcht und Ehrerbietigkeit anging, schossen andere bisweilen ihr Teil dazu. Oftmals legte man gute Fragen ein aus der Schrift, die löset Dr. Martin fein, rund und kurz auf und da einer einmal Part hielt, konnt er's auch leiden und mit geschickter Antwort widerlegen. Oftmals kamen ehrliche Leute von der Universität, auch von fremden Orten an Tisch, da fielen sehr schöne Reden und Historien.*

Luthers Nachdichtung des heiligen Buches der Israeliten wirkte bis ins kleinste bestimmend bildnerisch auf einen großen Teil des deutschen Volkes. Allerdings wie bedeutende Männer dank einer Ironie der Weltgeschichte meist Nebenwirkungen erzielen, die ihnen selbst durchaus unwillkommen wären und die nach und nach ihre geträumte Wirkung überwuchern und unkenntlich machen, so förderte Luthers Dichterkraft mehr den Jehovaglauben als den Christusglauben, dem seine eigene schlichte Inbrunst galt. Der Jehovaglaube war den nie ganz verschwundenen mythischen Vorstellungen des Nordens kongenial, Luther und sein Kreis blieben auch noch ein wenig von germanischem Mythos umfangen, sie glaubten an Teufel und Teufelsbeschwörungen, an Hexen, Kobolde und Wichte, von deren Treiben ernsthaft berichtet wird in reizendem Märchenstil. Der Fall des Doktor Faust scheint an Luthers Tisch besprochen worden zu sein.

Das brennende Interesse, das sich im Süden auf alle Bücher aus dem Altertum erstreckte, die Leidenschaft für jedes Wissen und jede Weisheit vergangener Tage warf sich im Norden auf das *eine* Buch, das Weisheit und Wissen an sich offenbart, auf die Bibel und diese gibt den vornehmsten Gesprächsstoff.

Vorbildlich war es der Fall in Luthers Tafelrunde, an der Deutschlands Renaissance-Geselligkeit gipfelt und bestimmt deren Eigenart.

Im Süden war es für den gebildeten Mann selbstverständlich antike Autoren zu zitieren, im Norden gehörte es bald zur Gesellschaftsfähigkeit möglichst bibelfest zu sein nach Luthers Beispiel. Zwar kommen lateinische Zitate vor in Ernst und Scherz, allein die eigentliche elegante Latinität als Genuß und Freude ist verbannt oder unbekannt*), man unterhält sich im derbkräftigen Lutherdeutsch, der Hausherr allen voran in Humor und geistvoll bildkräftigem Ausdruck.

Hier rauschen keine Purpurgewänder, es reichen keine goldgeschmückten Knaben herrliche Geräte, noch Prunkschüsseln mit hochdressierten Pfauen, es wölben sich keine unsterblichen Fresken ob den Häupten der Tafelnden. Aber es lauert auch kein Gift im Becher**). Treuherzig freundschaftlich sitzt man um den eichenen Tisch und lauscht schier andächtig, bedacht, die Tischreden des Hausherrn brav und säuberlich aufzuschreiben***).

---

*) Im Gegensatz zu Erasmus und seinen Freunden. Er soll scherzhaft den *heiligen Sokrates* angefleht haben als Schutzpatron der heiligen alten Sprachen.

**) Leo X. starb an Gift.

***) Dem Fleiß des späteren Seniors in Erfurt Joh. Aurifaber (gest. 1575), der häufig Luthers Gast war, verdankt man die älteste

Am interessantesten gestalteten sich wahrscheinlich die Gespräche zwischen Luther und Philipp Melanchthon, der sich einer gewissen Feinheit des Umgangs befleißigte.

Die in der Geselligkeit der Renaissance hervorragenden Männer sind diesseits und jenseits der Alpen von so ausgezeichneten Meistern der Bildniskunst in ihrer Eigenart festgehalten, daß sie dem Beschauer sehr viel aufschließen über das Eigenartige der Gesellschaft, in der sie sich bewegten. Es ist nicht schwer, mit ihnen vertraut zu werden und die Ähnlichkeit, die Rasse, ähnliche Sitte und Gepflogenheit ihnen geben, wirkt fast wie eine Familienähnlichkeit.

Eine unnachahmliche Sicherheit, Eleganz, eine Überlegenheit, die fast spöttisch den vollen roten Mund kräuselt, kennzeichnet die meisten italienischen Porträts. Eleganz ist so selbstverständlich, daß sogar der Freibeuter auf dem Tintenozean der Zeit, Aretin, sie selbstsicher zur Schau trägt auf Tizians Porträt, wie er selbstsicher an manchem Hof und in Venedigs Künstlerkreisen auftrat. Gemeinschaftliches Merkmal der berühmten italienischen Bildnisse ist der weltmännisch freie Blick, die anmutige Haltung[*]), es sind meist stehende Bilder in natürlicher Größe mit freiem Hintergrund, endlich die schönen Hände, die mit Zierlichkeit

gedruckte Sammlung der Tischreden. Die Urschriften, die deren Grundlage bilden, stammen von Konrad Cordatus (gest. 1546 als Superintendent in Stendal), Anton Lauterbach (gest. Pirna 1569), Veit Dieterich, Luthers langjährigem Famulus und späterem Pfarrer der Sebalduskirche in Nürnberg, Pfarrer Johann Schlaginhaufen und Mathesius.

[*]) Das schönste Beispiel ist Castigliones Bildnis von Raffael.

den Degenknauf halten, den parfümierten Handschuh oder das kostbare Buch, lange, edle Finger, deren Liebkosung einer Frau unvergeßlich bleiben mußte.

Vergegenwärtigen wir uns die von nordischen Meistern geschaffenen kostbaren Bildnisse, sind wir in eine andere Welt versetzt. Sie sind oft unter Lebensgröße und die Modelle sitzend dargestellt in sorgsam sauberer, enger Geschlossenheit der Stube, sehr fein getönt aber stubenfarben die Gesichter mit kleinen, aufmerksamen, an krause geschnörkelte Buchstaben gewöhnten Augen, schmal und bestimmt die Lippen. Die mit unsagbarer Ausführlichkeit gemalten Hände sind niemals graziös lässig, zu Liebkosung und beredter Fingersprache geschaffen, sondern eckig fest in ihrer ausgeprägten Sonderart, gespannt greifend, sogar wenn sie eine Blume halten oder ein Buch nur durchblättern. Das sind die Hände, die bei Luther über den Tisch griffen nach bieder kräftigem Becher, diese Männer lauschten seinem urwüchsigen Wort, unter diesen arbeitenden Stirnen baute sich das neue Weltbild.

Ein gemeinsames Merkmal ist jedoch für Süden und Norden gültig in der lebensvollen Zeit, an Luthers Tisch wie an Leos Tafel tönt siegreich das weitschallende Lachen der Renaissance und einer wie der andere dieser Männer, die das Schicksal zu so starker Gegnerschaft bestimmt, schmilzt hin bei den Tönen der Musik. Wenn es sich um Musik oder um Lachen handelt, ist Luther wie Leo ein gesellig liebenswürdiger Mann*).

Allerliebst, wenn auch zuweilen etwas kindlich, sind

---

*) *Musicam habe ich allezeit lieb gehabt. Wer diese Kunst kann, der ist guter Art, zu allem geschickt.*   *Luther.*

346

die Schwänke und Parabeln, die Luther — gewiß mit gutmütigem Lächeln — zum besten gibt, die Reime und Rätsel, die er improvisiert. Sorgsam und fromm zeichnen die Gäste des verehrten Hausherrn Einfälle auf; etwa den Rätselreim:

Ich weiß ein Wort, das hat ein l,
Wer das sieht, begehrt es schnell. (Golt).
Wenn aber das l weg und ab ist
Nichts besseres im Himmel und Erden ist. (Gott).

Oder den Spottreim, dessen Schluß für heutige Dezenz nicht gut wiederzugeben:

Glaub keinem Wolf auf wilder Heid,
Auch keinem Juden auf seinen Eid . . .

Oder die behäbigen Verse, die an gemütliche Bauernregeln erinnern:

Es ist auf Erden kein besser List,
Denn wer seiner Zungen ein Meister ist.
Viel wissen und wenig sagen,
Nicht antworten auf alle Fragen,
Rede wenig und mach's wahr,
Was Du borgest, bezahle bar,
Laß einen jeden, was er ist,
So bleibst du auch wohl, wer du bist.

Besonderen Beifall fand der Spruch:

Wie einer liest in der Bibel,
So stehet am Hause sein Giebel.

Er ist allgemein verständlich, denn noch sind die Gassen und Gäßchen der malerisch wehrhaften Orte mit spitzgiebeligen Häusern durchaus versehen und es wird allerwegs noch gotisch gebaut, findet auch manches Gerät der Renaissance und manche Malerei in deren

Stil Eingang, besonders in Süddeutschland, wo die *Venediger* ihre Geschäftsfreunde haben. Kleingerät mit Renaissanceornamenten sendet Augsburg auf ihre Anregung hin bereits in alle Welt.

Durch diesen Zusammenhang und ihre kluge Modernität sind die Fugger so reich, daß sie ihren Reichtum unter anderem zu einer gemeinnützigen Einrichtung benutzen, dem Bau eines ansehnlichen und hübschen Arbeiterviertels, der sogenannten Fuggerei, und fürstliche Gastfreundschaft sowie ein Mäzenat ausübten, das an die italienischen Mäzenate erinnert.

Die Augsburger Kaufleute setzten überhaupt Ehrgeiz darein, es den italienischen Geschäftsfreunden gleich zu tun, ihre Frauen geben die elegante Mode in Deutschland an, die Venedigs imposante Faltenwürfe glücklich nachempfindet und in Augsburg entstehen die ersten und echtesten Renaissancebauten deutscher Meister.

Dem nördlichen Deutschland sind sie noch fremd und durchaus kein inneres Bedürfnis. Zwar ist die gotische Formenwelt einst eingewandert von Frankreich und den Niederlanden her und keineswegs autochthon entstanden, allein sie hat sich so gründlich eingelebt, sie paßt so gut zu Land und Leuten, daß man sie mit Recht als deutsch gewachsen und heimisch empfindet. Das Verschnörkelte, Verzopfte und Verkropfte der Spätgotik war noch bezeichnend für die meisten Städtebilder der Lutherzeit und belebte die nordische Landschaft ulkig und schnurrig, wie eine Märchenerzählung das wohlig Warme des Winterabends in gut geheizter Stube.

Wie steht sie fein in der Winterstimmung und fein zu den Gestalten des deutschen Bürgerlebens, zu seinen derb spaßhaften Lustbarkeiten, dem Schönbartlaufen, der Schlittenfahrt, dem Aufzug der Schützenfeste und dem behäbig breiten, possierlich tüchtigen Meistersingerwesen! Traut grüßt der bekannte Giebel, wenn einer vom Meistertrunk in feuchtfröhlicher Gesellschaft den Weg nach Hause nimmt. Es ist, als empfange anheimelnd und schalkhaft der schnörkelig ausladende, behagliche Bau den behäbigen vierschrötigen Mann. Viel weniger paßt für ihn, durch majestätisch strenges Renaissanceportal hinein und heraus zu spazieren.

Derb und meistens eher äußerlich aufgefaßt sind die Formen der Renaissance ohne den zwingenden Rhythmus, der ihnen südlich der Alpen eigen ist und sehr bald überstürzt sich die deutsche Renaissance in das Barock, in dem die ausladende Phantasie wieder mehr Recht bekommt.

Gerät, Tracht und Schmuck werden jedoch im deutschen Süden dem italienischen Stil angepaßt, manche Kleinmeister in Augsburg und Nürnberg verknüpfen mit den italienischen Anregungen solche aus dem Orient, die ihnen der weitgespannte Handel zuführte. Man fertigt für die Ausfuhr Rüstungen kostbarer Art, sogar für die französischen Könige in diesem gemischten Geschmack, man setzt deutsche Heiligenfiguren in welsche Säulenhallen, man schwingt gewaltige Becher und Humpen, die geduldig und zierlich mit Ornamenten versehen sind, Ursprung nehmend aus jenen fremden Kunstwelten. Die Nachahmung ist nicht eng, sondern eine freie Nachdichtung, die ihre eigenen Reize hat.

Lukas Cranach, Friedrich des Weisen von Sachsen Hofmaler war eng befreundet mit dem Reformatoren, Dürer trat in Korrespondenz mit ihnen, Deutschlands größte Künstler stellten die Mittel ihrer Kunst eifrig der neuen Bewegung zu Diensten. Von bildender Kunst ging jedoch in Luthers Kreis kaum die Rede, von Literatur wenig, von Wissenschaft oft in recht naiver Weise, da in der Bibel alles vorhanden schien, was die Menschen irgend zu wissen brauchten.

Darum ließ sich Luther über die Entdeckungen der zeitgenössischen Astronomen also vernehmen: *Es ward gedacht eines neuen Astrologi, der wollte beweisen, daß die Erde bewegt würde und umginge, nicht der Himmel oder das Firmament, Sonne und Mond, gleich als wenn Einer auf einem Wagen oder in einem Schiff sitzt und bewegt wird, meinet, er säße still und ruhete, das Erdreich aber und die Bäume gingen um und bewegten sich. Aber es gehet jetzt also: wer da will klug sein, der soll ihm nichts gefallen lassen, was andere machen, er muß ihm etwas Eigenes machen. Der Narr will die ganze Kunst Astronomiae umkehren. Aber wie die heilige Schrift anzeiget, so hieß Josua die Sonne still stehen, und nicht das Erdreich.*

Am liebsten scheint man sich, was weltliche Dinge betraf, über Musik und über Politik unterhalten zu haben. Was die auswärtige Politik anging, waren die Herren nicht gut informiert, besonders in bezug auf Rom, und es lief des öfteren auf eine Art Kannegießern hinaus. Unter anderem war Luther der Meinung, Papst Leo habe einen Sohn, den er zum Kaiser machen wolle. Leo besaß aber keine Nachkommen-

350

schaft und sein Neffe Lorenzino begnügte sich mit dem Herzogtum Urbino. In den Dingen der inneren deutschen Politik, für die Luthers Einfluß von Gewicht war, zeigte er oft sehr wichtige Einsicht, doch er gab sich nicht genug Rechenschaft, daß die Erschütterung der religiösen Autorität gleichzeitig eine Erschütterung jeder weltlichen Autorität bedeute. Peinlich überraschend wirkten die großen sozialen Unruhen, die entstanden, denn Luther liebte *ordentliches Regiment*. Mit großem Freimut bekannte er einmal: *Es ist keine verachtetere Nation denn die Deutschen. Italiener heißen uns Bestien, Frankreich und Italien spotten unser und alle anderen Länder. Wer weiß, was Gott will und wird aus den Deutschen machen, wiewohl wir eine gute Staupe vor Gott wohl verdient haben.* Der Reformator meint, die Deutschen seien selbst schuld an dieser allgemeinen Verachtung, denn es sei Deutschland wie ein *stark Pferd ohne einen Reiter, es mangelt ihm an gutem Haupt und Regenten.*

Er beklagt des öfteren über Tisch und seine Gäste mögen bejahend mit dem Kopf genickt haben, daß der Adel sich vor jeder Bildung und ehrbaren Geselligkeit abschließe und sein Vergnügen in Roheit und Sauferei finde. Witzig erzählt er: *Ich habe neulich zu Hofe eine harte, scharfe Predigt gehalten wider das Saufen, aber es hilft nicht. Taubenheim und Minkwitz sagen: es könne zu Hof nicht anders sein, denn die Musica und alles Ritter- und Saitenspiel wäre gefallen, allein mit Saufen wäre jetzt die Verehrung an Höfen. Und zwar unser gnädigster Herr und Kurfürst ist ein großer, starker Herr, kann wohl einen guten Trunk ausstehen, seine Notdurft macht einen anderen neben ihm trunken, wenn er ein Buhler wäre, würde es sein Fräulein nicht gut haben. — Aber wenn ich wieder zum Fürsten komme, so will ich nicht mehr tun, denn bitten, daß er überall seinen Untertanen und Hofleuten bei ernster Strafe gebieten solle, daß sie sich ja vollsaufen sollten. Vielleicht wenn es geboten würde, möchten sie das Widerspiel tun. Was verboten ist, dawider tut man gern.*

Gewiß ein Vorschlag von bestem Lutherschen Humor und sicherer Weisheit.

Damen waren zwar bei den männlichen Trinkgelagen nicht zugezogen, scheinen aber um diese Zeit die Männer auch darin nachgeahmt zu haben, wie alles Männliche für sie Mode wurde, Dolch oder Messer am Gürtel zu tragen, geschlitzte Ärmel und statt ehrbarer Haube den kecken Federhut auf dem Kopf.

Bei ihren Zusammenkünften hielten es die Modedamen für elegant männergleich manch schweren Trunk zu tun und studentische Sitten zu äffen. Sie setzten Kränzchen auf bei dieser ausschließlich weiblichen Geselligkeit. Für Zusammenkünfte von Frauen erhielt sich seither der Name Kränzchen, nur gewöhnten sie sich später das Trinken ab und es entstanden in den folgenden Jahrhunderten die harmlosen Kaffeekränzchen *).

Unmäßigkeit bei geselligen Gepflogenheiten der Frauenwelt scheint weniger Nachsicht gefunden zu haben als

---

*) Der Name kommt von dem Gebrauch, daß die *Fraß- oder Saufschwester, die an der Reihe war, die anderen zu bewirten*, mit einem *Kränzlein geschmückt wurde, darumb auch diese Mahle die Krantzfressereien genannt werden*.

jene der Männerwelt, zeitgenössische Satire und grimme Holzschnitte feinden sie an. So zeichnet Burgkmair die *Fräßigkeit* als gewaltiges dickes Frauenzimmer in übertrieben modischer Tracht mit einem Schwein als Attribut und ein ähnliches Gegenstück, die *Trägheit* mit einem Esel. Verschiedene Meister, besonders scharf Hans Baldung Grün, feinden die massiven Huldinnen ihrer Zeit an und setzen ihnen ein groteskes Denkmal. Gemeint sind wohl teilweise die *Hübscherinnen* oder *gelüstigen Fräuleins*, die Kurtisanen, die sich nach dem Geschmack der für sie maßgebenden Kreise in Manier genau einrichteten, wie sich die italienischen Kurtisanen dem Geschmack ihrer Umgebung fügten, indem sie einer Quintessenz maßvoller Eleganz zustrebten und sogar den denkwürdigen Ehrgeiz entwickelten, zu platonisieren wie die tonangebenden Damen vornehmster italienischer Welt.

Die derbprächtigen, trinkfesten *gelüstigen Fräuleins* bildeten eine Zierde offizieller deutscher Gastlichkeit, zuweilen wurden sie bei fürstlichen Besuchen von den Städten besonders geladen oder befohlen.

Witzig und scharf greift der Berner Maler und Dichter Nikolaus Manuel Deutsch die *Weiberherrschaft* an, indem er übertrieben modisch herausgeputzte Frauenzimmer darstellt, die den Männern Narrenkappen aufsetzen mit dem triumphierenden Vers:

Ich kann bezwingen einen Mann
Und ihm ein Kappen legen an,
Den sonst darf niemand greifen an.

Schlimm trieb es die Lebewelt mit Karten- und Würfelspiel. Bürgermeister Sastrow aus Stralsund erzählt vom

Reichstag zu Speier, Spanier und Deutsche hätten sich dem Spielteufel so ergeben, daß sie von ihren Pferden absteigen mußten, indes der Jude, der ihnen geborgt, mit seinem Troß großartig davonritt. Solches Treiben rügte Luther ebenso kräftig wie das *Vollsaufen*.

Karten- und Würfelspiel ist jetzt am gemeinsten, denn diese Welt hat viel und mancherlei Spiele erfunden. . . . Da ich ein Knabe war, waren alle Spiele verboten, also daß man die Kartenmacher, Spielleute und Pfeifer nicht ließ zum Sakrament gehen, und mußten vom Spielen, Tanzen und anderen Spektakeln und Schauspielen, wenn sie es geübt oder zugesehen hatten und dabei gewest, beichten. Jetzt geht es in hohem Schwang und man verteidingts für Übung des Verstandes. . . .

Trotz dieses Tadels verdient Luther keineswegs im Punkt geselliger Unterhaltung den spöttischen Beinamen *Lutero pedantissimo*, den ihm seine italienischen Feinde zuriefen, sein Dichtergemüt bewahrte ihn vor der finster freudlosen Lebensauffassung eines Calvin, der sich und anderen kein Vergnügen gönnte. Als Mann der Renaissance, als Frohnatur lacht Dr. Martinus den Scheinheiligen entgegen: *Sündigt lieber kräftig!* und bezeichnet endgültig seinen Standpunkt mit dem bekannten Vers:

Wer nicht liebt Wein, Weib, Gesang,
Der bleibt ein Narr sein Leben lang.

Es war ein wenig ungalant, den Wein dem Weib voranzustellen. Ist Luther freimütig genug, selbst dem *gnädigen Kurfürsten* gegenüber sinnloses Saufen laut zu verurteilen, so ist für ihn doch als guten Deutschen selbstverständlich, einen festen Trunk nicht zu ver-

354

schmähen, und es scheint auch an seinem Tisch manchmal studentischer Ulk beim Trinken stattgefunden zu haben, der sich für späteren Geschmack sonderbar zu den theologischen Gesprächen mischt.

Dr. Martinus hat eine Collation angerichtet, dazu er die vornehmsten der Universität geladen. Darunter ist auch M. E. gewest, von welches wegen denn solches angefangen worden. Da man hatte gegessen, und jedermann fröhlich war, da ließ ihm Dr. Martinus ein Glas reichen, welches drei Reifen hatte, dasselbe bracht er und trank er mit Wein den Gästen zu. Und als sie alle hatten Bescheid getan, da kam die Reihe auch an M. E. Demselbigen zeigte Dr. Martinus das Glas und sprach: Lieber, ich gebe Euch dies Glas mit Wein, bis an den ersten Reif, die zehn Gebot, an den andern den Glauben, an den dritten das Vaterunser des Catechismi gar aus. Wie er das gesagt, trank er, Dr. Martinus, das Glas gar aus und ließ es wieder vollschenken und gab's M. Eißleben. Derselbige, da er das gemalte Glas empfing und anhub zu trinken, war es ihm unmöglich, daß er über den ersten Reif hätte trinken können, setzte derhalben das Glas nieder und hatte danach ein Greuel dasselbe anzusehen. Da sagte Dr. Martinus: Ich wußte es vorhin wohl, daß M. E. die zehn Gebote saufen könnte, aber den Glauben, das Vaterunser und das Katechismum würde er wohl zufrieden lassen. Dabei ist M. Johann Spangenberg, Pfarrherr zu Nordhausen gewest, als sich dies in Dr. Martini Haus zugetragen und hat auch solche Geschichte in seine Bibel verzeichnet gehabt.

Offenbar wurden derartig muntere Einfälle des großen

Mannes von seinen Tischgästen sehr geschätzt, und man ging in bester Laune auseinander. Liebe zur Musik und Liebe zum Wein vereint, zeigt eine *Trink-Regul*, deren Wortanfänge die italienische Tonleiter darstellen. Man soll trinken:

utiliter (zu Nutzen), *realiter (sachlich)*, *mirabiliter (wundersam)*, *familiariter (vertraut)*, *solemniter (festlich)*, damit man es nicht bereue *lamentabiliter (jämmerlich*).*

Nicht nur der Bauernsohn Luther, der selbst derblustig genug sein konnte, auch ein Edelmann wie Cornelius Agrippa von Nettesheim hielt dem zeitgenössischen Adel und den Fürsten ausgesprochene Bildungsfeindlichkeit vor, wobei er allerdings nicht nur die deutsche Hofwelt, sondern auch jene anderer Länder scharf ins Zeug faßte. Agrippa verurteilte in seinem berühmten Werk *de incertitudine et vanitate scientiarum et artium* (Köln 1532) die noblen Passionen des eigenen Standes, wie die unmäßig betriebene Jägerei.

Am grimmigsten sprang er um mit dem Hofschranzentum, wobei persönliche Bitterkeit mitspielen mochte, denn weder vom kaiserlichen Hof noch vom französischen, noch vom Herzog von Savoyen, wo Agrippa als abenteuernder Gelehrter abwechselnd Dienst gesucht hatte, erfuhr er viel Gutes. Nach seiner Beschreibung bestand die Konversation der meisten Herren

---

*) Man trank zumeist Most (Heurigen), da man kaum verstand, die Weine haltbar zu machen. *Firner* Wein war ein Jahr alt. Als Zusatz brauchte man Salbei, Rosmarin, Zimmet, Ingwer und Muskat. Malvasier, ein schwerer Griechenwein aus Morea, wurde als Morgentrunk oder zur Vesper genommen.

bei Hof in verlogenen Jagd-, Kriegs- und Weiber-
geschichten, und man wurde oft so hitzig dabei, daß
die Gabe des Bacchus wie bei den Mahlen der Cen-
tauren sich in Blut verkehrte.
Die Damen bei Hof vergleicht der Satiriker mit jenen
ägyptischen Tempeln, die schön gemalt und geschmückt
innen einen Affen, eine Ziege oder eine Katze enthielten. Ihre Gespräche drehen sich um die Mode, das
Haar zu färben und aufzurichten, in welche Falten das
Gewand zu legen beim Sitzen und Stehen, wem Vortritt zu gewähren sei, wie oft beim Gruß geknickst,
wann und ob geküßt werden solle, wer auf Maultier
oder Zelter zu reiten habe oder in der Sänfte getragen
werde.
Den Schluß von Agrippas hochgespannter Satire, die
alle Stände unbarmherzig durchhechelt, ist das Lob der
Einfalt und Bescheidenheit, symbolisiert durch den Esel,
den der gelehrte Humanist mit unterhaltsamem Ernst
und Aufwand großer Gelehrsamkeit den hochmütigen
und eitlen Menschen, besonders jenen, die sich höheren
Standes wähnen, als Beispiel hinhält.
Cornelius Agrippa hat ein so abwechslungsreiches Leben
geführt in aller Herren Ländern und so viele Beobach-
tungen sammeln können, daß er ein guter Gewährsmann ist zum Beurteilen der Gebräuche und Manieren
seines Zeitalters, stand er doch als abenteuernder Kriegsmann, als Hofmann, als Diplomat, als Arzt, Philosoph
und Theolog mit den verschiedensten Menschen in geselligem Verkehr und studierte mit Humor die Art,
in der sich die einzelnen Nationen in Gesellschaft zu
geben wußten.

Nicht besonders zufrieden war er mit dem Auftreten seiner Landsleute: *Wer, der einem Mann begegnet, der stolziert wie ein Hahn und dabei Manieren hat wie ein Ringkämpfer, unruhigen Blick, Stimme eines Ochsen, pedantische Rede, unverbindliche Art, unordentliches Gewand, wird solchen nicht sofort für einen Deutschen halten? Kennen wir nicht den Franzosen an seinem Schritt, seinen maßvollen Bewegungen, freundlicher Miene und Stimme, leichter Art der Rede und leichtfließender Kleidung? Wir merken den Spanier an seinem feierlichen Gang, seiner stolzen Nase und sentimentalen Stimme, den auserlesenen Redensarten und superfeinen Tracht. Italiener sieht man langsam schlendernd, bedeutsam in der Gebärde, wechselnd im Gesichtsausdruck, großartig im Auftreten, vollendet elegant. Wir wissen, daß im Gesang die Italiener flöten, die Spanier heulen, die Deutschen kreischen, die Franzosen trillern.* In Worten sind die Italiener ernst, aber schlau, die Spanier gesetzt, aber hochtrabend, die Franzosen schlagfertig, aber eingebildet, die Deutschen ungelenk, aber einfach. Als Ratgeber ist der Italiener vorbedächtig, der Spanier gewiegt, der Deutsche nützlich, der Franzose unüberlegt. Beim Essen ist der Italiener säuberlich, der Spanier raffiniert, der Franzose Schlecker, der Deutsche plump. Fremden gegenüber sind Italiener gefällig, Spanier gleichgültig, Franzosen freundlich, Deutsche grob und ungastlich. In der Konversation wird man die Italiener vorsichtig, die Spanier bedächtig, die Franzosen fein, die Deutschen hochfahrend und unleidlich finden. Die Italiener zeichnen sich aus in Literatur, die Spanier durch Seefahrt, die Franzosen durch

Höflichkeitskunst, den Deutschen räumt Agrippa Talent zur Religion ein und zu gewerblichen Künsten.

Man sieht aus dieser scharfen Beobachtung und Kritik des berühmten Gelehrten, daß die Zeit ernstlich bedacht war auf die Wichtigkeit des Anstands. Verschiedene bedeutende Männer schrieben Abhandlungen darüber, die der Jugend zugute kommen sollten, Monsignore Casa für Italien den *Galateo*, Vivès, der Präzeptor spanischer Prinzessinnen seine Ratschläge, ähnlich verfuhr Erasmus in seinen Schriften. Das Merkwürdigste und Genialste leistete in dieser Richtung der Deutsche Dedekind, indem er in den Dichtungen *Grobianus* und *Grobiana* alle Unarten aufzählte und scheinbar empfahl, was zu vermeiden war.

Grobianus ist sozusagen ein Adam der Ungezogenheit, dem sich Grobiana als Eva nachgesellt. Seine eigentümlichen Geschöpfe behandelte Dedekind in dem lateinischen Poëm *Grobianus* von über 3000 Versen, das 1549 in Frankfurt erschien und drei Bände umfaßte. Einige Kapitel wie *de rictu, vomitu, crepite scriatis et aliis elegantiis* erinnern an gewisse holländische Genreszenen und spotten der Übertragung. Von den harmlosesten Ratschlägen an den jungen Mann und die Dame von Welt seien einige wiedergegeben.

Zuerst, was die Toilette betrifft: *Verliere nicht die Zeit mit Kämmen, denn das ist mädchenartig und Mannes unwert. Laß deine Haare voll Federn sein, denn es beweist, daß du auf Federn schläfst und nicht auf Stroh. Sich Hände und Gesicht zu waschen ist ungesund, man kann daran sterben.* In seinen Denkwürdigkeiten erzählt Hans von Schweinichen, daß um

das Jahr 1571 schlesische Edelleute einen Verein gegründet hätten, dessen Mitglieder den Schwur taten,
sich niemals zu waschen.

Die Empfehlungen des Grobianus waren gleichzeitig
eine Satire gegen die frommen Eiferer, die den *Putz-
teufel* und *Hoffartsteufel* verfolgten. Zum Beispiel wird
der Stutzer, das Gegenspiel des Grobian, von einem
Prediger also angefeindet: *Derweilen sie die Spiegel
nicht allein im Beutel tragen, sondern auch in den
Büchern Spiegel haben, die sie mit in die Kirche nehmen,
und wenn man meinet sie lesen und sind sehr andächtig, so schauen sie sich und andere im Spiegel.*

Derlei Vorwürfe treffen den Grobianus nicht, denn er
verschmäht durchaus den Spiegel und trägt einen langen
Schnurrbart, der zum Filter für das Essen dient. Beim
Essen zeigt er seine Art am unverkennbarsten, indem
er mit beiden Händen in die Schüsseln greift.

Gabeln waren in Deutschland und Frankreich noch un-
gebräuchlich, in Italien bei feiner Tafel bereits selbstverständlich.

Grobianus wischt den Teller mit der Serviette ab, zer-
schneidet mit seinem Messer das gezierte Tischtuch,
legt die Fischschuppen auf des Nachbarn Teller und
zerschlägt die Nüsse mit der Faust, so daß ein Tisch-
beben entsteht und alles hübschgeordnete Gerät durcheinander fliegt. Man kann sich bei Tafel auch damit
vergnügen, daß man das silberne *réchaud* anschlägt
und mit der Messerspitze die ziselierten Silberschüsseln
bekritzelt.

Es handelt sich bei der Satire also um Unarten, die
an reicher, vornehmer Tafel zu beobachten waren, nicht

360

etwa in einer Schenke, und der Gegensatz zwischen Pracht und Geschmack des Geräts und der brutalen Art des Gastes ist kraß genug. Denn ferner ist es für den Grobian empfehlenswert, seinen Schuh auszuziehen, um sein Messer daran zu wetzen, und wenn jemand darüber staunt, stolz zu sagen, es sei dies sein eigener Brauch.

Selbstverständlich nimmt der richtige Flegel bei Tisch den ersten Platz für sich in Anspruch und gönnt ihn keinem anderen, denn *sind wir nicht alle staubgeboren.* Wenn man zu spät kommt, ist es ratsam, den früher Gekommenen herauszuwerfen, am einfachsten beim Genick. Hat man den gewünschten Platz, mache man sich's behaglich, indem man allmählich den Gürtel lockert, um Raum der Speisenfülle zu schaffen, Überfluß an Sauce und Wein spritze man neckisch den anderen Gästen ins Gesicht, auch kann man seine Tischnachbarn, wenn es heiß ist, freundlich dadurch abkühlen, daß man sie anniest.

Nach Tisch ist Grobianus besonders selbstbewußt und rechthaberisch, seine Stentorstimme dröhnt, er kritisiert alle und alles, bis es ihm gelingt, einen Streit vom Zaun zu brechen, eine sogenannte *querelle d'Allemand,* worauf er Stuhl und Tisch besteigt und alles um sich her zertrümmert. Eine rechte Gespielin für den Flegel ist Jungfer Grobiana, die tief trinkt, tief ausgeschnitten geht und das Gewand verwegen schürzt, eine Blume nickt ihr über die Nase, sie weiß anmutig Flöhe zu suchen und teilt das Motto des Grobian: *Tue, was du magst, und sag, was dir einfällt.*

Ein viel schmeichelhafteres Bild, als die eigenen Landsleute malten, entwarf Macchiavelli von den zeitgenössischen Deutschen, ja er stellt ihre rauhe Einfachheit fast beispielskräftig auf: *Daß hier jedermann wohlhabend genug ist, hat folgende Ursache: die Deutschen leben, als ob sie arm wären, sie verschwenden nicht für Gebäude, für Gewänder und Geräte. Es genügt ihnen, genug Fleisch und Brot zu haben und einen Ofen, um in kalter Zeit Zuflucht zu nehmen.* An diesem Ofen wird fleißig in Kunstgewerbe hantiert — *mit dessen Erzeugnissen versorgen sie ganz Italien. Una so genießen sie ihr einfaches Dasein in Freiheit*).*

Freundlicher als Macchiavellis nüchternes Lob lautet Montaignes Anerkennung, der Sitten und Gebräuche in Süddeutschland wohlgefällig beurteilte. Giordano Bruno endlich, der sich mit deutschen Idealisten als Universitätslehrer befreundete und bei ihnen Verständnis für seine Philosophie zu finden glaubte, brachte in seiner pathetischen Art ein geradezu überschwängliches Lob: *Hier in Deutschland hat die Weisheit ihr Haus. Göttlich, im höchsten Grade göttlich, gewiß ist der Genius dieses Volks.*

Was Macchiavelli lobend erwähnte, galt hauptsächlich für die deutschen Schweizer, die von ihren Abenteurerfahrten heimgekehrt, sich oft mit republikanisch einfachem Behagen genug sein ließen.

---

*) *Perchè i popoli in privato sono ricchi, la ragione è questa: vivono come poveri, non edificano, non vestano, non usano masserizia in casa. Basta loro di abbondare di pane, di carne, et avere una stufa dove rifuggire del freddo. — Con la loro roba lavorata manualmente condiscono tutta Italia. E cosi si godono la loro rozza vita e libertà.*

362

Dies Volk, dessen Tüchtigkeit auf allen Schlachtfeldern Europas Ausschlag gab, war darin besonders merkwürdig, daß es durchaus Wort hielt, wo es sein Schwert einmal verdungen. Es trieb das Kriegshandwerk mit unverrückbarer Ehrlichkeit und eben darum war es ihm ein sehr gutes Geschäft. Der Schweizer half Fürsten zu stürzen oder auch zu erheben, weltliche und geistliche, ohne inneren Anteil zu nehmen, mit einer gewissen erhabenen Gleichgültigkeit, den Krieg als Geschäft nehmend, zwar von Land zu Land streifend, aber im Herzen nur den Traum der eigenen Alpe, des eigenen Hauses und der eigenen biderb gewohnten geselligen Freuden, die ihren eigentümlichen Charakter trugen.

Mit lustiger Behäbigkeit wird in den Basler Chroniken (1540) der *Froydenzug der Basler nach Liechstal* beschrieben, an dem die vornehmen Geschlechter sowie einfache Leute in brüderlicher Eintracht teilnahmen. Es wurde das Vermerken erteilt, *daß jedermann, der zerhowenen hosen und wammist müßig ging, das wollt ein ersamer rat haben.* Väterlich sorgte der ehrsame Rat von Basel also dafür, daß die Festgäste nicht etwa in ihrem vielgeprüften Landsknechtsanzug sondern säuberlich zum Fest erschienen.

Ferner wurde das Schmausen ordentlich bestimmt: *und wardt angeordnet an allen orten, was man essen solt an eim wie an anderem, namlich: zum imbis voressen danach ein gesottenes fleisch, danach ein bratis; zu nacht ein kalbfleisch in einem suren brulin, und ein gebrätis von fleisch und gstotten salmen, danach ein bachenes als kuchlin.* Also etwa die Speisenfolge einer mittleren Bauernhochzeit. Die Chronik bemerkt: *ein ersamer Rat zahlt alles.* Es waren 6000 Gäste, alle Zünfte und Gesellschaften, die in malerischem Aufzug mit allerlei Fähnlein und Musika sich auf Kosten des ehrsamen Rats von Basel vergnügten. Mit Recht ist der gute Ton, der dabei herrschend blieb, besonders lobend erwähnt: *Dann sich die Burger und Landslüt zu Basel und Liechstal so redlich und früntlich miteinander gehalten, daß kein mißhelligkeit noch trunkenheit von niemand befunden.*

Offenbar legten sie Ehrgeiz in solch gutes Benehmen und das Beispiel der Herren aus vornehmen Stadtfamilien, die freundlich mittafelten, wirkte bestimmend.

In den Städten haben die eingesessenen Geschlechter ihre eigenen feierlichen Zusammenkünfte, wobei geschmackvoll prächtiges Gewand und Gerät zur Schau getragen wird. Die Gasthöfe sind reinlich und sogar reich bestellt, Montaigne erwähnt auf seiner Reise, es seien die besten, die ihm bekannt, die Tafel schmückte gutes Zinn und Silber. Oft ließen vornehme Gäste zum Andenken an zufriedenen Verbleib ihre Wappen auf Glas malen für die Fenster des Hauses; für gemalte Fensterscheiben waren die besten Künstler wie Holbein tätig, und schufen darin einen eigenartigen Stil von kraftvoll üppiger Fröhlichkeit, vorzüglich passend zu den gemütlichen Tafelfreuden.

Immer stärker klingen Renaissancemotive an in den Schweizer und süddeutschen Städten, bis sie in Augsburg vollständig die Herrschaft erlangen. Auch in allerlei Mode und Gepflogenheit ist dies der Fall. Tröstlich gegenüber dem Schrecken, den die Figur des Grobian einflößen mochte, ist so manche Zierlichkeit des Betragens, das von der Geselligkeit süddeutscher und rheinischer Städte Kunde gibt.

Am überzeugendsten für das Vorhandensein solcher Zierlichkeit, da sie aus der Tiefe des Gemüts kommen, wenn auch modisch zugestutzt, sind die Liebeslieder, die man zur Laute in trautem Stübchen sang oder als Ständchen — in Nürnberg hießen die Serenaden *Pfeifenstellen* — in Maiennächten unter dem Erkerfenster. Die Melodien wurden großenteils vom evangelischen Kirchengesang übernommen und durch falsches Psalmodieren entstellt. Ursprünglich, schalkhaft und verliebt vorgetragen, müssen sie allerliebst gewesen sein zu den allerliebsten, neckischen, volksliedmäßigen Versen, die, eine Fortsetzung des alten Minneliedes, den Mai, die Rosen und Lilien von Liebchens Wangen, das Vogellied in süßer Monotonie wiederholen.

Zuweilen verirrt sich unter die volkstümlichen Liedlein eines, das blaß anklingt an höhere Minnesart, ein vornehmer Jüngling minnt bescheiden eine edle Frau und verspricht ihr *zu frohnen*:

> O Fraue zart und feine,
> Gleich Perlein und Demant,
> Von Eurer Augen Scheine
> Ist mir mein Herz entbrannt!
> Ihr seid mein's Lebens Freud und edle Zier;
> Ihr Schöne, Tugendreine,
> Geht selbst Frau Venus für.

Venus und Amor treten zuweilen als Renaissanceschnörkel im schlicht deutschen Lied überraschend auf.

Mein jung frisch Herz unmaßen
Eur lichte Schön' erfreut,
Könnt nimmer davon lassen,
Wär mir ein tödlich Leid.
In aller Ehr und ritterlicher Treu
Dien ich Euch übermaßen,
Bis mich der Tod abscheidt.

Ritterlich und liebreich ergeben klingt auch das Lob:

So ihrer Rede süße Zier,
Ihr Liedlein zu der Lauten,
Zieh ich dem schönst Modieren für
Mit Dulcian und Flauten;
Wenn sie dann lächelt zu mir her,
Vermein, mir wär,
Als Zaubermär,
Der Himmel gar erkoren.

Die schönen Städte des deutschen Südens überquellen
von Blumen und Blüten, wie ein zur Prozession gefüllter
Korb. Es duften Linden, es duften Rosen und in holdem
Dämmerschein, auf dem Platz, den die Giebelhäuser
umrahmen mit frommen Ahnengesichtern, vielleicht auch
auf der alten Brücke, die über den mondsilbernen
Fluß sich wölbt, schwebt anmutig schattenhaft der Abendreihen, zu dem sich Jünglinge und Mädchen von Straße
zu Straße verabredet. Die Silhouetten der phantastisch
kecken Kappen, die flatternden Bänder der Zöpfe fliegen
hin und her auf perlmutterfarbenem Abendhimmel. Und
Einer reimt:

Sah ich im Abendreihen
Ein Mägdlein jung und zart,

Die konnt mein Herz erfreuen,
So fein war sie von Art.
Sie ist so schmuck und drate,
So überaus an Zier;
Stünd es in Gottes Rate,
Würd sie zu eigen mir.

Da kam zum Schluß der Reihen,
Ging alles heimgewendt;
Es wollt mich wenig freuen,
Daß er so bald zu End.
Sie reicht ihr Händlein here,
Sprung eilend in ihr Haus,
Da mußt auch machen kehre,
Für heut das Spiel war aus.

SIEBZEHNTER ABSCHNITT

Die nicht erloschene Gegenwärtigkeit der alten Götter, die zu den Gewalten des schlechten Wetters gehören, stimmt vornehmlich in Deutschlands Norden zu Zauberglauben aller Art.

In den ausgegrabenen Manuskripten, im Studium, worin die Südländer Vorschrift zu schönem genußreichen Leben suchten und fanden, sich am Wohllaut ergötzten und an artigem Klingespiel, suchten die Nordländer das Geheimnis, die Hexerei, das Arkanum. Wo jene Grazien und Musen zu ihren Festen luden und ihre feinsten Gelehrten artig mit Damen zu tändeln verstanden, beschwor ein Faust in fürchterlicher Einsamkeit den Spuk der höllischen Geister.

In Einsamkeit glaubte man mit Teufeln und Geistern Verkehr zu finden, in Einsamkeit mit Gott zu ringen, bis er sich der Gewaltumarmung ergibt.

Die Genüsse höheren, festlich geselligen Lebens und einer festlich geselligen, gemeinsamen Andacht werden dumpf erträumt und ersehnt, allein oft wähnt man, ihrer mittels einer Formel, irgendeines Zauberspruchs, irgendeines gewaltsamen Griffes habhaft zu werden, statt zu erkennen, daß nur die Verinnerlichung, die

368

zu innerer Schönheit reift, äußerlich Schönes greifbar und begreifbar machen kann. Der Wahn, durch Zauberformeln schwarzer Magie die einfache weiße Magie der Vernunft und Güte ersetzen zu können, ist bis heute nicht ausgestorben und eine ständige Gefahr für die edle Sehnsucht der Deutschen.

Der Kampf, den Goethe mit diesem unserem gefährlichsten Wahn in seiner Faustdichtung aufnahm, ist ziemlich mißverstanden worden, als hätte er Partei ergriffen für Spuk und Hexerei nordischen Spintisierens, indes er Leben und Schönheit, des Südens Renaissance mit Inbrunst geliebt hat, und zu verteidigen gedachte gegen des Nordens Nebelriesen. Nichts anderes bedeutet seine Beschwörung der Helena, ein spät humanistisches Glaubensbekenntnis, das die späte schmerzliche Sehnsucht der tiefsten Deutschen nach Wiedergeburt symbolisch zeichnet. Die klassische Walpurgisnacht, der gotischen entgegengesetzt und die Wendung des Gemüts von chaotischem Gedräng zu strenger Gestaltung, von Hokuspokus zu griechischer Andacht, von nur sinnlicher Liebelei mit geistig untergeordnetem Mädchen zu einer Verehrung des ewig Weiblichen, als mystische Schönheitsgöttin — Fausts zweiter Teil ist ein Erklärungsversuch der widerspruchsvollen deutschen Renaissance.

Wo das Klima freundlicher, scheint auch ganz von selbst die Geselligkeit einen freundlicheren, südlichen Charakter anzunehmen, manch artiges Lied, manch festliche Zeichnung der süddeutschen Meister, wie etwa Dürers Entwürfe für den Triumphzug Maximilians und seine eleganten Kostümzeichnungen geben Kunde davon.

Die großen Rheinstädte und Frankfurt a. M. entwickeln leichte Fröhlichkeit des Verkehrs, Köln und Mainz zeichnen sich darin aus bei Gelegenheit des Karnevals, Frankfurt aus Anlaß seiner Messen, deren internationale Bedeutung zu einer finanzgesetzgeberischen Meßbörse führt.

An deren Bestimmungen gegen den Münzwucher nehmen die größten Firmen der damaligen Welt teil und es mag eine imposante Zusammenkunft und manch großartiges Bankett gegeben haben, als diese Fürsten des Geldes sich vereinigten, um den Kurswert deutscher Gulden, portugiesischer, spanischer und ungarischer Dukaten, französischer Sonnenkronen und Goldreale zu bestimmen.

Von Deutschen tagten dabei die Imhoff, Welser, Tucher, Paumgarten, Rohlinger, Hochstetter, von Niederländern die de Neufville, de Bary, Malapert, du Fay, von Italienern die Spinola, Pelisari, Vertemali, Toresani und andere mehr. Bei dieser Gelegenheit einigte man sich in Frankfurt auf das *Skontro* oder bargeldlose Abrechnungsverfahren, das in Antwerpen und Lyon bereits von Geschäftsfreund zu Geschäftsfreund üblich geworden und sich auf gesellig vertrauliche Beziehungen gründete.

Skontro kommt von *scontrare* begegnen, sich gefällig begegnen, indem gegenseitige Schulden und Verpflichtungen gegebenenfalls durch einen dritten im günstigen Augenblick abgelöst werden. Dank der Kursschwankungen entstand ein regelmäßiges Börsengeschäft in Königsbriefen und fürstlichen Schuldverschreibungen. Die Fürsten genossen mäßigen Kredit, um so größeren die damaligen Weltfirmen und großen Banken, deren Regierung sich in Europa fühlbar machte. Die Genueser Bank *di San Giorgio* ist zum Beispiel die eigentliche Macht im Staat und der Doge wirkte rein dekorativ. Man war zu der Einsicht gelangt, die von dem Spruch auf der Malteser Münze ausgedrückt ist: *non aes sed fides.*

Denn Geld hat seinen Wert als ein auf Vertrauen gebautes Tauschmittel erworben; wo es nichts zu tauschen gibt, hat es seinen Wert verloren. Es ist der Ausdruck des Aufeinanderangewiesenseins der Menschen, die in Verträglichkeit am besten zu allgemeinem Vorteil den schwebenden Wert der Dinge von Fall zu Fall bestimmen.

Dies haben die klugen Renaissanceköpfe der in Frankfurt sich versammelnden Geldfürsten wohl erkannt. Geld ist eine Anweisung auf die Gesellschaft, deren Gesamtheit demgemäße Verpflichtungen übernimmt, und in deren Interesse es liegt, das Eigentum als Wirkungsvermögen der vollständigen Nutznießungen eines Objektes zu garantieren.

Sein Machtwirken hängt von der Sicherheit ab, diese suchen die großen Firmen entgegen der wilden Abenteuerlust der Politik möglichst auszugestalten, und solche Sicherheit bietet die Möglichkeit höherer Daseinsentfaltung.

Feinere Lebensreize prallen zunächst ab von einem durch ständige Unsicherheit bestimmten Lebensrhythmus.

Auch zur Freude gehört Gewöhnung. Dieser Gewöhnung streben die großen Handelsstädte zu dank der internationalen Macht, Klugheit und Wichtigkeit ihrer Firmen.

Am deutlichsten huldigte Augsburg der italienischen Renaissance, besonders seit Konrad Peutinger, der in Italien Bildung genossen, Einfluß bekam. Zwar gewann die Stadt erst im 17. Jahrhundert durch die Energie eines Elias Holl ihren neuen Charakter, im 16. Jahrhundert sind ihre Gebäude noch gotisch bis auf einige Paläste, doch findet mancher Übergang statt, da eine Reihe von bedeutenden Männern für alles Italienische schwärmt und keine Kosten scheut, um Altertümer zu sammeln und den Geschmack einheimischer Freunde der Kunst und Kunstbeflissener daran zu bilden, so ein Jakob, Anton, Raimund und Max Fugger, ein Dr. Nikolaus Maier, Max Welser, Ambrosius Hochstetter, vor allem Konrad Peutinger, ein Schüler des Pomponius Laetus. Als Sammler von Altertümern erbittet er Handschriften von Kaiser Maximilians Kriegsfahrten als *Beutepfennige*. Er gibt die Gegenstände an, die am Rathaus und den Fuggerhäusern gemalt werden sollen in *neurömischer* Art. Vielleicht stammt von ihm die Idee, im Fuggerpalast elegante Baderäume zu schaffen, die für eine Sehenswürdigkeit galten und bei kaiserlichem Besuch dem Gast angeboten wurden. Man zeigte sie wie Festsäle und Ziergärten vornehmen Fremden.

Erfreut schmunzelnd beschrieb Montaigne all diese, in Deutschland so überraschende Pracht und Bequemlichkeit. Im Gasthof *zur Linden* nahm er Aufenthalt und erlebte dort, an einem Samstag angekommen, ein großes Scheuerfest, Staunen erfaßte ihn über die unvergleichliche Reinlichkeit der Häuser außen und innen; er bemerkte, daß in seinem Gasthof ein eigener Maler angestellt sei, der alles sofort auszubessern habe.

372

Auf diese Weise erhielten sich die lustig bemalten Häuser stets frisch und festlich, ein passender Hintergrund für die reiche Augsburger Tracht und die mannigfachen Festlichkeiten, Umritte und Maskenzüge, bei denen man Eleganz zur Schau tragen konnte.

Mit Stolz ließ sich Kaiser Maximilian die Neckerei gefallen, er sei Bürgermeister von Augsburg und verschmähte nicht bei dem Johannisfeuer, um dessen 95 Fuß hohen Scheiterhaufen mit der schönen Susanna Neidhartin zu tanzen.

Streng gegliedert, mit praktischem Sinn und sicherem Geschmack aufgestellt waren die zu behäbiger Ordnung nötigen Standesunterschiede und wurden von allen stolz eingehalten in Bauart und Tracht, so daß jedermann und jedermanns Haus am rechten Platz standen mit eigenartiger, eindrucksvoller Physiognomie. Auch wenn sich alles zusammen vergnügte, blieb man dessen eingedenk und es kamen selten Ungehörigkeiten vor*).

Ein fremder Knecht aus dem Troß eines Adeligen wird übel heimgeschickt, als er tanzende Patriziertöchter anredet und es entsteht sogar ein Trutzliedchen darüber, denn die stolzen Geschlechter wollen sich nichts gefallen lassen, was ihren Anstandsregeln widerspricht.

Trotz ihrem Reichtum und Glanz, woran sich die Stadt viel zu gute tut, haben die Fugger keinen unmittelbaren Einfluß wie die Medici in Florenz, sie mußten sich sogar Zurechtweisungen gefallen lassen. Als ein sportsliebender Fugger, dessen Wahlspruch lautete:

Nichts angenehmeres ist doch auf der Erd
als eine schöne Dame und ein schönes Pferd.

*) Vergl. Riehl, Kulturstudien aus drei Jahrhunderten.

vom Rat ein Haus im St. Annahof zu einer Reitschule
erbat, wurde ihm bedeutet, es schicke sich nicht dort
als neben einer Schule der Wissenschaft Pferde ab-
zurichten, vielmehr sei der Rat gesonnen eine Bibliothek in dies Haus zu stellen.

Doch großen Eindruck machte die neumodische Pracht
der Fuggerschen Einrichtung und Anlagen, so daß sie
in Vers und Prosa treuherzig gepriesen und begeistert
dem bislang neidvoll bewunderten Italien und Frankreich entgegengehalten wurde. So in der Beschreibung
des Beatus Rhenanus, des Grafen Wolrad von Waldeck,
des Salomon Fraentzel:

> *Was Herrlichkeit auf dem Palast*
> *Zu sehen sei, mich wundert fast — —*
> *Der Lorbeer grüßt das ganze Jahr*
> *Zu ehren der Poëten Schar,*
> *Narzissenblümlein schön und weiß*
> *Der Hyacinth mit allem Fleiß. — —*
> *Welschland, laß ab von deiner Pracht,*
> *Man jetzt dich nit so groß mehr acht.*

Ungewohnt wirken die italienischen Marmorkamine im
Fuggerhaus am Weinmarkt, ein solcher erlaubt Fugger
die elegante Geste, die kaiserliche Schuldverschreibung
zu verbrennen. Beliebter bleiben die herrlichen großen
Kachelöfen.

Als Tizian Kaiser Karl V. Hoflager in Augsburg besuchte, mochte er sich angeheimelt fühlen in dem mit
Antiken erfüllten Marmorsaal Fuggers, einem nord-
deutschen Junker, Hans von Schweinichen*) bekam die

---

*) Es ist derselbe Hans von Schweinichen, der als einer der ersten
von gutem teutschen Schluck und Trunk galt und von seiner Reise

ungewohnte Glätte des prächtigen Fußbodens schlecht, als er im Gefolge eines liederlichen Herzogs von Schlesien nach Augsburg kam und an dem Bankett teilnahm, das die Brüder Hans und Max Fugger dem Herzog gaben. Der Junker (so erzählte er später selbst in seinen Denkwürdigkeiten) glitschte aus, als er ein kostbares, mit Wein gefülltes Gefäß aus venezianischem Glas durch den Saal trug, fiel lächerlich hin und goß sich das edle Naß auf sein neues rotdamastenes Kleid, das Glas aber zerschellte. Fugger meinte, er hätte lieber hundert Gulden als das Glas verloren. Vielleicht gehörte es zu den neuen kristallenen Kunstgefäßen aus Murano, die auf Anregung des Aretino antike Szenen — den Gemmendarstellungen ähnlich — eingeschmolzen trugen und dem Erfinder zu Ehren *Aretini* hießen, wie dieser sich rühmte.

Dem Gerät entsprach an Erlesenheit die Kost, die in Fuggers geschmackvoll prächtigem Heim gereicht wurde. Montaigne erzählt, daß ein Gärtner Fuggers Artischoken und andere feine Gemüse bis in den Winter gezüchtet habe. Dies war ein um so auffälligerer Luxus, als der Genuß feinen Gemüses in Deutschland noch ziemlich unbekannt, ja selbst der Genuß von Eiern eine Seltenheit war. Nur in Augsburg und Nürnberg war man in der Kochkunst wie in allen übrigen Künsten ernstlich voran und Rezepte für zusammengesetzte Gerichte wurden bereits aufgezeichnet. Nicht mit Unrecht schreibt man freilich der stark gewürzten Kost am Tisch der Reichen, die zu rechtem Durst führt, das Überhand-

---

rühmt: *Habe auf diesem Ritt im Reich große Kundschaft bekommen und mir mit meinem Saufen einen großen Namen gemacht.*

nehmen des *Zipperlein* zu, der Modekrankheit der Zeit.

Hans Sachs verfaßte ein warnend scherzhaftes Gedicht darüber: *Das Zipperlein und die Spinne.* Der Spinne geht es schlecht bei dem reichen Mann, dem Zipperlein bei dem Bauern, der es durch Mäßigkeit und körperliche Arbeit vertreibt. Da beschließen sie den Aufenthalt zu tauschen, Spinne zum Bauern, Zipperlein zum Reichen zu gehen.

> *Das Zipperlein zu der Stadtmauer*
> *Der Fuß für Fuß gar langsam ging.*

Wie Hans Sachs das sieht, läuft er, was er laufen kann:

> *In die Stadt, die Bürger zu warnen,*
> *Vor des argen Zipperleins Garnen.*

Doch unentwegt gab jedes Fest in der Stadt Vorwand zu reichen Schmausereien, die Gastwirte übertrafen sich darin; Augsburgs Gastwirte boten sogar den Stammgästen alljährlich berühmte Schnepfenschmäuse in ihren schönen Räumen, die farbige Glasmalereien mit Wappen und Allegorien schmückten und behaglich erleuchteten.

Im neuen Geschmack reich ausgestattet war manches Bürgerheim, man vernehme nur, wie Hans Sachs sein Lusthäuslein einzurichten verstand in edlem Renaissancestil:

> *Mitten im Garten stande*
> *Ein schönes Lusthäuslein,*
> *Darin ein Saal sich fande*
> *Mit Marmorpflaster fein,*
> *Mit schön lieblichen Schilden*
> *Und Bilden,*

Figuren frech und kühn
    [vermutlich nackte Göttergestalten]
Rings um den Saal auch hatte
Fenster geschnitzet aus,
Durch die all Frücht man tate
Im Garten sehen draus.
Im Saale stand auch ohnecket*),
Bedecket
Ein Tisch mit Seiden grün
Und auf den Bänken gulden
Mehr andre Bücher fein
Die alle wohl beschlagen
Da lagen.**)

In solchem zu geselligem Verkehr ladendem Lust-
häuschen erdachte Hans Sachs seinen stolzen Lobspruch
der Stadt Nürnberg:

    In der Stadt um und um
    Des Volkes ist ohne Zahl und Summ,
    Ein ämsig Volk, reich und sehr mächtig
    Gescheid, geschickt, erwerbesträchtig — —
    Auch sind da gar geschickt Werkleut
    Mit Drucken, Malen und Bildhauen,
    Mit Schmelzen, Gießen, Zimmern, Bauen —
    Als da man köstlich Werk anzeigt,
    Wie dem zu Künsten ist geneigt,
    Der findt allda den rechten Kern. — —

Trotzdem ist die Stellung in der Gesellschaft, die der
Künstler einnimmt, bescheiden im Vergleich zu dem
großen Herrendasein, das er anderorts führen kann.

---

*) Ohnecket [rund, nach neuer Mode].
**) Adam Puschmann.

Darum seufzte Dürer, ehe er von Venedig zurückkehrte, wo er Giovanni Bellinis prächtige Gastfreundschaft genossen: *O wie wird mich nach der Sonne frieren! Hier bin ich ein Herr, daheim ein Schmarotzer!* (Brief an Pirkheimer.)

Tatsächlich scheint er mit offiziellen Aufträgen zeitlebens nicht mehr als 500 Gulden verdient zu haben und die Korrespondenz mit privaten Auftraggebern zeigt an, daß diese allzugut rechneten und an Künstlerlohn kargten. Mühsam mußte sich Dürer für seine gewissenhafte Arbeit etwas Gewinn über die Kosten ausbedingen, es scheint auch recht handwerksmäßig Sitte gewesen zu sein, daß nach vollendetem Werk die Frau Meisterin auf ein Geschenk, eine Art Trinkgeld, Anspruch erheben konnte.

Wehmütig wird der Meister von seiner Geschäftsreise nach den Niederlanden *(1520)* zurückgekehrt sein, wo er viel mehr gefeiert wurde als je daheim und sich überzeugen konnte, daß niederländische Künstler, wie etwa ein Lukas von Leyden, ein Quentin Massys, ein Bernard von Orley, Hofmaler der Statthalterin Margareta von Österreich, glänzend auftraten und fürstlich empfingen. Quentin Massys ließ vornehme Würdenträger in seinen reichen Vorsälen auf Audienz warten.

In Brüssel, Gent und Antwerpen ist das Ansehen der Künstler zu höchst gestiegen, man näherte sich ihnen, als wären sie königlichen Blutes, sie waren stets in erlesenen Kreisen zu finden. In Deutschland blieb geschmackvolles Mäzenat vereinzelt, weder Adel noch Fürsten hatten Geld dafür oder Freude daran. Die Stellungnahme der Reformation gegen den Bildschmuck der Kirchen zwang die Künstler sich dem Gewerbe des Buchschmucks, dem Holzschnitt derben Geschmacks und später dem Kupferstich zu widmen oder auszuwandern, wie Holbein der Jüngere Basel verließ, nachdem folgende Verordnung herausgekommen: *Wir haben in unseren Kirchen zu Stadt und Land keine Bilder, weil sie vormals viel Anreiz zur Abgötterei gegeben, darum sie auch Gott so hoch verboten hat und alle die verflucht, so Bilder machen.* (Erlassen nach dem Bildersturm 1529.)

Holbein wandte sich darum nach England, um wenigstens mit Porträtmalerei seinen Unterhalt zu finden. Trotz des Schadens, den sie ihm angetan, blieb er der Reformation treu und trotz der vornehmen Bildnisse, die ihm Unterhalt gewährten, vertrat er grimmig satyrisch in seinen Totentanzbildern deren sozialen Groll, indem er die Reichen, Mächtigen und natürlich besonders die reichen Mächtigen der Kirche mit Haß und Spott vom Knochenmann anfallen ließ, ihre Herrlichkeit und Vergnügungssucht in Nichts zerblasen.

Das Grausen heftet sich an Holbeins Auffassung menschlichen Gerippes — indes die italienischen Künstler es längst nicht mehr mit Grausen, sondern mit andächtiger Bewunderung betrachteten, die Schönheit seiner harmonischen Gliederung begeistert priesen. Auch hier ein tiefgründiger Gegensatz zwischen der Gemütsverfassung in Süd und Nord.

Häufig ist in der deutschen Renaissance die Gestalt des feinen, gebildeten Bürgers, sogar des Meisters irgend eines Handwerks, der eine Art gelehrter Bildung genossen und sich entsprechend auch im geselligen

Umgang würdevoll zu geben wußte. Hans Sachs hatte einen Anflug von Humanismus und gedachte seiner Studien mit den Versen:

Da lernt ich griechisch und latein,
Sprechen und schreiben, klar und rein,
Grammatika, Rhetorika,
Logika und Musika,
Arithmetika und Astronomia,
Dichtkunst und Philosophia,
Auch rechnen lernt ich mit Verstand,
Die Ausmessung mancherlei Land.

Sehr merkwürdig ist, daß zu diesem ernsten Bildungsgang Astrologie gehört:

Auch lernt ich die Kunst der Gestirn,
Des Menschen Geburt zu judicieren.

Luther erklärte sich gegen diese Kunst, indes Melanchthon lebhaft dafür eintrat.

Selten blieb nördlich der Alpen der aufgeklärte Fürst, und der Typus vornehmer Cortegiani war kaum zu finden, ja, ein bedauerlicher Zug laut Castigliones und Agrippas Zeugnis auch bei dem zeitgenössischen französischen Adel, die Herren von Geburt schämten sich geradezu geistiger Bildung, und jene, die ihr vielleicht zustreben mochten, wurden gehänselt.

Jetzt sind Fürsten und Herren ungelehrt, sagt Luther, *denn sie haben nicht studiert, wollen's auch nicht tun, meinen, es sei eine Schande, darum können noch wissen sie nicht zu regieren. Ihr größter Fleiß und vornehmst Studium und Übung ist, große Hengste reiten, bankettieren, spielen, jagen.*

Eine Kritik, die noch für spätere Zeiten traurige Geltung behielt.

Aus Selbstsucht riet der deutsche Hofmann seinem Fürsten ab von vernünftigem Studium und edler Muße, statt ihn dazu anzufeuern, wie Castiglione vom vollendeten Hofmann verlangte.

Den Gegenfüßler des edlen Cortegiano zeichnete Luther mit eindringlicher Schärfe im Tischgespräch: *Wenn ein Fürst die lateinische Sprache lernt und studiert, so fürchten die von Adel und Recht* (die schlauen Juristen, eine Landplage für Deutschland)*) *er werde ihnen zu gelehrt und klug und sagen: Potz Marter usw. Was will E. f. Gnaden ein Schreiber werden? E. Gnaden müssen ein regierender Fürst werden, lernen, was zum Krieg gehört — das ist ein Narr bleiben, den wir mögen an der Nase herumführen wie einen Bär. — Was das für treue Räte seien, so die Fürsten vom Studieren abhalten und abschrecken, das mag ein jeder wohl abnehmen und deuten.*

Zuweilen erfährt man von schätzenswerten Ausnahmen. Die gräfliche Familie Erbach hat sich auf italienischen Reisen gutes Beispiel geholt. Ein Mitglied derselben erhielt in Rom einen antiken Helm zum Geschenk als Anerkennung für verständigen Sammeleifer**). Ausgezeichnet durch feine Bildung haben sich die Erbach der Reformation nicht aus äußerlich politischen Gründen angeschlossen, sondern von Herzen und faßten sie mit der poetischen Begeisterung auf, die ihr viele unter den

---

*) Siehe Gleichen-Rußwurm, *Die gotische Welt.*
**) Dies Stück wird im Erbachschen Schloß im Odenwald noch heute als Helm Caesars gezeigt.

humanistisch Gebildeten anfangs entgegenbrachten, wie
sich die Philosophen der Aufklärungszeit anfänglich
für die Revolution mit Idealismus begeisterten. Sie
empfangen in Erbach gastlich ihre Gesinnungsgenossen,
wie etwa die flüchtige Olympia Morata aus Ferrara,
eine gelehrte Italienerin, die einen deutschen Arzt
heiratete, als sie sich schwärmerisch der neuen religiösen Richtung ergab.

Das schöngeistige Paar geriet in Elend und Fährlichkeit. Nach manchen Abenteuern fand es Zuflucht im
Hause Erbach und Olympia beschrieb mit Begeisterung
den guten Ton, der dort herrschte, die freundliche Haus-
musik und das Interesse für alte Sprachen, mit dem
sie überrascht wurde.

Im Zeichen der Musik ist eine andere rühmliche Ausnahme genannt, im Jahr 1556 widmete Georg Forster
den dritten Teil seiner Lieder und Gesänge deutscher
Meister dem Hauptmann zu Waldsassen und Pfleger
von Liebenstein, Jobst von Brande, mit dem Lob, daß
dieser Junker *mit dem Setzen oder Komponieren, welches
bei anderen Herren des Adels ein seltsam Wiltpred
und schier eine Schand ist, neben Herrengeschäften
und Ambtern sich befasse**).

Solche Kunstverachtung, die manchem Mitglied des
Adels zugeschrieben war, wird offenbar durch die
Klage, die um dieselbe Zeit der Humanist Simon

---

*) Bei Graphäus gedruckt: *Schöne auserlesene Lieder des hoch-
berümpten Heinrich Finkens sampt anderen newen Liedern von
fürnemsten dieser Kunst gesetzt, lustig zu singen und auff die
Instrument dienstlich, vor nie in Druck ausgangen.* Darunter die
reizenden Liedchen *Allein Dein Gstalt* und *Ach, herzig Herz!*

Proxenus aus Budweis ertönen ließ in einer Elegie als Einleitung des Werkes von Hermann Finkh *Practica musiche.* Deutsche und böhmische Tonsetzer suchten ihr Glück meist auswärts und wurden an fremden Höfen gut aufgenommen, so Thomas Schweidnitz im Dienst Ludwigs von Ungarn, Heinrich Finkh bei den polnischen Königen Johann Albert und Alexander, die ihn schätzten und hoch bezahlten. Zwischen Venedig und Deutschland bestand reger, musikalischer Gedankenaustausch und manch deutscher Musiker blieb in der Lagunenstadt.

Einige einheimische Höfe sind jedoch ehrlich musikalisch und suchen bedeutende Tonsetzer und Virtuosen im Land festzuhalten. Lorenz Leinlin war Kapellmeister des Pfalzgrafen in Heidelberg und erfreute die Hofgesellschaft durch sentimentale wie durch neckisch humoristische Liedkompositionen, zum Beispiel, ein Lied, das auf modisches Kartenspiel Bezug nimmt und das Liebesspiel damit vergleicht:

> *Des Spielens hab ich gar kein Glück,*
> *Wiewohl sie doch in Handen hält*
> *Hertz, Schellen, Gras und Eicheln,*
> *Gar bald sie Schellen werfen tät*
> *Mir zu, ein Narrenzeichen.*

Prag war ein Mittelpunkt eifriger Musikübung, besonders Philipp de Monte aus Mecheln wurde gefeiert. Der Hof von München war stolz auf seinen Orlando di Lasso und der Hof von Wien tat für Musik, was er konnte. Doch meistens hatte man nicht genug Geld übrig für schöne Künste.

Maximilian suchte durch persönliche Liebenswürdigkeit

seinen Künstlern gegenüber wett zu machen, was seine
Kasse nicht aufbrachte, er war freundschaftlich für
Dürer, der ihn seinen teuern Fürsten nannte und adelte
seinen Organisten Hoffhaymer aus dem Salzburgischen*).
Cuspinian, ein Mitglied der gelehrten Donaugesellschaft,
nannte Hoffmayer *musicorum princeps*, ein anderer
Humanist beschreibt die Wirkung seiner Musik in der
Wiener' Gesellschaft: *Es genügt ihm nicht, etwas Ge-*
diegenes gespielt zu haben, es muß auch erfreulich und
blühend sein.
Das Erfreuliche und Blühende paßte in das poëtisch
fröhliche und üppige Wien der Renaissance, von dem
viele Autoren entzückt berichten. Der eine lobt, es
töne aus allen Erkern und Fenstern und freundlich
angelegten Gräben an der Stadtmauer, Vogelsang
klinge wie in einem Wald. Der andere preist, daß
Kaufleute aus aller Welt zusammenkommen und daß
man Lieder auf griechisch, hebräisch, latein, französisch,
türkisch, böhmisch, windisch, italienisch, ungarisch,
niederrheinisch, kroatisch und polnisch höre.
Alle sind gut aufgelegt, denn es gibt Essens und
Trinkens für alle die Fülle, jede Familie zapft eigenen
Wein, jeder Bürger darf ausschenken. Cristobal de
Castilejo behauptet, er zöge Wien allen anderen Orten
vor (del preferis Vienna a todas otras naciones).
W. Schmetzl faßt sein Entzücken über Wiens Zucker-
bretzeln, Pastetchen, Buttergebäck, Kapaune, Krebse,
Forellen, Südfrüchte in die begeisterten Verse:

---

*) 1449—1537. Dessen gesammelte Kompositionen kamen heraus
mit der Aufschrift: *Harmoniae poëticae Pauli Hoffhaymeri viri*
equestris, dignitate insignis ac musici excellentissimi.

384

Wer sich in Wien nicht nähren kann,
Ist überall ein verdorbener Mann.

Zu der gastlichen Üppigkeit und Leckerei paßt leicht-geschürzte Kunstübung. Balbis *Carmina* beklagen das Gigerltum beliebter *epikuräischer* Lieder, wie etwa:

Bist du klug, laß kommen Wein
Und greife in die Zither,
So lang es geht, laß Mädchen ein,
Rasch kommt der schwarze Schnitter.

Die Wiener nahmen es nicht übel, wenn ihr Bauch-dienst angefeindet wurde und lächelten etwas spöttisch über die Feierlichkeit der Musik und des Gebarens der Gelehrten, die sich um Celtis gesammelt — die *familia celtica*, zu der Watt, Schweitzer, Agricola, der Verehrer Petrarcas, und Reuchlin zählten.

Dem Mäzenat des Schottenabtes Benediktinus Cheli-donius, der den Beinamen Musophilos führte, verdankt man die beste Musik. In Ingolstadt und Wien ent-stand ähnlich der Bewegung, die in Frankreich und Florenz von vornehmen Dilettanten eingeleitet wurde, ein Streben nach Musikreform, das viel von sich reden machte, wie im 19. Jahrhundert Wagners Auftreten. Es handelte sich um eine Gattung Musik nach dem poëtischen Silbenmaß der Antike gemessen.

Während die Florentiner geistreichen Zirkel an eine Art Wiedergeburt der antiken Tragödie mit entsprechender Musik nicht in buchstäblicher Nachahmung sondern im Geist und in der Wahrheit dachten, faßte man in Deutschland jene musikalische Renaissance äußerlich formell, schulmeisterhaft auf*). Das erste Denkmal

---

*) Ambros, Geschichte der Musik.

jener einst modernen Richtung war der erste deutsche
Notendruck (bei Ehrhard Oeglin in Augsburg) *Musicos
secundarum naturem et tempora syllabarum.* Der um-
ständliche Titel ist so gedruckt, daß er einen *Crater
bacchanti* darstellen soll, doch die antik sein wollende
Form mißglückte, so daß der Mischkrug eher einem
gotischen Abendmahlskelch entsprach. Das merkwürdige Werk enthält gegenseitige Lobgesänge der
Dichter und Musiker, die einen festen Ring gebildet
haben, um Süddeutschlands Musikwelt streng zu beherrschen.
*Diese deutschen Schulmeister in der römischen Toga,
sich wechselseitig mit Lorbeer bekränzend, haben etwas
unwiderstehlich Komisches.* [Ambros.]
Immerhin bildeten alle diese Bestrebungen der süddeutschen Humanisten ein gesellig freundliches Zusammensein, das nach Verfeinerung strebte. Celtes
suchte den Unterricht zu beleben, indem er den
Schülern eingab nach der *Sectio Horatiana* eine Ode
abzusingen. In seinem Verein *docta sodalitas lite-
raria* sang man nach Leibeskräften und streng nach
Vorschrift lateinische Gedichte und nannte die Hymnen,
die Celtes dichtete *Hymnen des christlichen Virgil.*
Angeregt von dieser neuen Richtung schlug zu Wien
am Hof der Lautenschläger Hans Judenkunig auf seiner
Laute klassische Lieder, etwa *Maecenas atavit* und
Jam satis terras. Statt wüsten Lärmens war an diesem
Hof Musik und Versspiel beliebt und wenn einfach
und von Herzen gesungen wurde, nachdem man pflicht-
schuldig den Humanisten gelauscht, ertönten zierliche
gemütvolle Weisen. Das Liedchen *Innsbruck, ich muß*

386

dich lassen, das Volkslied wurde, ist dem Kaiser Maximilian zugeschrieben. Ein Hoffräulein soll das reizende Lied erfunden haben: *Ich hab heimlich ergeben mich ein schön Helden — an Wohlgestalt find man keinen bald, Absalon muß weichen.*
Schalkhaft klingt die Erwiderung — echt Wiener Renaissance —

> Tröstlicher Lieb ich stets mich gib.
> Phebe dir geschah
> Also auch gach,
> Du eylest nach
> Daphne, der Jungfer ungezaum,
> Die dir entging, zur Stund anfing
> Mit Laub umbhing und ward
> Ein schöner Lorbeerbaum;
> Dir nicht mehr ward
> Von Blättlein zart
> Denn nur ein Krantz,
> Den du noch trägst umb je lieb gantz.

Statt Liebeslohn empfängt der Dichter ein Lorbeerkränzlein, ein zarter Anklang an den Sinn der romanischen Wiener Minnehöfe. Wo je ein solcher geblüht, war es der Renaissance bestimmt, einen Johannistrieb edlen Minnens zu wecken.
Üppiges Gedeihen und hohes Ansehen in vornehmer Geselligkeit fand die Musik wie die bildende Kunst in den unsagbar blühenden Niederlanden.
Fleiß und Geschmack waren dort so groß, daß selbst Kinder schon irgend eine Fertigkeit oder Kunstübung vorführen konnten, es gehörte zur Wohlerzogenheit.
Zusammenkünfte, die der Unterhaltung gewidmet waren,

durften nicht zwecklos und öde verlaufen, sie waren
stets irgend einer Liebhaberei gewidmet, die des öfteren
zu wahrer Leidenschaft wurde.

Amsterdamer Kaufleute, entzückt vom Talent eines
Organisten, beschlossen, ihn folgendes Geschäft machen
zu lassen als Anerkennung für seine Musik. Sie for-
derten ihn auf, 200 fl. in ihr Geschäft einzulegen, der
Gewinn solle ihm ohne Abzug zufallen. Nach einigen
Jahren hatte er 40 000 fl. gewonnen, so vereinigten
diese Musikliebhaber Mäzenat mit Geschäftssinn.

Die niederländische Renaissancekunst hat freilich etwas
Romanistisches, sie ist oft nachempfunden, oft sehr
elegant und verschnörkelt im Stil. Ihre Virtuosen sind
so berühmt für höfisch zeremonielle Kompositionen und
Aufführungen, daß bei Jean Cointois von Cambray
für Karl V. ein Huldigungsstück bestellt wird, das
höchst merkwürdig mit verschiedenen Notenkunst-
stückchen zu schmeicheln versteht. Philipp II und
Herzog Alba beriefen Musiker für die spanische Kapelle, worüber eine eifrige Korrespondenz mit der
Statthalterin Margarete entstand. Sie holte Rat bei
dem berühmten Gesangsprofessor Andreas Pevernage
aus Courtray, der bis 1591 in Antwerpen einen interessanten musikalischen Salon hatte, wo deutsche, niederländische, französische und italienische Kompositionen
um die Wette zum Vortrag gelangten.

In Evreux fanden am Cäcilientag musikalische Turniere
statt von Motetten und *Chansons*, die Damen teilten
als ersten Preis eine silberne Harfe aus, als zweiten
eine silberne Laute, als dritten eine silberne Flöte.
Schöngeistige Damen spielten eine hervorragende Rolle,

388

Mädchen wie Frauen bewegten sich mit heiterer Sicherheit und Freiheit in der Gesellschaft. Bandello erzählt von einer Dame in Antwerpen, Maria Vervé, die ihre Verehrer von berühmten Malern malen ließ und derart eine interessante Bildergalerie besaß, in der sie berühmte Fremde empfing. Er beschreibt auch die Sitte, daß nicht nur Frauen, auch junge Mädchen ihre erklärten Verehrer (*servitori*) hatten, und von diesen ehrbarerweise mit Freundinnen zu Tanz und Schmaus geladen wurden, bei schönem Wetter im Garten, wo sie oft den ganzen Tag zubrachten mit allerhand Lustbarkeit. Am Abend führte der junge Mann seine Dame ins Elternhaus zurück und die Mutter bedankte sich für die Einladung. Mit Gruß und Kuß verabschiedete er sich von Mutter und Tochter, wie denn überhaupt nirgends so große Leichtigkeit und Herzlichkeit des Verkehrs bestand wie im reichen Antwerpen und nirgends gab es eine so allgemeine Sitte von Umarmungen und schallenden Küssen bei jeder Gelegenheit. Um die Mitte des 16. Jahrhunderts verdoppelte sich die Einfuhr aus Indien in Antwerpen. Die Stadt hatte damals hunderttausend Einwohner, Gent siebzigtausend und Brüssel fünfundsiebzigtausend, sie galten als sehr große Städte, da Paris dreimalhundert, London hundertfünfzig und Wien nur fünfzigtausend Einwohner aufwies. Stolz berichtet Strade in *de bello belgico* von der niederländischen Seemacht: *Quae vero ignota marinum litora, quacve desinentis mundi oras serutata non est Belgorum nautica?* Er zählt in den Niederlanden 350 größere und 6500 kleinere Städte. Geistig belebt waren alle durch ihre Handels-

leute, Seefahrer, die ferne Länder gesehen, und durch
strebsame Gelehrte, die gleich den Künstlern in der
Gesellschaft hervorragten. Durch die Zauber seiner
Konversation war der gelehrte italienische Arzt Marialo
berühmt, Erasmus und Vivès waren während ihres Auf-
enthalts in jenen Ländern angeregt durch den guten
Ton.

Knapp vor den furchtbaren Stürmen der sozial-reli-
giösen Umwälzung herrschte sonnige Meeresstille; zu
unbefangener Heiterkeit und vollkommenster Genuß-
freudigkeit war die Geselligkeit in den Niederlanden
gediehen.

Die außerordentliche Wohlfahrt der Niederlande während der Renaissance wurde taktvoll beschützt und
befördert durch zwei bedeutende Prinzessinnen, die
eifriges Mäzenat übten, zuerst durch Margareta von
Österreich, Tochter Maximilians und der berühmten
Erbtochter Maria von Burgund. Sie hatte ein wechsel-
volles Schicksal. In ihrer Kindheit mit Karl VIII. von
Frankreich verlobt, wurde sie vom französischen Hof
nach Hause geschickt, als dieser König — statt ihr
die Hand zu reichen — Anne de Bretagne zur Ehe
zwingt, die bereits *per procura* Margaretens Vater
Maximilian angetraut war. Zweimal wurde sie dann
vermählt, nach Spanien und Savoyen, verwitwete rasch
und erhielt von ihrem Vater im Jahr 1507 die Er-
nennung als Statthalterin der Niederlande. Sie ent-
ledigte sich der Aufgabe bis zum Jahr 1530 äußerst
geschickt und nahm Anteil an dem berühmten Damen-
frieden von Cambray. Cornelius Agrippa sucht ihre
Gunst.

Politisch und in geselligem Kreis ebenso bedeutend trat ihre Nachfolgerin auf; Maria von Ungarn, die Schwester Kaiser Karls V., die im Jahr 1526 ihren Gatten Ludwig II. von Ungarn verlor und 1531 Statthalterin wurde. Bis zur Abdankung Karls V. regierte sie mit außerordentlicher Klugheit. An ihrem Hof wurde ihre Nichte Margarete von Parma erzogen, eine natürliche Tochter Karls V. und einer Flamänderin, welche die Tradition ihrer Vorgängerinnen fortzuführen gewillt war, jedoch von Alba daran gehindert, sich zurückzog und die Niederlande ihrem Schicksal überließ.

Zu den großartigsten Festen der Renaissance gehörten jene, die Prunksinn und Kosmopolitismus der Statthalterinnen zu bieten wußten. Lang gerühmt wurde vor allem das Fest zu Bains, das Statthalterin Maria ihrem Bruder dem Kaiser, ihrer Schwester Eleonore, Gattin Franz I. von Frankreich und ihrem Neffen Philipp zu Ehren veranstaltete und es blieb in Spanien sprichwörtlich *Mas brava que la fiestes des Bains* (Herrlich wie das Fest zu Bains). Dabei wurde ein künstlich errichtetes, scheinbar festes Schloß von tausend Mann erstürmt. Am Schluß des Festmahls erschienen Nymphen *vestues à l'antique à la nymphale* in Silber und Grün, eine diamantne Mondsichel über der Stirn, die Schuhe aus Silberbrokat *tant bien tirées que rien plus* — auf das vortrefflichste straffgezogen — und reichten fantastisch prächtige Wildpasteten. Nach ihnen kam Pales, die Hirtengöttin mit weißgekleideten, perlengeschmückten Nymphen, um Milchspeisen anzubieten. Die Früchte zu bringen war die Obstgöttin Pomona ausersehen, mit einem

Gefolge von Nymphen in Silber und Grün. Smaragden
hoben ihre Kleidung. Inmitten der Nymphen trat ein
neunjähriges Prinzeßchen auf, das artig den fürstlichen
Herren mit entsprechenden Versen einen Lorbeerzweig
darbrachte, aus Smaragden und Perlen köstlich gearbeitet, der Königin Eleonore einen Fächer mit Spiegelchen — Neuling damaliger Mode.
Brantôme, der das Fest ausführlich beschreibt, erwähnt
neckisch, welches Vergnügen die Herren bei Hof daran
hatten, die entzückenden Füßchen und Beine der Damen
zu beäugen. Bei diesen mythologischen Mummereien beteiligten sich die Schönsten der Schönen aus Frankreich,
Deutschland, Italien, den Niederlanden und Lothringen
*also nymphenmäßig angetan, waren alle hochgeschürzt
und konnten mit Schönheiten prangen, die sonst verborgen bleiben, mehr als mit den schönen Gesichtern,
die uns alle Tage zu sehen vergönnt war**).
Nach dem Beispiel Brantômes sah die frivole Hofgesellschaft nur die Beine, die zu zeigen den Damen
von Stand nunmehr die höchst modern gewordene
Mythologie gestattete. Allein das epochemachende
Fest hatte in der Idee der pazifistisch klugen Statthalterin Maria eine politische Botschaft sinnbildlich
ausgedrückt durch jene heiter erstürmte Scheinfestung
und durch die Früchte der Fluren, die von den
schönsten Frauen aller nunmehr versöhnten Länder den

---

*) Seigneurs, gentilhommes et cavaliers s'amusèrent à contempler
les belles jambes et beaux petits pieds de ces dames beautés
françaises, allemandes, flamandes, italiennes et lorraines, car, vestues
ainsi à la nymphale, elles estoient courtement habillées, et en pouvaient faire une très belle monstre — plus que leurs beaux visages
qu'ils pouvaient voir tous les jours. (Brantôme).

Weltmonarchen geboten wurden, die engversippt in Bains eingetroffen von Maria festlich anmutig zu dauerndem Frieden geladen waren.

Das Gepräge, das die italienische Renaissance in Deutschland und in den Niederlanden erhalten, verpflanzt sich mit Varianten nach dem skandinavischen Norden, nach dem England Heinrich VIII. und von Wien aus nach den östlichen Reichen Ungarn und Polen.

In Polen gründete der Humanismus eine glänzende Kolonie, die dem Mutterland viel Ehre machte; ein gleichzeitig prächtiges und geistreiches Leben blühte auf. Man blickte zwar wie in Deutschland gern tief in den Becher, aber man blickte auch gerne auf zu den Sternen mit ernstem Forscherblick und unterhielt sich über Kunst und Wissenschaft so gern wie über ritterliche Taten und Minnezauber.

Es ist das Zeitalter der letzten Jagellonen, Sigismunds des Großen und Sigismund Augusts, das die Chronisten ein *Zeitalter der Glückseligkeit* nannten und der *goldenen Freiheit* (swoboda), die jedem Bürger Freiheit des Wirkens gestattete sowie die ganze Verantwortung eines Mißbrauchs dieser Freiheit ließ. Die Glückseligkeit dauert, bis fremde Einflüsse aller Art das standfähige Gleichgewicht der *swoboda* durch allerlei Mißverständliches stören*).

---

*) Der Humanismus blühte in den Dichtungen und Stücken des Ronsardverehrers Kochanowsky, die der Kanzler Zamoyski in seinem Palast aufführen ließ. Der moderne Forscher Johann von Glogau, Vitellio, der Entdecker der Optik, Woztiech, Martin und endlich Kopernikus können sich dank Polens goldener Freiheit an der Universität Krakau betätigen. Zwanglos und furchtlos war es möglich, sich über alle Arten von Fragen zu unterhalten.

Die phantastisch grenzenlose Gastfreundschaft der Polen, von der mittelalterliche Chronisten berichteten, stilisierte sich, wenn sie auch slavisch überschwänglich blieb, in die Renaissanceform. Umgangssprache der Vornehmen war Latein, was zu einer Eleganz der Unterhaltung zwang, die nur an das heimatliche Idiom Gewöhnte niemals ahnen.

Seit dem Impuls, der von Kaiser Karl IV. ausgegangen, als er die Universität in Prag gegründet und die slavischen Völker an die Tafel humanistischer Bildung geladen hatte, lassen sich Czechen und Polen den Ehrgeiz nicht nehmen, europäische Bildung eifrig mitzugenießen. Die Söhne der großen Familien begnügten sich nicht mit den Universitäten Prag und Krakau, sie saugten Wissen an fremden berühmten Bildungsstätten, besuchten ehrerbietig feine Gelehrte und Ideenneuerer und bringen möglichst viel des Neuen heim, mag es zu den altväterischen Sitten, die noch auf manchem Landgut herrschen, passen oder nicht.

Mit Leidenschaft interessieren sie sich für die Kunst des Buchdrucks und gehören zu dessen ersten Meistern. Ja, der Buchdruck galt für eine Art noblen Sports, der anderem Sport den Rang ablief, und überall, selbst in einsam entlegenen Gütern ist der Reisende erstaunt, Privatdruckereien zu finden.

Nicht einverstanden mit diesen gelehrten Bestrebungen des polnischen Adels ist der Philosoph Nikolaus Rej, der ein Idealbild des jungen Edelmanns aufzustellen lehrhaft bestrebt ist, wenig später als Castiglione den idealen italienischen Edelmann gezeichnet. Rej meint, es genüge in Polen, lesen und schreiben zu können, und ist fremden Sprachen und fremden Sitten für den Adel nicht hold. Er träumt vielmehr teils ein ländlich patriarchalisches, teils ein kriegerisch-tüchtiges Dasein, schwärmt für die Idylle und auch für die Freuden des Sports und des Kriegsspiels, die am besten im Winterquartier genossen werden, in den Kampfpausen irgend eines patriotischen Feldzugs. Verächtlich dünkt ihn die Jagd nach reicher Mitgift und er beschreibt humorvoll die Ansprüche einer Modedame in Polen und die Art, wie sie mit ihrer Sippschaft dem Gatten zur Last fällt: *Da braucht es schon für die Kutsche rotes Zeug und Bärenpelze bis an die Knie, Teppiche müssen auf beiden Seiten aus der Karosse hängen und Zieräpfel von allen Seiten blinken. Schon braucht er zwei Kammerfrauen und eine dritte, die über sie die Henne spielt und drei Besätze auf dem Kleide einer jeglichen müssen auch sein. Die Wände muß er ausschlagen lassen und es darf sich kein Sauerkraut auf dem Tisch zeigen. Trifft ein Gast ein, so ist es nötig, ihn mit größeren Zeremonien aufzunehmen, Wein ist unerläßlich und das Glas muß mit Christi Kreuzigung bemalt sein, auch Reisgrütze gehört zum Abendessen, denn für die Herrin ziemen sich Gerstengraupen nicht mehr. Kommt nun gar der Schwiegervater mit einigen fünfzig Pferden gefahren, da setze schnell sechs Schüsseln vor und gieße allen gleich ein, denn jeder wird einen Fuchskragen haben, so daß schwer zu unterscheiden ist, wer ein Herr sei.*

Ähnlich warnte der Dichter Kochanowski vor eitlem Luxus und machte sich in Satiren lustig über allerlei gesellschaftliche Unarten, wie über das fortwährende

Gesundheitstrinken, das die Gäste aufzustehen zwang, dem König, der Königin, Bischöfen, Grafen zu Ehren, der ganzen Hierarchie, so daß ein Gast zuletzt ausrief: *Höre, Junge, nimm meine Bank fort, ich werde das Mittagessen hindurch stehen.*

Ebenso verspottete Kochanowski die neu eingerissene Mode, bei Tisch und jeder geselligen Vereinigung religiöse Fragen in lebhafter Kontroverse zu behandeln und fertigte die Disputierenden treuherzig ab. Die neuen religiösen Ansichten gaben Ursache zu viel selbstberauschendem Geschwätz.

Das Polen der Renaissance erwarb sich den Ruhm, Gastfreundschaft und Freistatt zu bieten verwegen spekulierenden Gelehrten wie einen Copernikus und interessanten Häretikern, wie etwa Lelio Socinio und seinem Neffen Fausto aus Siena, die zwischen zwei Feuer geraten waren, das drohende Rom und Calvin, der einen ihrer Anhänger enthaupten ließ*).

Allerdings mag es der inneren Ruhe Polens nicht günstig gewesen sein, daß abenteuernde Fremde manchen modischen Enthusiasmus hervorriefen, und auch der mißverstandene Humanismus zeitigte bisweilen groteske Folgen, wenn sich die Polen phrasenhaft theoretisch bei adeliger Versammlung als Römer geben wollten.

Ein heilsames Mittel gegen jede Überspanntheit und Schwarmgeisterei wie gegen politische Torheit aller Art fand sich jedoch in der Kraft freimütigen Humors. Einige witzige Köpfe gründeten die zu großer Macht in der Geselligkeit wachsende Narrengesellschaft, die

---

*) In Transsilvanien hat sich bis heute eine Sekte Unitarier erhalten, die von diesen Flüchtlingen stammt.

es sich zur Aufgabe stellt, politische und gesellige Auswüchse durch Lächerlichkeit zu bekriegen, die sogenannte babinische Republik.

Diese im Jahr 1568 in Lublin entstandene *respublica Babinensis* nannte sich nach dem Landgut Babin, das dem vornehmsten Stifter, dem Magnaten Psomka gehörte, und war eine Ausgestaltung jener gotischen Narren- oder Geckengesellschaften, deren Pritsche weder Szepter noch Krummstab, noch adelig Schwert in die Flucht schlagen konnten. Ihre Kritik war ebenso unbarmherzig als witzig und heilsam, sie hielt dadurch lange Polens Zerrüttung auf und wurde politisch wie gesellschaftlich wichtig. Feierlich gab sie sich eine Verfassung genau wie die polnische *) und erwählte einen König, Reichsrat, Erzbischof, Woiwoden, Kastellane, Kanzler und andre Beamte. Die Art, wie diese Ämter übertragen wurden, war folgende: Sobald sich auf einer Gasterei jemand durch eine Sonderbarkeit hervortat oder etwas äußerte, was wider Anstand, Brauch oder Wahrheit lief, wurde er zum Mitglied der babinischen Narrenrepublik gewählt und zwar übertrug man ihm eben das Amt, das Bezug auf seine Sonderbarkeiten, Albernheiten oder Verstöße hatte.

Bramarbasierte jemand und brüstete sich mit Stechen und Hauen, wurde er zum Kronfeldherrn gemacht, sprach er von Staatssachen und kam dabei vom Hundertsten ins Tausendste, ernannte man ihn zum Kanzler, wer theologisch stritt, bekam den Hofpredigertitel, wer sich gar in religiösem Eifer als Ketzerrichter zeigte,

*) Derartig parodistische Verfassungen hatten auch die gotischen Gesellschaften gepflegt. Vergl. Gl.-R., Die gotische Welt.

hieß sofort *Inquisitor haereticae pravitatis*, indes der Jagdlateiner natürlich die Charge als Krongroßjägermeister erhielt und der Pferdefex jene des Oberstallmeisters. Jeder harmlose Satiriker war willkommen, ein Grobian und bösartiger Pasquillant ausgeschlossen. Wurde jemand zum Mitglied des komischen Staates erwählt, so fertigte man ein Patent mit großem Siegel aus, überreichte es ihm mit vieler Förmlichkeit, und der Aufgenommene nahm es stehend ehrerbietig entgegen. Weigerte er sich, so wurde er so lange ausgezischt und verspottet, bis er sich fügte.

Soviel Übung und Menschenkenntnis gewannen die Obersten der Gesellschaft, daß niemand Leidenschaften besser kennzeichnen, kein Moralist deutlicher und nachdrücklicher Sitten und Laster erklären, kein Physiognom aus Gesichtszügen, Gebärden und Gang die menschliche Natur deutlicher erkennen konnte als sie.

Weil man nun in dieser Republik jedes Laster, jede Schwachheit der Lächerlichkeit preisgab, wurde sie in kurzer Zeit der Schrecken, die Bewunderung und der Zuchtmeister der polnischen Nation. Das Genie ward begünstigt, der Witz geschärft, Mißbräuche, Vorurteile und schlechte Sitten, die sich in die Regierung und die bürgerliche Gesellschaft eingeschlichen hatten, durch wohlangebrachte Satire abgeschafft; die Mitglieder bekümmerten sich ernstlich um Dinge, von denen sie früher mehr gesprochen als verstanden hatten; die klügsten Köpfe der Nation befanden sich unter ihnen und Personen, die beim Adel und selbst beim König in gräßtem Ansehen standen. So hat Peter Cassovius lange Zeit das Richteramt in der Woiwodschaft Lublin *geführt und ist mehr als einmal zum Landboten beim Reichstage erwählt worden. Besonders waren Cassovius als Kanzler und Psomka als Starost der babinischen Republik bei Fürsten und Adeligen wegen ihres Verstandes und ihrer trefflichen Einfälle sehr beliebt. Man glaubte kein Gastmahl vergnügt zu feiern, wenn es nicht die beiden jovialen Alten mit ihrer Gegenwart erheiterten. Als Psomka gestorben war und man seiner bei einem vornehmen Gastmahl gedachte, baten einige vom hohen Adel einen anwesenden Dichter, auf den Dahingeschiedenen eine Grabschrift zu machen, die er auch gleich aus dem Stegreif fertigte*).*

Bald erweiterte sich die lächerliche Republik dermaßen, daß man selten unter dem Senat, den Geistlichen, den Hofleuten und anderen Ständen des Reichs jemand fand, der nicht ein Amt in derselben bekleidete. Als die Sache endlich vor den König Sigismund August kam, äußerte er sein Wohlgefallen über diesen komischen Staat und fragte, ob er auch einen König habe, *worauf der Starost dieser Republik, eine wunderliche Persönlichkeit, mit jovialer Laune antwortete: Fern sei von uns, allerdurchlauchtigster König, daß wir, solange Sie leben, einen anderen König wählen sollten. Sie sind auch unser Oberhaupt.* Der König nahm die Antwort gnädig auf, lachte und witzelte darüber, daß alle in die größte Heiterkeit versetzt wurden.

Welch ungeheurer Abstand zwischen dem wachen Leben solch geistreichen Freimuts und dem Albdruck, der auf dem östlichen Nachbarreich, auf Moskowien, lastete

---

*) Stanislai Sarnicii Annales Polonic. Leipzig 1712. Nach Flögels Geschichte des Grotesk-Komischen.

unter dem finster wütenden Zaren Iwan, dessen Schreck-
gestalt bluttriefend und närrisch grinsend aufragt!
Im Anfang seiner Regierung zeigte er zwar einen leidenschaftlichen Kultursnobismus, berief fremde Meister und
suchte eifrig mit dem Westen anzuknüpfen, sogar indem
er der Königin Elisabeth von England seine Hand antrug. Allein nach einer Krankheit, in der er sich von
Verrat umlauert sah, war er verwandelt und von wüten-
dem Menschenhaß besessen, dem er ungehindert fröhnte,
da sich alle um ihn zitternd unterwürfig jede Schmach
und jeden Schmerz gefallen ließen, wie ein von Gott
verhängtes Geschehen. Bezeichnend genug für Mon-
golenschlauheit: Iwan weiß Fremden des öfteren vor-
zugaukeln, seine Regierung bringe eitel Schäferglück.
Als guter Komödiant spielt er den besorgten, liebreichen Landesvater und den freundlichen Gastherrn
bei Tafel, und alles ist darauf eingestellt, die fremden
Gesandten zu täuschen. Sogar ein Jesuit glaubt der
Vorspiegelung.
Kehrten die westlichen Besuche den Rücken, ließ Iwan
seinem unsagbaren Blutdurst und Hunger nach Qual
freien Lauf. Er ordnete Maskenzüge an, Schlitten-
fahrten und Schmausereien von toller Üppigkeit, die
gräßlich endeten in Blut und Schrecken. Gäste lud
er zum Tanzen ein, die wohl wußten, daß es der Tod
selbst war, der sie lud, daß die unbeschreibliche Orgie
für diesen und jenen, vielleicht für die meisten unter
ihnen mit Marter und Mord aufhörte. Allein sie nicken
und verbeugen sich und werfen sich nieder vor ihrem
Schreckensgott und schlürfen seinen Wein und lachen
zu seiner Scherze unsagbarer Entsetzlichkeit.

400

VIERTER TEIL

EUROPAS WESTEN UND DIE SPÄTRENAISSANCE

NEUNZEHNTER ABSCHNITT

Bindeglieder der Bildungsfortschritte von einem Land
zum andern sind kosmopolitische Gelehrte wie Erasmus und Cornelius Agrippa; sie empfehlen den Lern-
beflissenen jedes Standes den überall zerstreuten Gleich-
gesinnten. Interessante Wanderjahre gab es für Gelehrte und Künstler; von Stadt zu Stadt, von Land
zu Land sogen sie wertvolle Bildungsstoffe ein und
teilten mit, was ihnen zu eigen. Von Salamanka nach
Krakau, von Neapel nach London weitet sich das Gebiet des Latein, wo ein Jünger der Bildung stets an
gastfreier Türe klopfen kann.

Besondere Hoffnung erweckt bei den Humanisten die
Thronbesteigung Heinrich VIII. von England, der als
Blaubart in der Geschichte fortlebt und als Freund
der Gelehrsamkeit und Kunst fortzuleben hoffte. Denn
bei seinem Regierungsantritt schrieb Lord Montjoye
an den Freund und Lehrer Erasmus: *Ich habe keine
Besorgnis, mein Erosmus, daß nun, da unser Prinz
als König Heinrich VIII. den väterlichen Thron bestiegen
hat, der als unser Oktavianus wohl zu bezeichnen ist,
Ihre Melancholie sich verziehen muß. Denn was können
wir alles erwarten von einem Fürsten, mit dessen außer-*

*ordentlichem und fast göttlichem Charakter Sie wohl
vertraut sind. Der Himmel lacht, die Erde jauchzt,
alle Dinge sind voll Milch, Honig und Nektar.*
Heinrich VIII. sprach sein Bedauern aus, daß er nicht
gelehrt genug sei, und erinnerte man ihn daran, daß
von ihm erwartet werde, gelehrte Männer zu ermuntern,
meinte er: *In der Tat, denn ohne diese hätten wir
kaum ein Dasein.*
Der künftige Blaubart tat sich viel zugut auf seinen
Dilettantismus als Künstler und Gelehrter. Ehe er sich
wegen seiner Ehescheidung mit Rom entzweite, schrieb
er eine Abhandlung zur Verteidigung des Katholizismus
und erhielt dafür den Titel *defensor fidei,* er komponierte
mit Erfolg und gab dadurch dem englischen Musik-
leben starken Impuls. Hawkins schrieb über ihn: *he
not only understood music, but was deeply skilled in
the art of composition.*
In England behielt die Musik ihren universitätsmäßigen
Fakultätscharakter, man war Doktor der Musik wie
Doktor der Jurisprudenz oder Theologie, Musik war
ja auch eine sehr komplizierte Wissenschaft. Ihre berühmtesten Doctores sind etwa William Cornisle, Robert Fairfax, John Torne von York, Cristofer Tye,
dessen Zögling Prinz Edward wurde, wie aus einer
Komödie des Samuel Rowley erhellt, Thomas Tallis,
Organist unter Heinrich VIII., Edward und den nachfolgenden Königinnen, Georg Etheridge, der auch als
poëta elegantissimus galt und sowohl griechische und
hebräische als englische Verse *ad tactus lyricos* sang.
So stark humanistisches Gepräge nahm Englands vornehme Gesellschaft an.

Heinrich hielt so sehr auf Bildungsanmut, daß er vermutlich nicht nur wegen ihrer Schönheit sich zu Anna Boleyn hingezogen fühlte. Sie bezauberte ihn durch musikalische Talente und Schöngeistigkeit, zu der sie Anregung empfing, als sie bei der Königin Margaretha von Navarra, der Schwester Franz I. von Frankreich Hofdame war, an einem Hof, dessen Herrin das Leben der französischen Renaissance beherrschte.

Katharina von Aragon war dagegen eng und langweilig in ihrem Wesen, auch politisch enttäuschend, denn sie verhinderte nicht einmal, daß ihr Vater Ferdinand von Aragon sich vom Papst gegen ihren königlichen Gemahl bestimmen ließ. Heinrich stützte sich auf den französischen König Ludwig XII. in dessen letzten Tagen, als er sich nach dem Tod der Anna von Bretagne mit Marie von England, Heinrichs Schwester, vermählte.

Dieser politischen Orientierung gedachte sich Kaiser Maximilian anzuschließen und sandte Cornelius Agrippa nach London, der antipäpstlich gesinnt war und deshalb hoffen konnte *persona grata* am Hof zu werden. Dadurch fand der feine Beobachter Gelegenheit, das gesellschaftliche Leben Englands im Anfang seiner Renaissance kennen zu lernen.

London war noch durchsetzt von ländlichen grünen Inseln, *Chancery Lane* und *Shoe Lane* waren vollkommen ländlich, Stepney bildete ein Städtchen für sich, eine einzige Brücke überspannte die Themse, doch nannte Agrippa die Stadt bereits: *Englands berühmtes Emporium* und sie war stets erfüllt von malerischer Lustbarkeit, Aufzügen, Fackeln und Masken.

König Heinrich nahm lebhaft teil an jeder Art von

Unterhaltung und Mummerei, maskierte sich bald als Türke, bald als Robin Hood, den populären, romantischen Räuber und vergnügte sich mit seiner Hofgesellschaft bei dem großartigen Fackelfestzug des Johannisabends und bei verschiedenen Turnieren, die eine parodistische, derb komische Note annahmen. Bei einem solchen im Greenwichpark, wo mit Streitäxten gefochten wurde, nahm er es selbst auf mit *Giot*, einem riesenhaften Deutschen, in Richmond mit dem berühmten Kämpen Master Charles Brandon.

G. Cavendish *gentleman-usher*, das heißt eine Art Zeremonienmeister bei dem berühmten Kardinal Wolsey beschreibt die zwanglos vergnügte Gewohnheit des Königs, bei seinem Kanzler zu erscheinen, der bemüßigt war, dem Monarchen alle Lustbarkeiten, die irgend erfreulich werden konnten, zu bieten. Die Gastmahle wurden so herrlich mit Verkleidungen und Masken gefeiert, *daß es ein Himmelreich als Anblick gab*)*. Wie Heinrich auf dem Wasserweg heimlich ankam, erinnert sich Cavendish: *Ich sah den König plötzlich eintreten mit einem Dutzend Maskierter, er selbst in Maske, alle im Schäferkostüm aus Goldbrokat, Haar und Bart der Masken aus feinen Gold- oder Silberfäden.* — Seltsame, durchaus silberne oder goldene Schäferknaben. — —

Ruhiger ging es zu, als Wolsey in Ungnade fiel und Thomas Morus Kanzler wurde, denn Morus und seine Töchter pflegten feine Schöngeistigkeit und in ihrem Haus in Chelsea wurden kühne, menschenfreundliche

---

*) The banquets were set forth with masks and mummeries of so gorgeous a sort, that it was a heaven to behold. (Cavendish.)

Reformen sozialpolitischer Art erwogen, wie solche in Thomas Morus Roman *Utopia* glänzend im Redespiel vorgetragen sind. Eine Reihe kluger Ladies sammelte sich um Morus und dessen Damen, darunter vielleicht Lady Geraldine, der ein Earl of Surrey schöne Verse weihte.

Eingekerkert, gedenkt Surrey sehnsüchtig der heiteren Geselligkeit, die er in demselben Schloß Windsor genossen, das ihn jetzt gefangen hält. Er beschreibt die weiten, grünbestandenen Höfe, wo man sich vergnügte (*The large green courts, where we were wont to hover*), ferner die majestätisch hohen Sitze, worauf buntgekleidet die Damen thronen, die kurzen Tänze und langen wonnevollen Gespräche:

The dances short, long tales of great delight.

Liebelei in sentimentaler Form mit leichten Seufzern und geschicktem Wortgeplänkel, das *palms play*, Ballspiel, bei dem oft ein Ball versäumt wird, weil die Herzensdame zusieht und man lieber ihren Blick erhascht als den Ball — und manch anderen ritterlich und manierlich geübten Sport der jungen Hofherrn.

Andere am Hof vergötterte Zeitdichter waren Sir Thomas Wyatt, der heimlich Anna Boleyn liebte und besang, Anna Boleyns Bruder George, Lord Vaux und Richard Edwards, die modische Gelegenheitsverse verfaßten. Shakespeare verschmähte nicht, einige ihrer Verse aufzunehmen. Edwards war am Hof *maître de plaisir*, seiner Erfindungsgabe war manches Fest und Kostüm zu danken.

Elegante Mummereien fanden statt zu Ehren fremder Gesandter. Unter anderem berichtet der Chronist über

Agrippas Aufenthalt: *Als sie das Mahl beendet, bedeutete sie der König sich in die Gemächer der Königin zu begeben, was sie taten. Daraufhin erschien der König mit fünfzehn Herren seines Gefolges — alle in deutscher Tracht* (als Kompliment für die Gäste) *in Wämsern von Scharlach und Purpuratlas mit langgeschlitzten Ärmeln und Beinkleidern derselben Art. Die Kappen waren aus weißem Sammet mit gemustertem Goldstoff umrandet, mit Visier und weißen Federn. Die Herren kamen an der Spitze eines Maskenzuges und nachdem sie mit der Königin und den Gästen Neckerei gepflogen, entfernten sie sich. Sodann erschienen sechs Musiker reichgekleidet, die auf ihren Instrumenten spielten und weiter vierzehn Hofherren in deutscher Tracht aus gelbem Atlas, die Fackeln trugen, ihnen nach sechs Maskierte in weiß und grünem Atlas; der erste dieser sechs war der König, dann kamen der Graf von Essex, Charles Brandon, Sir Edward Howard, Sir Tomas Knevet, Sir Henry Guilford. Ihnen entgegen bewegten sich sechs Damen in spanischer Tracht aus scharlachfarbenem Atlas, geschlitzt in verschiedenen Mustern und gefranst nach spanischer Mode. Sie tanzten miteinander und nachdem sie getanzt, nahmen die Damen den Herren die Masken ab, so daß man alle erkannte, Königin und Gäste priesen die Überraschung.*

Den geschmackvollen Reichtum, mit dem sich die englische Gesellschaft zu umgeben verstand, beweist Holbeins Wirken am Hof Heinrichs VIII., woselbst er den Titel *valettus* (Kammerdiener des Königs) erhielt. Erasmus hatte den Maler zuerst an Peter Ägidius in Antwerpen empfohlen; sodann an Thomas Morus und War-

408

ham, den Erzbischof von Canterbury. Diese empfahlen ihn dem König und anderen Kunstfreunden und er bekam Gelegenheit, eine eigentümliche, reiche Tätigkeit zu entfalten, die alle Gegenstände des Gebrauchs märchenhaft phantastisch ausstattete, für die ritterlich minnenden Herren Dolche, deren Scheide mythologische Liebesszenen schmückten, für die Damen Spiegel und Standuhren und mannigfachen Schmuck mit ähnlich neckischen Szenen, Leuchter und Gerät für die Prunktafeln mit figürlichem Ornament.

Mehr als all diese Herrlichkeiten und die Hoffeste pries Cornelius das in seiner Art vollendete Heim des Dean Colet, dessen Gastfreundschaft er und Erasmus auf das herzlichste genossen.

Colet war Prediger an der Kirche von St. Paul und Übersetzer der Psalmen, über die er so begeistert predigte, daß er vornehmste Hörer anlockte. Er führte in England das Studium des Griechischen ein und sein Empfangsraum war eine erlesene Bibliothek. Von Natur aus höchst jovial, liebte er gutes Essen, Trinken und Damengesellschaft, allein er übte strenge Selbstkritik und erklärte seinen Freunden treuherzig, daß er die Musen anrufe, sowie das Tischgebet spreche, um nicht allzu ausgelassen in Munterkeit hingerissen zu werden.

Erasmus erzählte von ihm, er sei an Geist und Leib gleich elegant gewesen und führte einen Spruch des Freundes an, den er wie ein Schild den eigenen Gelüsten und jenen seiner Genossen entgegenhielt: *Wir sind alle, was unser Gespräch ist und handeln nach dem, was wir am öftesten zu hören bekommen.*

Colet suchte deshalb seinen lebhaften Geist und Humor

ernsten Betrachtungen zu widmen und wußte diese äußerst anregend und belehrend zu gestalten, so daß der gelehrten Tafelrunde das Traute und Anmutige seiner Gastfreundschaft unvergeßlich blieb und mustergültig dünkte. Solcher Art blühte die Hochrenaissance in England.

Es ist schwer, ihrem Wesen auf der iberischen Halbinsel nachzugehen, denn sie blieb lange von der Gotik umarmt, und plötzlich unversehens war die Wandlung ins Barock vollzogen.

Kaiser Maximilians I. Mutter war eine portugiesische Prinzessin und von dieser hatte er Anregung und Förderung wertvoller Art empfangen, die seinen Erblanden zugute kamen. Denn Portugal stand um jene Zeit auf einer Höhe von Ruhm und Reichtum, die es rasch zu einem geistig reichen Leben emportrieben und dies blieb nicht ohne Einfluß auf die Renaissance der von ihm berührten Länder. Vergessen und begraben sind diese fernen Spuren allzubald, es gebührt jedoch, ihrer zu gedenken. Seit der Machtspruch Borgias die noch zu entdeckenden Länder zwischen Portugal und Spanien geteilt, war zuvörderst an Portugal der wertvollere Teil gefallen und sein Kolonialreich schwoll zu einer Größe an, die jene des alten Römerreichs für kurze Zeit übertraf. Hochfahrend nannte sich Emanuel der Große *Herr der Schiffahrt, der Eroberungen und des Handels von Afrika, Arabien, Persien und Indien.* Der zahlreiche Adel sah es für einen Schimpf an, seine Sporen nicht in Afrika oder Indien geholt zu haben. Etwas exotisch Märchenhaftes brachte er mit von seinen Fernfahrten.

410

Das Leben jedes Einzelnen wurde zum Abenteuerroman, dem die Schönen gerne lauschten bei den glänzenden Festen zu Lissabon, Coïmbra, Evora. Sie waren verwöhnt und preziös; Camoëns scherzte darüber in einem Brief aus Goa, wo er wegen einer allzuhoch gerichteten Liebe in Verbannung lebte. Der Adelsstolz war zu groß und dem unbetitelten Dichter war es verwehrt des längeren für Donna Caterina de Almeyda zu schmachten, die Tochter Don Antonios, der Günstling Joaö des III. war. Camoëns kam nicht an Hof *a paço*, wenn er auch in Lissabon in der Hofgesellschaft lebte, was *a corte* leben hieß. Eine wichtige Schattierung. Dennoch war der Dichter von guter, alter Familie. Eine interessante Legende erklärt seinen Namen von dem fabelhaften Vogel *camaö* her, der über die Reinheit vornehmen Familienlebens wacht — das Auftreten dieses Vogels rettete Ehre und Leben seiner Ahnfrau. Das Andenken an die Wunderrettung (ähnlich dem Schwan in Lohengrin) gab den Namen und der ferne Enkel benützte die Begebenheit zu einer Ballade *(redondilla)*. Er sang in seiner Jugend manchen *cançao* (chanson), manches Sonett und manche *volta* (Liebeslied) zu Ehren der reizenden Damen, die in Lissabon Fächer spielten, stimmte seine Melodien auf Violante, Belisa, Gracia, Beatrix, Inez, Orythrea — feierliche Huldigungstöne fand er für die Prinzessinen Donna Franziska de Aragâo und Donna Guiomar de Blasfé. Allein seine große Liebe, seine Laura fand er in jener Caterina Almeyda, für sie litt und kämpfte er in fernem Land. Unterdessen wurde sie standesgemäß vermählt und starb in süßer Jugend, vielleicht an Gram. Er

hat sie zuerst in der Kirche erblickt — in Portugal
wie in Italien knospte die Liebe am liebsten bei Orgel-
klang und Meßgesang unter schönen Säulen, wo man
sich fromm und elegant versammelte. Darum sang
Lope de Vega über den Beginn dieser großen Liebe:

El culto celestial se celebrava
Del mayor Vernes en la englesia pia
Quando por Laura Franco se encendia
Y Liso per Natercia se inflamava *).

Liso und Natercia waren die Schäfernamen, die Camoëns
für sich und seine Dame gewählt. Sie war zart und
schöngeistig, wie der Kreis von vornehmen portugiesischen Damen, die sich um Prinzessin Maria, Don
Manuels Tochter geschart, um eine Art Akademie zu
bilden, in der Aloysia Sigea aus Toledo, eine Gelehrte,
die es disputierend in allen Sprachen mit Gelehrten
aufnahm, besonders geglänzt haben soll.
Groß war der Bildungsdrang der Vornehmen und
fremde Geistesgrößen wie Gueva, Teve und der
schottische Dichter Buchanan wurden von Joaö III. berufen und gefeiert.
Es war die Glanzzeit des portugiesischen Theaters,
dessen Dekorationen sogar in Erinnerung an die Abenteuer der Anwesenden sturmbewegtes Meer darstellten.
Besonders prunkvoll ausgestattet war ein Festspiel am
Hof Emanuels des Großen (1502), es hat Gil Vicente
(gest. 1533) zum Dichter, dessen Ruhm so hoch aufstieg, daß Erasmus portugiesich lernen wollte, nur um

---

*) Der himmlische Gottesdienst wurde gefeiert zur Weihnachtszeit
in frommer Kirche, als Francesco [Petrarca] für Laura Feuer fing
und Liso für seine Natercia entbrannte.

ihn zu lesen. Der Infant, zu Ehren dessen Vermählung
das Fest gegeben wurde, spielte selbst mit. Schöngeistig wurde gescherzt in der sorgfältig ausgewählten
Gesellschaft, die Hofherren gaben dem Hofdichter
nicht ohne Witz Aufgaben für seine Komödien, zum
Beispiel den Spruch: *Mais quero asno que me leve,
que cavallo que me derubo* (Lieber ist mir ein Esel,
der mich trägt, als ein Pferd, das mich abwirft).
Wie anderwärts sind Sprüche und Devisen große Mode,
ja diese Renaissancemode wird von den Portugiesen
nach den Kolonien verpflanzt, in Indien erfreute·man
sich dieses Spiels und Camoëns benützte es zu saty-
rischen Ausfällen gegen die Mißstände der vizekönig-
lichen Regierung, was ihn stark gefährdete.
Harmloser war sein Bestreben, die Erinnerungen an
schöngeistige Gepflogenheiten der Heimat bei Tafel
mitten im Exil aufleben zu lassen. In Goa versammelte
er einige gebildete Freunde — Don Francisco d'Almeyda,
Don Vasco de Atayde, Hector de Sylveira, Fransisco
da Mello, Joaô Lopes Leytaô — zu einer poetischen
Tafel. Jeder fand ein geheimnisvoll gefaltetes Gedeck,
machte es auf und entdeckte ein gastfreundliches Gedicht des Hausherrn. Vermutlich waren diese Verse
scherzhaften Inhalts, denn der Dichter der Lusiaden
hatte eine verwegen satirische Ader. Er benützte sein
Talent, um die Zustände unter einem töricht aufgeblasenen Vizekönig in dem Werk zu geißeln: *Disparates
na India* (Dummheiten in Indien). Camoëns sollte
bitter recht damit behalten. Der hochmütige portugiesische Adel faßte alles zu spielerisch romantisch auf,
was inneren Feinden, Spekulanten und portugiesischen

Juden wie äußeren Feinden, den Spaniern, Venetianern und Mauren (letztere gegen die neuen Handelswege für ihren alten Stapelplatz Alexandria auftretend) nur zu bald erlaubte, die Überblüte des Reichs herabzureißen, die so schön hoch gekommen und gestrahlt.

Manche Manieriertheit, die später auf die Spanier und von diesen auf Italiener und Franzosen überging, stammt von Portugals Mode. Bandello beschreibt einen Stutzer in Mailand, der *gleich einem Portugiesen* übertriebene Eleganz zur Schau trug und sich von einem Diener begleiten ließ mit der Obliegenheit, sei es zu Fuß oder zu Pferd, ihm alle zehn Schritte die Schuhe zu reinigen *).

Die Beliebtheit der unsinnig überspannten Rittergeschichten des *Amadis* scheint portugiesischen Ursprungs, wenn man die Geschichte dieses für die Geselligkeit der Renaissance so wichtigen Werkes verfolgt. Vasco de Lobeiras, ein Portugiese, stellte die romantischen und unsinnigen Abenteuer zuerst zusammen, die so lange Zeit die elegante Gesellschaft zu höchst entzückten. Ein Castilier, Garcia Ordoguès de Mentalvo bereicherte sie und ließ sie zu Salamanka drucken mit der Behauptung, sie seien herausgegeben nach Dokumenten aus der Zeit Ferdinands und Isabellas. Das Vorwort einer Bearbeitung, die 1526 erschien, huldigte der Mode Petrarcas und gab als Reklame an, dies aus dem Italienischen übersetzte Buch sei bei Petrarca ge-

---

*) Anm.: Sempliciano il più pulito e profumato dei giovani di Milano, e teneva un poco, anzi che no, del Portogallese, che ogni dieci passi, o fosse a piede o cavalcasse, si faceva da uno dei servidori nettare le scarpe.

414

funden und ursprünglich in griechischer Sprache verfaßt
worden. Um der humanistischen Macht zu schmeicheln,
schwindelte ein anderer Bearbeiter naiv, diese Rittergeschichten seien von ihm aus dem Griechischen übersetzt nach einem Manuskript, das man bei einem Ein-
siedler in der Nähe Konstantinopels entdeckt habe.
So schlau paßten die Literaten die kindliche Liebe für
Amadis abenteuerlichen Unsinn der gelehrten Mode-
richtung an.

Amadis nahm den Weg aller Mode von damals und
geriet von Spanien sehr bald nach Frankreich, woselbst
Nicolas d'Herberay, sieur des Essarts, nachdem er
unter Franz I. in der Artillerie gedient, wie mancher
ausgediente Offizier der Zeit die im Kriegsdienst gewonnenen Sprachkenntnisse literarisch ausnützte, den
Roman übersetzte und König Franz widmete*).

Sieben Jahre später erschien das Werk mit neuer Widmung an König Heinrich II. und dessen Freundin
l'aimable et surprenante Diane de Poitiers. Und diesmal, um dem nunmehr gern betonten Nationalgefühl
schön zu tun, mit der Behauptung, es sei eine Übersetzung aus dem altpicardischen Dialekt.

Unterdessen ging der große Abenteuerroman des see-
fahrenden Portugiesenvolkes tragisch zu Ende.

Als Camoëns im Jahr 1569 in die Heimat zurückkehrte,
wütete die große Pest. Seine Feinde hatten ihn be-
raubt, seine Beschützer waren tot, der große Dichter lag
sterbend krank und hatte keinen Freund mehr als den

---

*) Der König soll den Roman während seiner Gefangenschaft in
Spanien gelesen und die Übersetzung gewünscht haben.

aus Java mitgebrachten treuen Sklaven, der bettelnd
für seinen Herrn ihn bis zuletzt unterstützte.

Als Portugal nach der Niederlage von Alkasar Kébir
an Spanien gefallen war und Philipp II. in Lissabon
einzog, soll er sich nach dem von seinen Landsleuten
vergessenen Dichter erkundigt und dessen Hungertod
beklagt haben. Irgend ein reisender deutscher Idealist
von damals erbot sich, ihm den Grabstein zu setzen.
Der Kriegszug gegen Portugal war mit Hilfe abenteuernder deutscher Ritter geführt worden, wie etwa
Lassota von Steblau, dessen Beschreibung erhalten ist.
Seit dem Jahr 1580 gebietet Spanien über Portugals
Schicksal, die geselligen Sitten und Gebräuche beider
Länder wurden gleichartig.

Die Erscheinung des Don Quixote ist keine vereinzelte in
Spanien, sie drückt parodistisch wehmütig das veraltete
Ideal seiner führenden Gesellschaftsschicht aus. Welt-
historisch begründet steht sie höchst seltsam in der
Renaissancebewegung, die auch Spanien erfassen möchte.
Sie gehört zum Verhängnis des Sieges von Granada.

Don Quixotes Vorfahren haben die Mauren verjagt.
Das kann er ebensowenig vergessen, wie eine schöne
Frau je vergessen kann, daß sie schön gewesen.

Ein großer Sieg ist ein großes Schicksal nicht nur für
die äußere Gestaltung eines Landes, er wirkt bestimmend
fort in der Entwicklung der Volkspsyche, er beherrscht
die philosophische Einstellung zu allen wichtigen
Lebensfragen. So gereicht großer Sieg oft zu lang
dauerndem Unheil, denn schwer kann sich die Seele
eines Volkes zu ruhigem, freundlich vernünftigem
Maß zurückfinden nach der gewaltigen Spannung und

Erschütterung. Bei den Nachfahren artet der Sieger-
stolz zu Hochmut aus, ihr Tatendurst wendet sich
schließlich gegen Windmühlen.

Eine Tücke des Schicksals will, daß eigensinnigen und
teilweise erhaben überschwenglichen, teilweise possierlich
verrückten Romantikern alle Schätze der neuen Welt
zufallen und die Vormacht in der alten Welt, und daß
sie nichts Praktisches noch Ersprießliches damit anzu-
fangen wissen, ja gleichsam erdrückt werden von dem
eigenen Gold und Silber und neben ihren Säcken voll
Perlen hungern und dürsten und schließlich mit grandioser Geste betteln. Ein Beweis, daß nicht das Vorhandensein von Metall und anderen Kostbarkeiten
allein den Reichtum ausmacht, sondern die Wissenschaft
damit umzugehen, die philosophische Stellungnahme
zu Arbeit, Geld und Gut.

In den Niederlanden ist Arbeitslust und -stolz so groß,
daß selbst vier- und fünfjährige Kinder schon irgend
verdienen wollen und können, in Spanien dünkt sich
ein großer Teil der Bevölkerung zu vornehm, um
anderes als Kriegsarbeit zu vollbringen und darbt trotz
allem Gold, mit dem es die entdeckten Länder über-
schüttet, trotz der fabelhaften Silberminen von Potosi
und Sakotekas. In den Niederlanden führt vernünftiger
Geschäftssinn zu dem Selbtverständlichen der Ehrlichkeit,
die Geld und Geldeswert bedingt und auch nach den
von außen hereinbrechenden Katastrophen das Wirt-
schaftsleben ermöglicht und wieder aufbaut. In Spanien
ist jene altertümliche, ritterlich romantische Verachtung
des Geldes bis zu solcher Überspanntheit gediehen, daß
jede Schelmenart damit umzuspringen große Nachsicht

erfährt, ebenso wie gedankenlose Verschwendung für einzig vornehm erachtet wird.

Überall abenteuerliche Daseinsmöglichkeiten, phantastische Unsicherheit und nirgends stilles Ehrgefühl des Erwerbssinns. Diese Seite des Ehrbegriffs mangelt in Spanien, um so subtiler und verzweigter sind alle anderen Seiten des Ehrgefühls ausgekünstelt und bis zur Hypertrophie geschwollen. Gesellige Gepflogenheiten feierlich vorsichtiger Art, übertriebene Komplimente und Versicherungen hängen mit jener Überladung und Überfeinheit des Ehrenkodex zusammen.

Das so hoch gesteigerte Selbstgefühl des Spaniers, des Gotensohnes (Hidalgo) im Vergleich zum Maurensohn (Marano), des Rechtgläubigen gegen den Falschgläubigen stammt von jenem Sieg über Granada, dem *Reconquistado*. Sein durchdringender Einfluß färbte alle Ansichten über Welt und Leben. Er machte den Spanier naiv fanatisch — denn war es nicht der besondere spanische National- und Kriegsgott, der den triumphierenden Endsieg der Befreiungskriege gebracht? Und war ihm der dankbare Spanier nicht weitere Opfer von Ungläubigen schuldig? Diese Überzeugung führte auf breiter Straße zum *auto da fé*, das keine mit Entsetzen begrüßte Exekution, sondern ein gleichzeitig frommes und gesellschaftlich bedeutungsvolles Ereignis darstellt dem kaltblütig beizuwohnen die gute Sitte forderte.

Nationalreligiöse Überhebung führte zur Inquisition, gegen die sich Italien heftig sträubte, in Neapel mit soviel Erfolg, daß Kaiser Karl V. dort auf deren Einführung verzichtete mit dem Spruch: *Mas quiero reino sin inquisicion, que inquisicion sin reino.* (Mir ist

418

das Reich lieber ohne Inquisition, als die Inquisition ohne Reich.)

Die Kirchlichkeit der Renaissance-Spanier wurde zum Ausdruck einer besonderen Sekte, die vollkommen in Widerspruch stand mit dem vom Humanismus durchdrungenen Katholizismus Italiens und der römischen Kirche ihr fremdes Gepräge erst aufdrückte nach hartem Kampf.

Wie der Gottesglaube hat der ritterliche Minneglaube des Spaniers von jenem Sieg her seine eigentümliche Art des Fanatismus erhalten. Denn die verehrte Dame hat ihn zu solchem Sieg begeistert und befeuert, was ihr unvergessen blieb.

In Spanien gehört der Minnedienst zur Nationalehre, denn das Heer, das endlich die Mauren verjagte, war ein Heer von verliebten Rittern. Isabella, die Katholische, ist gleich der Königin aus einer Romanze aufgetreten, sie war mit ihren schönen Damen auf dem Schlachtfeld erschienen, um mit religiösem und patriotischem Eifer zu kühnen Taten anzuspornen. Von da ab galt die Besessenheit der Liebe für heilig und zugleich für elegant, sie behielt unbedingte Herrschaft, bis Don Quixote damit aufräumte. Spanien war nicht nur das Land der Inquisition, es war das Land der Schelmenromane, endloser Serenaden, ewig schmachtender Liebhaber, verschnörkelter Liebesabenteuer, die unerschöpflichen Stoff boten für Komödie und Drama.

Doch zum Unheil pendelte der vom *Reconquistado* gegebene Schwung weiter bis ins Überschwengliche und Groteske. Ein so lange gezüchteter Fanatismus gegen Andersgläubige konnte sich nicht beruhigen und lebte

fort in gut gemeintem Haß gegen Ketzerei, der sich
für die vornehme Welt zu schicken schien. Er schwang
aber auch fort in seltsam abenteuerlichen Liebessitten,
die stets neue Nahrung und Anregung erhielten von
den beliebten Moderomanen nach Art des Amadis.
Herren und Damen richteten ihr Auftreten und gegen-
seitiges Benehmen nach den Vorschriften dieser Literatur, wenn auch schon vor Don Quixote manche Kritik
gegen die Übertriebenheiten der stilisiert Minnenden
laut wurde. Energisch verurteilte sie Vivès, der Lehrer
von Isabellas Töchtern*):

*Pestartig wirken in Spanien Bücher wie die Romane
von Amadis, Splendiano, Florisando, Tristan, deren
Unsinn vollkommen unabsehbar anschwillt und jeden Tag
kommen neue hervor. So gesellt sich ihnen „Cölestina",
eine wahre Gelegenheitsmacherin und Mutter des Übels,
aus welcher Liebesvorschriften geholt werden. Aus
Frankreich kommen „Lancioletto del Lago, Paris und
Vienna, Pontus und Sidonia, Peter aus Provence" und
„die schöne Magelone", aus den Niederlanden „Fior e
Biancefior", „Leonello" und andere mehr — — man
greift auch zu Liebesgeschichten, die aus dem Lateinischen stammen wie Pyramus und Thisbe und zu
Poggios und Boccaccios Novellen, die von lasterhaften
und eitlen Männern geschrieben sind.* So erklärt der
Pädagoge leidenschaftlich und wahllos aller Unterhal-
tungsliteratur den Krieg, weil er behauptet, die jungen
Leute, Damen wie Herren, lernten nichts daraus als
Seufzen, Lispeln und Zeitvertun.

Wie gegen die Leidenschaft des Romanlesens, die in

*) Vivès. Opera. De institutione foeminae christianae. Basilea 1535.

420

der spanischen Gesellschaft stark überhand genommen, ereiferte sich Vivès gegen die eingerissene Tanzwut, die er namentlich für vornehme junge Damen ungehörig fand. *Welchen Zweck verfolgt dieses ungemessene Hüpfen der Mädchen, die von ihren Kavalieren am Arm gestützt werden, um rechten Anlauf zu nehmen und eine höher zu springen als die andere?*

Vermutlich handelt es sich bei dieser Anfeindung um die *volte*, einen munteren ausgelassenen Tanz, bei dessen Figuren nicht nur der Tänzer sondern auch die Tänzerin große Behendigkeit zeigen mußte, was bei der Konstruktion damaliger Frauentracht recht verwegen ausfallen konnte.

Dieser Tanz, der ähnlich dem Walzer Bauerntänzen nachgebildet war, erlaubte und verlangte, wie noch heute der Schuhplattl, im gegebenen Augenblick den Kuß, was Vivès besonders beanstandet: *Wozu dient diese Küsserei? Welches Vergnügen liegt darin, sich nächtelang mit Sprüngen anzustrengen, als könne man gar nicht satt davon werden? Schlimme Sitte hat sich eingenistet, daß überall wahllos geküßt werden darf unter dem Vorwand des Tanzes.*

Dem Freund des Erasmus, Vivès, dünkte es viel ersprießlicher, wenn die schönen Spanierinnen sich mit Griechisch und Latein beschäftigten. Tatsächlich taten es einige unter ihnen, man nennt als hochgelehrt die Marchesa de Monteagudo, Donna Maria Pacheco de Mendoza, Isabella von Cordova, die Dichterin Caterina Ribera, die geistliche und weltliche Liebeslieder verfaßte, ähnlich wie die Minneherrinnen von einst, und außerdem als Professor der Rhetorik auftrat in Sala-

manka und Alkala. Bei Beatrix de Galiudo nahm Königin
Isabella in reiferem Alter lateinischen Unterricht und
Isabella de Rosere rettete durch ihre Beredsamkeit Juden
vom Feuertod, indem sie die Verurteilten bekehrte.
Trotz solcher Taten einzelner gelehrter Damen blieben
die meisten Spanierinnen dem Liebesspiel und dem
Tanze hold und selbst ein strengbedachter norddeut-
scher Ritter, Lupold von Wedel, der als Tourist Europa
bereiste und seine Eindrücke treuherzig schilderte, war
bezaubert von ihrer köstlichen Erscheinung.
Kirchenfeste boten reichlich Gelegenheit zur Entfaltung
der Eleganz und der Tanzkunst. Vor dem Marienbild
sah Wedel Maskierte, die mit Kastagnetten eine Art
Huldigungstanz aufführten, *darnach Prozession mit
Kesselschlag und Musica, da man dann diesen Tag feine
wohlgeputzte Rosse und schöne zarte Weiber gesehen,
welche gemeiniglich schwarze Haare so krus gemacht*
(gekräuselt) *und schwarze Ogenbrauen gehabt, sein
dennoch fein rot und weiß gewesen, welches ihnen dann
herrlich und zart angestanden, denn es hier reinliche
Weibertracht hat. Man hat auch in den Gassen gefochten und sunsten viel Frodenspiel getrieben.*
Derselbe Gewährsmann beschreibt das *Königliche Haus*
zu Madrid: *Ehe man hinein kumpt über einen großen
Platz geht, alsdann gehen in das Pallatium zwei Tor,
ein jedes Tor zu einem Platz, denn das Haus zwei
freikantige Plätze in sich hat und die Plätze mit einem
Gange auf starken Pfeilern umringt, darunter stets
allerhand Ware feil ist**). Dies war ähnlich, wie später

*) Lupold von Wedels Beschreibung seiner Reisen und Kriegs-
erlebnisse 1561—1606. Stettin 1895.

das Palais royal in Paris, ein Arkadenwandelgang, wo die Hofgesellschaft spazieren ging und modische Luxusgegenstände kaufte, etwa die vielgebrauchten Masken und Schleier, gezierte Dolche, spiegelbesetzte Fächer, Hals- und Ohrgehänge, Spitzen und Bänder. Wedels Beschreibung fährt fort: *Ehe man in die Plätze kommt, geht man quer durch ein lang Zimmer, welches stets für Pferde steht, so gesattelt und zomet, welche den Herren und Kavalieren gehören, so zu Hofe reiten.*

Gewiß bildeten die prächtig geschirrten spanischen Pferde, damals die schönsten und geschultesten der Welt, eine Sehenswürdigkeit für den deutschen Touristen. Er bemerkt jedoch, Portugal habe *bessere und lustigere* Städte als Spanien. Den größten Glanz Madrids sah erst das Barockzeitalter. Die Stadt wurde im Jahr 1561 zur Hauptstadt erkoren und unter Philipp II. durch die Architekten Herrera und Juan Bantista bedeutend geschmückt.

Vorher war es die Gewohnheit spanischer Herrscher, ihre Residenzen gleich Zelten bald da, bald dort aufzuschlagen, in Saragossa, Valladolid, Burgos, Leon, Cordova, Sevilla, Murcia und Toledo, da sie die Wünsche der verschiedenen Städte berücksichtigen und mit den Notabeln persönlich gut stehen mußten.

Als sich der Absolutismus straffte und Sonderwünsche nicht mehr berücksichtigt wurden, nahmen die Könige und ihr Hof das Eigenleben dieser Städte als nicht mehr vorhanden an und die Macht zentralisierte sich in Madrid. Die neue Hauptstadt erfüllt sich schnell mit Hofschranzen und mit jenen marionettenhaft agierenden, seufzenden und paradierenden spanischen

Stutzern, die Aretino grinsend beschrieb als Don Ciri-
monia di Moncada, Signor Liudezza di Valenza als
attillati, odoriferi, schifi, geschnürt, voll Wohlduft und
Heikelseins. Der manierierte spanische Minnedienst
hieß: *lugar a las damas*.

Die Stutzer nannten sich von der Liebe hingemordet,
assassinati d'amore mit affektierten Beteuerungen und
Tränen. In über und über zartgeschlitztem Anzug
stolzierten sie einher, den Pagen hinterdrein, der, in
die Farben der Dulcinea gekleidet, jeden Augenblick
bereit war, seines Herren Kleid in Ordnung zu halten.

Mit ergeben näselnder Stimme flüsterten sie nicht un-
bekannte Schwüre aus Petrarca. Eine ewige Komödie
spinnt sich um Balkone und Straßenecken, um *Patio*
und Jasminlaube, Schäkern und Trällern und Mando-
linezupfen.

Lange überstrahlte Sevilla an Frohsinn und Glanz die
anderen spanischen Städte, man lobte mit Überschwang
die in Orangengärten gebettete, noch halb maurische
Schöne, *die Ausnahme der Zeiten und den Neid der
Städte. (Excepcion de los tempos, envidia de las
ciudades —* Alarcon. Ganar amigos I.) Der goldene
Turm hieß bezeichnend der Turm am Mund des
Quadalquivir, wo die Goldladungen der neuen Welt
ausgeschifft wurden und an der *Tore del oro* entlang
auf dem Fluß fuhren in bunten Barken Damen und
Courtisanen, die sich zu allerlei Festlichkeiten begaben.
In Sevilla erschien es dem *Caballero* lange nicht un-
rühmlich, sich mit Handel zu befassen und der Reichtum der Stadt war groß.

Doch änderte sich dies Bild, die spanischen *Pistolen*

424

wanderten ins Ausland und Zuniga vergleicht (1579) Spanien mit dem arkadischen Esel, der Gold trägt und Disteln frißt. Sevilla behauptete jedoch den Ruf der Lustigkeit, die Stadt blieb *regocijadissima y vistosa*, behielt ihre Masken und Ballette, die den fremden Reisenden nach dem Morgenland versetzten, wenn auch die aus Italien heimgekehrten einheimischen Künstler Sevilla den orientalischen Charakter mißgönnten und die Renaissance einführen wollten, die sie *obra dal romano* nannten.

Nach dem Beispiel italienischer Prälaten übte der Erzbischof von Castro ein Mäzenat für Maler und Dichter, er sammelte an seiner Tafel den Latinisten Francésco Pacheco, den Maler Pablo de Cespedes, Vorläufer des Velasquez, den Musiker Guerrera, den Latinisten Francésco de Medina, den vornehmen Dilettanten Argote de Molina, der außer Rüstkammer und Marstall eine Sammlung literarischer Schätze besaß. Molina ist der Typus jener Männer, die fechten, beten, sich kasteien, segeln, befehlen, genießen, Geschäfte führen und dichten können, ihr Spruch ist: *Noch nie hat die Lanze die Feder stumpf gemacht, noch die Feder die Lanze**). Befreundet war er mit dem Sohn des Columbus Hernan Colon, der Sevilla einen schönen Garten, einen Palast im genuesischen Stil und eine Bibliothek von 20000 Bänden hinterließ, die er auf Reisen gesammelt.

Schöngeister und tonangebende Künstler unterhielten

---

*) La sçiençia non embota el fierro de la lança, nin face floxa el espada en la mano del caballero. (Santíllana.) (D. Iñigo Lopez de Mendoza.) Obras, Madrid 1852.

sich über die Beseitigung der gotischen Barbarei durch die ersten Romfahrer, wo sie Michelangelo bewundert und erkannt, daß alles *was vor ihm an Kunst gewesen, nichts als den Feuertod verdiene.* Sie pflegten ein elegantes Spanisch, wie man in Italien das elegante Toskanisch zu pflegen bemüht war. Besonders berühmt für seine Kunst der Konversation war Francisco de Medina, Pedro de Mexia wurde gelobt für seine geistreiche Ausdrucksweise, von der man nunmehr *agudeza* und *dulzura* verlangte, Scharfsinn und Schmelz.

Man hat den Eindruck, daß trotz der Spuren des Maurensieges viel Heiteres und Holdes in Spanien lebte, wenn man der Tänze und Blumen seiner zahllosen Kirchenfeste gedenkt, der Witze seines *Grazioso*, einer stehenden Figur der spanischen Komödie voll unsterblichen Humors, der unverwüstlich guten Laune seines Sancho Pansa bösen Zufällen gegenüber.

Das dunkel Feierliche, geheimnisvoll Grausame, wurde dem Land künstlich von seinen Monarchen aufgenötigt, wie dem Hof die sogenannte spanische Etikette aufgenötigt wurde, die eigentlich gar nicht spanisch war und sogar Mißfallen und Protest erregte.

Diese Etikette stammte aus Burgund und wurde auf Befehl Karls V. und Philipp II. nicht ohne Mühe in Spanien eingeführt als Symbol des Absolutismus, der die Cortez schweigen hieß und sogar der Kirche gegenüber rechthaberisch auftrat.

Die Männer um Karl und Philipp verteidigten ihre Inquisition gegen Papst und Konzil. Die verhältnismäßig kleine Schar energischer Fanatiker prägte das katholisch bleibende Europa vollständig um bis aufs

426

kleinste. Spaniens Einfluß wird merkwürdig deutlich in jener mystisch feierlichen, unbarmherzig strengen Zeremonie, die den einfach liebreichen und graziösen Anstand der Renaissance, dessen Regeln ein Erasmus treuherzig zusammengefaßt, versteifte, versteinerte in festgesetze Schnörkel und Volten.

Ebenso versteiften und versteinerten sich die fließenden Falten der italienischen Renaissance in der geschienten und wattierten, hochmütig aufgeblasenen, bizarren spanischen Tracht. Ein Zeitgenosse der Inquisition ist der immer steifer ausladende Tellerkragen, der den Hals einschnürt, das streng schwarze Gewand und eine noch nie dagewesene Pedanterie des Pompes in Auftreten und Sprachgebrauch. Spanische Mode galt für maßgebend an allen europäischen Höfen und wurde so schwerfällig und schwer, daß zartere Prinzessinen die Last des Staatskleides bei großen Gelegenheiten gar nicht schleppen konnten.

Claude de France und Jeanne d'Albret müssen im Hochzeitsschmuck zum Altar getragen werden, da sie nicht imstande sind in der Pracht des Goldbrokats, der sich ungeheuerlich um ihr Figürchen spannt und von großen Steinen strotzt wie ein Madonnenbild, auch nur einen Schritt zu gehen. Brantôme rühmte die robuste Modedame Prinzessin Marguerite de France, die spätere Gemahlin Heinrich IV., die eine Kleiderpracht auszuhalten imstande war *welches keine andere Prinzessin zu bewältigen vermocht hätte....*

In unserer lacharmen, lachschüchternen Zeit würden Gestalten wie ein Karl V., ein Philipp II. weniger auffallen. In der lachreichen und stolzen Renaissance

wirken sie, die einzig nicht lachen können, schier unheimlich gespensterhaft wie steinerne Gäste beim Festmahl der Zeit. Die spanischen Monarchen können
nicht lachen trotz tollster Hofnarren, ihre unselige Ahnfrau Johanna die Wahnsinnige *), hat ihre überlebens-
große Trauer noch nicht ausgetobt, sie würgt den
Nachfolgern das Lachen im Halse.
Ein grausames Verhängnis wollte, daß diese schwer
erblich belasteten, finsteren Männer Herrn der spanischen Größe und damit zu wichtiger Zeit Herrn Europas
wurden.
Die verhängnisvolle Ähnlichkeit zwischen Genie und
Wahnsinn besteht darin, daß beide eine Entbindung
außerordentlicher Kraft auslösen, bei Tollheit tierischer
Art äußert sich die Kraft physisch, bei solcher, die
menschlich auftritt, in der Gewalt geistiger Anspannung.
Im Vergleich zur Alltagsfähigkeit ist es immer, wie ein
tosender Wassersturz sich zu tropfendem Rinnsal verhält. Die Kraft des Genies ist ihrer selbst bewußt, ihr
starker Wille zum Guten scheint von übersinnlicher Freun-
desstimme eingegeben. Solche Tatsache ist naiv dargestellt in den mannigfachen Legenden von Götterrat
in Traum und Wachen, von Götterliebe zu Sterblichen,
von Egeria und Dämon. Die Kraft des Wahnsinns
dagegen enträt solch höheren Rats und ist ausschließlich irdisch, ihr Wille zum Guten, der noch oft durch-
schimmert, gründet sich auf die Logik des erkrankten
Gehirns. Aber nicht auf diese allein, sondern auf die

---

*) Die Mutter Karls V., die beim Tode ihres Gatten, Philipp
des Schönen, in geistige Umnachtung fiel, da sie nicht von der
Leiche lassen wollte.

Suggestion, die das krankhaft zu außerordentlicher Leistung gespannte Gehirn von dem eben allgemein vorhandenen seelischen Krankheitsstoff zwingend empfängt.

Jede Art machtvoll wirkenden finsteren Wahns sammelt sich im Gehirn eines Führers oder Herrschers zu seinem beredtesten und schrecklichsten Ausdruck, und nachdem diese Wirkung empfangen und zusammenfassend ausgearbeitet ist, geht sie zurück von dem Einzelragenden auf das Ganze, bestärkt und wappnet den noch unbewußten und hilflosen Wahn der Menge und macht ihn zur Tat reif. Die Gesetze der psychischen Einzel- und Massenerkrankungen, der Ansteckung von Seelenepidemien sind noch durchaus unerforscht, unsere Ansichten über diese Dinge vielleicht noch ebenso naiv wie jene der Ärzte des 16. Jahrhunderts, die etwa die Lustseuche von Witterungseinflüssen herleiteten. Ein außerordentliches Beispiel bietet das, was Valladolid als höchste Festlichkeit Philipp II. bot bei seiner Rückkehr aus England, ein glänzendes *Auto da fè*, an dem 200000 Personen teilnahmen und der Glaube eines fanatischen Märtyrers dem Fanatismus des Königs gegenüber stand, der seiner Anklage antwortete: *Wäret ihr mein eigener Sohn, ich müßte Euch den Flammen überliefern!*

Man gebe nicht dem Katholizismus schuld an diesem Ausbruch schrecklichen Wahns. Karl V. und Philipp II., die sich katholische Könige nannten, führten Krieg mit dem Papst, ersterer mit Ketzern, letzterer mit dem Sultan zu diesem Zweck verbündet.

Die Befriedigung, die spanische Schaulust an dem

Greuel der Ketzerverbrennung fand, das Kompliment, ihrem König als angenehmste Huldigung damit aufzuwarten, entstammte keinem katholisch religiösen Gefühl sondern dem Wirken eines größenwahnsinnigen Nationalismus, der sich damals in Spanien *Glauben* — *fè* nannte*).

Ein tückisches Schicksal scheint nunmehr bereit den idealen Tempelbau des Menschen, der nach antiker Weisung in der Renaissance durch *mens sana in corpore sano* errichtet war, zu unterspülen und ins Schwanken zu bringen, der stolz blühende und froh genießende Leib wird durch die Lustseuche bedroht, der kühn und freudig forschende, flügelspannende Geist durch die ebenso widerliche und beschämende Seuche des Fanatismus, der sich als religiöser Fanatismus gibt, jedoch schon alle Keime des sozialen und nationalen Fanatismus in sich birgt und da und dort deutlich genug zeigt.

Kurzsichtig freuten sich manche Italiener, vom alten Cäsarentraum befangen, als Karl V., den sie gern Cäsar nannten, seinen Gegenspieler Franz I. von Frankreich besiegte und gefangennahm. Allein diese Niederlage und Gefangennahme zu Pavia war nichts anderes als ein Sieg grimmiger Gewalten über den holden Renaissancetraum, den Franz verkörperte, Italiens eigensten Traum, den er andächtig mitzuträumen gedachte.

Die Gefangennahme des Königs und seine lange Gefangenschaft sind symbolisch für die Gefangennahme und Gefangenhaltung der Renaissance.

---

*) Ursprünglich waren Mauren und Juden, später erst Protestanten Opfer des *Glaubensaktes*.

In Spanien verlernt der einst heiterstrahlende König Franz ihr Lachen, das seine Lippen so gut gekleidet. Allen Erfolgen zum Trotz wird Karl nicht heiterer sondern immer finsterer auf seinem Märchenthron.

Umsonst lädt er den genialsten und frechsten der Narren, Aretino, ein, um belustigt zu werden und läßt ihn zu seiner Rechten reiten. Aretino brennt alle Feuerwerke seines Witzes ab; der Kaiser dankt und spendet Gold, bleibt aber ernst. Seine und des Sohnes noch sattere Schwermut und Schwärze des Gemüts überschattet Spanien, überschattet Europa.

In der Folge bleiben nur einige geschützte Plätzchen sonnenbeschienen, am vollkommensten das eigenmächtig heitere Venedig.

ZWANZIGSTER ABSCHNITT

Der Kampf um die Sonne — Schöngeister in Lyon — Jupiters Entscheidung — Marots Flucht — Der Pfarrer von Genf — Die Tafel des Königs — *Père des lettres* — Goldne Zungen — Die Perle der Perlen — Französische Gärten — Rabelais' Abbaye Thélème — Bedeutung der Landwirtschaft — Erasmus und sein Sittenbuch — Bunte Reihe — Auf Schloß Nerac — Margarethes Gärten — Der Kampf um die Frau — Eine Geschichte des Heptameron — Badeorte — Oisilles Vorschlag — Die Maske — *Blasons* — Vom Wesen der Liebe — Ein idealer Flirt — *Baiser de dilection.*

Frankreichs Hochrenaissance kämpft um Sonne, zuweilen bricht das Tagesgestirn vor und es entstehen magische Beleuchtungseffekte. Allein der Himmel umzieht sich immer wieder, denn von drei Seiten drohen dunkelgewaltige Geistesströmungen. Der spanische Fanatismus, der Fanatismus Calvins und seiner Anhänger, die ein Witzbold mit Recht *calvinolâtres* — Anbeter des Götzen Calvin — nennt und endlich in Frankreich selbst der Fanatismus der Sorbonne, so überzeugt ankämpfend gegen jede Neuerung, daß sie unter anderem von König Franz I. das Verbot der Buchdruckerei verlangt, gleichzeitig mit blutigem Verbot jeder Häresie. Auf ihre Anklage hin wird der Dichter Marot, weil er am Freitag Speck gegessen, ins Gefängnis gebracht.

Die Hochmögenden der Sorbonne — Rabelais nennt sie *Sorbonagres* — sind ein Schandmal des 16. Jahrhunderts genannt worden, sie brachten Paris um den Ruhm, Mittelpunkt geistiger Regsamkeit in der Renaissance zu werden, wie Paris in romanischer und gotischer Zeit Mittelpunkt gewesen, denn sie wollten

432

die traditionelle Vormacht der Universität mit Mitteln
der Gewalt behaupten. Diesen törichten Standpunkt vertrat namentlich Béda mit seinem Angriff auf Lefèvre,
der — ein bedeutender Vorläufer Luthers — die Bibel
ins Französische übersetzte.

Dem Widerbellen der druckfeindlichen Sorbonne setzte
Lyon triumphierend seine Druckereien entgegen, die
sich vornahmen, mit den italienischen an Zierlichkeit
und Vollendung zu wetteifern.

Lyon, herrlich hingelagert, wo reiche Ströme zusammen-
fließen und wo reichste geistige Strömungen ihre Wasser
mischen, heißt um diese Zeit *le second oeil de la
France*. Es stapelt Geld und Ware, es stapelt Gedanken und besorgt emsig den Austausch zwischen
Frankreich, Italien, Spanien und der Schweiz. Verbannte Florentiner, Pazzi, Albizzi und Gondi, versuchten die Seidenindustrie zu verpflanzen und ver-
pflanzten mit Glück die Kunst gepflegter Konversation.
Antonio Gondis Gattin, Dame du Perron, hatte einen
bedeutenden Salon, dessen musikalische und geistige
Genüsse von Eustorge de Beaulieu begeistert gepriesen
wurden. Lyons Statthalter, die vornehmen Trivulzio,
die aus Mailand stammten, waren Mäzene nach Vorbild der Renaissanceheimat, zum Dank pflanzte man
gern einen Maibaum vor ihrem Palast mit lobendem
lateinischem Distichon.

Schon im Jahr 1474 erschienen in Lyon die ersten
gedruckten französischen Bücher. Allein ebenso früh
erhoben kühne Kritiker der kirchlichen Zustände daselbst ihre Stimme. Nicht umsonst war der Ebraïst
Sanctis Paganini ein Schüler Savonarolas, und Pale-

ario nennt in seiner Dichtung über die Unsterblichkeit der Seele die Inquisition *sica districta in omnes
scriptores* (einen gegen alle Schriftsteller ausgestreck-
ten Dolch). Mit den neuesten Ideen aus Deutschland
stand man in enger Fühlung, da der Fürst der Buchdrucker, Sebastian Gryphius*), aus Deutschland stammte
und mit billigen Drucken den Einfluß seiner Landsleute
stärkte. Bald waren 84 Auflagen der Bibel im Um-
lauf und neureligiöse wie humanistische Streitfragen
wurden leidenschaftlich erörtert in der nach italienischem Vorbild entstandenen *Académie Fourvières*, die
Humbert de Villeneuve und Hughes Fournier gründeten.

Ihre Versammlungen fanden zuerst in den poetischen
römischen Ruinen von Fourvières statt, dem Forum
des römischen Lugdunum. Paris überlegen, erhob sich
Lyon mit seinen Damen und Dichtern, die jede Geistes-
knechtschaft verschmähten, frei schwärmten und schrieben. Verschiedene Städte Südfrankreichs sind geistig
mehr angesehen als Paris und von den verschiedenen
königlichen Residenzen aus weht frische Renaissance-
luft.

Fortwährend warf das Schaukelspiel der Politik vornehme Verbannte aus Italien an den französischen Strand,
sie landeten hauptsächlich in Lyon und drückten der
geistigen Erscheinung dieser Stadt ein so feines Re-
naissancegepräge auf, daß Lyon für ein französisches
Florenz galt.

In seinen schöngeistigen Zirkeln las man Boccaccio
und Petrarca ebenso geläufig wie in Italien. Sie

---

*) In Lyon 1524—1556 tätig.

434

waren von bedeutenden Frauen beherrscht, allein diesmal sind Südfrankreichs Minneherrinnen nicht altadeligen Geschlechtern entsprossen, sondern dem Kaufmannsstand, den die mannigfache Berührung mit Italiens Kulturschätzen materiell und geistig außerordentlich gehoben hat.

Traditionell ist der Übergang vom handeltreibenden Bürger zum großen Herren in Südfrankreich nicht schroff und lächerlich, sondern vollzieht sich wie in Florenz und dem benachbarten Genua mit Geschmack. Es gilt dafür, daß feine Gelehrsamkeit Adel verleiht. Stolz schreibt ein hervorragender Prälat und Diplomat, Claude de Seyssel: *La philosophie ne reçoit pas le noble, elle le fait.* (Die Philosophie nimmt den Vornehmen nicht auf, sie macht ihn.)

Er setzt diesen neuen Hochmut dem alten Adelshochmut entgegen. Nur durch hervorragende Bildung wird nach Meinung eines Jean Bouchet der Neureiche gesellschaftsfähig, es wird verlangt, daß der vermögende Mann adelig zu leben wisse und sich schöner Handlungen befleißige *(qu'il vive noblement et s'étudie à beaux faits.)*

Die Damen in Lyon konnten an Eleganz mit den italienischen Schwestern wetteifern, denn Lyon rühmte sich der kunstreichsten Schneiderinnen, die sich am besten von italienischen Vorbildern anregen ließen. Auf das zarteste geschmückt in vollendet geschmackvoller Umgebung kann man sich die Holden vorstellen, die Lyons Geselligkeit beherrschten, Jeanne Gaillarde, Jeanne Flore, Jeanne Creste, Jaqueline Stuart, Marie de Pierre Vive, Marguerite de Boury mit ihren Töchtern Claudine und Sybille, deren Grazie und Geist von Jean Marot besungen wurden, ihr Bruder war Maurice Scève, Verfasser des überschwenglich platonisierenden Werks *Délie*. Die neuen Minneherrinnen, zu deren Füßen französische und italienische Schöngeister immer preziöser schmachteten, waren, wie einige ihrer Vorgängerinnen aus romanischer Zeit singbereit in zarten Versen, ja einige unter ihnen übertrafen bei weitem das verliebte Trillern ihrer Sänger. Pernette du Guillet verfaßte reizende Verse, Louise Labé, *la belle Cordière* genannt, da ihr Gatte eine große Seilerei betrieb, war eine Dichterin und höchst originell temperamentvolle Persönlichkeit. Ihre Liebessonette treten aus dem Rahmen der Konvention heraus und haben ein Teilchen Unsterblichkeit. Der Mode ihrer Zeit huldigt die Dichterin mit einem allegorisierenden Werk: *Combat de folie et d'amour*, es führt mitten hinein in die an Lyons neuerstandenen *Liebeshöfen* ernsthaft erwogenen, spitzfindigen Liebesfragen.

Voll entzückenden Humors scheinen sie im Salon der Louise Labé behandelt worden zu sein, wenn man ihrem Fabulieren lauscht. Im Kampf von Narrheit und Liebe ist Amor grausam geblendet und seine Pfeile sind ihm entrissen. Er klagt darüber bei seiner Mutter Venus, die Götter beschließen, seine Pfeile müßten ihm zurückerstattet werden, die Narrheit ihn in seiner Blindheit führen viele hundert Jahre lang, bis ein mystischer Ring sich erfülle und die Liebe sehend und weise werde.

Jupiters Entscheidung lautet: *Pour la difficulté et importance de vos différents et diversités d'opinion nous*

avons remis votre affaire à 3 fois 7 fois 9 siècles, et
cependant commandons de vivre amiablement ensemble.
Et guidera folie l'aveugle amour, et le conduira par-
tout où bon lui semble*).

Ein merkwürdiges neckisches Spiel mit dem großen
platonischen Gedanken.

Indessen stand Margareta, die Schwester Franz I., mit
Lyon in enger Fühlung, schloß sich dessen platonisie-
render Richtung an und wagte in Gesprächen, Briefen
und endlich in einem mystischen Büchlein *miroir de
l'âme pécheresse* für die neue Religiosität einzutreten,
für ein platonisches Christentum, das die sittlichen Gesetze nicht aus gegebenen Regeln herleitet, sondern aus
tiefstem Herzen und Gemüt.

Die rechthaberischen Pedanten der Sorbonne griffen
des Königs vielgeliebte Schwester wegen Häresie an,
ihr Schützling und Verehrer Clément Marot rächt sie,
indem er stechmückengleich mit elegantem Spottvers
die feierlichen Esel umsummt. So reimt er über die
baulichen Verschönerungen und Verbesserungen, die
Franz I. seiner Hauptstadt zudenkt:

> Le roi aimant la décoration
> De son Paris, entre autres biens ordonne,
> Qu'on y bâtisse avec proportion
> Et pour se faire argent et conseil donne,
> Maison de ville y construit belle et bonne.

---

*) In Anbetracht der Schwierigkeit und Wichtigkeit der Meinungs-
verschiedenheiten und Streitfragen haben wir den Austrag eurer
Sache aufgeschoben auf $3 \times 7 \times 9$ Jahrhunderte und befehlen euch
indessen, in Eintracht miteinander zu leben. Und die Narrheit soll
die blinde Liebe führen und wird sie führen, wohin es ihr beliebt.

Les lieux publics devise tout nouveaux
Entre lesquels, aux milieu de Sorbonne
Doit, se dit-on, faire place aux veaux*).

Marot zeichnet in seiner Satire die Eklipse des *esprit*, die Paris dank dem Einfluß der Sorbonne erleidet, muß aber den Kürzeren ziehen vor dem Groll ihrer Zunft und flieht nach Genf, wo er, wie manch anderer *Modernist* der Zeit, der dem Joch der Konvention widerstrebt, vermeint, eine Freistatt zu finden.

Calvin ist jedoch auf seine Art ebenso pedantisch wie die Konservativen der Sorbonne und der witzige Dichter sieht sich bald aus Genf ausgewiesen wegen einer Liebelei oder einer Spielpartie, denn das Spiel der schönen Augen und Verse, das sein natürliches Lebenselement ausmacht, ist in jener grämlichen Theokratie durchaus verpönt, ebenso jedes Gesellschaftsspiel, und wird mit Gefängnis oder Verbannung geahndet.

Calvin war wie zwei andere berühmte Fanatiker, die Europa mit ihren Ideen erschütterten und beherrschten, Peter von Amiens, der Kreuzzugsprediger, und Robespierre, der Prediger der *terreur*, ein Sohn der Picardie. Wie jene beiden war er aufrichtig und daher machtvoll hinreißend. Zum Tyrannen von Genf geworden

---

*)   Der König, der den Zierat liebt
        Für sein Paris, die Order gibt,
        Daß man daselbst mit Maß erbaut,
        Gibt Geld und nach dem Rechten schaut,
        Ein Stadthaus gut und schön er rät,
        Was öffentlich, ganz neu ersteht.
        Inmitten der Sorbonne sei
        Ein Platz — sagt man — für Kälber frei.

(1537), trieb er keinerlei Nepotenwirtschaft, sondern ließ seinen Bruder in der Schusterwerkstatt. Er begehrte keinen anderen Titel als *pasteur de Genève*, ihm genügte die Macht ohne deren Aufputz, wie dem Geizhals das Anhäufen von Geld ohne dessen Genuß. Denn es gibt Geizhälse der Macht*).

Calvin beschwor den französischen König, die Papisterei auszurotten, Spanien schlug ihm die Inquisition vor, die Sorbonne wollte alles Neuzeitliche erwürgen und ersticken. Zwischen allseitig geschwungenen Fackeln, die jede Kultur und Lebensfreude bedrohten, stand Franz I. mit seiner holden und geistreichen Schwester, die einzig darauf bedacht, die echten Güter der Menschheit zu wahren und zu mehren, ihren Bruder immer wieder den Idealen der Renaissance zuzuführen strebte. Beide waren aufrichtig ergebene Christen, doch scharfsinnig genug, die Schäden der Kirche wahrzunehmen und Reinigung zu wünschen. Solange ihre Jugendkraft ungebrochen blieb, erkannten sie, daß Theologie allein nicht zu retten vermochte und daß nicht nur der geistlich, sondern auch der weltlich gerichtete Mensch der Wiedergeburt bedürfe.

Darum beriefen die Geschwister Musiker, Künstler und Dichter, Männer der Wissenschaft und der praktischen Erfahrung. *La table du roi était une vraie école, il s'y traitait de toute manière des sciences hautes et basses.* Italienische Lautenschläger erfreuten sich am Hof großen Ansehens, Francesco da Milano wurde *il divino ge-*

---

*) Als pasteur de Genève bezog Calvin 150 frs. im Jahr, 15 *quintaux de blé*, 2 Faß Wein, lebte ärmlich ohne Gastfreundschaft und starb arm.

nannt, Marco del Aquila und Albert Rippe fesselten durch neuartige Kompositionen, die sie *fantasie* und *toccate* nannten. Albert Rippe, der Lieblingsmusiker des Königs, wetteiferte mit Francesco de Canomma, der am päpstlichen Hof glänzte. Franz I. belohnte Albert für seine Überlegenheit im Reich der Töne durch Verleihen von Schloß und Lehen.

Als Gegengewicht, um den verderblichen Einfluß der scholastischen Sorbonne zu brechen, ließ Franz aus seiner glänzend geistreichen Tischgesellschaft eine freie wissenschaftliche Vereinigung hervorgehen, die seiner Schwester weitherzige Ansichten und Toleranz freier Forschung vertreten und verteidigen sollte. Ein neuer Ehrentitel, den noch nie ein französischer Monarch getragen, wurde für Franz I. geprägt: *père des lettres.* Das *collège royal* entstand, in Fontainebleau wurde die Bibliothek gegründet, für die Johann Lascaris, der geflüchtete griechische Gelehrte, eifrig sammelte, und Franz wußte als gewiegter Bibliophile sein Buchzeichen, den Salamander, auf manch seltenes Werk zu prägen. Freilich liebte er auch lockeren Scherz und scharfe Satire, er sandte Aretin eine Ehrenkette, die humoristisch dessen scharfer Zunge Lob spendete, sie bestand aus goldenen, ineinander geflochtenen Zungen.

Margarete erzählt, daß man bei Tisch mehr von Worten als vom Tafeln warm wurde *(on s'échauffait plus de paroles que de viandes).*

Zur Tafelrunde gehörten Guillaume Cap, ein bekannter Arzt, der Bibliothekar Castellanus, Guillaume Petit, Bischof von Troyes, des Königs Beichtvater, Etienne Poncher, Erzbischof von Sens, ein gelehrter Freund des

440

Erasmus, in derselben geistigen Richtung tätig, Mellin de St. Gelais, ein Dichter, der gleich Clément Marot und anderen des Königs Schwester als vierte Grazie und zehnte Muse besang, der glänzende Admiral Bonnivet, der Humanist Budé.

Letzterer hatte einen merkwürdigen Einfall, den er den Versammelten vortrug. Noch immer war die Jagd das Lieblingsvergnügen des Königs, dem der Titel *père de la vénerie* ebenso ruhmvoll galt wie der Titel *père des lettres.* Manche Prinzessin nahm Teil und die Jägersprache *(langue de vénerie)* galt für elegant, hatte aber ihren gotischen Beigeschmack behalten. Um diese Sprache der vornehmen Welt mit der neuerwachten Liebe zum Humanismus in Einklang zu bringen, schlug Budé vor, das Lateinische zur Jägersprache zu machen und dadurch dem königlichen Vergnügen eine neue Weihe zu geben.

Anne de Montmorency, der berühmte Connétable war ein beliebter Tischgenosse und langjähriger Freund Margaretes, deren Güte er viel verdankte. Schließlich erwies er sich als undankbar, als er leidenschaftlich gegen ihre reformatorischen Sympathien Partei nahm, und es mag an der königlichen Tafel peinliches Aufsehen erregt haben, als er seine Gönnerin plötzlich laut damit bezichtigte und inmitten der Tischgesellschaft als Beweis Briefe und mystische Sonette der Vittoria Colonna hervorzog, die an Margarete gerichtet und von ihm aufgefangen waren. Ihr königlicher Bruder verteidigte sie mit dem Spruch, seine Schwester liebe ihn zu sehr, um einer anderen Religion als der seinen anzugehören. Sie blieb seine *mignonne,* seine *mar-*

441

guerite des marguerites, das heißt Perle der Perlen, und sie durfte sich erlauben, ähnlich schwärmerisch wie die Marchesa von Pescara geschrieben, der geistig verwandten Frau zu antworten mit italienischem Sonett.

So brachten die gewitterschwülen religiösen Gegensätze dramatische Momente in die Geselligkeit. Sie erwiesen Tücke und Treue, sie waren ein Prüfstein von Freundschaft und Geschwisterliebe. Margarete blieb der gemäßigten Richtung treu, welche die Kirche zu reinigen wünschte, allein kein Schisma herbeiführen wollte, und erwies sich als männlich mutig genug, den Pedanten der Sorbonne zu widerstehen, aber auch der Pedanterie eines Calvin, der die Platoniker, weil sie seinem Eifer nach zu lau sind, *Nikodemiker* nennt.

Sie gründete zwar ein Kloster, allein es herrschte darin, wenn sie sich mit ihren Hoffräulein zurückzog, ein schöngeistiges Renaissanceleben. Auf dem Liebhabertheater des Klosters wurden ihre geistlichen und weltlichen Stücke aufgeführt. Sie beschrieb sich selbst in der Gestalt der *Parlamente* im Heptameron als zungenfertig und heiter, doch erscheint sie zumeist verehrungswürdig als Minneherrin unter platonischen Anbetern, als Beschützerin von Verfolgten, um derentwillen sie bei ihrem Bruder mit reizenden und tiefgefühlten Versen Gnade erfleht. Franz fand im Zeichen der Minne jene zarte Definition der Gnade, die seine Hochherzigkeit wie sein Dichtertalent deutlich macht:

> Grâce attendue est une ingrate grâce,
> Et bien n'est bien, s'il n'est promptement fait.
> (Gnade, die warten läßt, ist harte Gnade und
> Gut ist nicht gut, wenn es nicht rasch geschieht.)

Statt grob zu fluchen wie seine Vorgänger *Pasque Dieu* oder *le diable m'emporte* gewöhnt sich der Renaissancefürst, feiner zu schwören mit dem bedeutsamen Spruch *foi de gentilhomme*.

Oft korrespondierten die Geschwister in Versen, Poesie war namentlich für Margarete der natürliche Ausdruck in Ernst und Scherz. Wieder war das Schloß von Blois dichterhold, das einst den Musenhof des liebenswürdigsten gotischen Dichters, Charles d'Orleans, gesehen. Die gotische Umgebung mußte freilich schon unter Ludwig XII. den Renaissancegedanken aufnehmen und die bescheidenen Gärtchen wichen großzügigen Anlagen, in denen die Fortschritte in Obstbau, Blumenzucht und Heckenschnitt prangten.

Der französische Garten lehnt sich zunächst mehr an den holländischen als an den italienischen. Seine quadratmäßigen Felder, geschmückt mit Buchs und buntem Kies, sind von regelmäßigen Wegen durchschnitten, die an den Kreuzungen Pavillons zeigen. Ihre sonnigen Flächen sind umgeben von schattigen Wandelgängen aus Holzgitterwerk, dies zierliche *treillis* ist französische Erfindung.

In solchen Wandelgängen erging sich die Gesellschaft, in solchen Pavillons nahm sie Platz mit äußerst gezierter Unterhaltung; man warf sich Blumen zu und mußte je nach der Blume schnell mit einem Reim antworten.

Den idealen Palastbau seiner Zeit beschreibt Rabelais in der *Abbaye de Thélème*, wahrscheinlich nach dem Muster des Schlosses Fontevrault, nur in gigantischem Maßstab gedacht. Dem Bildungssport wird der Plan des Gebäudes gerecht, da jedes Stockwerk eine Biblio-

thek in verschiedener Sprache enthält. Nebengebäude
sorgen für jeden anderen Sport, der zum Leben der
vornehmen Welt unzertrennlich gehörte, für die seit
Jahrhunderten als ihr besonderes Privileg angesehene
Falkenjagd, die noch immer eines der kostspieligsten
und beliebtesten Vergnügen bildete, für anderes Waid-
werk und für Reiterfreuden, ferner war ein Schwimm-
bassin vorgesehen und ein großer Turnier- oder Spiel-
platz, wo die Herren angesichts der Damen ihre Fertigkeit im *jeu de paume, pale mail, jeu de barre* und
ähnlichen Spielen zeigten, denn man hielt große Stücke
auf diese Vorläufer von Croquet, Criquet und Tennis.
Der Hof der palastartigen *Abbaye de Thélème* sei unter
anderem geschmückt mit modernen Brunnenfiguren,
Nymphen, die aus allen Leibesöffnungen kräftig Wasser
spieen, erzählt der Satiriker. Die Höfe der königlichen
Residenzen waren ähnlich schmuckvoll, denn sie
dienten bei großen Gelegenheiten als Festsäle, um
das Gedräng der Gäste aufzunehmen, und wurden zum
Sonnenschutz für den empfindlichen Teint der Damen
mit seidenem Dach in Purpurfarbe versehen, so daß
eine fast magische Beleuchtung entstand.
Ähnlich wie jene in Fontainebleau und Chambord waren
die Gemächer in Thélème gedacht, versehen mit dem
neuen Luxus durchgängigen Teppichbelags, mit Spiegeln
so groß, daß sie die ganze Gestalt wiedergaben und
stark parfümiert mit orientalischem Weihrauch. Statt
wie einst duftende Kräuter benutzte man jetzt Räucher-
pfannen. Zuweilen wurden die Düfte einem unlieb-
samen Gast bedenklich.
Außerdem erwähnt Rabelais einen schönen Lustgarten
444

mit Labyrinth. Der Irrgarten aus mannshoch geschnittenen Hecken war unvermeidlich in reichem Lustgarten, zuweilen brachte man sogar mehrere an, die Erfindungsgabe französischer Gartenkünstler wetteiferte in neuen Verschlingungen, wie die Hofpoeten, in Verschlingungen der Verse künstlich wetteifernd, Labyrinthe schufen.

Die Vorliebe für Fopperei — *beffa* — spricht sich im Labyrinth des Lustgartens aus, denn es war ein Hauptspaß, den Neuling oder den Ländlichen, *rustique* darin zappeln zu lassen. Die *figurines rustiques* des Bernard de Palissy, aus Fayence täuschend dargestelltes Getier, das er in Wasserrinnsal und Grotten anbrachte, hatten ursprünglich wohl den Zweck der Neckerei Damen gegenüber, die vor Frosch oder Molch womöglich die Flucht ergriffen.

Man begann jedoch in ernstem Sinn den Garten zu pflegen und der Obstbau machte seit Franz I. großartigen Fortschritt. Seine erste Gemahlin Claude gab ihrer Lieblingspflaume den Namen *Reineclaude*. Rabelais gebührt das Verdienst, die Melone und verschiedene Gemüse, die er gelegentlich seiner italienischen Reise kennen gelernt, in Frankreich zu akklimatisieren, ja er behauptete sogar, die berühmte Würze des Altertums, das *garum* wiederentdeckt zu haben und schickte einem gastronomischen Freund eine Probe.

Im Sinn der leidenschaftlichen Gartenliebhaber Franz und Margarete nennt Palissy die Beschäftigung mit Gartenbau *le plaisir le plus délectable — das wonnevollste Vergnügen.* Ausgehend von dieser neu entdeckten Freude flammt der Ehrgeiz auf, Frankreich in ein Gartenland zu verwandeln.

Praktische Ratschläge hierzu erteilt zuerst Liébault 1537 in seinem Werk *maison rustique,* zwei Jahrzehnte später Palissy mit nationalökonomischer Weisheit*).

St. Germain-en-Laye, Chambord, Amboise und andere Schlösser wurden im neuen Geschmack ausgestattet, Chantilly verdient *das Sanctuarium der französischen Renaissance* genannt zu werden.

Gepflegte Jagdgründe schließen sich jedem fürstlichen Landsitz an. Noch galt jedes Prunkstück der Jagd als königlicher und adeliger Braten. Man trug prachtvoll angerichtete Schwäne und Störche auf, allerlei Reiher, Kraniche und *Apotheosen* kleineren Geflügels auf goldenen und silbernen Schüsseln *dressiert.*

Auf den Tafeln prangten die berühmten Salzfässer des Benvenuto Cellini, auf den Kredenzen seine Wunderwerke und jene der besten einheimischen Künstler. Besonderes Wohlgefallen erregten als artige Spielerei die von Bernard de Palissy erfundenen Schüsseln aus Majolika, die lebenstreu dargestelltes Getier zeigten, Muscheln, Krebse und Fische in erhabener Arbeit, wenn sie zu der noch immer üblichen Händewaschung hereingetragen wurden.

Erasmus hat über dieses Händewaschen und andere Anstandssitten seine Meinung abgegeben in dem Werk, das er der vornehmen Jugend widmete. Es war lateinisch verfaßt, wurde aber bald unter dem Namen

---

*) 1563 Bernard Palissy: *Récepte véritable par laquelle tous les hommes de France peuvent apprendre à augmenter et multiplier leurs richesses.* 1600 erschien Olivier des Serres *Théatre d'agriculture* (Henri IV. las täglich eine halbe Stunde in diesem Buch). Lully nannte *pâturage et labourage deux mamelles de France.*

de la civilité puérile*) et honnête ins Französische übersetzt und gibt ein Bild der Gepflogenheiten, denen man zustrebte, mochte auch mancher am Hof sich rückständig und nicht so fein benehmen**). Wie der Tisch gedeckt werden soll, wurde von dem großen Gelehrten, der oft an vornehmer Tafel gesessen, für aufzeichnungswürdig gehalten.

Zur Rechten setze man das Trinkglas sowie das Messer, um Fleisch zu schneiden. Es muß stets sorgfältig gereinigt sein. Das Brot lege man zur Linken. Die Serviette wird über den linken Arm oder die linke Schulter geschlagen (ähnlich wie es heute noch die Kellner tun). Mit Servietten, deren Gebrauch neu war, trieb man viel Luxus. Sie wurden bei feinen Tafeln nach jedem Gang gewechselt und angewärmt gereicht, nachdem man sie der Schublade entnommen, die in den hohen Lehnen der Stühle eigens zu diesem Zweck angebracht war. Dies erwähnt der Dichter Corrozet in *blasons domestiques* (1529).

> *Chaire bien fermée et bien close,*
> *Où le musc odorant repose*
> *Avec le linge delyé,*
> *Tant souef florent, tant bien plié.*
> (souef = suave, süß.)

Diese oft gewechselten parfümierten Servietten waren notwendig, da die Gabel noch immer nicht in Schwang und die Eßwaren mit den Fingern angefaßt wurden,

*) puéril (von puer = Knabe) will hier sagen für junge Leute von Stand.

**) Im 15. Jahrhundert hatte schon Jean Sulpice de Veroli über die *contenance à table* geschrieben.

wie Erasmus besonders empfiehlt, nur mit drei Fingern, wenn man elegant sein wollte*).

Einige Stutzer behielten bei Tisch parfümierte Handschuhe an.

Schlechte Manieren werden fein kritisiert und auf deren psychologische Ursachen zurückgeführt. *Es gibt Leute, die unaufhörlich essen und trinken, auch wenn sie keineswegs Hunger oder Durst haben, aber weil sie sich sonst nicht zu beherrschen verstehen und aus Verlegenheit den Kopf kratzen oder ungebührlich mit den Händen fuchteln oder mit dem Messer spielen. Solche Unart kommt von ländlicher Verlegenheit her (telle manière de faire procède d'une honte rustique).* Unerzogen ist es, wenn man zu gedankenvoll und verträumt bei Tisch sitzt. Einige sind so entrückt und zerstreut, daß sie nicht verstehen, was man sagt, nicht merken, was sie essen, und wenn man sie mit Namen anspricht, auffahren wie aus tiefem Schlaf. Auch ist es ungezogen, die Augen um den Tisch streichen zu lassen und aufzumerken, was andere essen, und es ist nicht statthaft, seinen Blick des längeren auf irgend einen Tischgenossen zu richten. Ebenso unstatthaft ist, aus dem Augenwinkel zwinkernd einen der Tischnachbarn anzusehen. — *Schweigen können bringt Frauen in Gesellschaft große Ehre ein.*

Meist hatte die Tischgesellschaft bunte Reihe, denn am Hof Franz I. waren Damen stets zugezogen und diesem Beispiel wurde gern gefolgt. Brantôme erzählt: *François I. considérant que toute la décoration d'une cour*

---

*) *On prend la viande avec la main droite, en prenant honnestement avec trois doigts seulement.*

448

estait des dames, l'en voulut peupler plus que de la coustume ancienne.

Den Damen zu gefallen, galt es auch für die roher Gesinnten bei Tisch zierliches Betragen anzunehmen. Darum sind weitere Verhaltungsmaßregeln in der Anstandslehre aufgezeichnet: *Man soll sich bei Tisch nicht über das aufgetragene Essen unterhalten. Etwas beanstanden, das zu Tisch erscheint, ist höchst ungehörig, da es dem Gastgeber nicht erfreulich sein kann. Wenn du anbietest oder abräumst, hüte dich, ein Gewand mit Sauce oder sonstigem zu beleidigen. Willst du das Licht putzen, entferne es vorerst von der Tafel und zertritt das Abgeschnuppte, damit sich kein übler Geruch verbreite.*

Die Beleuchtung besorgten demnach Leuchter, die mit Wachs oder Unschlittkerzen auf dem Tisch standen.

Von der gotischen Zeit her war es noch Sitte, verschiedene Sitze je nach Rang und Stand zu haben von der einfachen Bank und den Schemeln für Kavaliere und Damen zu den hochlehnigen für höhergestellte Personen und den Thronsesseln für Fürstlichkeiten.

Sur ce point, on se lave, et chacun en son rang
Se met sur une chaise, ou s'assied sur un banc
Suivant ou son mérite, ou sa charge et sa race*).

Auf einem solchen steif würdevollen Sessel ist Margarete abgebildet, wie sie mit ihrem Bruder Schach spielt. Das Bildchen stammt aus ihrer Jugend, als sie

---

*)   Dann wäscht man sich und jeder nach Rang
              Nimmt einen Stuhl oder Platz auf der Bank
              Nach Verdienst oder Titel oder Geburt.
                                  Régnier, satires.

sehr schön war. Ihre veilchenblauen Augen wurden gerühmt und das goldblonde Haar, das aber durch eine unvorteilhafte *coiffe*, den anschließenden Kopfschleier verhüllt ist, die weiten Ärmel des roten Kleides erscheinen spitzenbesetzt. Der Prinzessin sieht man nicht an, daß sie die schwierigsten Sprachen gemeistert, nicht nur lateinisch, italienisch, deutsch, auch griechisch und hebräisch, und daß sie imstande war, über subtile theologische Fragen wie eine große Gottesgelehrte zu disputieren.

In ihr ersteht die echte Minneherrin der romanischen Zeit. Sie hat dieselbe Majestät großer Geste, als sammle sie wie eine Madonna eine Schar Schutzbedürftiger unter ihrem Fürstenmantel — nur lebendiger, näher unserem Verständnis als ihre von den Dichtern stilisierten Ahnfrauen. Denn ihre Briefe, etwas zeremoniös im Ausdruck, aber doch warme, lebendige, ausdrucksvolle Frauenbriefe geben eine Ahnung von der Kunst der Konversation, wie sie jene holde Herrin übte, weithin bezaubernd und berühmt, als Fortsetzung mündlich trauter, geschmückter Mitteilsamkeit.

Mit Wissen fühlt die große Dame der Renaissance, die ihren Höhepunkt in der italienischen und französischen Idealprinzessin und Platojüngerin fand, einer Isabella d'Este, Elisabetta Gonzaga und endlich Margarete von Navarra, daß sie nur wirkt, indem sie sich selbst zu höchster Vollendung gestaltet, die Schönheit ihrer äußeren Erscheinung und die Holdseligkeit des von Geist und Herz eingegebenen Anstands auf das feinste und seltenste darstellt. Bei Franz I. Schwester gesellten sich heroische Hausfrauentugenden hinzu, wie

450

es die Tradition der Töchter Frankreichs wollte, einer Anne de Beaujeu, einer Anne de Bretagne.

Die Rechnungen und Inventare, die von Louise von Savoyen, der Mutter des Königs Franz und Margaretens und von dieser selbst erhalten sind, geben Zeugnis von größter Sorgfalt und Sorgsamkeit allen Denkens, Planens und Haushaltens. Louise von Savoyen, mit 20 Jahren verwitwet, erzog die Geschwister gleichartig in humanistischem Wissen, und von klein auf sind die einander innig verbundenen lerneifrig und willig, so begabt, daß sie schier für Wunderkinder galten, als sie an den Hof Ludwig XII. kamen. So große Hoffnungen Franz schon als Knabe und Jüngling erregte, seine Schwester überflügelte ihn in allen Stadien, und er blickt gern zu ihr empor. Innig hängen die genialen Kinder und die bedeutende Mutter zusammen, so daß man sie scherzweise *trinité de France* nannte. Der Hofdichter Jean Marot versäumt nicht, darüber zu dichten:

> *Un seul cœur en trois corps*
> *aujourd'hui voy en France*
> *Regnent en doulx accords.*

Sein Sohn Clément Marot setzte der Herrin ein Denkmal mit Worten, die offenbar innig gemeint und nicht als höfische Schmeichelei zu werten sind:

> C'est la princesse à l'esprit inspiré
> Au cœur eslu, qui de Dieu est tiré
> Et d'elle suis l'humble valet de chambre*).

---

*) Die Fürstin ist's mit hohem Geist,
Das Herz erwählt, von Gott gegeben,
Ihr Diener bin ich tief ergeben.

Er verlebte glücklichste Zeiten in dieser Eigenschaft
eines Kämmerlings bald auf Schloß Nérac, das manchem
Zuflucht bot, bald in der Lieblingsresidenz der Königin,
dem schönen Pau, wo sie wundervolle Gärten anlegte,
seit ihre zweite Ehe mit Henri d'Albret ihr ein bescheidenes, aber wertvolles Reich in Navarra gab, das
ihrer Gemütsart gut entsprach, zu Füßen der Pyrenäen,
wo Minne in der romanischen Zeit geblüht.
Lange spielt das kleine Bergland eine ähnliche Rolle,
wie sie neuzeitlich der Schweiz zu spielen vergönnt
war. Unter den Grafen von Foix war es neutral und
eine Freistatt für Freidenkende, für religiös und politisch Selbstdenkende verschiedener Richtung. Die einfache Lebensführung des Gebirgsvolks und sein gesunder
Stolz bewahrten es davor, von der allgemeinen Gold-
gier hingerissen zu werden. Es war unbestochen von
Interessen und Intriguen. Am Hof von Orthey lebte
außerdem seit dem berühmten Gaston Phoebus*) eine
Tradition von Schöngeistigkeit, Claude de Survilles
Dichterruhm glänzte in Navarra.
Die letzte Gräfin von Foix hatte einen Edelmann d'Albret
statt eines ausländischen Fürsten geheiratet und Ferdinand von Aragon ihn für nicht thronberechtigt erklärt,
als Vorwand, um Navarra für einige Zeit an sich zu
reißen. Julius II. beging die politische Unklugheit, dem
Spanier den Raub zuzusprechen und dadurch entstand
in dem gekränkten Ländchen ein günstiger Boden für
die neue kirchenfeindliche Lehre. Franz I. stand in
natürlichem Gegensatz zu Spanien und war mit dem
vertriebenen Henri d'Albret befreundet, deshalb erlaubte

*) Siehe Gleichen-Rußwurm, Gotische Welt.

452

er seiner gelehrten Schwester, nachdem sie in erster Ehe mit dem Herzog von Alençon recht unglücklich gewesen, die Liebesheirat mit dem Fürsten des Bergländchens.

Nach ihrem Einzug entstand bedeutendes geistiges Leben, wo seit romanischer und gotischer Zeit wertvolle Geselligkeitsformen gediehen. Wo einst der Minnesänger im bescheidenen Wurzgärtlein oder Obsthain des festen Schlosses zu Füßen einer Herrin geschmachtet oder Gespräche gepflegt über die damalige mystische Geistesrichtung, die im Albigensertum mündete, sammeln sich in herrlicher, majestätischer Renaissanceanlage Dichter und Denker, bald die zeitbewegenden, religiösen Fragen bedeutsam erörternd, bald neue Versformen schaffend und damit spielend sprachschöpferisch wirkend, wie die Troubadoure und ebenso eingeschworen auf Frauenverehrung.

In Margaretens Gärten klingen zuerst die neckischen Madrigale Clément Marots, die definiert worden sind: *beaucoup d'esprit dans un peu d'amour* — ein Vorspiel des *marivaudage* im 18. Jahrhundert. Einem Hoffräulein reimt er im Madrigal:

> Quand vous voyez mes yeux de pleurs lavés
> Me venez dire: Ami, qu'est-ce qu'avez
> Mais ce disant vous parlez mal à point
> ˙Et m'est avis que plutôt vous devez
> Me demander: Qu'est-ce que n'avez point*)?

Allein das Ideal des eigenen Herzens und der Zeit

---

*)   Seht Ihr von Tränen naß die Augen mir,
         Kommt Ihr und meint: Freund, was habt ihr?
         Doch es ist falsch, was Ihr da sagt,
         Was habt ihr nicht, Ihr besser fragt.

stellt er auf in zärtlich ergebenen Huldigungen an die Fürstin:

Une douceur assise en belle face
D'un regard chaste où n'habite nul vice
D'un rond parler, sans fard, sans artifice
Et par sus tout une grâce tant bonne*).

Gleichwie verschiedene Luftströmungen miteinander kämpfen und, je nachdem die eine oder andere siegt, gutes oder schlechtes Wetter eintritt, so kämpfen seit der gotischen Zeit zwei Weltanschauungen in der französischen Gesellschaft, die Anhänger der Frauenverehrung, eingedenk der eigenen Ritterzeit und beeinflußt von Italien, besonders von Petrarca, und die vom Norden, Deutschland und den Niederlanden, Brants beeinflußten, oder von Natur aus dazu neigten, keck realistisch und prosaisch von der Frau zu denken. Dieser Kampf tobt in der Literatur hin und her bald mit poëtischen, leicht witzigen oder tiefsinnig mystischen Argumenten, bald leichtfertig, bald schwer gelehrt, bald grotesk. Schließlich faßte Rabelais im fünften Buch seines Gargantua die reichhaltigen Argumente meisterhaft zusammen.

Eine Reihe liebenswürdiger Schwärmer wies mit Recht auf die Perle der Prinzessinnen, um ihren Standpunkt platonischen Minnedienstes zu rechtfertigen. Obwohl viel verehrt und begehrt, lebenslustig und keineswegs schalkhafter Koketterie abgeneigt, blieb Margarete dem ersten ungeliebten Mann ebenso treu wie dem

---

*) Auf dem schönen Antlitz liegt Güte, im keuschen Blick wohnt kein Fehler, die Sprache ist voll, ohne Schminke und Künstlichkeit, und über allem gütige Anmut.

454

zweiten, mit dem sie Herzensneigung verband, und eignete sich vortrefflich für platonische Hingabe, wie sie auserlesene Geister ihr widmeten.

Einmal war die an solch genügsame Verehrung gewöhnte Schöne freilich in großer Gefahr. Witzig gedachte sie selbst dieses Abenteuers in einer Geschichte aus dem Heptameron. Der bei den Damen stets wohlgelittene Admiral Bonnivet war ihr leidenschaftlicher Verehrer, doch sie glaubte ihn ebenso wie die anderen zu harmloser Schwärmerei bekehren zu können. Bonnivet lud sie und ihren königlichen Bruder zu Gast auf sein Schloß und nach der seltsamen Sitte der Zeit wohnte er ihrem *Deshabillé* bei, der Abendtoilette vor dem Schlafengehen. Sein Zimmer befand sich unterhalb des Schlafgemachs der Prinzessin, eine verborgene Falltür erlaubte ihm, sie nächtlich zu überraschen, und er rechnete auf Erfolg, da er *la plus belle et plus parfumée de ses chemises et un beau bonnet de nuit* (das schönste und wohlduftendste seiner Hemden und eine schöne Nachthaube) angetan. Margarete wußte sich jedoch seiner zu erwehren und ihre Hofdame zu Hilfe zu rufen. Die Verwegenheit Bonnivets würde ihm den Hals gekostet haben, hätte König Franz diesen Bruch der Gastfreundschaft erfahren. Auf Rat ihrer Hofdame schwieg die Prinzessin und ließ ihn nur allmählich ihre Entfremdung fühlen.

Die Novellensammlung *Heptameron *)*, die später mit

---

*) Heptameron, herausgegeben von Claude Gruyet, korrigiert von dem Sekretär der Königin von Navarra, Bonaventure des Periers, der ihr zu Ehren die *queste d'amitié* verfaßt hatte nach Platons Lysis.

einer Widmung an ihre Tochter Jeanne d'Albret von Margaretes Sekretär herausgegeben wurde, enthält manche derbe Anekdote, als Grundzug empfiehlt sie jedoch den Damen, auf dem Tugendweg zu bleiben. Die kleinen Geschichten soll die Dichterin in ihrem 19. Jahr geschrieben haben in der Sänfte auf Reisen, wobei die Hofdame*) das Tintenfaß hielt, wenn ihre Herrin schreiben wollte. Sie sind auf Anregung der vielbewunderten Novellen Boccaccios entstanden, und zwar erzählt Margarete, daß ein ähnliches Fabulieren geplant gewesen, von Franz, ihr selbst und der nächsten Umgebung in Form eines Gesellschaftsspiels. Da aber ihr Bruder durch seine Geschäfte davon abgehalten war, wollte sie ihm und den Freunden und Freundinnen eine solche Sammlung von ernsten und scherzhaften Begebenheiten mitbringen als Geschenk von einer Badereise statt *Amuletten und Paternostern*, wie man sie sonst von Reisen als Andenken mitzubringen und zu verteilen pflegte. In der Einleitung sagt Parlamente: *je crois qu'il n'y a nul de vous qui n'ait lu les 100 nouvelles de Boccace nouvellement traduites, que le roy français, le dauphin (nachmals Heinrich II.), la dauphine (Catharina Medici) font tant de cas que si Boccace du lieu où il est pouvait les ouir il devrait ressusciter à la louange de telles personnes.* — — Die Boccaccioverehrer wollen in seiner Art Erzählungen versuchen, doch Schriftsteller von Beruf sollen ausgeschlossen sein von dem Spiel, da man ihre Pedanterie und Rhetorik fürchtet *sauf gens de lettres, de peur de la rhétorique.* Man wollte

*) Diese Hofdame war die Mutter Brantômes.

den Konversationston, eine für die Geselligkeit und aus ihr natürlich entsprießende Kunst.

Zumeist waren die Badeorte mit Wallfahrtsstätten in Verbindung. In Badeorten herrschte eine leichte Form des Verkehrs, man traf mit allerlei Leuten zusammen und hatte Gelegenheit, verschiedenes zu hören und zu merken. Um ähnliche Stimmung zu erzeugen wie ihr Vorbild Boccaccio, nahm Margarete an, daß einige Badegäste aus Cauterets wegen einer Überschwemmung auf der Heimreise sich gezwungen sahen, die Gastfreundschaft eines Abtes anzunehmen, und darauf warteten, bis die abgerissenen Brücken wieder hergestellt seien. Über die Langeweile des Wartens wollten sie durch eigenartige Geselligkeit hinwegkommen, deren naive Schilderung für die Zeit und den Kreis bezeichnend ist, zu dem die Fabulierenden unter angenommenen Namen gehören. Die Damen heißen Parlamente, Oisille, Longarine, Ennasuite, Nomerfide, indes die ihnen zugesellten Kavaliere Hircan, der Gatte Parlamentes, Dagoucin, ihr sanft platonischer Verehrer, Simontault, der feurig Gesinnte, ferner ein älterer Herr Saffredent und Geburon genannt sind.

Die Pseudonyme waren irgend scherzhaft gemeint. Man hat in der frommen Witwe Oisille, welche die Präsidentschaft der lustigen Vereinigung übernimmt Luise von Savoyen erkennen wollen. Seltsam dünkt es heute, daß die Herren und Damen vereinbarten, außer dem Meßbesuch noch den ganzen Vormittag mit dieser Dame eine Art geistliche Unterhaltung und Unterweisung in heiliger Schrift zu pflegen, was sie keineswegs hinderte, die Nachmittagsstunden, behaglich auf einer Wiese gelagert, einander Geschichten höchst weltlichen Inhalts zu erzählen.

Vorgeschlagen wird dies angeregte Fabulieren von Hircan, dem Gatten der Parlamente. Hircan will geistliche und weltliche Unterhaltung, eine unbeschadet der anderen, was zu dem Vorschlag an Dame Oisille führt: *Vous qui êtes la plus ancienne, vous lirez au matin la vie de notre Seigneur — pour dîner jusqu'à vêpres, faut choisir quelque passe-temps qui ne soit dommageable à l'âme et soit plaisant au corps*).*

Die fromme Oisille, die sich gern solchem Beginnen fügt, stellen wir uns in der zur Zeit Franz I. noch nicht allzustrengen Witwentracht vor. Erst später wurde es Sitte, daß die Witwen den Farben entsagen und nur Schwarz und Weiß tragen nach dem Beispiel der Diane de Poitiers, die damit feierlich ihre Witwenschaft zeigte. Lustige Witwen trugen gern buntes Untergewand und, wenn es verpönt war, Edelsteine, auf dem Kopf und am Ausschnitt zu tragen, zierten sie damit reichlich die Finger, die Arme, den Hals und besetzten funkelnd das Spiegelchen und das Stundenbuch, das am Gürtel getragen mit seinen kostbaren Beschlägen ein Prunkstück der großen Dame bildete.

Dame Oisille hört gelassen die lockeren Anekdoten, die man nach ihren Erbauungsreden zum besten gibt, und scheint wie die anderen harmlos darüber zu lachen, daß die Mönche der Abtei, in der die Gesellschaft

---

*) Ihr, als die Älteste unter uns, mögt uns am Vormittag lesend unterrichten aus dem Leben unseres Herrn, allein von Mittag zur Vesper müssen wir einen Zeitvertreib wählen, der unbeschadet der Seele für den Leib erfreulich sei.

Zuflucht fand, die Vesper versäumen, um den Erzählungen hinter der Hecke zu lauschen.

Das Anhören und Erzählen von Zötchen in Gesellschaft ist von der gotischen Zeit übernommen, wie denn Boccaccios noch gotische Geschichten tonangebend blieben. Es ist eine amüsante Schattierung, daß — wie im Kreise Margaretes erwähnt wird — manche Damen anfangen, ob des Vergnügens, das sie daran finden, zu erröten und deshalb ostentativ die gebräuchliche Maske, die sie stets mit sich führen, und die *touret de nez* genannt wird, rasch vorbinden.

Also die Maske ist stets gebrauchsbereit und ist bei manchem Anlaß verwendbar, wenn man sich unerkannt unterhalten will, bei allerlei Abenteuern, um den Teint zu schützen, um das Erröten zu verbergen und schließlich, um den Standesunterschied zu betonen, da sie vorerst nur vornehmen Damen gestattet ist. Man bediente sich ihrer im Gedräng auf der Straße, auf Reisen und bei Theatervorstellungen, die ja oft recht lasciv waren. Der *touret de nez* unterlag der Mode und wurde verschieden ausgeführt und befestigt, zuweilen hielt man sein Schnürchen mit den Zähnen fest.

In der Figur des Hircan glaubt man den König von Navarra zu erkennen. Dies läßt darauf schließen, daß die Gespräche, die jeden Novellentag beenden und den wertvollsten Teil des Werkes bilden, nicht in Margaretes Jugend, sondern später verfaßt und zugefügt wurden. Der trockene Humor, die realistische Lebensauffassung des Hircan, die neckisch mit den gefühlsreichen Wendungen seiner Gattin kontrastieren, lassen auf Henri d'Albret schließen, dessen Charakterbild an

seinem berühmten Enkel Henri IV. von Frankreich erinnert. Vielleicht hat die Erzählerin den Zügen des
Gatten auch einige Züge des Bruders beigemischt, um
diese amüsante Figur zu schaffen, denn die Stellungsnahme Franz I. Frauen gegenüber war nicht rein platonisch und er wußte sich scherzend über sie zu beklagen in dem unsterblich gewordenen Vers, den er
mit einem Diamanten in eine Fensterscheibe des
Schlosses Chambord ritzte:

> Souvent femme varie,
> bien fol qui s'y fie.

Eben diese Ansicht spricht Hircan gerne aus. Auch
ist er der Meinung, daß jene, die aus Liebe sterben,
närrisch seien, denn man muß wagen von den Frauen,
die doch für die Männer geschaffen sind, zu verlangen,
was Gott ihnen zu schenken gebietet.

*Est-il raisonnable que nous mourrions pour les femmes,
qui ne sont faites que pour nous et que nous craig-
nions de leur demander ce que Dieu leur ordonne de
nous donner?*

Parlamente vertritt jedoch die Ansicht des Platonikers:
*J'appelle parfaits amants ceux qui cherchent dans ce
qu'ils aiment quelque perfection de beauté, ceux qui
tendent toujours à la vertu.* [Ich nenne jene vollendet
in der Liebe, die in dem, was sie lieben, eine Vollendung an Schönheit suchen, jene, die immer zur
Tugend neigen.]

Das Hin- und Widerspiel der großen Kontroverse über
Frauenwert und Frauenverehrung und über den Grad
von Gunst, den eine Dame im platonischen Sinn ihrem
serviteur schenken dürfe, spiegelt sich in den Meinungs-

460

äußerungen, die nach Anhören jeder Novelle laut werden. Diese Meinungsverschiedenheiten erfüllen die Modebücher und Dichtungen der Zeit. Der Ball wird hin und her geworfen und trifft manchmal recht grob in der berühmten *querelle de femmes*. Für jene, die am liebsten zum alten Minnedienst zurückkehren möchten, modernisierte Clément Marot den *Roman de la Rose,* Benoit Court kommentierte die *arresta amorem* des Martial, angebliche Entscheidungen der romanischen Minnehöfe, und ein Verleger, der sonst nur lateinisch und griechisch druckte, ließ sich herab, das Werk herauszugeben*).

Natürlich reizte die übertriebene Ekstase der Lyoner Dichterschule zum Widerspruch, die starke Satire der anderen Partei veranlaßte die Schwärmer, um so auffallender zu schwärmen.

Die Mode der sogenannten *blasons* bot ebenfalls Gelegenheit zu Lob und Tadel der Frauen, zu ergötzlichem Schaufechten zwischen Frivolität und Ernst, Nüchternheit und Überschwang, Kritik und Hyperbel. Aus irgend einem Gesellschaftsspiel entstanden, sind die Blasons**), Wappen oder Embleme Dichtungen über

---

*) Heroët schreibt seine schmachtende *parfaite amye,* Dupériers die *queste d'amitié,* um platonische Genüsse anzupreisen. Beißend entgegnete La Borderie mit seiner *Amye de court,* die scharf die vornehm und zart tuenden Damen angriff, und fand manchen Nachfolger. Ch. Fontaine schrieb eine Apologie in der *contre amye de court.* François Billon trat begeistert für die Damen auf den literarischen Schauplatz mit dem Werk: *Fort inexpugnable de l'honneur du sexe féminin.*

**) Den Wappen (blasons) wird große Wichtigkeit beigelegt, sie erscheinen immer reicher und phantastischer ausgestaltet. Auch

461

alles Mögliche, sie feiern gern einzelne Frauenschön-
heiten, wobei gewagte Beschreibungen unterlaufen,
und einzelne Tugenden oder Untugenden, scherzhaft
oder lehrhaft.

Als Gegner des zärtlichen Schmachtens schrieb Guillaume Alexis *le grand blason des faulces amours.*

> Deuil, jalousie,
> Puis frénésie,
> Puis souspessons,
> Melancolie,
> Tours de folie,
> Regrets, tensons,
> Pleurs et chansons
> Sont les fassons
> D'amoureuse chevalerie.
> Mieux vaudrait servir les glassons
> Que d'avoir au cœur tels glassons *).

In gelungenen Versen, den *blasons domestiques,* besang
Gilles Corrozet Tische, Stühle und alle Gegenstände

---

dem Tod wird ein Wappen zugeschrieben, wie Holbeins berühmte
Zeichnung zeigt.

*)   Trauer, Eifersucht,
> Dann Schwärmerei,
> Dann Verdacht gesucht,
> Melancholei,
> Dann Wahnsinnsszenen,
> Leidenschaft,
> Reue, Minneweise,
> Lieder und Tränen
> Sind die Weise
> Verliebter Ritterschaft.
> Es wäre besser zu dienen dem Eisberg,
> Als im Herzen zu tragen den Eisberg.

462

des Gebrauchs. Sie bieten ein wertvoll detailliertes Kulturbild immer mit Bezugnahme auf Hausrat, Sitte und Gepflogenheit.

> *Ainsi que la femme prudente*
> *Est au mari obédiente,*
> *Tout ainsi la table se jecte*
> *Vers le banc comme à lui subjecte*
> *Et lui fait ceste honnesteté*
> *Qu'il est premier en honnesteté.*

Die Bank stand fest, der Tisch wurde meist der Gelegenheit entsprechend aufgeschlagen und davor gestellt. Mancher Biedermann möchte die Damen gern gänzlich auf die Häuslichkeit verweisen, erschrocken über die *précieuses ridicules*, die sich in bürgerlichen Kreisen schon zu sehr bemerkbar machen.

Einen gemäßigten Standpunkt vertrat Jean Bouchet in *La panégyrie du chevalier sans reproche ou mémoire de la Trémouille,* in dem er die Nachahmungssucht und die schöngeistigen Grimassen jener Frauen verurteilte, deren gesellschaftliche Stellung sie darauf hinwies, sich mit hausfraulich bescheidener Tugend zu begnügen, Bildungsdrang und literarische Interessen hingegen bei den Damen hohen Standes, die ein nützliches Mäzenat üben sollen, gut hieß und rühmte*): *Einige fanden es zu*

---

*) Aulcuns trouvaient estrange que ceste dame emploiet son esprit ä composer livres, disant que ce n'estait l'estat de son sexe. Mais ce légier jugement procède d'ignorance, car en parlant de telles manières on doit distinguer des femmes, et scavoir de quelle maison elles sont venues, si elles sont riches ou pauvres. Je suis bien d'opinion que les femmes de bas estat, et qui sont contraintes de

ungewöhnlich, daß eine Dame ihren Geist dazu verwende,
Bücher auszudenken, allein dieses Urteil ist leichtfertig,
denn um mitzureden, muß man Unterscheidung treffen
und sich Rechenschaft geben, aus welchem Hause die
Damen stammen, ob sie arm oder reich sind. Ich bin
der Meinung, daß Frauen aus gewöhnlichem Stande,
die genötigt sind, sich einfach häuslicher Dinge zu be-
fleißigen, sich nicht mit schönen Künsten einlassen sollen,
denn dieses widerspricht dem schlichten Wesen. Doch
Königinnen, Prinzessinnen und andere Damen, die aus
Achtung ihres Standes sich nicht tätig dem Haushalt
zu widmen haben — — sollen um so mehr ihren Geist
mit solchen Künsten erfüllen, ihre Zeit den guten, tugend-
samen Wissenschaften weihen, die edle Dinge ein-
schließen und zu Anstand und Vollkommenheit führen
statt zu Tanz, Lustbarkeit und Bankett.

Einen merkwürdigen idealen Flirt aus der Zeit, da die
vornehmen Damen dem platonischen Beispiel Margaretes nacheiferten, bietet Gilles Corrozet im *conte du
rossignol,* einem naiv treuen und durchaus erbaulichen
Sittenbild. In diesem zarten Triumph des erneuten
Minnedienstes wird ein eleganter junger Ritter an Hof
geschildert, der sein Herz verliert an ein feines Hoffräulein Jolande. Sie besitzt nicht nur Schönheit, sondern auch die Vollkommenheiten höchster Bildung:

vacquer aux choses familières, ne doivent vacquer aux lettres,
par ce que c'est chose repugnante à la rusticité. Mais les reynes,
princesses et aultres dames, qui ne doivent par révérence de leur
état, appliquer ä ménage — — doivent trop mieux appliquer leur
esprit, et emploier le temps ä vacquer aux bonnes et honnestes
lettres, concernant choses morales qui induisent ä vertus et bonnes
mœurs, que à oysiveté, convis et banquets.

464

Belle de corps, de haut port et maintien
De douls accueil et bening entretien
D'un beau parler, d'une grande sagesse.

Schön von Gestalt, stolz in Haltung und Benehmen,
guten Willkomm bietend und milde im Führen der
Rede, mit schönen Worten und voll hoher Weisheit,
verstand sie zu singen, künstlich und einfach zu tanzen,
war geübt in allen eleganten Spielen, in Hin- und
Widerrede und jedem Wortspiel.

Chanter scavait et baler et danser
Tenir propos et deviser longtemps
Ce lui estait singulier passetemps.

Letzteres war ihr liebster Zeitvertreib. Bei Hoffest-
lichkeiten beteiligte sie sich auf so anmutige, bescheidene
Weise, daß sie in der Art zu lachen, sich zu bewegen
und zu kleiden den vollendetsten Prinzessinnen gleich
kam.

... *tant modestement*
En ris, en gestes et en accoutrement
Se maintenait, qu'aux plus haultes princesses,
Elle égalait ses mœurs et gentillesses.

In diese ebenso liebreizende wie schöngeistige Dame
verliebt sich der junge Hofmann und versucht, ihre
Gunst erhoffend, sie mit aller Eleganz des Auftretens
zu bezaubern, wie sie einem glänzenden Kavalier irgend
zu Gebote steht.
In Turnier und Fechten zeichnet er sich aus, er tut sein
Bestes in Musik und ritterlichen Künsten, dem geliebten
Gegenstand zu gefallen.

Il s'adonnait à joustes et combatz
A la musique, à mille autres esbatz
Afin de plaire à sa belle maitresse*).

Immer neue Farbenzusammenstellungen erfindet er für sein Gewand. Farben drücken allerlei Gefühle symbolisch aus, und es gehörte zum modischen Getue, sich irgend einer Farbe besonders zu weihen. Weiß bezeichnete *cœur libre* — das freie Herz, grün die eingestandene Hoffnung *espoir avoué*, Goldbrokat Freude, blau Entsagung, schwarz Treue, weshalb Margarete meinte: *Le noir souvent se porte par plaisir.* (Oft wird schwarz mit Vergnügen getragen.) Ein liebehoffender Ritter trieb die Vorliebe für grün so weit, daß er nur grüne Dinge, Wiesen und Wälder besang, nur grüne Speisen bestellte und von Kopf zu Fuß in Grün gekleidet erschien.

Jolandens Ritter wechselt fortwährend die gutgeschnittenen modischen Anzüge, läßt sich nur sehen mit den glänzendsten Leuten und sucht auf jede Weise der Schönen zu imponieren. Es gelingt aber nicht, sich bei Jolande in Gunst zu setzen, sondern sie hält ihm als echte Minneherrin der Renaissance, die ihrem Ritter nunmehr keine Schwertminne noch ferne Abenteuer auferlegt, sondern Eroberungen und Kämpfe im Reich des Geistes, folgende kleine Rede voll zärtlicher Pedanterie:

Je veux qu'amour vous soit occasion
De vertu, qui l'homme déifie
Estudiant en la philosophie
De double nom, morale et naturelle

*) *maitresse* behält noch lange den idealen Sinn von Herrin.

Et s'il advint que vous soyez par elle
Rendu scavant, ainsi que je desire
Lors cogneitrez n'avoir esleu le pire
Et que scavoir plus que lasciveté
Aura le don de mercey mérité *).

In Erwartung des Minnesoldes wendet sich der junge Ritter ab von frivolen Vergnügungen und bunter Tracht.

*Vray amour fût la nourrice
De son scavoir et maint autre exercice.*

Wahre Liebe wurde die Amme seines Wissens und in allem der Gewinn seines Geistes. Mit diesen Beutestücken neuartiger Minnefahrt zeigt sich der treue Liebhaber seiner Jolande, die durchaus nicht unempfindlich bleibt. Im Garten, wo die Nachtigall flötet, erliegt sie aber nicht der Versuchung, dem folgsamen Jüngling den geträumten Lohn zu gewähren, sondern veranlaßt ihn, nach Erzählung einer hold preziösen Fabel über Nachtigallenliebe, sich damit zu begnügen, daß er sie besingen darf und aus Liebe göttliche Weisheit und Schönheit kennen lernt.

Auf solche Art suchte die gemäßigte Partei einen Ausgleich zu schaffen zwischen den äußersten Richtungen

---

*) Frei übertragen:

Ich will, daß Liebe Antrieb sei
Zur Tugend, daß du göttlich frei
Philosophie erlernest nur
Zwiefach in Sitte und Natur.
Und kommt es, daß du weise bist,
Wie ich es will, in einer Frist,
Erkennst du, daß mehr als die Lust
Dir Wissen gibt, dann du gewinnst
Den rechten Lohn für recht Verdienst.

in dem für die Geselligkeit so wichtigen Streitfall über die Frauen. Wenn sich große Geister wie Rabelais über den Minnedienst lustig machten, er nannte das platonische Glück *la céleste et inapréciable drogue*, so geschah es nicht, um Partei zu ergreifen für den frechen Stutzer, den *daim*, der gerne über die *amoureux de carême*, die Fastenliebhaber spottete. Als überzeugter Pazifist mißtraute er einem Frauendienst, der zuweilen die jungen Edelleute zu *Brunstkämpfen* verleitete, da sie sich einbildeten, ihren Damen Taten des Schwertes schuldig zu sein.

Im Heptameron wird dieser veraltete, naiv und hochmütig exklusive Standpunkt von Hircan treuherzig vertreten. *Wer dächte, daß es die Damen nicht liebten, der müßte aus den Männern an Stelle von Waffenkundigen Kaufleute machen und statt auf Ehre zu denken den Sinn nur auf das Wachstum von Vermögen richten. (Qui penserait que les dames n'aymassent point, il faudrait au lieu d'hommes d'armes faire des marchands et au lieu d'acquérir honneur ne penser qu'à amasser du bien.) Parlamente* wies im Sinn des *conte du rossignol* auf geistige Eroberungen im Dienst der Herrin und schloß sich feierlich dem Credo Urbinos an, der als höchste Vergünstigung dem Weisen und Edlen, aber nicht etwa dem Raufbold, den platonischen Kuß — *baiser de dilection* gewährt.

EINUNDZWANZIGSTER ABSCHNITT

Im goldenen Zelt — Barbarische Pracht — Der *sacco di Roma* —
Mystische Strömung in den Salons — Die Psalmenmode — Ver-
flachter Platonismus — Leone Ebreos Weltanschauung — Im Beginn
des Barock — Neapels Salons — Papst Paul III. und Vittoria
Colonna — Lucrezia Borgias Witwenschaft — Tasso am Hof —
Ferrara, Lyon und Genf — Erster Mai und Buchdruckerstreik —
Gargantua und Pantagruel — Salons in Poitiers — Rabelais als
Tischgast — Ein Gelehrtendiner in Paris — Todesurteile und
Literaten — Das Bild hinter dem Vorhang — Die Hausfrau der
Bluthochzeit.

Glänzende Feste im Dienst der Politik sind Losung
der französischen wie der italienischen Renaissance. Besonders ausführlich erzählen die Chronisten
jene, die zu Ehren der Königin Claude stattfanden,
und jene zu Ehren Franz des Ersten zweiter Gemahlin,
Eleanor von Portugal, für die spanischer Mode entsprechend in Frankreich die erste *bergerie* in großem
Stil aufgeführt wurde. Berühmtheit erlangte die Zusammenkunft Franz I. mit Heinrich VIII. von England
(1520) im *Camp du drap d'or,* wo die französischen
Zelte in Goldstoff prangten, die fürstlichen aus Glas-
bauten bestanden, ein unerhörter, neckischer Luxus,
und später die reichen Feste, die Franz als ehemaliger
Gefangener Karls V. diesem bot, nicht ohne feurige
Kohlen auf dessen Haupt zu sammeln, als der Kaiser
sein Schwager und Gastfreund geworden.
Den Prunksinn des Königs hatte aber sein mächtigster
Vasall Karl Connétable von Bourbon zu überbieten
getrachtet bei Gelegenheit der Taufe seines Erben, zu
der Franz als Pate geladen war. Sie fand in Moulins
statt und zwar mit so aufdringlicher, ärgerlicher Prot-

469

zerei — unter anderem waren die Tribünen, die man für die Damen beim Turnier errichtete, aus kostbaren, wohlriechenden Hölzern mit Edelsteinen inkrustiert —, daß die Gäste eher verletzt als beglückt schieden. Jene, denen offiziell das bis zur Barbarei prächtige Fest gegolten, die junge Mutter Suzanne de Bourbon und der kleine Erbe starben nach Ablauf des letzten Feuerwerks.

Nun begab es sich, daß Karl V., gesonnen, mit Franz um die Weltherrschaft zu kämpfen, den ehrgeizigen Karl von Bourbon zum Verrat zu bewegen suchte, indem er dem eben Verwitweten die Hand seiner Schwester Eleonore, der verwitweten Königin von Portugal, anbot, mit dem Versprechen, ihm zum Besitz Südfrankreichs zu verhelfen.

Der Gegensatz zwischen Süd und Nord, Lyon und Paris war stark ausgesprochen und lockte zur Teilung. Eine merkwürdige, nie vollkommen aufgeklärte Liebesgeschichte gab letzten Anstoß zu Karls Verrat. Offiziell hatte er sich um die Hand der Renée de France beworben, einer häßlichen, intriganten Prinzessin, dem spätgeborenen Kind Ludwig XII. und der Anne de Bretagne. Sie wurde in ihren Hoffnungen auf den schönen Connétable getäuscht, denn des Königs Mutter, Louise von Savoyen, ließ ihm ihre Hand bieten. Louise hatte stets heimlich für ihn geschwärmt, ihn mit Gunstbezeugungen von ihrem Sohn überhäufen lassen und bot ihm jetzt Frankreichs *Stiefvaterschaft*. Mit 40 Jahren war sie immer noch sehr schön und es erscheint rätselhaft, daß der Connétable nicht nur die gebotene Hand ausschlug, sondern Spott

470

und Hohn auf die mächtige Mutter seines Königs häufte, sowie grobe Verleumdungen. Er reizte die Gekränkte zu unkluger Rache. Als Verwandte der Bourbons machte sie ihm einen erfolgreichen Prozeß um die von Suzanne geerbten Güter. Dies gab dem Ehrgeizigen willkommenen Vorwand, der Lockung Kaiser Karls V. zu folgen mit einer *condotta*, die aus Frankreichs ärgstem Gesindel aller Stände bestand. Ihr gesellte sich schlimmes Gesindel aus Spanien, Deutschland und Italien, lawinengleich sich ballend und wälzte sich nach Rom, dessen Schätze die Abenteurer lockten.

Karl V. tut, als ob die Expedition nicht von ihm genehmigt sei, indes sie ihm höchst willkommen ist, da ihm daran liegt, Papst Clemens VII. zu demütigen, der sich durch die heilige Liga mit Frankreich verbunden hatte.

Des Verräters Bourbon Gier nach dem römischen Gold blieb unbefriedigt, er fiel auf der Mauer, die er in maßlosem Ehrgeiz erklommen, seine Scharen drängten nach brüderlich mit den ebenso räuberischen Spaniern und deutschen Landsknechten. Die Herrlichkeit der römischen Hochrenaissance war an der Gurgel gepackt und gewürgt von den Raubtierkrallen der Feinde.

Ein häßliches Frohlocken erhob sich in deren Lager und ihre Gegner bereiteten sich grimmig vor zum Gegenschlag.

Indes Bourbons und Frundsbergs Söldnerscharen auf entsetzliche Weise ihren neuen Glauben oder vielmehr den Tod des alten Glaubens feierten, war in vornehmen Kreisen eine große Wendung vollzogen.

Unter der Herrschaft tonangebender Damen beschäf-

471

tigten sich verschiedene bedeutende Zirkel Frankreichs und Italiens bald im Ernst, bald in modischem Sinn mit der neuen Geistesrichtung und suchten dieselbe irgendwie mit den platonischen Sitten und neuartiger Eleganz zu verbinden.

Als Haupt dieser Bewegung erscheint Margarete von Navarra und wird international gefeiert. Deshalb schrieb ihr Vittoria Colonna huldigend, obwohl Margarete die Schwester jenes Monarchen war, dem Vittorias ewig betrauerter Gemahl Marchese von Pescara in der Schlacht von Pavia gegenüberstand. Flandrische Teppiche, die ihr Kaiser Karl V. zum Andenken an den Sieg Pescaras geschenkt, schmückten Vittorias Kastell in Ischia und mußten sie daran erinnern. Allein sie wendete sich mehr und mehr von weltlichen Dingen ab im Kreis ebenso gerichteter Freunde und Freundinnen, die an eine mögliche Heilung der kranken Kirche und Welt glaubten und arbeiteten.

Ähnlich verehrt wie von Vittorias Kreis in Neapel wurde die Königin von Navarra in England. Die drei Schwestern Seymour, von denen sich eine, Johanna, nur ungern von ihren humanistischen Studien losriß, als Heinrich VIII. sie zur Königin wählte, widmeten ihr begeisterte Verse. Einen Augenblick durfte Margarete hoffen, ihren friedlichen Einfluß in Dingen der Religionspolitik triumphieren zu sehen, denn Franz I. nahm huldvoll Marots Widmung der Psalmenübersetzung an und — wunderbar genug — am französischen Hof wie in allen schöngeistigen Kreisen Europas wurden die Psalmen zum leidenschaftlich verehrten Modebuch.

Als Villemedon an den Hof kam, fand er den damaligen Dauphin (Heinrich II.), der als Rekonvaleszent gerade besonders fromm fühlte, in Fontainebleau damit beschäftigt, die Psalmen zu Instrumentalmusik zu singen, und wurde eingeladen, mitzutun wie in calvinistischer Gemeinde. Jedes Mitglied der Hofgesellschaft wählte einen Lieblingspsalm und versuchte ihn zu komponieren oder nach bekannter Weise zu singen. Katharina von Medici erkor den Psalm *Ne veuillez pas, ô Sire* für sich und setzte ihn auf die populäre Melodie der Bouffons, Diane de Poitiers den Psalm *Du fond de ma pensée* und der Dauphin *Bien heureux est quiconque.* Die schöne Diana trug statt dem Stundenbuch eine französische Bibelübersetzung am Gürtel, die vom Bischof Senlis herrührte. So trotzte man der Sorbonne und widmete sich den Schönheiten des alten Testaments.

Der Erfolg des mächtigen hebräischen Lyrikers ist unbeschreiblich, in Spanien wurde der Psalmist von Luis de Leon übertragen, in Italien meisterhaft von Marco Antonio Flaminio, einem Freund Vittoria Colonnas, in Deutschland von Luther, in Polen von Kochanowski, in England von mehreren Dichtern — und überall dieselbe ekstatische Begeisterung.

Alle Künste hatte die Kirche zu ihren Zwecken gebraucht, eindringlich durch Malerei, Bildnerei und Architektur gewirkt; alles lockte zur Hingabe, zu einem Aufgehen in einer Art Polyphonie, zum Überliefern des so oft unbequemen Ichgefühls an ihre Autorität. Damit stand sie aber schließlich in Gegensatz zum Geist der Renaissance, der gerade zu einer wenn auch schmerzlich heroischen Bejahung des Ichgefühls drängte, auf daß die einzelne Seele durch eigene Anstrengung und ohne Dazwischentreten von Kulthandlungen, durch sich selbst Schönheit erringen und Gottesgemeinschaft gewinnen könne.

Ohne Schönheit jedoch kein Gewinnen der Schönheit, sie kann sich ja wie die Flamme nur an sich selbst entzünden. So brauchte auch die Reform Schönheit und trat in Bund mit dem Nationalismus, indem sie Schönheit und Wert der verschiedenen Sprachen entdeckte und für ihre Zwecke ausbeutete. Gerade im Augenblick des größten Triumphes der alten Sprachen wurde ihnen plötzlich und unerwartet das Szepter im Reich der Geister entwunden; allerorts übersetzte man die wichtigsten Schriften in die Nationalsprachen und verbreitete sie durch Druck, womit ihr Bildungsschatz in die Breite floß. Durch Übersetzung und Nachdichtung des Erbes an Poesie, das lateinisch, griechisch und hebräisch gemünzt war, erhalten die neuen Sprachen eine Kraft und einen Gehalt, die ihnen unbekannt waren.

Auffallend tritt dies in Erscheinung durch Luthers Übersetzungen, Calvins starkgebautes Französisch, durch den Einfluß, den sein merkwürdiger Gegenspieler Aretino mit theologischen Schriften in prachtvollem Italienisch gewann*). Die Psalmen wurden zum literarischen, politischen und religiösen Ereignis und eine — mondäne Begebenheit. Sich mit der eigenen Seele zu beschäftigen, sie zu bespiegeln, im Freundeskreis darüber

---

*) So unglaublich es den Nachfahren klingen mag, Aretino war ein wirkungsvoller Erbauungsschriftsteller mit seinen Werken: *l'umanita di Cristo*, *la vita di Maria Vergine* und eine Psalmenübersetzung.

Unterhaltung zu pflegen und den Gefühlsüberschwang in Vers und Ton ausströmen zu lassen, war zu jener Zeit Herzensbedürfnis und Mode.

David verdrängte Petrarca oder mischte sich seltsam mit platonisch mystischer Empfindsamkeit.

Die Renaissance hatte alle menschlichen Sinne im Dienst des irdischen Eros zu feinster Genußfähigkeit erzogen. Unter den Feinempfindenden entstand jedoch ein allgemein sittliches Unbehagen, und sie fingen an, von Sinneseindrücken übersättigt, nach Übersinnlichem zu schmachten.

Seit jeder Geck und jede Courtisane einen *Petrarchino* in der Hand trugen und ihn zitierten, war die platonische Religion verflacht und süßlich geworden. Aus aller Herren Länder pilgerte man nach Arquà, bestaunte daselbst Petrarcas ausgestopfte Katze und schnitt zum Andenken Stoffstückchen seines Lehnsessels ab, allein dem Geist des Humanismus, den Petrarca vertreten, waren die eitlen Touristen fremd geworden.

Idealisten sind meist zu gutgläubig oder vertrauen naiv eitel den schnell und oberflächlich Bekehrten, die sich scharenweis in das Heiligtum drängen, bis es herabgewürdigt ist, voll Kram und lächerlichen Angebinden. Dann werden sie irre an der eigenen Andacht und suchen neue Stätten.

Daß die Weisen umsonst zum Einhalten von Maß und Ziel auffordern, ist das Verhängnis alles Menschlichen. In jeder Art des Denkens, Fühlens und Benehmens. kommt es bald zu Überschwang und Fratze. In Moden, Sitten und Gebräuchen, in der mit ihnen zusammenhängenden Kunst ist diese grausame Gesetzlichkeit besonders augenfällig. Sobald der einmal genommene Antrieb das feierliche Maß der Mitte um das kleinste überschreitet, schwingt es beängstigend immer weiter bis zu grellster Übertreibung, der einmal verlorene Zügel ist nicht zu ergreifen, und hilflos sehen wir zu, wie sich ein ursprünglich Schönes und Vernünftiges in groteske Narretei verläuft.

Nicht durch ihren Schönheitskult hat die Renaissance irregeleitet, Platon hat nicht versagt, Petrarca nicht verführt, sondern die Mißversteher, welche diese Andacht wie jede andere mißdeuteten, sobald sie aus kleiner, exklusiver Gemeinde heraustrat. Der Mensch pflanzt für Beständigkeit, indes ihn seine eigene und der Dinge Unbeständigkeit verlachen. Was er zierlich in die Welt setzt, wird übermächtig groß, nimmt ihm Luft und Sonne, was er gewaltig plante, verzwergt. Der Sterbliche macht lieber Affensprünge statt erhaben zu tanzen, wie Euphorion, der Schönheit Kind. Weise hüpfen am Narrenseil und Narren machen plötzlich die klügsten Gesichter — — —

Die erlittene Enttäuschung war Ursache, nicht die Tätigkeit einzelner Reformatoren, daß ein vollständiger Umschwung Platz griff in der philosophischen Einstellung der vornehmen Gesellschaft, die von Platons Symposion eilends aufstand und sich Israels Gesang ergab.

Langsam durch allerlei Zeichen hatte sich die Verwandlung angekündet und vorbereitet. Aufgezählt unter den bestimmenden Faktoren wurde bis jetzt kaum der jedenfalls wichtige Einfluß jüdischer Philosophie. Die Bibel und zwar vorzüglich das alte Testament nimmt nicht plötzlich, sondern allmählich das Hauptinteresse

476

der Gebildeten in Anspruch, nachdem jüdische Philosophie jene der Griechen dadurch ersetzt hatte, daß sie sie zersetzte und durchsetzte. Einerseits wurde hebräisches Studium eifrig getrieben, andererseits machten sich jüdische Gelehrte mit klassischen Überlieferungen vertraut und interpretierten dieselben mit dem Gepräge ihres eigentümlichen Genius. Namentlich die Blasierten und die unverstandenen schönen oder eben noch schön gewesenen Frauen reizten sie durch Geheimnis und Ekstase. Überall bildeten sich kleine Gemeinschaften von solchen, die sich eingeweiht dünkten und durch verschroben verschnörkelte Sprache vom *profanum vulgus* unterschieden. Den stärksten Einfluß in dieser Richtung nahm ein schöngeistiges Brevier der Spätrenaissance *dialoghi d'amore* von Leone Ebreo (zuerst erschienen 1502), einem portugiesischen Juden aus gelehrtem Rabbinergeschlecht. Er mischte griechischer Weisheit schwülen orientalischen Zauberduft bei, der die Sinne gefangen nimmt und in Träume wiegt — genau wie einst die alexandrinisch jüdischen Gelehrten mit dem Platonismus der letzten antiken Philosophenschule verfuhren. Die *dialoghi d'amore* sind nicht zu verwechseln mit den immer harmloseren Paraphrasen und Popularisierungen des platonischen Glaubens, wie derselbe von Marsilio Ficino an in gewähltem Kreis gepflegt worden war*), zuletzt sogar von einer berühmten Kurtisane, Tullia d'Aragona,

---

*) Mario Equicola veröffentlichte *Natura d'amore*, ähnlich ließ sich Francesco de Catani vernehmen, Benedetto Varchi brachte *lezioni 4 sopra alcune questioni d'amore*, Bettusi einen Dialog *amoroso*, Veri *ardor d'amore*, Gottefredi *Specchio d'amore*, ferner erschienen gleichartige Betrachtungen *fior d'amore, scala del perfetto amore, gloria d'amore* u. a. m.

einer Tochter des Kardinals von Aragon, die, sich der Gespräche über diesen beliebtesten Gegenstand in ihrem Salon erinnernd, eine geistreiche Betrachtung über spirituale Liebe *De infinità d'amore* verfaßte.

Der geniale Rabbinersohn Leone brachte einen neuen fremdartigen und gerade darum reizvollen Einschlag in seinen *Dialoghi d'amore*. In alle Sprachen übersetzt, verwischten sie durch ihre Schwärmerei bei den begeisterten Lesern die Erinnerung an die einst so einfach und klar von Lorenzo aufgenommene platonische Formel: *Liebe ist Sehnsucht nach Schönheit*, die den geistigen Baustil der Renaissance bestimmt hatte, und beglückt durch ihre freundliche Verständlichkeit.

Die Dialoge des portugiesischen Juden führen zum Barock in Poesie, Philosophie und Modephilosophie, wie sie im schöngeistigen Salon gepflegt wurde, lange ehe die bildende Kunst barock erschien. Schwulst, Manier und Überladung bildeten sich als Ausläufer dieser Richtung, denn Leone fand Nachahmer, die hauptsächlich seine Unarten ausarbeiteten, einer der merkwürdigsten war Maurice Scève in Lyon, der in seiner alexandrinisch anmutenden *Délie*)* mathematische Spielereien, kabalistische Geheimtuerei und einen mit großem Aufwand von Kunst überladenen Stil brachte, der auch in Konversation und Briefstil der schöngeistigen Zirkel von Lyon maßgebend wurde. Sie zogen Kreise und meinten in ihrer weitherzigen Schwärmerei zusammen-

---

*) *Objet de plus haute vertu* im Untertitel. Ihre typographische Ordnung war zu allegorischen Figuren wie etwa Einhorn, Sirene, Löwe verbildet, was Rabelais verspottet mit der typographisch-mystischen Figur der göttlichen Flasche *dive bouteille*, einer Verulkung der Zahlen- und Wortgeheimnisse der Kabala.

fließen zu können mit den Bestrebungen eines Calvin, eines Luther, wobei sie allerdings Enttäuschungen erlitten, und versanken schließlich in katholisch fromme Romantik, die dem Barock entgegenkam.

In allen seinen Äußerungen war dieser neue Stil ein Geschenk der iberischen Halbinsel, alle Barockmoden gingen ursprünglich von dort aus und verwandelten die italienische Renaissance, als Italien den Fremden politisch wie geistig verfiel, ebenso erging es der mit ihr verschwisterten französischen Renaissance.

Lyon war damals Metropole eines höchst eklektischen Mystizismus. Bald schwärmte man für Luther, bald für Calvin, bald für Leone Ebreo, und Pietro Aretino bekam durch seine merkwürdigen hagiographischen Schriften eine große Partei, wie ihm sein enthusiastischer Verehrer Vauzelles bombastisch schrieb*). Eine dieser Schriften, die Aretin verfaßte, der großen Mode zu huldigen, widmete er kühn Margarete von Navarra.

Ähnlich wie in Lyon bildete sich ein elegant frommer Zirkel in Neapel um den Mystiker Juan de Valdez. Er galt zwar für einen vornehmen Spanier, jedoch eine interessante Entgegnung Castigliones auf eine Schrift des Valdez, die den *sacco di Roma* pries mit alttestamentarischem Grimm, nannte den einflußreichen Mann als spanischen Juden, und diese Annahme eines Zeitgenossen erscheint nicht unbegründet, wenn man Wirkung und Auftreten des Schwärmers näher ins Auge

---

*) Vauzelles, Prior von Montrottier, an Aretin: *Io giuro a V. S. che non vado in luoco, ch'io non trovi l'opre di Lei sopra le tavole e non parlo con huomo che non mi demandi del Divino Aretino.*

faßt, ja der Zauber, den er namentlich auf die Damenwelt ausübte, erinnert an die Bezauberung, die in uns
näher liegenden Tagen von dem schönen und kraftvoll
begeisterten Lassalle ausging*). Valdez' besondere
Jüngerinnen, die in seinem schönen Garten zusammen-
trafen, waren die berühmte Giulia Gonzaga, Witwe
des Vespasiano Colonna, geliebt von Kardinal Hippo-
lito Medici, der in ihren Armen geheimnisvoll vergiftet
gestorben war — eine sentimentale Dichterin, ferner
Costanza d'Avalos, die Herzogin von Amalfi, Isabella
Maniquez von Birsegna. Celio Secundo Curione, einer
der aufrichtigsten Anhänger reformatorischer Ideen in
Italien, bezeichnet Valdez' Tätigkeit, die an die spätere,
erlesen fromme Tätigkeit des Port royal erinnert und
ebenso Verfolgung erfuhr:
*Er hielt sich in Neapel auf, wo er durch die Süßig-
keit seiner Lehre viele Schüler gewann, namentlich unter
Edelleuten und Rittern und einigen großen Damen,
die auf jede Weise des höchsten Lobes würdig waren.
Es schien, als wäre er von Gott zum Lehrer oder Hirten
vornehmer und erlauchter Personen bestimmt.*
Seinen Jüngerinnen legte er statt Boccaccios hundert
Novellen, die ansonsten deren Lieblingslektüre gebildet,
Psalmenübersetzungen in die schönen Hände oder
Cento e dieci divine considerazioni, die *von der wahren
Liebe, Umarmungen und Küssen, die dem heiligen
Geist verdankt werden,* handeln.
Wahrscheinlich hat Valdez auch bei Vittoria Colonna

---

*) Die spanische Reformbewegung lag großenteils im Judentum,
deshalb wurde der Ketzerei dort so grausamer Haß entgegengebracht.

verkehrt, als sie sich abwechselnd in Marino und Ischia aufhielt und im Gespräch mit Reformfreunden sich gedankenvoll erging, erwägend wie ihre mystische Sehnsucht, ihr töchterlicher Gehorsam für die Kirche, der platonische Glaube, den sie in ihrer Jugend bei den Verwandten in Urbino kennen gelernt, irgend in Einklang zu bringen seien.

In Vittorias Umgebung schwärmte man gläubig von einer allgemeinen Erneuerung in wahrhaft christlichem Geist, der Gegensätze und Feindschaften überbrücke. So ernst war man in dem einst frivol lebenslustigen Neapel geworden.

Die bedeutendsten Vertreter dieser Richtung, Reginald Pole, ein Verwandter Heinrichs VIII., Gasparo Contarini, ein vornehmer Venezianer, versuchten sie in den praktischen Welthandel zu übertragen. Contarini, von Paul III., vielleicht auf Ansinnen Vittoria Colonnas oder Margaretes, mit denen sich dieser Papst lang und ernstlich über die Lage unterhielt, zum Kardinal ernannt, bemühte sich in Regensburg mit der traditionellen feinen Diplomatie der Venezianer um den Religionsfrieden. Eine Zusammenkunft des Papstes Paul III. mit Margarete (1538) in Nizza bei den Franziskanern erzählt Sante Lancrio: *Und der Papst versäumte nicht, sehr freundlich zu tun mit der Königin von Navarra, der äußerst gelehrten und frommen Dame, so daß Seine Heiligkeit sie am eigenen Tisch haben wollte, um sich mit ihr und den Kardinälen Sadolet und Contarini über die heilige Schrift zu unterhalten, ein seltenes Ereignis.*

In Regensburg wollte Contarini Gedankenfreiheit und

soziale Ordnung ermöglichen, allein er hatte mit seiner elegant mondänen Auffassung eine viel zu milde Medizin für die Seuche des Fanatismus, die Europa verpestete. Sie wurde ihm wie anderen mild und ärztlich Gesinnten roh aus der Hand geschlagen.

Ein Land nach dem anderen schüttelt das Fieber des religiösen Kampfes mit seinem zerstörungslustigen Delirium, Italien erlebt es in der mildesten Form. Mehr und mehr wird überall die Partei der friedfertigen Häretiker an die Wand gedrückt, es befehden sich einerseits Sektirer, Fanatiker, soziale Umstürzler, anderseits kurzsichtige, egoistische Konservative, die brutal materielles Ausleben und Unterdrücken wollen. Die leidenschaftlichen Fehden um grammatikalische Spitzfindigkeiten für und wider Cicero und dergleichen hatten die Gemüter nur zu gut vorbereitet auf leidenschaftlichen Streit um theologische Haarspaltereien. Sie entbrannten in allen geistig regsamen Zentren auf einmal, wie an allen Ecken entzündet. In vornehmer Geselligkeit sind die Reden geblümt, der Tanzschritt geziert, die Handschuhe parfümiert, aber es riecht schon bedenklich nach Scheiterhaufen.

So wurde zwar in Ferrara bei der Herzogin Witwe Lucrezia Borgia noch wie in alter Zeit harmlos eifrig musiziert, allein ihre Schwiegertochter Renée de France hielt bald unter dem Vorwand geselliger Vereinigung geistliche Konventikel ab mit dem Vorsitz Calvins, der sich unter dem falschen Namen Charles de Heppeville (1535) bei ihr aufhielt. Sie umgab sich am liebsten mit Franzosen, kehrte die französische Königstochter heraus und gefiel sich in Sensationsbedürfnis. Ihr Gatte fand wenig Freude an der vornehmen Allianz, denn politische, religiöse und liebeslüsterne Intrigen trieb die unschöne, hochmütige Frau, der Herzog bemächtigte sich ihrer Liebesbriefe an Monsieur de Pons, um sie ihr vorzuhalten, wenn sie zu erhaben fromm tat. Auf seinem Sterbebett mußte sie dem Gatten schwören, den Verkehr mit Calvin abzubrechen — allein der Genfer Reformator enthob sie dieses Schwurs, wie er sie der Trauer um ihren von der calvinistischen Partei ermordeten Schwiegersohn Guise enthob. Dieser Fanatismus lockerte schließlich Calvins Einfluß in Ferrara. Renées Kinder, Alfonso, Leonore, Isabella wendeten sich von ihm ab und versuchten einen Renaissancehof in früherem Begriff mit liebenswürdiger Schöngeistigkeit zu bilden.

An diesen Hof geriet Tasso und wurde zuerst unaussprechlich gefeiert als Dichter der Pastorale *Aminta*, deren Leitmotiv heißt: *Perduto è tutto il tempo, che in amor non si spende* (Jeder Augenblick ist verloren, der sich nicht in Liebe ergießt). Bernardo Tasso und sein Sohn Torquato waren arme Edelleute, den alten Ideen vollkommen ergeben. Torquatos Genie erlaubte ihm die ritterlich romantische Poesie, die vor dem Spott eines Berni und Folengo geflohen war, im Triumph zurückzuführen. Jedoch, wie Don Quixote in pathetischem Widerspruch mit seiner eigenen Zeit muß er in Wahnsinn enden, sein Gemüt verwirrt sich, die Prinzessin seiner Träume versagt, und die dunkle Mystik, die den genußsüchtigen Hof umbrandet, flutet über sein Haupt. Er fällt in religiösen Wahn aus Furcht, nicht christlich tadellos genug in seiner Dichtung gewesen zu sein, und will seine Heldinnen vernichten, weil sie irdisch · verliebt waren. So wehmütig endet Ferraras Renaissance; Geisterspuk verfolgt den letzten seiner Dichter, und wenn auch in Belriguardo oder Mesola gejagt und getafelt wird wie einst, die unbefangene Lust kommt nicht mehr auf, man glaubt sich von Gespenstern umringt und sucht die Sensation der übersinnlichen Welt*). *Die Geistererscheinungen und Geisterchen waren höchst modern, kein Fest, kein Diner, bei dem man nicht mit irgend einem Spuk überrascht wurde.*

Ferrara, Lyon und Genf scheinen seit Renée eng verbunden durch mystische Bestrebungen. In Ferrara bildet sich die Reaktion, in Lyon und Genf verbindet sich die Schwarmgeisterei mit sozialrevolutionären Elementen. Als Genf sich gegen die Oberherrschaft seines Bischofs und Savoyens erhob, wirkten nicht nur religiöse Reizungen, auch gesellschaftliche Kränkung war bestimmend. Denn Beatrice von Portugal, die Gattin Karls III. von Savoyen, hatte die Huldigungsfeste der Stadt hochmütig und teilnahmslos entgegengenommen.

Zuerst machte sich der Groll Luft durch eine denkwürdige, satyrische Vorstellung der Liebhabergesellschaft *Enfants du bon temps.* Monsieur Bontemps, der darin auftritt, ist so ziemlich der einzige Typus aus dem reichen Chor damals modischer allegorischer Figuren, der im französischen Sprachgebrauch übrig blieb.

Die Genfer Revolution, eine soziale Revolution, wenn

---

*) *Le apparizioni ed i folletti erano cose di moda, e non v' era festa o pranzo in cui non si facessero singolari sorpresi di spiritelli.*

auch religiös gefärbt, war anfangs von literarisch gesellschaftlichen Kreisen in Szene gesetzt wie alle nachfolgenden Revolutionen, ihre Parteigänger nannten sich *Eidgenossen* oder *Genoten*, woraus der Name *Hugenotten* aus Korruption entstanden sein soll. Er bezeichnete zunächst mehr eine sozialpolitisch feindliche Richtung als eine religiöse, und erst später floß beides zusammen. Die Buchdrucker Lyons fühlten sich so solidarisch mit jenen Genfs, weil sie dieselben Schriften druckten, daß sie sich ihnen anschlossen — 500 an der Zahl — Genfs Bewegung zu unterstützen, die mit der Aufrichtung einer viel strengeren Herrschaft endete, als jene Savoyens gewesen, in der Theokratie Calvins.

Alle im Buchdruckergewerbe Beschäftigten dünkten sich gelehrt, da sie die Buchstaben so vieler gelehrter Werke beherrschten und die gelehrtesten Herren Autoren selbst Korrektoren und Verleger spielten. Man mischte alttestamentarische Flüche auf die Reichen und antike Freiheitsdeklamationen seltsam durcheinander und gebärdete sich aufständisch. Drucker und Setzer feiern zuerst harmlos den 1. Mai — und setzen dann den ersten modernen Streik ins Werk, der jedoch mißlingt, da die Meister drohen, Lyon zu verlassen. König und Stadt legen sich ins Mittel.

Eine der ersten Taten Calvins war es, die *enfants du bon temps*, die seine Erhebung durch kühne, politisch religiöse Satire auf ihrem Liebhabertheater vorbereitet, aufzulösen und jede Art theatralischer Vorstellung und freier Schöngeisterei zu verbieten. Seine Republik hatte so viel, was des Belächelns wert gewesen wäre,

485

daß sie Humor nicht dulden konnte und denselben mit Stumpf und Stil ausrottete.

Dies läßt sich Frankreich trotz der großen Anhängerschaft, die Calvin daselbst gewonnen, nicht gefallen, Rabelais tritt auf den Plan, um die Stellung des Humors in der Gesellschaft mit grandioser Geste zu verteidigen. Er ist kein bitterer Satiriker, sondern der jovialste Mann Frankreichs, der liebenswürdigste Gesellschafter und als freundlicher Arzt überzeugt, daß Lachen zur Gesundheit des Leibes und der Seele unerläßlich sei. *Gargantua und Pantagruel* ist nichts als der Niederschlag der schelmischen Erzählungen, mit denen er seine Patienten aufzuheitern liebte und Tischgäste erfreute. Gastronom und Weinkenner war der einstige Mönch, nunmehr Leibarzt des lustigen Kardinals du Bellay, Arzt am ersten Spital Lyons, später vergnügter Pfarrherr zu Meudon. Rabelais weise Mahnung lautet:

Vrai est qu'ici peu de perfection
Vous apprendrez sinon en cas de rire.

Gerade in der Stadt, deren Schöngeister die raffinierteste Quintessenz destillierten und mit seltsamsten Tönen den Mond anbellten, mußte es besonders ergötzlich wirken, als Rabelais die derb vergnügte Sekte der Pantagruelisten triumphierend einsetzte mit der Lehre, die guten Dinge der Welt nicht zu verachten; als Universalheilmittel empfahl er: *une certaine gatté d'esprit confite au mépris des choses fortuites*).*

Es war Brauch, in Lyon lustige Wallfahrten zu unternehmen in bunt ausgeschlagenen Barken die Loire

---

*) *eine gewisse Heiterkeit, eingemacht in überlegene Verachtung der Zufälle des Daseins.*

hinunter zu irgend einem Heiligen, der ein echter Rabelais-
heiliger war; dabei holte man sich Appetit und Durst,
es wurde geschmaust und pokuliert in einer Art, die
den Dichter angeregt haben mag zu seinen feierlich
komischen Beschreibungen der Fahrten Pantagruels in
das Reich des Bauchkönigs *Gaster*, den er *maître ès
arts* — Erfinder aller menschlichen Künste nennt, denn
hängen nicht alle Künste des Kriegs und Friedens
letzten Endes mit seinen unabweisbaren und vergnügten
Geboten zusammen und sind dem Bauch untertan?
Gasters Priester sind die *gastrolâtres*, die ihn unablässig füttern mit einer Speisenfolge, die Lyons kuli-
narische Größe gewiß treffend spiegelt. Fasttag und
Fleischtag bieten eine unübersehbare Fülle leckerer
Dinge, die Rabelais pfiffig schmunzelnd, behäbig großartig breitet und türmt, so daß seine Patienten unbedingt Appetit davon bekommen mußten.
Ihnen ist ja eingestandenermaßen das närrisch weise
Buch des größten Arztes seiner Zeit gewidmet, sie zu
erheitern strebte vor allem der originelle Menschen-
freund, wenn er unermüdlich fabelte von den guten
Lyoner Spezialitäten, den *beaux, gras et joyeux jam-
bons, belles, grosses et joyeuses langues fumées*, die
angenehm Durst erregen, so daß man sich der Weisheit der *dive bouteille* gerne fügt, wenn sie orakelt:
Trinkh! (Ein deutsches Wort, von dem *trinquer* —
zutrinken kommt.) Rabelais zählt hunderte von Leckerbissen auf, die fetten *soupes lyonaises, langues de veau
sinapisées de poudre gingibérine, coustelettes de porc
à l'oignonnade*, Krautsorten, soeben aus den Niederlanden eingeführt, Artischocken, die er selbst aus Rom

mitgebracht, 100 verschiedene Salate, 78 Arten von süßen Leckereien, das alles wird hinuntergespült mit dem *vin de Beaume* oder *de Grave*, der *gaillard et voltigeant*)* ist, denn so lautet die Lehre im Tempel der göttlichen Flasche *de vin — on devient — divin.**)*

Mit solchem kecken Wortspiel rennt er die Wort-experimente der verschiedenen Philosophenschulen um und ebenso tollkühn weiß er mit Hanswurstkapriolen über die Häupter der Inquisition zu hüpfen trotz der Wut, die ihn angeifert. Gegen die kläffenden Mönche hatte er den Schutz freundlicher Prälaten wie jenes Kardinal du Bellay, der ihn als *Mann zu allen Stunden* pries***), wie jenes Bischofs Geoffroy d'Estissac, auf dessen Landgut *Lugigé* er schöne Gastfreundschaft ge-noß. Gastfreundlich waren ihm Ardillon und Tiraqueau in Fontenoy-le-Comte, dessen Kloster er spöttisch Valet gesagt.

In Poitiers besuchte er Jean Bouchet und soll daselbst am Liebhabertheater mitgewirkt haben *avec ce qu'il y avait de mieux dans cette province*, wahrscheinlich vertrug er sich gut mit den Damen der führenden Salons in Poitiers, den Dichterinnen Madeleine und Catherine des Roches, Mutter und Tochter, die beide derben Spässen nicht abgeneigt waren, denn sie ließen sich's gern gefallen, daß der Kreis ihnen ergebener Dichter als Flohsänger *chantepuces* komisch feierlich auftrat, um das Glück eines Flohs wetteifernd zu besingen, der Catherines weißen Busen besuchte und von Etienne

---

*) Lebensmutig und hüpfend.
**) Von Wein wird man götterhaft.
***) Rabelaesum domi fovis tamquam omnium horarum hominem.

Pasquier, ihrem Verehrer, mit Eifersucht entdeckt worden war. Im übrigen ergriff Catherine Partei für das Recht der Damen auf Gelehrsamkeit, und das mag mit Rabelais, der die Weiblichkeit gern verulkte, ergötzliche Wortgefechte gesetzt haben.

Er ist weit und breit beliebt als Tischgast, denn sein Witz ist unerschöpflich und unterstützt von enzyklopädischer Gelehrsamkeit, die ihm erlaubt, den komischen Figuren in allen Fakultäten ein Schnippchen zu schlagen. Zuweilen ist er Kauz genug, wenn er merkt, daß man ihn nur aus Neugier eingeladen, die Gesellschaft zu enttäuschen, indem er sich's versagt, seine Schnurren von sich zu geben, nur gewaltig ißt und trinkt und, nachdem er sich feierlich den Mund gewischt, feierlich wieder geht.

In kongenialer Gesellschaft muß er von einzigartiger Drolligkeit gewesen sein. So bei Gelegenheit eines Essens, das seinem Verleger Estienne Dolet *) zu Ehren gegeben wurde, als dieser von Franz I. begnadigt war, nachdem er einen Feind, der ihn überfallen, in Notwehr erschlagen. Dolet berichtete über das Fest: *Der Augenblick naht für ein Bankett, das meine weisen Brüder in Apoll vorbereitet, unter ihnen alle jene, die man mit gutem Recht die Leuchten Frankreichs nennt. Unter anderen Budé, der bedeutendste von allen, ein Mann voll enzyklopädischen Ruhms, Bérault, dessen leichte Beredsamkeit beneidet ist, Danès, der sich in allen Zweigen der Literatur auszeichnet, Tusanus, der aus gerechtem Mund gepriesen wird als „bibliothèque parlante", Macrinius, dieser Liebling des Phöbus, in*

*) Dolet wurde im Jahr 1546 wegen Ketzerei in Paris hingerichtet.

*allen Rhythmen wohlgeübt, Dampierre und neben ihm
der junge Vultejus, der in gelehrter Welt große Hoffnungen erweckt, Marot, der französische Vergil, Rabelais, dieser ruhmgekrönte Arzt, der die Kranken selbst
aus Plutos Reich zurückzuführen imstande.* Dolet war
der Verleger Marots und Rabelais'. *An allen Enden
entspinnt sich eine weit ausgreifende Konversation.
Man hält Umschau unter den Gefährten in der Weisheit, den zeitgenössischen Größen an fremden Gestaden,
Erasmus, Melanchthon, Bembo, Sadolet, Vida, Sannazaro (der neapolitanische Dichter und Nestor), sind diejenigen, die zu höchst gepriesen werden.*

Aus dieser Aufzählung ersieht man, welch kosmopolitisches Empfinden diese Gelehrten und Dichter einte
und wie eine allgemeine Verständigung auf Grund des
Humanismus möglich erschien. Welcher Groll tobte
unter ihnen in ganz Europa bei Dolets Gefangennahme
und Hinrichtung wenige Jahre später, als dieser sich
unvorsichtig häretisch benommen hatte in zu starkem
Vertrauen auf des Königs Gunst!

Im zeitgenössischen England machte man wenig Auf-
hebens, wenn auch edelste Köpfe fielen, Elisabeth
handelte in dieser Beziehung ebenso energisch wie
ihr Vater und ihre Schwester Maria. Allerdings weinte
sie laut über die Notwendigkeit, sich ihrer Feinde also
zu erwehren, indes Katharina von Medici, erbost über
die Anteilnahme der Literaten bei ihr notwendig dünken-
den Exekutionen ungeduldig bemerkt haben soll: *Il y a
eu malheureusement à toutes les époques des écrivains
hypocrites prêts à pleurer quelques coquins tués à propos.*
(Unglücklicherweise gibt es zu allen Zeiten heuchlerische

Schriftsteller, bereit zu klagen, wenn einige Spitzbuben rechtzeitig erledigt werden.)

Das natürliche Mitleid mit der Leidensgeschichte der Hugenotten hat die Tatsache gänzlich ins Dunkel gerückt, daß die dem Katholizismus feindliche Partei nicht nur aus Idealisten bestand, die mit freier Religionsübung zufrieden gewesen wären, wie der Kreis um Margarete, Vittoria Colonna und Erasmus. Politische Abenteurer jeder Art und in deren Gefolge gemeingefährliches Gesindel hatte sich den geistigen Neuerern angehängt, führte die Fehde mit allen Mitteln und schob die Friedfertigen einfach beiseite.

Der grenzenlose Hohn auf die alte Religion, der beim *sacco di Roma* zuerst verübt wurde und den nicht wenige beifällig begrüßten, der Bildersturm in Basel, der Erasmus und seine feine Tafelrunde vertrieb, die Taten der Wiedertäufer in Münster und Verwüstungen ähnlicher Barbarei in Südfrankreich, ferner die Schändung der Kathedrale in Antwerpen (1566) mußten die Philosophen und versöhnlich Gesinnten, die sich anfangs enthusiastisch mit Reformgedanken beschäftigt, entfremden, so daß nur die Parteien der Fanatiker auf beiden Seiten laut blieben.

Nicht genug mit jenen Schändungen, die der Kirche weltlich oder geistlich feindliche Partei neckte und reizte ihre Gegner mit der furchtbaren Waffe der Lächerlichkeit bis in jedes Detail des Privat- und Gesellschaftslebens. Dienerschaft, selbst Hofnarren wurden dazu bestochen, es regnete, schneite und hagelte Pamphlete und Pasquillen, die Damen stickten politisch satirisch, wie politisch satirisch gepfiffen, gesungen und gespielt wurde. Die Kunstliebe der Guise und Medici wurde benützt, um sie blutig zu verhöhnen, da Bestochene den Kunstwerken edler Meister sogenannte *tableaux satiriques* unterschoben, Verhöhnung ihrer Sitten oder der Kirche darstellend. Da kostbare Gemälde meist hinter einem Vorhang blieben und dieser Vorhang nur zurückgezogen wurde, um erlesenen Gästen die Freude des Anblicks zu gönnen, konnte auf diese Weise fürchterliche Fopperei getrieben werden. Als der Kardinal von Lothringen bei einem Diner zur Krone des Genusses seinen Gästen eine neuerworbene Madonna aus Lucca zeigen wollte und den Vorhang lächelnd zurückzog, prallte er, prallten die Geladenen entsetzt zurück vor dem Gemälde, das ein feindlicher Künstler substituiert.

Ähnlich erging es Katharina, abgesehen von den Anfeindungen, die sie als Frau, Mutter und Regentin täglich erfuhr. Bis zur Raserei gereizt wurde die ursprünglich als eine Tochter des Hauses Medici der Versöhnung durchaus geneigte Fürstin zu jener grausigen Hausfrau der Bluthochzeit, als welche sie — ein unheimliches Gespenst — durch die Geschichte schreitet. Spät oder früh hält die Geschichte ihre Antworten bereit. Die Bartholomäusnacht war schreckliche Antwort auf den Sacco di Roma.

ZWEIUNDZWANZIGSTER ABSCHNITT

Renaissance und Barock — Die Pleiade — Antike Mahnung —
Quintessenz der Liebe — Unter der Mondsichel — Dianas Zauber-
wald — Der zahme Löwe — Wandelgänge — Die Maitressen der
Könige — Dichter am Hof — Maria Stuarts lateinische Rede —
Drei Margareten — Politischer Gimpelfang — Tanz und Begrüßung —
Montaigne in Paris — Magenweisheit — Kleine Wichtigkeiten —
Die Gabel — Tellerkragen und Serviette — Die Zeit der Valois
und ihr Ende — Das letzte Turnier — Philosophie des gesunden
Menschenverstandes.

Gegen das kosmopolitisch häretische und sich revolutionär gebärdende Lyon tritt allmählich Paris
mit starker Gegenströmung auf und erringt das Übergewicht. Es ist ein noch gar nicht gewürdigter Augenblick der philosophischen Sittengeschichte, daß die französische Renaissance den Lockungen des von allen
Seiten lauernden Barock Stirn zu bieten suchte, gleichzeitig den spanischen, deutschen, jüdischen und deka-
dent italienischen Einfluß bekämpfte und der barocken
Ausladung antike Wohlgestalt entgegensetzte, gesunden
Verstand dem Schwulst, Pazifismus dem Fanatismus.
Danach strebte die Pleiade nicht ohne heroische Mühe,
eine Gesellschaft von sieben Dichtern und Schriftstellern,
die sich zuerst bei Lazare de Baïf zusammenfand,
in dem Haus, das er sich in Paris gekauft und mit
allerlei antiken Bruchstücken und Inschriften geschmückt
als Wahrzeichen humanistischer Gesinnung. Als früherer
Botschafter in Venedig hatte Baïf bei Aldus solche
genießend gekostet. Die Pleiade vereinigt sich mit
dem Musiker Thibault de Courville, um eine Akademie
oder Liebhabergesellschaft*) zu gründen, die sowohl

*) Im Jahr 1545 rue des fossés St. Victor. Die Pleiade bestand

Künstler als Publikum liefern sollte für die neuerstrebte Musik, nach antikem Versmaß zu deklamieren, wie es ähnlich in Deutschland und Italien versucht wurde. Baïf behauptet von sich:

Maître en l'art de bien chanter
Qui me fit pour l'art de musique
Réformer à la mode antique
Les vers mesurés inventer *)*

und verspricht, die Zuhörer der neuen Musikübung zu Höherem zu leiten und von Barbarei zu *purgieren*.
Der französische Humanismus greift freilich nicht so andächtig wie der italienische nach den Schätzen des Altertums. Im Aufruf du Bellays heißt es keck, die Söhne der alten Gallier, deren Vorfahren unter Brennus Delphi geplündert, sollten ideale Beute heimführen aus klassischen Stätten, und es geschah in der Tat des öfteren nicht ohne Plumpheit, was die Pleiade später als pedantisch in Verruf gebracht hat, es geschah jedoch mehr naiv als pedantisch, im Vergleich zu den von ihr bekämpften Geistesrichtungen war sie jugendlich frisch und lebensvoll. Wie knabenhaft anmutig klang die Begeisterung, die Jodelle umjubelte, als man der Meinung war, er habe eine Tragödie in echt antiker Art hervorgebracht und ihn pseudodionysisch feierte, nicht nur mit Evoërufen und geschwungenen Pokalen, sondern man fing einen lebendigen Ziegenbock, be-

aus Dorat, Lehrer von Baïfs natürlichem Sohn, Ronsard, du Bellay, Pontus de Tyard, Jodelle, Remy, Belleau, später schlossen sich verschiedene Freunde an.
*) Meister in der Kunst des Wohlsingens, die mich nach Art der Antike Verbesserung suchen ließ, indem ich die Musik nach dem Maß der Verse maß.

494

kränzte ihn und führte ihn triumphierend in einem sich antik jubelvoll gebärdenden Zug, was von griesgrämigen Leuten sofort als ketzerisch verdächtig verklatscht wurde. Jodelles Tragödie *Cléopâtre* spielten der Autor und seine Freunde im Hôtel de Rheims als Liebhabervorstellung bei Anwesenheit des Hofs.

Die leidenschaftliche Stellungsnahme der Pleiade gegen alles, was soeben noch für einzig richtig und elegant gegolten, machte ihr Feinde genug, und es bleibt merkwürdig, daß es ihrem Führer Ronsard dennoch gelang, sich zu behaupten und fast fünfzig Jahre lang als *prince des poètes* und *poète des princes* gefeiert zu sein, obwohl er rücksichtslos Fürsten, Juden, Katholiken, Hugenotten, Sektierer und Schwarmgeister jeder Art angegriffen. Mit feurig keckem Strich zog er den Bogen und seine Geige übertönte heiß sinnlich das übersinnliche Harfenzupfen, das so lange Stil gewesen. Nicht mehr bescheiden zierlich streut er Blumen zu Füßen der Herrin, wie ein Clément Marot, er bringt Blumen, doch mit der antiken Mahnung, diese taufrischen Blüten müßten bald welken, ebenso wie die Reize der Holden, und darum müsse sie Huld gewähren, ehe es zu spät sei:

> *Le temps s'en va, le temps s'en va, ma Dame!*
> *Las, le temps non, mais nous nous en allons*
> *Et tôt serons étendu sous la lame.*
> *Et ces amours, des-quels nous parlons*
> *Lorsque serons morts n'en sera plus nouvelle.*
> *Pour ce, aimez-moi — cependant qu'êtes belle!*)*

---

*) *Die Stunden fliehen, Herrin, und es flieht die Zeit,*
Ach! nicht die Zeit ist's, die verfliegt, wir selber schwinden,
Zu bald deckt unsern Tag die Scholle, schwer und breit.

Als kühner Spötter wagt er die Platonisierenden anzugreifen: *aimer l'esprit, Madame, c'est aimer la sot-
tise*, und Boistuau erklärt die modische Liebe als Geistes-
krankheit peinlicher Art, — man höre die Kranken
wimmern und sie ließen Worte fallen wie *Alabaster,
Rosen, Sternenmächte.* Die Gegner des Hoflebens rügen,
daß die Damen am Hof den Vorrang genießen, *l'homme
à la femme y rend obéissance,* während Rabelais das
Haupt spirituellen Minnedienstes, Margarete mit seinen
geistreichen und frechen Ausführungen über das Wesen
des Weibes zu bekehren sucht*) und du Bellay reimt
grimmig über die *Quintessenz* der Liebe, denn er ist
frisch zu neuer Richtung bekehrt.

> Quelqu'autre encor la terre dédaignant
> Va du troisième ciel les secrets enseignant
> Et de l'amour où il va se baignant
> Tire une quinte-essence...**)

Der Minne, die wir heute noch in Worte binden,
Wird keiner denken, sind wir stumm, des Todes Beute,
Darum, weil heut noch schön, seid, Herrin, hold noch heute
*) Rabelais ä l'esprit de la Reyne de Navarre (1545):
  Esprit abstraict, ravy et ecstatic — —
  Voudrais-tu point faire quelque sortie
  De ton manoir divin, perpetuel ...
  Et ça-bas voir une tierce partie
  Des faits joyeux du bon Pantagruel?
(Erhabener, in höchsten Regionen schwebender Geist, willst du nicht
dein himmlisches Schloß ein wenig verlassen, um hienieden den
dritten Teil der lustigen Taten des guten Pantagruel zu be-
trachten?)
**) Und noch ein andrer, der die Erde verachtet, begibt sich in
den dritten Himmel und kündet dessen Geheimnisse, behauptet,
sich in höherer Liebe zu baden und zieht daraus eine Quintessenz...

496

Was zu Kritik und Kampf herausfordert, ist vor allem der Schwulst, den Leone Ebreo verbreitet. Wehmütig leidenschaftlich setzt ihm Ronsard sein *carpe diem* entgegen, und Rabelais' schallendes Lob des Lachens bekämpft nicht ohne Erfolg alexandrinische Haarspaltereien wie zerknirschte Buße und unbeugsamen Fanatismus des Psalmisten. Einen Augenblick siegt die Mythologie über das alte Testament in den vornehmen Kreisen.

In dieser Spanne neoheidnischer Reaktion gelang es Diane de Poitiers, Heinrichs II. fromme Anwandlungen wettzumachen und ein mythologisches Reich zu gründen, indem sie sich selbst zur Göttin erhebt. Sie stammt aus dem Geschlecht der Lusignan und es ist, als habe sie den Zauber der fabelhaften Ahnfrau, der schönen Melusine, geerbt und ein Märchen um ihren minnenden Ritter, den König Heinrich II. gewoben, ihn Jahrzehnt über Jahrzehnt zu beherrschen. Man munkelte, daß Zauberbäder in flüssigem Gold ihre Schönheit ewig jung erhielten. — Mit 15 Jahren turnierte Heinrich zum erstenmal ihr zu Ehren und von da an trug er Dianens Farben bis zu seinem Tod.

Alles, was in Frankreich für elegant gelten wollte, war in die Farben der Zauberin eingekleidet, ihr König nahm sich in der Rolle des ewig Schmachtenden durchaus ernst und reimte:

Plus ferme foy ne fut oncques jurée
A nouveau prince, ô ma belle princesse!
Que mon amour, qui vous sera sans cesse
Contre le temps et la mort assurée.
De fossés creux ou de tour bien murée

N'a pas besoin de mon cœur la fortresse,
Dont je vous fis dame, reine et maîtresse,
Parce qu'elle est d'éternelle durée*).

Poetisch überschwänglich war Diana verehrt gleich der Göttin, mit der sie sich in ernstem Spiel identifizierte, und sie wußte das Spiel ohne Ende weiter zu spielen. Ihr Geist, ihr Geschmack, ihre Grazie ermöglichten ihr, Armidagärten zu schaffen in Schloß Anet (um 1548) und Chenonceaux, mit Genüssen fesselnd, die gleich Verzauberung wirkten. Diana ist grausam wie ihre Göttin, kühn und mit ihren Pfeilen unwiderstehlich, von jagdfreudigen Nymphen umgeben, und im Gemüt des Minnenden herrscht ein olympischer Lenz. Der Herrin idealisiertes Bild und ihr poetisches Sinnbild, die Mondsichel, leuchtet dem Verliebten allüberall entgegen, umblüht von königlichen Lilien. So herrlich wissen ihre Künstler sie darzustellen, daß Pinsel und Meißel von ihrer Göttlichkeit überzeugen wie das huldigende Wort der Dichter. Wunderbare Ornamente sollen den Gedanken aufzwingen, daß Heinrich und Diana durch mystische Bestimmung einander gehören. In Dianas Gemach zu Anet zeigt das Deckengewölbe ein himmlisches nachtblaues Feld, umkränzt von vier

---

*) Frei übertragen:

> Fester war die Treue nie geschworen,
> O schöne Herrin, einem neuen Herrn
> Als meine Liebe, die Euch nah und fern
> Versichert sei als ewigkeitsgeboren.
> Nicht tiefer Graben, Türme nicht mit Toren
> Des Herzens Veste braucht, in deren Kern
> Ich immer Euch als meiner Liebe Stern
> Zur Dame, Herrin, Königin erkoren.

Mondsicheln, gegrüßt von himmelan blühenden Lilien und immerdar wiederholt sich die liebliche Verschlungenheit H und D im Spiel der Ornamente.

Jean Goujons Meißel stellt die Huldin dar als Diana, die einen mythologischen Hirsch umarmt, tausend Allegorien feiern die Zusammengehörigkeit des Liebespaares, mit holden Märchen huldigen die ergebenen Städte, wie ein Amadis schreitet Heinrich dank Dianas Künsten von Wunder zu Wunder. Nichts fehlt zum Wunderland, nicht einmal der zahme Löwe, der sich der Göttin neigt. Man höre nur: *In einen Zauberwald geführt, begegnet der König Herden von zahmen Hirschen und Rehen, sowie reizenden Nymphen, deren Köcher voll goldener Pfeile sind. Sie halten ihre Meute an seidenen Schnüren in Dianas Farben. Ihre Anführerin ruft einen zahmen Löwen herbei, der freundlich spielt, wirft ihm einen Zügel in Dianas Farben über und führt ihn dem hohen Paar zu mit huldigenden Reimen als ein Geschenk Lyons*)*, Dianas Nachbarstadt, denn sie ist Herzogin von Valentinois.

Lyon läßt sich auch angelegen sein, dem König und Diana zu Ehren die erste Aufführung der Calandra zu veranstalten in herrlich dazu geschmücktem Raum und bei dieser Vorstellung wird der Olymp täuschend auf die Erde gezaubert.

---

*) Et ainsi qu'elles aperçurent le roy un lion sortit du bois, qui estoit privé et fait de longue main à cela, que se vint jester aux pieds de la déesse lui faisant face, la quelle, le voyant ainsi doux et privé le prit avec un gros cordon de soie argent et noire et le présenta au roy — luy offrit ce lion par un dixain en rime ce lion doux et gracieux luy offrait la ville de lion. (Brantôme.)

Man erfreut sich der ersten Operneffekte, Aurora erscheint singend auf einem Wagen, der von Hähnen gezogen wird, sternbesät singt die Nacht ebenfalls auf ihrem Wagen. Alle Szenerien, Kostüme und Tänze werden von hervorragenden Künstlern besorgt. *(La cour admira une nouvelle mode et non encore usitée aux récitements de comédies, qui fût qu'elle commença par·l'advènement de l'aube, qui vint traversant la place et chantant sur son char trainé par deux cocqs, et aussi par la survenue de la nuit, couverte d'estoiles et chantant sur son chariot.)*
Diana war eine Beschützerin einheimischer Künstler, eines Philibert Delormes, eines Jean Goujon, eines Jean Cousin, des Meisters farbigen Glases aus Limousin, die in graziös mächtiger Beherrschung der Menschen-, Tier-, Götter- und Pflanzenwelt die italienischen Meister, die Franz I. berufen hatte, seine Schlösser zu schmücken, einen Rosso und Primaticcio, bald mit tausend eigenartigen Schönheiten übertrafen.
Ursprünglich ist die französische Renaissance von der italienischen angeregt und erscheint oft mit ihr verschlungen, doch sie sank niemals zu ihrem bloßen Abklatsch herab, sie schaffte selbständig, indem sie oft ältere gotische Formen beibehielt und neubelebte; zum Beispiel war im Schloß von Blois noch mancher Saal mit Teppichmalereien geziert, die an die einstige Gepflogenheit erinnerten, die Fenster mit Teppichen zu verhängen, wenn auch die Fenster bereits mit Scheiben prangten, denen mit Demant Liebesverse einzuritzen ein Sport der jungen Hofwelt war. Viele Decken haben noch ihre gemalten gotischen Balken.

500

Doch dem neuen Bedürfnis der Renaissance nach
Geselligkeit beim Lustwandeln in anregend schöner
Umgebung wird Rechnung getragen durch prachtvolle
Wandelgänge, gedeckte *Galeries* und *promenoirs* im
Freien, die auf die schöne Flußlandschaft der Loire
oder des Cher oder auf Wälder Ausblick haben, die
Jagdfreude versprechen. Zur Entfaltung der reichen,
breiten Kleiderpracht, zum Aufmarsch des ungeheueren
Gefolges*) sind Prachttreppen erforderlich, wie jenes
Treppenhaus *(le grand escalier)* zu Blois, wo Franz I.
Wappentier, der gekrönte Salamander, als überall wieder-
kehrendes Motiv schier märchenhaft jeden Schritt be-
gleitet, unerschöpflich phantastisch und kühn, denn der
Salamander lebt laut der Sage im Feuer und gebietet
über unnennbare Schätze.
Wie immer die Stellung der Frau theoretisch gewertet
sein mag, praktisch zeigte sie sich in einigen glänzenden
Dezennien Frankreichs politisch und gesellschaftlich
mit durchgehender Überlegenheit. Der Fiktion eines erlaubten, ja für einen hohen Herrn wünschenswerten Minne-
lebens verdanken die Geliebten der Valoiskönige, die
Herzogin von Etampes, Diane de Poitiers, Gabrielle
d'Estrées ehrenvolle Stellung; die konventionelle Annahme, daß es sich so gehöre, machte es den legitimen
Königinnen, wie einer Katharina von Medici möglich,
scheinbar freundschaftlich mit der illegitimen Herrin
Frankreichs in gesellschaftlichem Verkehr zu bleiben.
Die Geliebten der Könige geberden sich durchaus

---

*) Zum Hofstaat Franz I. gehörten 27 maîtres d'hotel, 33 panetiers,
20 échansons, 15 valets tranchants, aus den ersten Adelshäusern
des Landes.

stolz als Minneherrinnen und nehmen die Rolle ernst, den Geliebten in geistigem Streben wachzuhalten. Zahllose Widmungen von Gelehrten und Dichtern, Werke bedeutender Künstler legen Zeugnis davon ab, daß sie mit dem Prestige der idealen Gebieterin einen Teil ihrer Rolle feierlich übernahmen.

Diane wählte stolze Devisen wie *Omnium victorem vici.* Brantôme lobt sie, daß sie denselben treu geblieben sei und ihren minnenden König stets zu *choses hautes et généreuses* begeistert habe, indes freilich ein feindlicher Satiriker Heinrich mahnte:

Sire, si vous laissez, comme Charles désire
Comme Diane fait par trop vous gouvernez
Fondre, pétrir, mollir, refondre, retourner
Sire, vous n'êtes plus vous, n'êtes plus que cire
(Wachs)*).

Allein die meisten spielten in Heinrichs Märchen, wie die Stadt Lyon, gerne mit. Das Geschlecht der Valois war durchaus phantastisch und romantisch, für alle Kunstgenüsse leidenschaftlich eingenommen, mit Dichtergabe beschenkt seit ihrem Ahnherrn, jenem Louis d'Orleans, dem Gemahl der Valentina Visconti und dessen Sohn, dem Dichter Charles d'Orleans, die gotischen Glanz und Schöngeistigkeit in Frankreich vertraten. Prinzen und Prinzessinnen des Hauses schätzten und schützten die Lyrik, wie es ihr seit den Tagen der Minnesänger nicht widerfahren. Nirgends durfte wie am Hof der Valois

*) Sire, wenn Ihr, wie es Diana wünscht und Karl (von Lothringen, der Oheim Maria Stuarts), Euch ummodeln, biegen und schmelzen laßt, dann seid Ihr in deren Händen nichts als Wachs. (Wortspiel zwischen *Sire* und *cire.)*

der Dichter mit dem König gehen und ebenso der
Künstler und Musiker. Ronsard riet den Dichtern,
die großen Herren zu umgeben, den Hof und die
Prinzen, wo der Geschmack am feinsten ausgebildet sei.

Berückend und schmeichelnd durchflechten Reimspiel
und Tanzspiel die Renaissancegeselligkeit der Valois,
sie wiegt sich tändelnd, sie schwebt majestätisch auf
leis wehmütiger Melodie. Wie ein altes Schloß von
weißen Tauben umflattert wird, denen Wohngelegen-
heit daselbst gegeben und denen die Herrschaft gerne
Körner streut, wird das Königshaus Valois umflattert
von Dichtern, die Recht auf Wohnung haben und denen
sich die fürstliche Hand spendend auftut. Sie girren
und schnäbeln und machen niedlich verliebte Komplimente, sie sind Pagen und Kämmerlinge der Prinzen
und Prinzessinnen und keiner der verschiedenen Hof-
staaten wäre vollendet ohne den Hofdichter, zu dessen
Obliegenheiten es gehört, alle wichtigen Vorkommnisse
des Hauses entsprechend pomphaft oder zierlich zu
besingen, Hochzeiten, Einzüge berühmter Gäste, Trauer-
fälle, Friedensschlüsse, die oft um den Preis einer
Prinzessin gehen, so daß sich deren Verlobung mit
derselben Schalmei flöten läßt. Freilich, ein Zeichen
der Zeit, sogar in diesen Gelegenheitsversen werden
die Hofdichter im Lauf des Jahrhunderts immer selb-
ständiger, selbstbewußter, ja sogar selbstherrlich pedantisch, indem sie ihren Einfluß und ihre Wichtigkeit
wachsen fühlen. Jean Marot und auch noch sein Sohn
Clément reimten harmlos bescheidene Huldigungen,
ihre Nachfolger nehmen jedoch den Ton eines Mentor

und Zensor an und ihre Huldigungsoden sind Ermahnungen oder politische Programme.

Ihr eigentliches Verdienst lag jedoch gerade in den preziösen Wortspielereien, die man später mit mitleidigem Achselzucken abfertigte. Sie entsprangen zumeist graziösem Gesellschaftsspiel und trugen wahrscheinlich nicht wenig dazu bei, die französische Sprache so fein, treffsicher und geschmeidig zu machen, daß sie alles verschweigend alles sagen konnte, alles sagend alles verschwieg, daß ihre neckische Behendigkeit schließlich die langsame Pracht des Latein und des ihm ergeben gebliebenen Italienisch entthronte, daß Französisch die Sprache eleganter Konversation, klugen Briefes, unbesiegbarer Diplomatie wurde und als solche ein Machtinstrument, das besser als seine Waffen Frankreichs langandauernde Vorherrschaft in Europa gründete und pflegte.

Demnach war es politischer wie künstlerischer Instinkt der Valois, dem Amt und Talent des Versemachens so große Liebhaberei zuzuwenden, daß es von eleganter Geselligkeit unzertrennlich schien. Sie waren selbst meist begabte Reimkünstler, es dichteten Franz I. und seine Schwester Margarete, es dichteten sein Sohn und seine Tochter, die zweite schöngeistige Margarete, ein Patenkind der ersten, in Savoyen vermählt, jene feine Prinzessin, von der es hieß, sie habe Urbino nach Turin verpflanzt und sei *la bonté du monde* gewesen. Es dichtet Franz I. Enkel, Karl IX., mit entschiedenem Talent. Er widmete seinem Hofpoeten Ronsard Verse, die den Versen des Gefeierten ebenbürtig, das Amt des Königs dem des Dichters gegenüberstellen. Sie schließen mit dem Wort:

504

Je peux donner la mort — et toi l'immortalité. (Ich kann den Tod, du die Unsterblichkeit geben.) Es dichtet die Enkelin Franz I. die dritte Margarete, die Gattin Heinrichs IV. wurde. Die lieblichste Dichterin am Hof der Valois war die noch kindliche Maria Stuart, von deren Talent zu improvisieren Brantôme fast gerührt berichtet: *Elle usait de fort doux, mignard et agréable langage — elle composait promptement, comme je l'ay vue souvent comme elle se retirait en son cabinet, et sortait aussitôt pour nous montrer ses vers*).* In feierlicher lateinischer Rede verteidigte sie als junges Mädchen vor dem versammelten Hof das Recht der Damen auf Bildung, *denn es steht der Frau gut an, Wissenschaften und freie Künste zu beherrschen* und sah dabei allerliebst aus. Maria wußte sich so geschmackvoll zu kleiden, daß sie sogar der *barbarischen* Tracht Schottlands Grazie verlieh, wenn sie dieselbe anlegte, wie sie das schottische so zart sprach, daß *diese wilde Sprache dadurch lieblich anmutete**).*

In den drei Generationen, von einer Margarete zur anderen sieht man die Wandlung der Prinzessin und den Geist der ihr eigenen Zeit. Die erste noch Minneherrin im idealen Sinn, doch nicht ohne derbe

---

*) Sie gebrauchte höchst süße, zierliche und liebreiche Art zu reden und wußte behende zu dichten, denn oft sah ich sie, wie sie sich in ihr Gemach zurückzog und sofort wieder erschien, die eben ersonnenen Verse zu zeigen.

**) Brantôme erzählt: Estant en l'age de 13 à 14 ans elle déclama devant le roy Henry, la Reyne et toute la cour, publiquement en la salle du Louvre une oraison en latin, qu'elle avait faite, soutenant et deffendant contre l'opinion commune, qu'il estait bien scéant aux femmes de scavoir les lettres et arts libéraux.

Schelmerei, die zweite empfindsam, durchaus zart und mystisch, die dritte aufrichtig derb sinnlich, neoheidnisch: es ist die von Brantôme vielgerühmte Spätrenaissanceprinzessin Margot, die sich dessen merkwürdige Auslegung des einstigen Ideals zurechtgemacht hat: *Ce qui est beau est plus approchant à dieu, qui est tout beau, que le laid qui appartient au diable**). Einer schönen Prinzessin ist nicht nur erlaubt, sondern geboten ihre Huld warm auszustrahlen, indes gewöhnliche Frauen gewöhnliche Treue zu pflegen haben. *(Telles dames moyennez faut que soient fermes et constantes comme les estoiles fixes.)* Je vornehmer eine Dame war, desto mehr Freiheit mochte sie genießen, freilich unter dem Schatten eines schönen Anstands *(ombrages d'une belle modestie).* Nach den Schilderungen des Hofmanns sind von dem reizenden Liebesspiel ferngehalten alle Herren *perdus, esbahis et fachez* (wie verloren, entrückt und grimmigen Humors).

Es heißt von Margot, daß sie die Herzen der um ihretwillen getöteten Liebhaber einbalsamieren und in eigens dazu angebrachten Taschen kostbar eingearbeitet in ihr weitausladendes *Vertugadin* — gebauschter Oberrock — einnähen ließ. Wie dem auch sei, sie balsamierte jede der unglücklich geendeten Lieben in äußerst zierliche Verse ein — diese letzte Valois zeigt noch immer, wenn auch leicht karikiert, die Merkmale der Rasse, Phantasie, die sich romantisch auslebt, raffinierten Geschmack und das Talent schönfließender Verse, mit

---

*) Was schön ist, kommt jedenfalls Gott nahe, der durchaus Schönheit ist, das Häßliche gehört dem Teufel.

dem sich fast alle Mitglieder des Hauses manche Stunde geschmückt.

Ein boshafter Chronist behauptet zwar, einige der letzten Valois hätten sich nur bei sehr schlechtem Wetter schöngeistig beschäftigt, ansonsten allerlei Sport und Spiel getrieben, oft recht wild und ausgelassen, Schneeballwerfen und Balgereien, wobei es die Umgebung nicht gut hatte. Daher stammt der berüchtigte Ausdruck für dummes und grausames Spiel: *jeux de princes*. Diese Kritik geht wohl hauptsächlich gegen den jungen Orleans, Franz I. dritten und Lieblingssohn, der infolge seines Leichtsinns starb, eben als der lange Kampf um Mailand dahin entschieden war, daß es der Linie Orleans zufallen solle. Noch ausgelassener war Karl IX., der mit seinen jungen Hofherrn das sogenannte *vaurienner* einführte*), die Unsitte mit tollen Streichen umherzuziehen. Unter anderem entbot er einmal heimlich die Spitzbuben von Paris, um eine bei ihm geladene Gesellschaft geschickt auszurauben, die *enfants de la matte*, wie damals die Apachen hießen, hatten mit solcher Büberei großen Erfolg.

Irreleitend ist die Annahme, daß Katharina den italienischen Einfluß nach Frankreich gebracht habe. Weil dieser Einfluß groß und herrschend war, wurde sie erwählt. Ohne dem Prestige, das den Begriff Renaissance mit dem Namen Medici verknüpfte, wäre die Tochter des reichen Bankhauses nicht in die hochmütige Königsfamilie geraten und Mutter dreier französicher Könige geworden.

---

*) *Vaurienner* = Nichtsnutzigkeiten, Spitzbubereien treiben, von *vaurien* = Nichtsnutz.

Freilich bemühte sie sich, diesen Einfluß dauernd zu befestigen vornehmlich durch alle Künste raffinierter Geselligkeit, die nach italienischem Vorbild in den Dienst der Politik gestellt wurden. Ihre Hoffräulein sind nicht mehr steif und sittsam wie jene der Anne de Bretagne, ihr *escadron volant* von reizenden Huldinnen, 300 an der Zahl, muß wie das Gefolge der Beatrice und Isabella d'Este mit tausend neckischen Künsten politischen Gimpelfang treiben. Alle Fräuleins haben Boccaccio gelesen und plaudern italienisch, sie sind in jeder Toilettenkunst hocherfahren, und Brantôme behauptet, sie seien in ihrem großen Staat, *grandes livrées* so glänzend aufgetreten, daß alle Beschreibungen des Amadis davon übertroffen seien. *Toute beauté y abondait, toute majesté, toute gentillesse, toute bonne grâce — toute bastantes pour mettre le feu par tout le monde*).*

Brantôme rühmt die zwanglose Art des Empfangs bei Katharina *sa compagnie et sa cour estait un vray paradis.* Die Damen zeichneten sich aus in Konversation, Sport und Musik, vor allem in der Kunst des Tanzes, die nunmehr von italienischen Tanzmeistern ausgehend in Frankreich die höchste Ausbildung erfuhr und auf Jahrhunderte den Vorrang behauptet. Zu Ehren von Gästen, wie bei Gelegenheit der polnischen Gesandtschaft, fanden ausgezeichnete Schautänze statt allegorischen Inhalts in strahlendem Kostüm. Sieur Balthazar de Beaujoyeux war Balletmeister und führte tanzende Paare an, sogar am Abend nach

---

*) Alle Schönheit war da in Fülle, alle Majestät, alle Anmut, alle feine Art — es reichte hin, um die Welt in Flammen zu setzen.

der Bartholomäusnacht in den neuerbauten Tuileriensälen.

Katharinas Sohn Heinrich III. und ihre Tochter Margarete gaben das Schauspiel künstlerischer Vollendung im Tanz, namentlich in jener majestätischen *Pavane*, bei der das schwer prächtige, fürwahr pfauenhafte Kostüm recht zur Geltung kommen mochte *). *Danse ou la belle grâce et majesté font une belle représentation — ores, en marchant avec un port et geste grave, ores les coulant seulement, et ores en y faisant de fort beaux et graves et gentils passages **).*

Wie feine Prälaten sich für jede Kunst der Geselligkeit interessierten, waren es vor allem Prälaten, die den Tanz als Kunst theoretisch behandelten, besonders der Domherr Jean Tabourot, der in seinem 1588 erschienenen Werk *Orchésographie* den Tanz philosophisch ernst behandelte und systematisch zu lehren gedachte. Das Manuskript der vorhergehenden ersten theoretisch zusammenfassenden Tanzlehre stammt aus dem Besitz der Margarete von Österreich, Tochter Philipps des Schönen und Statthalterin der Niederlande. Es enthält das Buch der niedrigen oder schleifenden Tänze *(livre des basses danses)* der vornehmen Welt, wobei man sich nicht hüpfend erheben durfte.

Wie bei den gotischen *entremets* erschienen die Tänzer im Saal hoch zu goldenem Wagen. Der Meister des

---

*) *Se pavaner* heißt noch heute pfauenmäßig stolzieren.
**) Ein Tanz, bei dem hohe Grazie und Würde sich trefflich darstellen lassen, jetzt indem man mit majestätischer Miene ernst schreitet, jetzt indem ein Schweben entsteht, jetzt indem anmutreiche und gewichtig höfliche Figuren eingeflochten werden.

ballet comique de la reyne, der stets auf Neues sann, Baltazzarino Beaujoyeux erhob den Anspruch mit seinen mimischen Vorstellungen echt antike Tänze wieder zu erwecken, wie die Pleiade meinte, echt antike Musik zu bringen.

Eng verbunden mit der Wertung des Tanzes als Kunst ist jene der Anstandslehre, die um diese Zeit ihre feierlichsten und genauesten Regeln erhielt, besonders die Form der Begrüßung *accolade*. Verschiedene Anstandsbücher erschienen. Wie sie zu Herzen genommen wurden, lehrt der Anblick von Porträts der Zeit. Es galt, zum Beispiel, für elegant, die Augen etwas zuzukneifen und den Mund zu spitzen wie zum Küssen oder zum Pfeifen, die Hände aufeinanderzustemmen wie um einen Degenknauf und scheinbar nur auf einem Bein festzustehen. Calviac rät: *Ayant fléchi le genou et osté le bonnet de la main droite, ou le tiendra bas en la gauche et la main droite au bas de l'estomac, avec les gans ou autrement, car de tenir le bonnet ou chapeau sous l'aisselle en saluant est chose rustique**).

Pomphafte, gleichsam vergötternde Begrüßung war nicht Schmeichelei, sondern gehörte zum konventionellen Tanzschritt der Gesellschaft, wo immer die Begegnung stattfand**). Die *accolade* oder *salut de rencontre* war

*) Nachdem man das Knie gebeugt hat und die Kappe mit der rechten Hand abgenommen, hält man die Kappe in der Linken und die Rechte hält man mit Handschuhon oder anders in der Höhe des Magens. Den Hut oder die Kappe unter dem Arm zu behalten, indem man grüßt, ist eine ländliche Sache.

**) Die strenge Anstandslehre mündet in die große höfische Zeremonie, deren Riten fortan bis ins kleinste das Leben fürstlicher Personen in Anspruch nahmen. Ihr Dasein wurde zu einer fort-

510

streng nach Rang geordnet. Ist der einem Begegnende höheren Ranges als man selbst, umarmt man ihn unter den Armen, *et autant plus grand il sera (je höher er steht), d'autant plus bas on l'embrassera, jusqu'aux cuisses mêmes. S'il est son pareil ou moindre on l'embrassera d'un bras dessus l'une épaule d'iceluy, et l'autre dessous l'autre aisselle*).*

Über diesen seltsamen Brauch bemerkt Henri Estienne, daß man es früher komisch und unschicklich gefunden habe, sich beim Begegnen Verbeugungen zu machen *approchant de l'adoration,* aber jetzt sei es Mode und ginge *jusqu'à baiser la cuisse et le genou.* Diese Übertriebenheiten und die mit ihnen zusammenhängenden Komplimente waren nicht nur bezeichnend für die Hofgesellschaft, die große Bourgeoisie ahmte sie nach wie die meisten auffallenden Gebräuche, nicht anders verfuhr die hohe Juristerei, das ist die zu vornehmem Ansehen gelangende *noblesse de la robe.*

Ebenso ahmt jedoch die Bürgerschaft alle Kunstliebhabereien nach, sogar kleinere *Bourgeois* wie der Apotheker Nicolas Hamel, sind eifrige Sammler und Schöngeister. Als *défenseurs du trône,* als *grands prévots* und *échevins* treten majestätisch auf die Miron, Seguier, Lemoignon, de Tillet, Pasquier, Molé, Goix,

---

währenden, komplizierten Kulthandlung. Schon ergreift die Öffentlichkeit so sehr von ihnen Besitz, daß jene naiv grausamen Indiskretionen Sitte werden bei fürstlichem Beilager und der Geburt fürstlicher Kinder.

*) Und je höher er steht, um desto tiefer wird man ihn umfassen, gegebenenfalls bis zur Hüfte. Ist er im gleichen Rang oder niedriger stehend, umarmt man ihn so, daß man einen Arm auf seine Schulter legt und den andern unter seinen Arm führt.

Arnauld, Lecoigneux und die Geselligkeit dieser Kreise zierte Paris für den Kenner feiner Daseinsformen, wie jene der Hofgesellschaft.

Schöne Bauten und Anlagen hoben das Bild der Stadt, ihre Blumenliebhaberei war so groß, daß sie jährlich für 150000 Dukaten Blumen brauchte. Bald preist sie Montaigne, von seinen Reisen zurückgekehrt, ähnlich warm wie sie zur Zeit ihrer geistigen Herrschaft im Mittelalter von Gelehrten gepriesen war: *Paris hat mein Herz und es ist mir ergangen, wie es mit ausgezeichneten Dingen geht. Je mehr ich andere schöne Städte sah, desto mehr vermochte und gewann die Schönheit von Paris über meine Liebe. Ich liebe ihr eigen Wesen mehr als wenn sie mich mit fremdem Pomp übersättigte. Ich liebe zärtlich sogar ihre Schönheitsfehler und Warzen. Ich bin Franzose nur dank der Größe dieser Stadt, die groß ist durch ihr Volk, groß durch die Vorzüge ihrer Lage, groß vor allem durch die Mannigfaltigkeit und Bequemlichkeit, der Ruhm Frankreichs und ein Schmuckstück der Welt. Ich fürchte für sie nur sie selbst.*

Originelle Typen wimmelten in der Hauptstadt, so der große Koch, der in italienischer Lehre gestanden, doch seine Meister übertroffen hat. Montaigne machte sich lustig über dessen Wichtigtuerei, obwohl er selbst einen guten Bissen liebte. *Er hielt mir einen Vortrag über die Wichtigkeit des Essens* — erzählt Montaigne, *mit einer Gravität und Magistermiene, als rede er über einen großen Punkt der Theologie. (Il me fait un discours de cette science de gueule avec une gravité et contenance magistrale, comme s'il m'eust parlé de quelque grand point de théologie.)* Der Meisterkoch erklärte

512

die verschiedenen Grade und Schattierungen des Appetits, jenen, den man nüchtern empfindet, jenen, der nach dem zweiten und dritten Gang noch wach ist und welche Möglichkeiten gesetzt sind, ihn zu wecken und reizen, die Lehre von der Sauce im allgemeinen sowie deren einzelne Bestandteile und Einzelwirkung, die Anwendung der Salate, ob warm, ob kalt und wie sie dem Auge angenehm gemacht werden gleich dem Geschmack. Danach ging er auf wichtige Betrachtungen über, was die Ordnung der Speisefolge betrifft. *Et tout cela est enflé de riches et magnifiques paroles et celles mesmes qu'on employe à traiter du gouvernement d'un empire.* (Und das alles mit so hochtönenden Schmuckworten, denselben Wendungen, als handle es sich um die Beherrschung eines Weltreichs.)

Weniger belustigt zeigte sich der Philosoph Bodin über *tant de sauces, de hachis, de pasticeries, de toute sorte de salmigondies, et d'autres diversités de bigarrure* und klagte erbost, daß jedermann zu derartigen feinen *dîners* einlüde. Was immer Moralisten bespötteln und beanstanden mögen, die französische Kochkunst setzt ihre aus gotischer Zeit stammende Tradition fort, Italiens Stilgefühl veredelt sie und ihre Gebilde stimmen in Form, Farbe und Erlesenheit versilbert, vergoldet, figürlich aufgebaut, in Schnörkel ausladend zu den Prunkgeräten feinster Arbeit in Email, Gold und Edelstein. Ihr Wichtigtun überzeugt von ihrer Wichtigkeit, und sie gehört von nun an zu Frankreichs Regierungskünsten, wie Anstandslehre und Tanz. Im Verein mit diesen entthront sie langsam Spaniens schwere Übermacht, die Europa allein zu beherrschen meinte.

Der strenge Kanzler Michel de l'Hôpital, von dessen Catonismus und weißem Bart Brantôme berichtet, suchte dem Luxus der *science de gueule* (Magenweisheit, vom italienischen *gola*, Gefräßigkeit) durch strenge Gesetze zu steuern, die sogar mit Gefängnis und Verbannung bedrohten, doch ohne allen Erfolg. Die großen Pariser Restaurants — unter Karl IX. um 1574 waren es *Le More*, *Sanson*, *Innocent* und *Havart*, deren Besitzer l'Hôpital *ministre de voluptés* nennt — behielten nach wie vor elegante Klientel. Der Connetable de Montmorency und der Marschall St. André wie die Prinzen gaben das Beispiel lukullischer Erfindungsgabe.

Heinrich, Katharinas jüngster Sohn, einer der größten Feinschmecker und der manierierteste Tänzer in Paris, fühlte sich gar nicht wohl, als er, zu Polens König gewählt, dort eintraf. Auf der Rückfahrt von seinem eher lächerlichen Abenteuer in Warschau, lächerlich wegen der gegenseitigen Enttäuschung von Polen und Franzosen, berührte der nunmehr als Heinrich III. König von Frankreich Gewordene Venedig, wurde dort außerordentlich gefeiert und brachte von den Lagunen nach Paris die beste Errungenschaft und die dauernde Gabe seiner Regierung mit — den Gebrauch der Gabel.

Derselbe erscheint wie der Gebrauch des langstieligen statt des kurzstieligen Löffels, den Katharina einführte, höchst wünschenswert wegen der Mode feiner Halskrausen und Spitzenkragen, die der Elegante eigens in Flandern stärken ließ, um den nötigen Grad von Vollkommenheit zu erreichen, und welche beim Essen und Trinken stets in ihrer Reinheit gefährdet waren.

Wohl hatte man als Schutzvorrichtung die um den

514

Hals gebundene Serviette (wegen zunehmenden Umfangs des Tellerkragens sind ihre Enden schwer zu
knüpfen, daher die Redensart: *difficile de joindre les
deux bouts*), allein bei festlicher Tafel ist der Anblick
dadurch eher possierlich, sowie auch das Auf- und Zu-
binden unästhetisch wirkt. Daher der Siegeslauf der
Gabel, deren Verwendung allerdings anfangs auf
Schwierigkeiten stieß und von den Anhängern des
guten Alten verspottet wurde, wie auch von den politischen Feinden des kühnen Neuerers. Es sei gar nicht
der Mühe wert, meinen sie, die Hände vor und nach
Tisch feierlich zu waschen, wenn man verschmäht, die
Finger zum Essen zu brauchen*).
Ebenso wurde das fein plissierte Tischtuch beanstandet
und der Gebrauch, Speisen und Getränk in Schnee
oder Eis zu kühlen**). Die meisten Einführungen Heinrichs, die in der Satire *Isle des Hermaphrodites* wütenden
Angriff erlitten, erweisen sich heute berechtigt wie die
Gabel. Der Satiriker wendete sich gegen das Verlassen althergebrachter Sitte, wie Spatzen angereiht
auf einer Bank Platz zu nehmen und für die Vornehmsten in steifer Würde auf Hochsitzen zu thronen. Heinrich brachte sogenannte *chaises volantes* und *pliants*

---

*) *Il y avait aussi quelque plats de salade, elles étaient dans de
grands plats esmaillez qui estaient tous faits par petites niches, ils
la prenaient avec des fourchettes, car il est deffendu dans ce pays-
la de toucher la viande avec les mains, quelque difficile à prendre
qu'elle soit.* (Arthur Thomas Pierre d'Endry, Isle des Hermaphrodites.)
**) *On apporte de la neige et de la glace dans des assiettes. Le
Hermaphrodite prenait tantôt de l'une, tantôt de l'autre pour mettre
dans son vin.* (Isle des Hermaphr.)

in Mode, leichte zusammenklappbare Stühle, die man hin- und herschieben und tragen konnte, um dadurch zwanglose, plaudernde Gruppen zu erzielen.

Jedoch die Luft war so schwül an diesem Hof, daß die harmlosesten Neuerungen giftige Kritik fanden. Allerdings gab es bei Heinrich auch manche Geschmacklosigkeit, Ahnung des tragischen Endes scheint die leichtsinnigsten der Valois mitten in ihren schönsten Festen verfolgt zu haben, und manche Ausgelassenheit, die Moralisten der Zeit streng aufgriffen, manche Schellen und Klappern der Narretei dienten vielleicht dazu, die Bangigkeit zu betäuben. Wenn er mystisch überspannte Stimmungen hatte, umgab sich Heinrich III. mit Schädeln, trug Totenköpfe als Schmuck und eine modische Bonbonnière in Form eines Schädelchens.

Die Valois starben meist jung und tragisch, bei einigen riet man auf Gift. Franz I. hatte 3 Söhne, Franz den Dauphin, eine Hamleterscheinung, stets in schwarz gekleidet, und melancholisch an dem bunten, lustigen Hof. Er trank nur Wasser und starb nach Genuß eines Glases Wasser. Der zweite Sohn war Heinrich II., Gemahl der Katharina von Medici und Liebhaber Dianas, der dritte Ludwig von Orleans, der in eines Pestkranken Bett geraten, den Tod fand. Heinrich II. endet würdig seiner romantischen Träume. Bei der Doppelhochzeit seiner Tochter Elisabeth (mit Philipp II. von Spanien) und seiner Schwester Margarete gab es großartige Turniere. Der König brach alle Lanzen und voll Feuer des Erfolgs drang er am dritten Abend des Spiels in den Grafen Montgomery, mit ihm noch einen Gang zu tun. Der Graf, heimlich Calvinist — er kämpfte später unter Coligny — schlug ab, gab jedoch schließlich dem Drängen nach und verwundete den König zu Tod, worauf er floh. Katharina aber reckte sich neben dem Sterbebett und verbot dem so lange märchenhaft glücklichen Liebespaar den letzten Abschied. Ihre Astrologen triumphierten, denn sie hatten, Nostradamus an der Spitze, den Tod des Königs im Turnier geweissagt. Nach diesem tragischen Hochzeitsfest kamen die scharfen Turniere außer Gebrauch nach jahrhundertelanger Übung, man kämpfte von da ab nur mehr zu Schein und Scherz.

Auch Heinrich II. hatte 3 Söhne. Der Älteste, Franz II., war mit 16 Jahren Gemahl der noch jüngeren Maria Stuart. Er starb nach kurzer Scheinregierung und minderjährig wurde der zweite, Karl IX., unter Katharinas Vormundschaft König. Geheimnisvoll starb Karl, man sagt an Gift oder an Grauen über die verübten Bluttaten, mit 24 Jahren und sein Bruder, Heinrich III., der kurze Zeit in Polen ungern die Krone getragen, kehrte eilig heim. Der Dolch eines Dominikaners machte diesem letzten Herrscher des Hauses Valois ein Ende.

Heinrich IV. wird Herr von Paris und Frankreich. Der erste Bourbon, denn seine Mutter, Jeanne d'Albret, war mit Antoine de Bourbon, dem Haupt der jüngeren Linie, vermählt. Sie hatte als Lieblingsnichte Franz I. diese Liebesheirat eigensinnig durchgesetzt und war ihrem Ländchen Navarra, wie Margarete, segensreich Königin gewesen. So glücklich fiel die Ehe aus, daß Jeanne ihren Sohn Heinrich heroisch singend zur Welt gebracht haben soll, und heroisch humorvoll wurde der Prinz, der bestimmt war, Frankreich aus grausamen Wirren zu retten.

Heinrich IV. brachte neues Blut, neue Zeit. Die Philosophie des gesunden Menschenverstandes und Humors, die Rabelais und Montaigne gepredigt, die Erasmus den Geschmacklosigkeiten des Fanatismus gegenüber vertreten hatte, führte Heinrich IV. in das praktische Leben der Politik ein. Seine Glaubensgenossen sind alle, die zu den tüchtigen Leuten gehören, zum *peuple des braves gens*. Es dünkt ihm wichtiger, sich um das Huhn im Topf seiner Untertanen zu kümmern, als um ihre Fasson, selig zu werden. In denkwürdigem Gespräch mit Sully vertrat er das freudige Recht eines gesunden Luxus und setzte die Einführung der Seidenzucht durch. Allein unnötigen Hofschranzen, die nur Intriguen veranstalten, rät er gesundes Landleben und schickt sie auf ihre Güter. Er verschmäht im Sinne Montaignes gewisse Eitelkeiten und Pedanterien, ist kein Spaßverderber und läßt seine Freundin Gabrielle d'Estrées schöne Künste und Gewerbe beschützen, doch, was er für seine Person an Geselligkeit liebt und treibt, hat den kräftigen Beigeschmack des Soldatischen oder Ländlichen. Mancher Schönen sagt er Ronsards feurige Worte ins Ohr.

Andere Moralisten, ein Bodin in seiner *République*, ein de Thou, ein Thavannes, ein Michel de l'Hôpital schalten polternd ihre Zeitgenossen und wollten sie nach Calvins Art kleinlich disziplinieren. Montaigne verwarf solche Engherzigkeit, sein gelassenes Lächeln ergänzt Rabelais' tolerantes Lachen und strahlt über die Gefilde, die dank der Einsicht des neuen Monarchen bald üppig und heiter blühten. Er verteidigt *honnêtes passetemps et comédies*, denn *la société est l'amitié*

518

s'en augmentent, Freundschaft und Geselligkeit gewinnen dabei. Er kritisiert l'Hôpital, daß derselbe *ich weiß nicht, welche kleinliche Maßnahmen der Reform mit Chikanen gegenüber dem Anzug, der Küche und dergleichen aushecke. Das sind nur Possen, mit denen man unzufriedenes Volk kirrt, daß es meine, seine Angelegenheiten seien nicht vergessen.*

Ebenso abgeschmackt ist, sich lang damit aufzuhalten, was gespielt, geplaudert und getanzt werden mag. Nur mit dem verrückten Modenwechsel bei seinen Landsleuten war Montaigne durchaus nicht einverstanden und hielt ihnen vor: *Keiner unter uns, der sich schlau dünkt, ist vor der ansteckenden Afferei bewahrt, als wäre sein inneres Schauen wie das äußere vor Blendung toll. Die Monarchen sollen nicht schlechtes Beispiel geben, indem sie sich einbilden, es gehöre zu ihrem Staat und Ansehen, ungeheuerlichen Aufwand zu treiben, sondern sich stolz genug fühlen, derlei zu entbehren.*

Solchem Irrtum verfiel Heinrich IV. nicht. Er war der Meinung des Philosophen und liebte zwanglose Unterhaltung, am liebsten warf er die eigene Jagdbeute auf den Tisch oder brachte sie in die Küche zum Braten und bestellte sich sein Lieblingsgericht vorher, Salat aus Melonen.

Der Puder von den Lieblingen Heinrichs des Dritten und ihre süßlichen Gewohnheiten verfliegen, Margaretens Enkel will Frankreich beherrschen, wie jene Fürstin in Navarra zu herrschen verstand, einfach, volkstümlich, liebreich, vernünftig, und blieb sein Leben lang dem Vorsatz treu.

DREIUNDZWANZIGSTER ABSCHNITT

Im ernsten Rom — Verjagte Götter — Herbstabend in San Sil-
vestro — Isabellas Frühstück — Bolognas politische Salons —
Paduas Buchläden — Das glänzende Mailand — Humanismus im
Kriegszelt — Die Reisen des spanischen Königs — Leere Blätter
im Buch der Geschichte — Die Villa — Zarte Resignation —
Arkadien — Ein Patriarch — Architektonische Gärten — Moos
aus Wachs — Die Novelle als Gesellschaftsspiel — Am Gardasee
— Venedigs Lachen — Der Spiegel — Himmelsgabe, die Schönheit
der Frauen — Vom Rat der Zehn — Aus Aretinos Briefen —
Kunstbörse — Kinderfeste — Triumph des Lebens.

Stiller und ernster ist Rom geworden, das Rom der
geschändeten Kirchen und Bibliotheken. Von seiner
Reise erzählt Joachim du Bellay:

La paix et le bon temps ne règnent plus ici,

La musique et le bal sont contraints de s'y taire*).

Rom hat seine fröhliche Weltlichkeit abgestreift, seine
Narren sind zerstoben, die großen Curtisanen geflohen,
seine lustigen Künstler haben ihm den Rücken gekehrt
nach der Verwüstung des Sacco.

Sie befinden sich sehr wohl in Venedig, Sansovino
und Sebastiano del Piombo mögen nicht zurückkehren,
Titian läßt sich nicht nach Rom locken, obwohl ihm
die einträgliche Stelle des *Piombatore* angeboten wird,
der die Siegel auf die päpstlichen Schriftstücke drückt,
Aretino dreht der ewigen Stadt frech eine Nase, Bembo
denkt ihrer wehklagend, bleibt aber lieber im Venezianischen in seiner reizenden Villegiatur, in Padua,
dem Gelehrtenwinkel oder in Venedig selbst.

Einsam ragend bleibt Michelangelo allein Rom, den

---

*)   Frieden und gute Zeit herrschen hier nicht mehr,
    Musik und Tanz sind zum Schweigen verurteilt.

Päpsten und seinem römischen Wirken treu. Er hat die merkwürdigsten Päpste überlebt und ihnen allen irgend gedient, im Herzen den schmerzlichen Widerstreit zwischen der Überzeugung des gläubigen Katholiken und der Trauer um die Mißstände, die schon Savonarola gezüchtigt hatte und die nunmehr die Kirche furchtbar erschütterten.

Ihm war nicht vergönnt, früh zu sterben, wie dem Götterliebling Rafael. Seiner Titanenkraft mutet das Schicksal zu, die Last des ganzen Jahrhunderts zu tragen, das Cinquecento zu leben und zu überleben. Er überlebt die große Zeit von Florenz und die große Zeit von Rom, er überlebt die Einheit der Kirche und die schönen Heidengötter. Für die Jünger heiterer Mythologie, die außerhalb der Kapelle bauten und malten, war er zu Beginn seines Werkes zu christlich fromm. Als er, halb geblendet von dem ewigen Blick nach oben, endlich heraustrat, war er für die veränderte Zeitströmung zu heidnisch geworden. Er mußte sich gefallen lassen, daß ihn ein Aretin nicht fromm genug fand — so merkwürdigen Umschwung haben die Ansichten über Frömmigkeit erlitten.

Nicht ohne Groll diente Buonarotti einst einem Julius, einem Leo, wie mußte er sich zurücksehnen, als ihm ein neuer Papst die Zumutung stellte, seine beredten Nacktheiten in anständigem Schweigen zu verhüllen. Die rechte Antwort gelang ihm, *es sei zu klein, ein Gemälde verbessern zu wollen, der Papst möge doch lieber die Welt verbessern.*

Doch jedesmal, wenn die Welt ernstlicher Besserung bedarf, sind die berufenen Verbesserer zunächst darauf erpicht, sich lächerlich zu machen, indem sie einen Hosenmaler ernennen, um die Nacktheiten eines Michelangelo zu bekleiden. Auch scheint ihnen das wichtigste, Nymphen und Amoretten zu verjagen. Eiligst ergreifen die Olympier die Flucht, indes ein Loyola bald den Fuß nach Rom setzt. Die neubeseelten Götter gingen der zarten Seele verlustig. Entzaubert waren sie nichts als Stein und Bronze, nichts als Museumsstücke und die Juno Ludovisi mußte auf Goethe warten, um wieder einen im Sinn der Renaissance Andächtigen zu haben. Die von Mythologie und Verliebtheit vollen Dichtungen werden fromm purgiert und gedeutet, selbst Petrarca entgeht solchem Schicksal nicht.

Mit frommen Grüßen statt mit *valete* werden die Briefe gezeichnet, Dichtungen travestiert oder mit der Entschuldigung versehen, wenn aus alter Gewohnheit etwas Mythologisches unterschlüpft, es sei nicht bös gemeint, nur eine *poetische Lizenz*. Niemand versteht mehr Dante, und Michelangelo muß sich ereifern im Kreis seiner jungen Freunde, die ihn liebreich aber doch etwas mitleidig ein altes Väterchen nennen.

Vittoria Colonna ist nicht mehr die schöne Marchesa, deren Preis in Neapel die Verehrer besangen, streng und strenger kleidet sie ihre Witwenhaube, ihre Geselligkeit wird ausschließlich geistigen Betrachtungen gewidmet. Dennoch ist in ihrem Herzen wie in jenem ihres großen Freundes jugendliches Feuer nicht erloschen, ihre Liebe, die Liebe zur Schönheit ist, kann nicht altern noch welken. Je weiter sie fürbaß schreiten in den Abend des Lebens hinein, desto milder sind sie umleuchtet und Michelangelos Herbigkeit wird mystisch versüßt.

Wenn die Freundin in Rom weilt, tritt er aus seiner Einsamkeit und nimmt teil an den Zusammenkünften, zu denen sie sich sonntäglich begibt in den Garten des Klosters San Silvestro in Capite — Zusammenkünfte, ähnlich himmlischen Fragen gewidmet wie jene der vornehmen Damen auf dem Aventin aus erster Christenzeit. Zuweilen sind Betrachtungen über die Kunst eingeflochten und es ist einem jüngeren portugiesischen Künstler, Franzisco de Hollanda, vergönnt, daran teilzunehmen. Er zeichnet (im Jahre 1538) seine Erinnerungen auf.

Es ist Herbst, es ist Abend, aber ein Herbst und ein Abend in Rom, noch schwül von kaum vergangener Sonnenglut, so daß man dankbar ist für den kühl hauchenden Klosterhof von San Silvestro, für die Kühle der Efeumauer hinter der Steinbank. Man blickt über Ruinen, aber es sind schöne Ruinen, die Ruinen Roms. In den Herzen der gelassen Sprechenden, wenn man so recht Einblick hätte, welche Ruinenwelt! Allein, es sind schöne Ruinen, denn Vittoria und Michelangelo waren immer bestrebt, Schönes im Herzen zu errichten.

Darum können sie so gelassen sein an ihrem Feierabend und sogar heiter einander das Wort geben mit der Anmut der Zeit, die entschwand. Trotz der Frömmigkeit, in die sie versinkt, bleibt in Vittorias Wesen die Tradition der großen Dame lebendig, sie weiß mit leiser Schelmerei zu scherzen, wie man in Urbino getan, und das Gespräch nach Wunsch zu lenken. Sie hat dem Portugiesen versprochen, da er so aufmerksam theologischen Erörterungen gelauscht, ihn zum Lohn ein Gespräch des größten Meisters über Malerei vernehmen zu lassen und versteht Michelangelo unmerklich in solches Gespräch zu führen.

Die zarte Seligkeit des Zusammenseins mit verstehenden Seelen hat endlich am späten Abend des Lebens den so lang Einsamen und Ungeselligen gewonnen und endlich genießt er, sich in kleinem Kreis von dankbar Zuhörenden mitzuteilen. Vittoria gibt das Beispiel sinnigen Heiterseins und Hollanda berichtet nicht ohne Ergriffenheit, daß auch der gewaltige Meister leise lachte — in San Silvestros Klostergarten. Ein fernes Echo des Lachens, das in Urbino getönt. —

Elisabetta von Urbino ist tot, ihre Schwägerin, die verwitwete Isabella d'Este, versammelt noch um die Mitte des 16. Jahrhunderts Schöngeister um sich und gibt Beispiel genußreicher Villeggiatura in Diporto und La Cavriana, ihren entzückenden Lustsitzen. Diporto heißt etwa Monplaisir, denn man hat das Wort *diportarsi* erfunden für den Inbegriff frohen Zusammenseins auf dem Lande, dem nunmehr die Spätrenaissance zustrebt. Bandello bedient sich des Wortes oft, wenn er die *amenissimi giardini* beschreibt, wo geplaudert und fabuliert wird.

Nach einem Frühstück bei Isabella erzählt Bandello die rührende Geschichte der Pia di Tolomei und entlockt ihr und ihren *damigelle* Tränen. Die Fräulein sind aber nicht nur empfindsam, sie sind gefährlich kokett, denn als sich Isabella mit ihnen nach Bologna begab, bei Gelegenheit der Versöhnung zwischen Papst und Kaiser [der ihren Sohn Federigo zum Herzog ernannte und ihm das Marquisat Montferat verlieh für

524

seine Parteinahme im Streit] — mußte Isabella bald aufbrechen, weil die schönen Damen ihres Gefolges zu große Eroberungen machten. Ihretwegen entstand unter den Cavalieren eine Art Duellepidemie und die Verhandlungen traten in den Hintergrund.

Ein ernster politischer Salon hatte sich in Bologna gebildet unter Herrschaft der Dichterin Veronica Gambara, Gräfin von Correggio. Einer ihrer Brüder war in kaiserlichen und einer in französischen Diensten, sie war also wohl geeignet und wünschte vermittelnd einzutreten. *A Bologna la casa di Veronica Gambara era un Academia ove ogni giorni si riducevano a discorre di nuove questioni con lei il Bembo, il Capello, il Molza, il Mauro e quanto più famosi di tutta l'Europa seguivano quelle corte.* In Bologna war das Haus der Veronica Gambara ein Sammelpunkt, wo sich täglich, um die neuesten Fragen mit ihr zu besprechen Bembo, Capello, Molza, Mauro und viele Berühmtheiten von ganz Europa trafen, die den Hof begleiteten.

Unter anderen Fragen, die bei der schöngeistigen Dame besprochen wurden, trat Romolo Aurasco hervor mit der Idee, lateinisch als Weltsprache für das soeben erbaute Weltreich anzuempfehlen, andererseits trat Bembo ein zugunsten eines Konzils, das die Gesetze der *lingua toscana* bestimmen sollte. Von politischen Fragen zog er sich als Literaturpapst gern zurück und pflegte am liebsten seinen gewählten Humanismus in seiner Villa oder in Padua, wo sein *studio* mit mancher aus Rom geretteter Antike geschmückt, einen Wallfahrtsort für Gebildete aller Nationen bot*).

*) *Era la casa del Bembo come un pubblicho e mondissimo tempio,*

Unter dem Schutz San Marcos, der sich von Sankt Peter gar nichts sagen ließ, entfaltete sich in Padua reichstes und freiestes geistiges Leben, Labung für alle geistig Durstenden Europas und eine originelle Gelehrtengeselligkeit. Sie spielte in den Buchläden, ähnlich wie in Venedig bei Aldus, später bei Paul Manutius, oder im Freien auf breiten Bänken vor der *Farmacia San Angelo* oder anderen Apotheken — die Apotheker waren auch Zuckerbäcker —, wo Professoren und Studenten zwanglos Unterhaltung zusammenpflegten. *(Fuori delle farmacie stavano delle panche su cui sedevano i gravi professori e si trattenevano con dotte e piacevole conversazioni).*

Auf diesen Bänken nahm der junge Tasso Platz als Student und der junge Galileo, der hübsch zur Laute zu singen verstand. Auch öffneten sich den Studenten die *studii*, Museen und Bibliotheken gastfreier Gelehrter und Amateurs, zuerst jenes Bembos, später das Haus des großen Plauderkünstlers und Liebhabers der Wissenschaften Pinelli, zu dessen Gästen Giusto Lipsio zählte, Tommaso Seggati, Fra Paolo Sarpi, Perrot, den man *un angelo nei costumi, un demonio nelle mathematiche* nennt und es werden ausgesucht feine Symposien gefeiert.

Perrot verfaßte einen kühn satirischen Katechismus gegen die spanische Übermacht. Dies alles erlaubte die Schutzherrschaft Venedigs. Kecke Kontroversen und

---

consecrato a Minerva. (Varchi.) Und ein anderer Pilger dieses Tempels, Amomo, berichtet: *tutti i segnalati gentiluomini andavano per visitarlo, e per corre il frutto delle parole, che della sua saggia bocca quasi verle cadevanco.*

Satiren wurden gepflegt in den Akademien, die einander an Geist und Witz zu überbieten trachteten, etwa die *academia degli Infiammati, degli Eterei, dei Rinascenti, degli Stabili, dei Ricoverati.* Nachbarlich gesellige Beziehungen bestanden zwischen der vornehmen Gesellschaft Paduas und Veronas, Vicenzas und Mailands, spielten auch nach Genua hinüber, klangen aus in Lautenspiel am Gardasee und Comersee, wo Paolo Giovio eine märchenhafte Villa besaß.

Wie Prinzessinnen als Bräute zu jener Zeit öfters ziemlich gleichgültig harrten, welchem ihrer Freier das Waffenglück ihre Hand erteilte und nur von Fest zu Fest lebten, so scheint das vielumstrittene Mailand seinem Schicksal gegenüber recht gleichgültig. Es galt für die reichste Stadt Italiens und hatte von seinen großartigen Herzogen her üppige Lebensgewohnheiten beibehalten. *Milano è oggidi la più opulente e abbondante città d'Italia e quella ove più s'attarda che la tavola sia grassa è ben fornita.* (Mailand ist heute die reichste und üppigste Stadt Italiens und jene, wo man sich am ernstesten bemüht, daß der Tisch alle denkbare Fülle aufweise). *Die Stadt beherbergt eine große Zahl äußerst reicher Edelleute, die sich, wenn sie im Reich Neapel lebten, hoher Titel rühmen würden, allein die Mailänder halten mehr auf Sein als auf Schein.*

Glänzend ist der Reit- und Fahrsport ausgebildet und dient zum eleganten Liebesspiel. Man sieht den ganzen Tag die jungen Edelleute paradieren auf herrlich gezäumten Maultieren oder auf kostbaren türkischen und arabischen Pferden, bald auf feurigem, bald auf mildem zierlichem Roß, schmuckvoll angetan und *gleich Bienen die*

527

Blumen umschwärmend. Blumen sind die geschmückten Damen, die langsam in vergoldeten Wagen fahren *vierspännig und so zur Schau gerichtet, als gälte es kaiserlichem Triumph.*

Es gibt schöngeistige Salons in Mailand und zwar wetteifern an eleganter Geselligkeit bürgerliche Kreise mit bekannten adeligen Familien, zum Beispiel, der Advokat Benedetto Tonso und ein Signor Attellani, dessen Gastfreundschaft Bandello rühmt.

Attellani lädt zu einer *cena luculliana* mit Liebhabervorstellung, die Prinzessin Bianca d'Este und Signora Camilla Scarampa, die der Dichter als neue Sappho preist, gehören zu seinen Gästen.

Sich schöngeistig zu unterhalten ist so sehr Herzensbedürfnis und Mode in Bandellos großem Kreis, daß Herrn und Damen stets dazu bereit sind in eleganten Bädern wie in ihrem zur Geselligkeit feingestimmten Palazzo, ja selbst im Zelt, in Kriegszeit findet der reiselustige Prälat die gewohnten geistreich pointierten Gespräche, zierlich aufgetragenes Mahl und Vortrag von Versen.

Zusammen mit Bernardo Tasso genießt er solche Gastlichkeit bei Claudio Rangone *(col mangiare mischiando soavi e dolci ragionamenti)* und ebenso in der Nähe von Vicenza bei Rinuccio Farnese. Dort *aß man zu Abend so schön angerichtet und mit so gewählten Speisen, als befände man sich nicht bei einer Armee im Felde. Nach Tisch griff Farnese zu Petrarcas göttlichen Reimen.* Es entspinnt sich ein entsprechendes Plaudern und man erhebt sich hoch über die Rauheit des Kriegslebens.

528

So nahmen sich die Italiener vor, wie immer die Würfel im politischen Spiel fallen mochten, mit ihrer feinen und mächtigen Geistigkeit dem Gegner überlegen zu bleiben.

Nach 56 Kriegsjahren zwischen Spanien und Frankreich entschied sich das Schicksal des allzuschönen Kampfpreises Italien. Umsonst stritt Paul IV. Caraffa, der letzte kriegerisch tätige Papst. Dem allgemeinen Gravitieren zum Absolutismus folgend, verlangte das Konzil von Trient, indes bei einigen Kardinälen harmlos getanzt wurde, auch für den heiligen Stuhl den Absolutismus. Im kirchlichen Sinn drang manche dahinzielende Forderung durch, im alten weltlichen Sinn ging die Herrschaft verloren, obwohl Paul das Feldgeschrei Julius II. *fuori i barbari!* als letzter Patriot ertönen ließ und sich mit letzter Kraft gegen Spaniens Übermacht sträubte. Er unterlag. Nach dem Frieden von Cambrai (1559) empfingen die Lombardei, Neapel, Sizilien und Sardinien spanische Vizekönige. Die Medici befestigten ihre Herrschaft in Florenz und begannen ein patriarchalisch barockes Regiment, das eine freundliche Nachblüte in Kunst und Wissenschaft klug beschirmte.

Befangen von angenehmer Zerstreuung kränkte man sich in Mailand nicht übermäßig als der langjährige Freier um Mailands Schönheit, der Franzose sich zurückziehen mußte und Spanien in Philipps finsterer Person triumphierte. Neugierig empfing man den neuen Weltmonarchen auf seiner Antrittsreise, und er hatte sogar anfangs einen gewissen Erfolg.

Pathos und Komik eines so heterogenen Weltreichs — Philipp mußte sich gegen seine eigene Natur bemühen, dem Geschmack in der Geselligkeit der verschiedensten Völker gerecht zu werden. In Mailand bemüßigt er sich zu tanzen und zu reiten — die graziöse spanische *fantasia* — in Deutschland und den Niederlanden mitzutrinken, was ihm, dem Nüchternen so unendlich zuwidergeht, daß er von da ab für Deutsche und Niederländer Widerwillen hegt. In England muß er nicht nur manch biderbe Gepflogenheit mitmachen, er muß sich von der nicht mehr jungen, unschönen Königin Maria lieben lassen, die leidenschaftlich für ihn entbrannt, ihm zu Gefallen die blutige Maria wird —.

Inzwischen weiß man in Italien klug dem Taumel der im Namen der Religion verübten Greuel zu entgehen, die Inquisition bleibt unbeliebt und ergattert nur einige, allerdings berühmte Opfer, wie einen Giordano Bruno, einen Tomaso Campanella. Florenz hatte mit Savonarola seine leidenschaftlich mystische Zeit überwunden und, lange im Grund gelegen, gingen wertvolle Körner aus seiner Frührenaissance auf. Eine Geselligkeit von feinem Reiz entstand, vorzüglich in musikalischen Salons, zart wurde den Damen gehuldigt, Montaigne wunderte sich, daß bei Tafel die Großherzogin den Vorrang hatte.

Staunend betrachtete er die soziale Harmonie, die Italiens Spätrenaissance als schöner Trost gegönnt war für seine politische Ohnmacht.

Nicht mehr tönte das wüste Kampfgeschrei des *popolo minuto* gegen den *popolo grasso*, allgemeiner Wohlstand herrschte in weiser Abstufung, von einem Stand zum anderen Wohlwollen und Höflichkeit. Dem tanzenden Volk sind die Gärten Boboli und die Säle des

Palazzo Pitti geöffnet, die *nobili* mischen sich zwanglos in die Lustbarkeit.

Ebenso in den eleganten Bädern, wo ländliche Bevölkerung und vornehme Badegäste einander die Tänze absehen und die beste Tänzerin zierlichen Preis erhält. Bildung ist selbst der Frau aus dem Volk nicht unvertraut, eine Bäuerin aus Lucca wird als *improvisatrice* gefeiert und kommt bei festlichem Mahl neben den Philosophen Montaigne zu sitzen.

Allen Ernstes hat sich die italienische Welt, von ihren Dichtern im Reigenschritt geführt, nach Arkadien begeben. Spätere Historiker waren damit unzufrieden. Wie Hegel behauptete, daß Zeiten des Glücks *leere Blätter* der Geschichte seien, wurden sie nur gefesselt von den Blättern des Weltbuchs, die von kriegerischem Ruhm berichten, und übersahen, daß sie auf Kosten des kleinen Mannes ihre roten Majuskeln schrieben. Als leere Blätter galten die Seiten der italienischen Geschichte, sobald Kriegslärm auf den Fluren verstummte und es ließ den Historiker gleichgültig, daß gerade, als Italien kein politisches Übergewicht mehr beanspruchen durfte, unter politisch ungünstigen und äußerlich wenig schmeichelhaften Verhältnissen ein Glück im Winkel blühte, das einzigartig genannt werden kann, denn es entstand aus einer nie dagewesenen Harmonie zwischen Vornehm und Gering.

Man ist zusammen vergnügt, obwohl anmutig Distanz gewahrt wird. Die Kriegerkaste büßt an Wichtigkeit ein. Wenn sich die jungen Edelleute nicht damit begnügen, Sportzielen zuzustreben, wie etwa in Florenz, wo das Volk eifrig für die bei ihm besonders beliebten

Familien auf Wettrennen und ähnlichem Partei nimmt, sind sie darauf angewiesen, fremden Kriegsdienst zu suchen. Zu diesem Zweck entwindet sich Graf Collaltino von Treviso den Armen seiner Schäferin *Anasilla* — Gaspara Stampa — trotz der reizenden Sonette, die ihn fesseln möchten, und pflegt Kriegsspiel unter Heinrich III. von Frankreich. Die meisten großen Herrn suchen und finden jedoch Befriedigung in vornehmem Dilettantismus, ein Marc Antonio Barbaro wird Schüler Alessandro Vittorias und schmückt, teilweise mit eigener Hand, die majestätische Villa in Maser, die Palladio baut und Veronese mit Fresken ziert.

Dankbare Ehrfurcht ist nötig den unschätzbaren Gaben gegenüber, mit denen die italienische Renaissance verschwenderisch Europa beglückt hat, wiewohl sich nicht leugnen läßt, daß der politische Sturz nicht nur von außen kam und manche Verfallserscheinung zu beobachten ist. Im Cinquecento war Italien den übrigen Ländern unendlich überlegen, es strotzte, es barst von Genie, Talent, glänzender Begabung jeder Art. Eine gewisse Überhebung begleitete diese Vollreife. Und wie zu ironischer Strafe für den Überschwang nationalen Selbstgefühls wird es Italiens Verhängnis, auf allen Gebieten sich selbst zu parodieren.

Hinter dem großen Künstler, den Lionardo einst so wundervoll *nipote di dio* genannt, steht sein Affe, der behende Virtuose. Schon ist er bereit, Michelangelos Titanenringen in Akrobatenkunststücke zu verkehren, und Raffaels stille Andacht in süßlich widerliche Ekstase. Hinter dem genialen Staatsmann lauert der kleinlich gemeine Ränkeschmied, dem edlen Humanisten, dem majestätischen Priester des Schönen, sieht grinsend der feile Literat über die Schulter. Soeben hat Vasari die Gotik als überladen und unaufrichtig im Material gegeißelt, die Ruhe und Harmonie der Form, die Gerechtigkeit dem Materiale gegenüber gerühmt, die Italiens Renaissancebauten, auf die Antike gestützt, offenbaren, und schon schleicht sich neue Überladung ein, schlimmer als jene des gotischen Verfalls; alles Material ist durcheinandergejagt, ein Verschröpfen, Verzopfen, Verschnörkeln bringt gequälte Unruhe. Hinter dem religiösen Reformator steht der geistige Abenteuerer, der mit allem Spott treibt oder alles ausnützt zu seinem Vorteil.

Statt vollendeter *cortegiani* bevölkern laut manch erhobener Klage Intriganten niedriger Art die fürstlichen Höfe. Der edle platonische Liebhaber, den die Dame zu Taten des Geistes oder Schwertes angefeuert, verkehrt sich langsam in die parodistische Figur des *Cicisbeo*, eines Nichtstuers, zwischen Hausfreund, Lakai und Narren gelegen. Seine Narretei wird so anerkannt, daß ihn Verliebtheit offiziell entschuldigt, er könne keine Briefe schreiben oder Geschäfte erledigen. Lächerlich lispelnd erträgt er die Launen der launischen Modedame.

Also traurig scheint sich alles Köstliche zu verwandeln, und italienische wie fremde Schriftsteller sehen nur Niedergang. Trotz mancher Verkehrtheit und Abgeschmacktheit spendete aber Italien in der Zeit, die seiner klassischen Blüte folgte, noch unendlich Wertvolles. Eine überraschende Lösung sozialer Fragen,

533

Schmelz eines Schäferglücks, das seine Bevölkerung in vollen Zügen genoß, und dem es jene anmutige Bildung verdankt, die bis zur Gegenwart einfache Italiener auszeichnet, zeitigte die Spätrenaissance in fühlbarem Gegensatz zu einstigen verbissenen Kämpfen von Stadt zu Stadt, von Straße zu Straße, von Kastell zu Kastell.

Statt drohender Festen erheben sich überall Villen, heiter und gastlich, die *villa suburbana* — der Landsitz vor der Stadt, dessen Garten der vornehme Besitzer demjenigen gerne öffnet, der die Wonne des Spazierenfahrens, Gehens und Spazierenstehens genießen mag — die ersten öffentlichen Anlagen — und die Villa auf dem Lande, das Villenreich, ähnlich dem Klosterreich des Mittelalters mit einer ihm ergebenen Bevölkerung von Bauern und Handwerkern bis zum Künstler hinauf, zur Einheit und Einigkeit erzogen durch den väterlich waltenden Besitzer.

Ein Beispiel gastlicher *Villa suburbana* gab Papst Julius III. mit seiner *villa di Papa Giulio* vor der Porta del Popolo in Rom, deren Reste noch bestehen. Erhalten ist die Hausordnung dieses Gartens, in launischem Latein den Besuchern ein gesittet dankbares Benehmen anempfehlend mit dem Rat am Ende, nach genossenem Spaziergang in der nächsten Kirche für das Gedeihen des schönen Gartens zu beten sowie für den Besitzer, der ihn zur Freude unbekannter wie bekannter Freunde öffnet und seiner Pflege bedacht ist.

Michelangelo, der sich in seiner Jugend um Festungswerke bemühte, hat als Greis Zeichnungen für die friedliche Gastlichkeit dieser Villa geliefert.

Vor ihrem endgültigen Versinken schenkt also die großmütige Renaissance noch ein Kostbares und Einzigartiges an Lebenskunst. Sie schafft, der Antike und namentlich dem Plinius nachempfunden, die italienische Villa, den mächtig stilvollen Lustsitz des vornehmen Mannes mit dem Begriff des *villeggiare* als Quintessenz erlesener Geselligkeit.

Der italienischen Renaissancevilla verglichen, ist, was die Neuzeit Villa zu nennen sich gewöhnt hat, zum Häusergesindel gehörig, ein unmotiviertes Bauwerk unmotivierter Menschen, eine laute Impertinenz der Natur gegenüber. Eine solche Villa kann, wie Ruskin sagt, durch ihre Gemeinheit eine Dynastie von edlen Bergen stürzen. Die majestätisch herrschende Villa der Renaissance krönt, erhöht und adelt die Landschaft, spielt mit den Motiven der Natur ein erhaben prometheisches Spiel.

Im Augenblick, da Italien, von Fremdherrschaft überrannt, manch nationalen Traum zurückstellen mußte, besiegte dank der Kunst noch einmal der Geist den Stoff und trotz allem schuf sich Heimliebe eine schöne Heimat.

Mit schlauem Bedacht schafft sie eine Reihe kleiner Paradiese, denen jene Fremden nicht viel anhaben können, ja deren Überlegenheit an Geschmack und Glück sie staunend angaffen und nachzumachen suchen. Noch immer kräuselt der vornehme Italiener ein wenig verächtlich mit *sprezzatura*, unnachahmlich eleganter Überlegenheit die Lippen. Er hat entdeckt, daß Heimfähigkeit zu wahrer Adelsfähigkeit gehört, daß ein finster derbes Hausen oder leichtsinniges Hinundherziehen sich mit wahrem Adel nimmermehr verträgt;

ein Besitz, der weithin durch seine Schönheit und seinen Reichtum beglückend strahlt, wirkt veredelnd, drückt dem Adel Vollendung auf und sollte dessen eigentliche Berechtigung und Notwendigkeit darstellen. Denn nur der Vornehme kann die Vornehmheit der Villa erschaffen und erhalten.

Ein *villeggiare*, ein festlich frohes Dasein in ihrer Herrlichkeit wäre nicht denkbar, wenn rundumher Unzufriedenheit oder Elend herrschte. Die Villa gebietet einem frohfleißigen Völkchen in weitestem Umkreis, mählich geht der Gartenbau in Landbau über, den arkadische Zufriedenheit erfüllt, der Hirtenstab ist mit Bändern des Frohsinns umwunden, das Jahr üppig gekränzt mit Festen, die Herrschaft, Dienerschaft und Bauernschaft in heller Fröhlichkeit vereinigt zu Tänzen und Spielen, das Feuerwerk erfreut allesamt und auch das Feuerwerk von Witz und Geist, das fortwährend abgebrannt wird.

Reimt die Herrschaft, so reimt auch die Dienerschaft, so rufen die Burschen und ihre ländlichen Schönen sich scherzend Ritornelle zu, mancher Improvisator, manche Improvisatrice kommt aus ihren Reihen hervor.

Freude an ihrer schönen Sprache wird den Italienern aller Stände ebenso natürlich wie Freude an der Musik, wie Freude an jenem edlen Wetteifer der Kunst mit der Natur in Bau und Gartenbildung. Der Triumph der weithin herrschenden Villa wird als eine Genugtuung des Menschentums beglückend empfunden vom Höchsten bis zum Bescheidensten, der sich als zugehörig betrachtet.

Sieg der Freude und der Schönheit löst in der Glanzzeit italienischer Villen praktisch mit Lächeln die soziale Frage, mit lässiger Anmut sieht man ab von jeder nüchternen Theorie und begnügt sich damit, glücklich möglichst viel Glückliche zu machen.

Zu der spielend erhaschten Lösung mancher Gegensätze in Italiens kleinen Paradiesen gehört freilich einige Opferwilligkeit und starkes Stilgefühl des großen Herren und der großen Dame. Sie dürfen nie aus der Rolle fallen, nicht etwa, wenn sie Landaufenthalt nehmen, *villegiatura*, der Einsamkeit frönen oder verbauern. Castiglione hatte ausdrücklich davor gewarnt.

Die arkadisch heitere Bevölkerung will und braucht die Majestät, den Pomp, die unaufhörliche glänzende Geselligkeit der Herrschaft wie ein Märchen, auf das sie ein Recht hat. Jedes Vernachlässigen herrschaftlichen Auftretens . ist gleichbedeutend mit Pflichtverletzung. Landleben heißt nicht Zurückgezogenheit, nicht ein eigenes Hantieren im ländlichen Geschäft, sondern geistiges Beherrschen, Anordnen, Regieren, Dichten der arkadisch geschaffenen, großzügigen Landschaft und das Genießen der Grotten und Hecken und Wasserkünste und Götterhaine mit würdigen Freunden.

Kein wilder Sport, ein peripathetisches Wandeln leise Philosophierender unter Platanen und Steineichen, gemessene Seufzer und Sonette, Tanz unter dem Laubengang, zu dem der Dudelsack nicht verschmäht wird, ein sinniges Überschauen gesegneter Gefilde, wo glückliche Menschen wohnen und mit Heiterkeit grüßen und segnen — das sind die Wonnen der Villegiatura.

Indes der unglückliche Mönch Campanella im Kerker ein pedantisch geregeltes Utopien träumte, den Sonnenstaat, der im Leben, wie alle utopischen Gebilde, eine Art Zuchthaus darstellen würde, hat ein anderer Neapolitaner, Sannazaro, ein wirklich vorhandenes kleines Paradies besungen, seine Villa Mergellina. Er starb aus Gram, als die Villa der Kriegsfurie zum Opfer fiel. Ihr Wüten hatte wieder einmal den kostbaren Tropfen einer Quintessenz langsam gewonnener Lebensweisheit verschüttet.

Denn Villen wie die arkadische Mergellina des Pastoralendichters waren nicht unfruchtbarer Selbstsucht geweiht, sondern gastfreundlich mitteilsam, in weitestem Kreis segenspendend. Was Theoretiker aus rechnenden Fingern zu saugen gewillt sind, erreichten sie längst praktisch: ein irdisches Paradies, ein Tal des Glücks. Freilich mit Dreingabe gewisser Eitelkeiten, Strebereien, patriotischer Aufgeblasenheit. Schon Pandolfini, der Panegyriker der Villa aus dem Quatrocento betonte*), daß im Villenreich der Parteihader und gewissenlose Ehrgeiz vergessen wird, man beschäftigt sich mit patriotischen Wirklichkeiten, mit Erzeugung von Öl, Wein und feiner Wolle, statt mit patriotischem Schall und Rauch unsittlicher Eroberungsgelüste. *Nella villa nulla può dispiacere tutto vi si ragiona con diletto, du tutti siamo volentieri uditi e compiaciuti.* (In der Villa kann nichts Peinliches auftreten, man unterhält sich über alles mit Genuß, von allen sind wir gern liebreich gehört und aufgenommen.) Begeistert ruft

---

*) Im *Trattato del Governo della famiglia.*

538

der Moralist: In der Villa ist Glückseligkeit: *Vita beata starsi alla villa! felicità non conosciuta!*

Pandolfinis ländliche Gastfreundschaft wird von Leo Battista Alberti und anderen Freunden als sprichwörtlich glückselig bezeichnet. Freilich hatte der Florentiner Biedermann, Zeitgenosse eines Cosimo, noch recht bescheidenen Landsitz, der Turm des Hauses diente als Taubenschlag, sowie um die Landschaft bei Sonnenuntergang zu bewundern und die einfache Loggia zum Hängen und Trocknen der Früchte wie zu frugal lieblicher Mahlzeit.

Die später gegründeten Villen sind reiche Prunkbauten, die Nutzbauten und Nutzgärten beginnen erst im Umkreis der weitläufigen Anlagen, die zu Lust und Zier gereichen. Allein auch diese Nutzgärten und Bauten sind von entzückender Anmut und alles zusammen bildet ein eigenartiges Reich, harmonisch in jedem Ausmaß, stilvoll in jeder Äußerung, in Freundschaft mit freundlichster Natur und freundlichen Menschen.

Durch seine Beschränkung wie durch seinen Luxus gewinnt das Villenreich genau, was Goethe als erreichbar bezeichnet: das Glück für möglich viele. Glück für alle ist ein religiöses Ideal, das im Herzen leben und Gott anheimgestellt werden muß. Denn alle sind ja gar nicht glücksfähig, noch würdig. Zum Glück müssen wir erzogen und behutsam gewöhnt werden, sonst halten wir es gar nicht aus. Eine derartige Erziehung und Gewöhnung fand in jenen Villen statt durch eine Geselligkeit, die stets den Reigen erneuerte und keine Hand los ließ, bis der Rhythmus alles mit seiner Liebe hielt und bewegte.

Hier wurde Arbeit zum Spiel und Spiel zur Arbeit, Tugend zu Genuß und Genuß zur Tugend in lieblicher Wechselwirkung und aus Arbeit und Spiel, Genuß und Tugend blühten ungezwungen die Künste.

Wie alles patriarchalisch Vornehme mit erlesener Lebensart Verbundene wurde das Wesen dieses Arkadiens durchaus mißverstanden oder gar nicht erblickt und gewertet. Italienische Patrioten waren ihm eher gram, da es eine gewisse Resignation der Fremdherrschaft gegenüber ausdrückte, sie verkannten den geistreichen Trotz gegen dieselbe, der vielfach darin liegen mochte.

Freilich hatten die Villenreiche nichts politisch kampfbereites, was konventionell zur Nationalehre notwendig scheint, allein barbarisch streitbare Reiche hat es genug gegeben im Laufe der Geschichte und sie sind äußerst monoton in ihrer Geste.

Einzigartig ist die vollendete Beglückung, die platonisch-sozial auf friedlichem Weg in den italienischen Villen erlebt wurde. Sie bildeten im aufgeregten Meer der Zeit gleichsam einen Archipel von Inseln der Seligen, blumenduftend und voll unschuldig holder Spiele. Hier versuchte keiner das Glück nach dem Rezept eines Magisters utopisch zwangsweise einzulöffeln, sondern denjenigen, die sich als glücksfähig und würdig erwiesen, war es auf der Kunstprunkschüssel geboten als Aufbau von Früchten, nach denen der Weise mit Anstand und Mäßigkeit langte.

Besonders deutlich erhellt die soziale Beglückungskunst der Villa aus den treuherzigen Aufzeichnungen des Alvise Cornaro, eines Venezianer Edelmanns, der ein Patriarchenalter erreichte und seinen Zeitgenossen

540

mäßige Lebensgewohnheiten und frohe Tätigkeit empfahl, um ein ebenso glückliches Alter zu genießen. Fast hundertjährig erfreute er sich an der von ihm gegründeten Villa inmitten einer Schar von Enkeln, gefeiert und gesegnet von seiner ländlichen Bevölkerung, die durch Entwässerung, welche Cornaro vorgenommen, und durch seine mannigfache Mühe in Garten- und Landbau ein überaus· fruchtbares und gesundheitszuträgliches Ländchen bewohnte. Cornaro schildert, wie er selbst noch Musik treibt und sich an den Schalmeien und Flöten seines Arkadien belustigt. Staunenswert ist, daß jene patriarchalischen Villenreiche, jene zartesten sozialen Gebilde, die eigentlich auf nichts beruhten als auf Geschmack, Takt, Liebenswürdigkeit, den Gesetzen ästhetischen Gleichgewichts — sich durchaus nicht als kurzlebig erwiesen. Trotz der größten Fährlichkeiten erhielten sie sich in Glanz und großem Stil etwa ein Jahrhundert lang, in abnehmender Linie ein Inselchen nach dem andern unterspült und in das wilde Meer von politischer Bosheit, Gemeinheit und Torheit versinkend — noch bis knapp an die Neuzeit. Unwahrscheinlich lang fristeten sich Spuren ihres Märchenglücks im schönen Verhältnis gegenseitiger Schätzung, freundlichen Verkehrs und gern geteilten festlichen Vergnügens zwischen den *Signori* und ihren Untergebenen bis tief in das sozial verhängnisvolle 19. Jahrhundert. Ja, es erhielten sich einige vornehme Gärten, in denen Renaissanceschöngeister gewandelt, poetisch verwildert, die Quellen langsam weinend statt perlend zu lachen und die Moose und Flechten wie plumpe Sittenrichter eifrig bemüht die

einst triumphierende Nacktheit der Göttergesellschaft
zu kleiden und verkleiden.

Als Nachhall der großmütigen Gastfreundschaft der
Vorfahren gestatteten neuzeitige Besitzer tagweise den
Fremden Eintritt. Die Villa Doria in Rom hielt noch
lange eine alte Tradition aufrecht, wonach keine häßlichen, gewöhnlichen Gefährte die Villa verunzieren
durften, sie öffnete sich nur dem herrschaftlichen Wagen
und einem festlich anständig gekleideten Publikum —
letzter leiser Nachhall des Schicklichkeitsgefühls gegenüber dem Schönen und vornehm Vollendeten fürstlicher Anlage, die mit entsprechender Verehrung und
Zeremonie betreten und befahren werden sollte.

In den Tagen großen Stils war dies Schicklichkeits-
gefühl von Kind und Jugend auf allen Schichten als
selbstverständlich eingeprägt, daß ein Bedürfnis nach
Zierlichkeit in Manier und Gewand und naiver Kunstübung in allen ländlichen Kreisen Platz griff, die mit
vornehmen Villen in Berührung kamen, und die pastoralen Träume der Dichter in Erfüllung traten.

Die Spätrenaissance genoß die von der älteren Generation angelegten Gärten und Bauten, vollendete und
schuf neu, mit der neuen Empfindsamkeit, die bewußt
Stimmung schaffen will und auf elegische Wirkung als
ästhetisches Reizmittel sieht. Sie ging deshalb gern
ein Bündnis ein mit römischen Altertümern und Ruinen.
Das Einladende der Architektur sollte Zufälligkeit, zuweilen Grillenhaftigkeit erlauben, jedenfalls blieb die
Formenwelt der Pflanzen der architektonischen Formenwelt untertan, denn *le cose che si murano, debbono
essere guida e superiori a quelle, che si piantano.*

542

Der Antike nachempfunden, baut man mit Vorliebe Grotten und ziert sie mit Muscheln, Korallen, Marmorfragmenten und wo unter dem tropfenden Rinnsal die Grotte nicht schnell genug vermoost, bestellt der ungeduldige Besitzer von seinen Künstlern Moos aus grünem Wachs.

Bezeichnend für die Spätrenaissance baut Sanmichele die Villa Soranza bei Pesaro, Alessi den *Paradiso* bei Genua, es entstehen die Villa Castello, Pratolino, la Rotonda bei Vicenza, Venedigs gefeierte Gärten, der Benacus spiegelt die herrlichsten Anlagen, Francesco Priulis Villa in Noale ist von klaren Gewässern umleuchtet; in seiner Gallerie, Apollon geweiht, versammelt er die gelehrten Mitglieder der Academia Pellegrina aus Venedig zu feinsten Genüssen der Tafel und des Geistes.

Der Palast setzt sich fort im Lustgarten der Villa und dessen Zierlichkeit mündet in Obsthain, Gemüsepracht, in Olivenwald und Anger, würdig trautester Schäferei.

Steineichen wölben sich wie ein Dom voll Kühle über den Häuptern der Damen, die sich unbeschadet der zarten Gesichtsfarbe, die durchaus nicht bäuerlich braun und verwittert sein durfte, plaudernd anmutig darunter ergehen auch an heißestem Sommertag. Und die schöngeschwungenen Marmorbänke kennen manches flüsternde Paar, das Bembos *Asolani* zitiert oder Petrarcas Sonette. Die zierlichen Steingötter lächeln ob manchen *platonischen* Kusses, der allzulang und süß die Lippen der Schwärmenden zum Schweigen bringt.

Auf die Wonne des Schlenderns, Ruhens und Plauderns, des lässigen Violazupfens in geschützter Kühle ist alles gestimmt und berechnet, besonders jene Säle zu ebener

Erde mit Marmorböden und Grotten, wo leise, leise Tropfen auf Tropfen über Muschelschmuck perlt.

Säle über Säle, grüne Mauern über grüne Mauern trennen vom *profanum vulgus*, man genießt den heute so spurlos verklungenen Luxus, unendlich viel Platz, unendlich viel Zeit zu haben den langen, langen Sommer lang. Mit einer Geste vornehmer Verschwendung tun sich weite Terrassen auf, flach ansteigende Prunktreppen, in endloser Perspektive eine Flucht geräumiger Gelasse ohne Gedränge von Menschen und Gerät, nur Wände, Decken, Türen und Fenster in reichem Schmuck, hie und da ein bedeutender Marmor, der Kunstaltar eines figürlich behandelten Prunktisches und Kamins. Jeder Einzelne und jedes Einzelne kommt zu voller Geltung in also vollendetem Raum, stehend, wandelnd oder anmutig in einem Sessel ruhend, in einem jener Sessel, die schöne Bilder geben, wenn man sich darin niedergelassen.

In solchen Saal oder in den wohlgeflegten immergrünen Hainen gedieh das Reimspiel, geriet die Novelle. Über tausend lyrische Dichter hat Tiraboschi zur Renaissancezeit gezählt. Ebensogut hätte er die Nachtigallen jener Zaubergärten zählen können oder vielmehr die Zikaden, deren süß monotoner Singsang den italienischen Sommer erfüllt. Die unzähligen Liebesreime, die von allen Lippen fließen, wollen nicht mehr sagen und bedeuten als jener Zikadengesang. Es handelt sich nicht um besondere Ansichten und Leidenschaften oder Behauptungen, es handelt sich bei diesem Reimen, das endlos mit Petrarcas Worten spielt, nur um Sommerglück und das ist eintönig und zart wehmütig wie jedes schöne Glück.

544

Wie *Signori* und *signore*, reimen ihre *famigliari*, ihre Pagen und dienenden Frauen, ja selbst ihre Stallburschen und Pastetenbäcker. Hirte und Hirtin der glücklichen Villa sind auf dem Dudelsack nicht minder eifrig wie ihre Herrschaft auf Laute oder Geige und genießen den Schatten ihrer Reben und Oliven wie die Herrschaft ihre Rosenlauben und Ilexhaine.

Nicht umsonst ist Arkadien Mode, man braucht in Italien kaum zu stilisieren, Schäfer und Schäferinnen, Nymphen und wohl auch übermütige Faune sind am Platz. Pastoralen und Sonette wollen gar keine erschütternden Kunstformen sein, sie sind dem Leben abgelauschte zarte Stimmungen einer frohen Sommergeselligkeit, Gastgeschenke, Huldigungen für Hausherrn und Hausfrau, verlängerte Komplimente, gestreute Rosen, hingewehte Grüße. So von ungefähr im Rahmen des Gesellschaftsspiels gedeiht eine Kunstgattung, die als Rosenwildling für das edelste Pfropfreis zu dienen bestimmt war, die Renaissancenovelle Italiens, der Shakespeare die Motive seiner herrlichsten Dichtungen entlehnt.

Sie ist meist von der Liebe und für Liebende erdacht. Die vollroten Lippen der eleganten Kavaliere, ihre schönen dunklen Augen, wie wissen sie Schmachtendes und Glühendes auszudrücken, sie sind ja meist, wie Bandello meint, *fieramente innamorati*. Von Liebeswünschen zittert die Luft. Nicht umsonst haben sich die Damen so wunderbar geschmückt, etwa eine Violante Borromeo, eine Camilla Gonzaga, eine Cecilia Gallerana, Contessa Bergamino, eine Ippolita Visconti. Bandello gibt ihnen gern den Titel *eroïna*, was wohl soviel als

Liebesherrin bedeutet, denn die Dämonen, die dem Planeten *Venus* dienen heißen *heroës.*

Zartgepflegte Schultern entsteigen bedeutender Spitze, vielsagender Brokat nimmt das goldene Spiel der Haare wieder auf. Schlanke Finger mit Ringen, die gleich Zauberringen gefaßt sind, schließen sich um den Elfenbeinstil des Fächers, der rund aus Straußenfedern gearbeitet, in der Mitte ein Spiegelchen hält, den Schönen erlaubt, ihre Schöne schnell mit liebkosendem Blick zu streifen.

Welch äußerstes Auskosten gesättigter Freude, wenn die Paare mit Petrarcas Versen im Munde dahinwandeln am Ufer des Gardasees in Fregosos herrlichem Garten, wenn sie die Pifferari kommen lassen und zu ihren ländlichen Weisen einen angeblich ländlichen, in Wirklichkeit höchst stilisierten Tanz unter den duftenden Laubgängen ausführen. Die Damen versinken zu tiefen Komplimenten in die tiefen Falten des Kleides, die Herren lassen ihre Kunst sehen bei graziösem Pirouettieren, vielleicht sogar in keckem Luftsprung, wie große Tanzmeister bei den Figuren der Galliarde raten oder gebieten.

Erfrischungen werden aufgetragen, vornehm, lautlos und behende, was Bandello besonders preist, wie auch die Kunst von Fregosos wackerem Koch. Lebhaft lobend umringen ihn die Gäste, als er das Mahl besonders poetisch rüstet mit einem *Aufwand von Fischen, die höchste Augenweide bieten.*

Zum Nachtisch gehörte es sich, wie zu Boccaccios Zeiten, und in bewußter Anlehnung an den verehrten Dichter, zu fabulieren. Eine spannende Geschichte erzählen ist ein Gastgeschenk, das geschätzt wird. Dieselbe zierlich aufsetzen ist Bandellos Fall. Seine Widmung, die jede einzelne Novelle an Freund oder Freundin begleitet, ist Dank für Gastfreundschaft, nichts anderes als der Niederschlag graziöser Erzählungskunst, wie sie in gebildetem Kreis vorzüglich zu Ehren vornehmer Herrinnen gepflegt wurde, *novellare* hieß erzählen, wie Lautenschlagen und Sonettedrechseln gehörte es zur Bildung. Erfindungsgabe wurde nicht beansprucht, sondern nur anmutig eingekleideter Bericht, der für wahr gelten konnte — so hatten einst die Sänger langatmiger Rittergedichte kühn behauptet, wie sie sagten und sangen, hätten sich die Dinge wirklich zugetragen. Langatmige Epen waren zwar noch beliebt, doch machten ihnen schon kurzgefaßte Geschichtchen den Rang streitig, die oft einen leise prickelnden Beigeschmack von Skandal hatten, wenn sie in näherem Umkreis spielten.

Weltläufige Autoren wie Bandello waren fortwährend auf Reisen und sammelten bei dieser Gelegenheit allerwärts fleißig Geschichten, um goldklare, süße Novellen daraus zu destillieren für Loggia oder Lustgarten eines Sommersitzes.

Betrachtung oft ernster Art wird an jede Novelle geknüpft, man stimmt überein in der Ansicht, daß Liebe ein mystisches Erziehungsmittel sei und daß ihre Wirkung Niedriges adle, Wildes zähme und daß die Tugend platonischer Strenge den Frauen am höchsten angerechnet werde, wiewohl man gern den Schalk spielt und alles nicht Platonische deutlich mit genießender Schelmerei vorträgt.

Durchaus verurteilt wird gesprächsweise die in mancher

Novelle auftretende Grausamkeit der Sippe, die unliebsame Ehen und Liebschaften mit dem Tode bestraft. Oft war die Ursache nicht nur gekränkter Adelsstolz, sondern Gier nach Gütern. Dies schien der Fall in der traurigen Geschichte der verwitweten Herzogin von Amalfi, einer Prinzessin von Aragon, deren Brüder sie grausam verfolgten, als sie ihren schönen Hofmarschall heiratete und mit seinem Mord endete diese Liebesheirat. Eine Zeitlang war der verfolgte junge Gatte gastfreundlich in Mailand aufgenommen, und mitleidige Zuhörerschaft sammelte sich um ihn, wenn er geschickt mit Lautenbegleitung die Geschichte seines Liebesleids in improvisierten Versen vortrug.

Im Kreis des Arztes und Dichters Fracastoro wurde zuerst die Geschichte von Romeo und Julia erzählt. Ein andermal war man mehr schelmisch als sentimental aufgelegt und verulkte den etwas feierlich gewordenen Bembo. Ein Maler, für seine Schnurren bekannt, kostümiert und schminkt sich, um einen alten ländlichen Onkel Bembos zu spielen, der höchst lächerlich in eine subtil gelehrte Konversation hineinplatzt und den hinwegzukomplimentieren durchaus nicht gelingen will.

Unter Künstlern tobt sich die *beffa*, der Renaissanceübermut noch einmal aus mit einer Art elementarer Kraft. In Venedig ist die Künstlerwelt die eigentlich herrschende und sie wagt sogar dem Rat der Zehn mit Witzen zu begegnen. Anerkannt ist ihre Selbständigkeit, und die schönste Stadt der Welt ist während ihrer schönsten Zeit der Künstler unbestrittenes Reich.

Venedig kann nicht anders als lachen, wie seine zarten

548

Wellen nicht anders als hüpfen können. Es ist das Lachen selbst. Ehe er die Venezianer im Lachen stört, scheint der Tod zu halten, an ihrer Schwelle stützt er sich wie zur Rast auf die Sense und hat mehr Geduld wie anderswo. Die Venezianer beweisen, wie hygienisch ihr freudvolles Dasein ist, indem sie sehr alt werden. Sie leben ebenso gern als lang, fast hundertjährig freut sich Tizian noch der schönen Welt, wie ein Alvise Cornaro.

Man wünscht keine Veränderung des Zustands, nur eine Verlängerung in himmlischen Sphären, denn Venedigs Schlaraffenland ist nicht so grob und schwerfällig, wie jenes von Roms Hochrenaissance. Es verklärt und hebt sich zu viel zarterem, ja fast zu einem himmlischen Märchen, wie der Anblick Venedigs ein *himmlisches Jerusalem* auf die Erde zaubert. Sind seine Wasserstraßen im Abendschein nicht gepflastert mit Perlen wie jene des himmlischen Jerusalem, seine Paläste wie dessen fromm geträumte Bauten leuchtend gleich Beryll und Amethyst, Opal und Karfunkel? Sind es nicht Engelchöre, die da singen und spielen, Engelsangesichter, milchweiß mit goldblonden Locken, die da grüßen? Täuschend wird der Himmel auf Erden gemalt. Vielhundertjährige Tradition allgemeiner Wohlhabenheit und Zufriedenheit ermöglicht diesen in der Geschichte Europas vollkommensten und erhabensten Glückrausch. Seine Grundbedingung war, daß lange Wohlfahrt den Venezianer nicht übermütig hochfahrend, sondern gutmütig gemacht hat, ihn mit lässiger Grazie begabte, die selig zu spielen wußte, wie es nur in seligen Gefilden holder Brauch. Armut, Sorge, Unzufriedenheit, Mißgunst waren fast

unbekannt. Friedsam, tüchtig und froh, wie der Land-
arbeiter auf dem Festland, schaffte der Handwerker
in Venedigs Industrie.

Gondolier und Schiffsarbeiter sind auf ihre Art ebenso
vergnügt wie der Nobile, schmuckvoll ist ihr Haus,
poetisch ihr Dasein von Fest zu Fest. Der liebenswürdige Taumel, den Venedig im 18. Jahrhundert erlebte, war nur Nachklang einer gewaltigen Symphonie
des Sinnenzaubers in Venedigs Cinquecento. War es
Heidentum, das also beglückte, so war es ein naiv
frommes Heidentum, nicht unheimlich teuflisch raunt
die Lust dir zu, sie ist aufrichtig und stolz, wie Venus,
die Göttin voll Feierlichkeit und Majestät.

Sie spiegelt sich unendlich in allen Farben und Formen,
wie Venedig selbst, schöne bunte Negerknaben knien
vor ihr mit Körben von Granatäpfeln, mit Gefäßen
voll Weihrauch, — *Vinegia*, wie die Mundart Venedig
liebreizend nennt, die schöne Stadt schafft, wertet und
bevorzugt den Glasspiegel, der Spiegel gehört zu ihrer
Schönheit und eigentümlichen Lebensphilosophie.

Wie sich in Venedig alles schillernd spiegelt und darum aus der Wirklichkeit erlöst wird in den Traum,
soll auch der Festsaal und das traute Gelaß des Palastes
erlöst sein aus der Wirklichkeit und in lauter Märchen
münden. Daher Spiegel und abermals Spiegel an der
Wand von Purpurdamast und Sammet, Spiegel in wunder-
herrlichen Rahmen, vielgestaltig allüberall, Spiegel, die
jeder Schönen künden, sie sei die Schönste, Spiegel,
die Verräter spielen und Gelegenheitsmacher. Das ist
Venedigs Emblem und die Devise, die alles in den
Traum erlöst.

Wirklichkeit ist spiegelbesessen, bezaubert, so wahr und so unwahr wie Spiegelgefecht und das Spiegelgemach der großen Curtisane nimmt alle Märchen zu Hilfe, um dich zu wiegen, sie ist Dichterin, Scheherazade, Priesterin, und was sie an Geschenken empfängt, ist gleichsam poetische Opfergabe am Altar der cytheräischen Venus.

Ihre lieben Töchter nennt die Republik *nostre benemerite cortegiane,* denn sie hätten sich um Venedig verdient gemacht und ruft sie zurück, als Moralisten sie vertrieben, denn wie die zarteste unter ihnen, Veronica Franco singt:

> *Data è dal ciel la feminin bellezza*
> *Perch'ella sia felicitate in terra*
> *Di qualunque uom conosce gentilezza.*   ˙

Ein Himmelsgeschenk ist die Schönheit der Frauen, jeden zur Seligkeit zu berufen, der Edelsinn besitzt.

Veronicas Salon ist ein feiner Musenhof, zierlich empfiehlt sie ihren jungen Freunden, dem platonischen Ideal und den *buone lettere* treu zu sein.

Flüsternd nur wird der Regierung Venedigs gedacht, man nennt den Rat der Zehn, der keinen Störenfried und Hetzer duldet, respektvoll, zuversichtlich und ein wenig bang *quei in alto.* Der Doge ist nur *maître de plaisir* für Dekoration und glänzende Empfänge von Fürstlichkeiten, wie bei jenem denkwürdigen Heinrichs III., wo Venedigs Galatafel alles und jedes aus Zuckerwerk bot, und der traumhaft großartigen Feier der Schlacht von Lepanto. Während der Türkenkriege wurde es Brauch, politische und Handelsnachrichten an bestimmten Plätzen mündlich, dann schriftlich zu

bringen; man kaufte die Nachricht um ein Geldstück-
chen, das *gazzetta* hieß. Daher bekam die Zeitung
ursprünglich den Namen *gazzetta (gazette)*.
Der Rat der Zehn ist der Absolutismus Venedigs, denn
am Anfang des 16. Jahrhunderts hat sich alles einem
solchen als dem sichersten politischen Zustand einmütig
untergeordnet. Doch nimmt er Venedigs Lokalfarbe
an. Die Zehn sind gewiegte, klug vorsichtige Männer,
das Geheimnis, in dem sie sich verhüllen — möglicherweise nicht ohne Augurenlächeln — ist eine über-
höhende Fopperei. Damit drohen sie erfolgreich, wie
man übermütigen Kindern mit dem *schwarzen Mann*
droht.
Öffentliche Exekutionen, die Sensationslust und Blut-
gier der Menge reizen und außerdem Kritik und Gegenschlag herausfordern, sind mehr und mehr verpönt.
Man spart viel Blut und Unruhe mit dem stilvollen
Geheimnis. Im Vergleich zu dem übrigen Europa mit
seinen Scheiterhaufen, Blutbädern und Körben voll ge-
köpfter Häupter ist Venedigs Geheimjustiz äußerst
mild. Auf der Seufzerbrücke seufzt es manchmal ein
wenig — nächtlicherweile — die Welle teilt und schließt
sich wieder — man geht über zu Tagesordnung, zu
Tageslachen. Wunderbar, so selbstsicher ist Venedigs
Regierung, daß sie den Vater der Presse, Aretino,
nicht scheut, ihn, vor dessen Zunge ein Kaiser und
manche Könige und Fürsten zittern und dessen Nachsicht sie mit manchem Tribut an goldenen Ketten und
Gewändern erkaufen. Für Venedig ist er ein gehor-
samer Sohn, nie hat er ein Wort der Kritik, nur Worte
der Rührung und poetischen Ekstase, wenn er vom
552

Fenster oder Altan des Palazzo Bollani auf den *Canal grande* blickt und die große Verschwendung an Silber und Gold, Rubinen und Demant bewundert, die das Abendrot auf die schwelgende Stadt ergießt.

Sang und Klang und Bechern ist unablässig in seinen Sälen, der Gastherr preist unermüdlich, mit aufrichtiger Liebe und Geschäftssinn zugleich der kosmopolitischen Gästeschar Venedigs Schätze: *Seht diese Pfirsiche, Speroni, der Dichter hat sie mir soeben gespendet. Wäre nicht ein solcher Pfirsich eher als ein schnöder Apfel würdig, als Schönheitspreis von Paris einer Göttin geboten zu werden? Und ist nicht unsere Freundin Zafferina hier seiner wert?... Soeben malt mein Freund Tizian, der Meister aller Meister von Gegenwart, Zukunft und Vergangenheit, an einem Venusbild, das ihren Reizen abgelauscht ist. Solch ein Werk solltet Ihr euch bestellen. Ist es zu teuer, so nehmt doch ein kleines Andenken an das allerherrlichste Venedig mit, vielwerte fremde Herren, Prälaten und Potentaten. Etwa diese Medaille von Leone Leoni — eine ähnliche vollendet er soeben für seine Heiligkeit, für Cäsar eine andere. Ich trenne ein Stück Traube für Euch ab, sie ist zu groß, nicht wahr, kaum trügen sie die Männer aus Canaan, wie's in der Bibel steht. Ihr bewundert die Schere, die mir dazu dient? Seht, ein Triumphzug ist darauf golden eingelassen. Ähnliche herrliche Arbeit zeigt jener Degenknauf. Ja, gewiß, Ihr könnt ihn erwerben. Doch mein gelehrter Freund hier wird das neueste Werk, das bei Manutius erschienen ist, vorziehen, mit Einband nach einer Idee von mir versehen in Purpur und Gold... Dank für Zutrunk, Ihr da drüben! Was sagt ihr* *zu dem Pokal aus Murano? Giovanni d'Udine hat die Nymphen darauf nach meiner Angabe gezeichnet. Ist er nicht göttlich? Und göttlich dieses Kartenspiel mit sonderlichen Figuren, ein hoch zu preisendes Geschenk, das ich soeben erhalten. Doch ich liebe Euch so sehr, daß ich willens bin, es Euch abzutreten, wenn Ihr mir die Zeichnung Michelangelos verschaffen wollt, nach der ich schon lange fahnde. Der Mann läßt gar nicht mit sich reden ... Wer jene zwei lieblichen Nymphen sind? — Meine Töchterlein, „die mir Gott und die Natur geschenkt". Sie heißen Adria und Austria, da ich hoffe, daß für eine unsere teure Republik, für die andere unser teurer Cäsar [der Kaiser] die Mitgift aufbringt in Anerkennung meiner unvergleichlichen Verdienste*).*

Aretinos göttlich unverschämtes Selbstlob und unermüdliches Lob der Künstler, die sich ihm anvertraut, war die wirksamste Reklame, wie seine Geselligkeit zwanglos die großartigste Kunstbörse der Zeit darstellt. Er vertrat nicht nur die Interessen seiner Gevattern *compari*, Sansovino und Titian, die mit ihm das Triumvirat herrschender Kunst gebildet, sondern auch jene einer Reihe hervorragender Kleinkünstler und Kunstgewerbler. Sie boten ihm Geschenke zum Lohn für die Publizität, die er ihren Erzeugnissen gab. Mit entsprechender kunstkritischer Ekstase verschenkte er diese Geschenke an Gönner und Gönnerinnen in der großen Welt und erwartete dafür entsprechende Gegengeschenke von der gewöhnlichen goldenen Ehrenkette, ja selbst von einem Geschenk, aus Wildpret und Früchten bestehend, an

*) Aus verschiedenen Briefstellen Aretinos zusammengestellt.

bis zur Höhe einer Mitgift für seine natürlichen Töchter Adria und Austria.

In diesem Kreis würde man magere asketische Fratzen nicht als Kunst ansprechen. Der Venezianer nennt Kunst seliges Genießen, da seliges Genießen als Kunst gilt.

Er schlendert mit Freunden und Fremden in der *merceria*, am Rialto, wo ein Giorgione, Pordenone, ein Lorenzo Lotto, Rocco, Marconi, Bonifacio, Bordone Bassano, Tintoretto ihre Meisterwerke ausstellen. Ein Palma malt, den Honig seltenster Pfirsiche noch auf den Lippen, den Pfirsichpflaum seiner Violante, die triumphierend, hocherhobenen Armes ihre Prunkschüssel voll herrlichster Früchte bietet, sonnensüß wie sie selbst im Kreis festlich Versammelter.

Der freudige Stolz der Renaissancegeselligkeit, die sich traut, himmlische Gäste einzuladen, daß sie sich freuen mögen an dem von ihnen gestifteten Glück, spricht sich endgültig aus im seligen Pomp der Hochzeit von Kana — wie sie Veronese malte — an der Jesus teilnimmt und wohlwollend lächelt ob der Scherze, die man treibt an der Prunktafel Venezianer Nobili und Künstler.

So wurde bei Tizian, so wurde bei Sansovino, so wurde bei den reichen Patriziern gefestet, im Aug die Herrlichkeit der Lagune, im Ohr die Süßigkeit der Liebesweisen, die aus allen Gondeln klangen.

Kinderlieb, wie je ein Italiener, soll Aretino reizende Kinderfeste gegeben und sich innig gefreut haben am Schmausen und Plaudern der allerliebsten Bambini, Vorbildern für Pinsel und Meißel all seiner großen

Freunde, deren kraft- und glückstrotzende *putti* noch heute lächeln in Farbe und Stein, mit Tänzen und Spielen, die nie ausgetanzt und nie ausgespielt.

Das Volkstümliche des Totentanzes im Norden beweist, wie die gotische Todesmode nördlich der Alpen noch herrschte, indes der Süden diese Mode als veraltet von sich geworfen.

Italiens Renaissance hat viele *trionfi* gefeiert und all diese Trionfi bedeuten im Grund nichts anderes als den großen Triumph des Lebens, das trotz allem Recht behält.

Ihre heroische Lebenslust offenbart sich symbolisch im *putto*, dem nackten Kind, halb Liebesgott, halb Engelchen, halb verwöhnter Liebling, der mit seinen artigen und unartigen Spielen den Renaissancetriumph umspielt, umtanzt, umkränzt, seine lebenstrotzenden Gliederchen fest allem irdisch Schönen und Reichen verbunden, eine rührende und kecke Bejahung des Lebens und schnippische Erwiderung auf die Drohungen des Knochenmanns, eine lachende Versicherung:

Das Leben ist Model

Am lachendsten, am verwegensten und längsten versicherte es Venedig. Von der Melodie des irdischen Lebens gedenkt man sacht in die Melodie des himmlischen überzugehen, ja Venedigs irdische Lust ist so mächtig, *als gehöre sie dazu, die Seligkeiten höchster Himmel vollends zu vollenden.* (Calmo.) *Certo la melodia del vivere è un bel che: ella è si fatta che aggiunge quasi al piacere, che si gusta in celi celarum. — —*

556

VIERUNDZWANZIGSTER ABSCHNITT

Inselmärchen — Reiche Mode — Ein unheimliches Riesenkind —
Erasmus, Rabelais und Montaigne — Renaissance der Renaissance
— Über und unter dem Salz — Die Kutsche — Waffenrock und
Zivilanzug — *Masks* und *antimasks* — Auf Sidneys Landsitz —
Schäferei, Lebenslust und Melancholie — Zierbengel — In Barbier-
stuben und Tavernen — Der Drang zum Theater — Schauspieler
und Gesellschaft — Vor der Königin — Mann und Weib — Götter
von Süd und Nord — Die Schule des Glücks.

Es war einmal eine schön gelegene Insel, die wurde
beherrscht von einer jungfräulichen, stolzen Königin.
Sie hatte goldrotes Haar und war stets furchtbar prächtig
angetan; bei ihrem Tod hinterließ sie dreitausend Prunkgewänder, strotzend schwer von Gold und Edelstein.
Sie hatte Freier aus allen Ländern der Welt, selbst
aus dem fernen Thule, wo die kostbaren Pelze her-
kamen und lachte diese Freier heimlich aus. Ihren
Lieblingen lächelte sie ebenso heimlich, gelegentlich
wurde einer geköpft. Es wurde überhaupt viel geköpft
in ihrem Reich und die Köpfe staken an Pfählen auf
der Brücke ihrer herrlichen Hauptstadt.
Das hinderte nicht, daß am Hof der großen Königin
die süßesten aller Schäfer und Schäferinnen zu finden
waren, die unablässig und unübertrefflich zarte Liebesweisen flöteten. Zweihundert Dichter huldigten ihr Tag
und Nacht, unzählige Jünglinge schwärmten aus nach
fernen und fernsten Ländern, die sie für ihre Königin
entdeckten und eroberten, jeder brachte etwas Seltenes
und Kostbares mit, ihr zum Gewinn oder Spielzeug,
der eine Wunderfrüchte*), die in der Erde wuchsen,

---

*) Walter Raleigh führte 1584 die Kartoffel in Irland ein. 1596

sich ungemein vervielfältigten und zu wichtigster Nahrung wurden, der andere ein Kraut*), das getrocknet und zum Rauchen verwandt, duftende Genüsse neuer Art brachte. Alle berichteten von Abenteuern, von fernen Meeren und Inseln soviele Geschichten, daß sich die Königin nimmermehr langweilen konnte, so glücklich sie war.

Man durfte ihr nur fußfällig nahen und nur auf den Knien mit ihr Rede pflegen**). Nicht nur junge Pagen und schwärmende Ritter lagen auf den Knien, wenn sie dieselben anzureden geruhte, auch vornehme Greise und hochgeborene Frauen taten nicht anders.

Der Reichtum ihres Landes wuchs und wuchs, bald waren silberne und goldene Gefäße den Vornehmen nicht mehr kostbar genug, man bediente sich ihrer am unteren Ende der Tafel, unterhalb des Salzfasses, das die Vornehmeren von den Geringeren bedeutsam schied. Oberhalb des Salzfasses in erlesener Gesellchaft trank man sich zu aus kristallklaren Bechern, von denen behauptet wurde, sie verrieten das Gift, das im Getränk enthalten sein mochte.

Die Herren trugen ewig wechselnde Kleider und Haar-

---

erhielt der Botaniker Gerard in London Samenkartoffeln von Franz Drake und machte sie als Leckerbissen beliebt.

*) Gegen Ende des 16. Jahrhunderts wurde das Tabakrauchen in England, Spanien, Holland und Portugal gebräuchlich, 1586 sollen es englische Kolonisten aus Virginia in London eingeführt haben.

**) Aus dem Bericht Lupold von Wedel: *Wan sie nun deren einen ... zu sich gerufen, hat er solange auf den Knien sitzen müssen, bis sie ihn hat heißen aufstehen, darnach haben sich dieselbigen vor ihr gar tief vorbuckt, weckgangen, wie sie mitten in das Gemach kamen, noch einmal vorbuckt.*

tracht prunkvollster Art, zuweilen eine Locke, die bis zum Gürtel fiel*) und von zarter Schleife gehalten wurde, Tellerkragen, die unendlich weit ausluden, Perlen in den Ohren, herzförmig tief und spitzgehende Wämser, darunter breit ausgebauschte Beinkleider, einer immer bunter als der andere. Ähnliche Locken, Perlgehänge und Spitzenkragen trugen die Damen. Musik durchflutete das Reich. Es wurde nie und nirgends soviel Musik gemacht. Für ungehörig galt es, nicht mitzutun, wenn zu Ende der Tafel mehrstimmiger Gesang verlangt war. Man stimmte ein neu erfundenes Instrument dazu, es hieß *Viola d'amore.*
Auch gab es in den Festsälen der Königin Spiele mit Verwandlungen, prunkvoller und lachhafter Art. Ein wichtiger Hofbeamter waltete ob unaufhörlichen Fest- und Maskenzügen.
In Stadt und Land schwoll der Reichtum, ein jeder Bürger trug goldene Ketten, Bauern waren reicher als Edelleute anderer Länder**). Zur Wintersonnenwende ging ein ungeheueres Festen durch die ganze Insel, das alle Stände in Lustbarkeit aneinander schloß. Berghohe Kuchen eigener Art dufteten mächtig von Haus zu Haus, herrlich gebratene Vögel breiteten Flügel und Stoß, man ließ alle und alles leben, besonders aber die Königin, der jedes Unternehmen

---

*) Why should thy sweet love-locke hang dangling downe
    Kissing thy girdle-steed with falling prise?
         (Barnefield's Affectionnate Shepheard 1594.)
**) Aus dem Bericht des Lupold von Wedel: *Etliche Pauern gehen stattlicher einher als in Teutschland die Edelleut. Es muß ein geringer Pauer sein, der nicht silberne Salzfasser, vergult, silberne Drinkbecher und Löffel haben sollte.*

glückte, selbst feindliche Schiffe, die ihr gedroht, hatte der Sturm zerblasen.

Diese Königin hieß Elisabeth und dieses Märchen hat sich Wort für Wort zugetragen. Elisabeths England wird Shakespeares England und Bacons England, das ist vielleicht das Märchenhafteste.

Englands Philosophie verliert sich nicht in Spuk und Traum, sie faßt alles herzhaft an und ficht um den Preis des Menschentums. Prunk, Barbarei, Schäferspiel, ferne Abenteuer, all das ist Leben, warmes Leben und lebendig sein ist Alles. Was sich immer ereigne auf den Brettern, die die Welt bedeuten, gewinne ein Selbst, denn es ist nicht schlimm zu sterben, wenn du gelebt hast.

Auf dem Festland waren die Ideale der Renaissance tückisch unterspült durch verschiedene Strömungen, die darauf ausgingen, den Wert der Persönlichkeit herabzusetzen, jenen höchsten Wert, den die Renaissance geschaffen. Zu Unrecht ist die Gefährdung der Persönlichkeit nur dem Jesuitismus zugeschrieben worden. Durch die entgegengesetzte religiöse Richtung, die den Menschen auf eigenes Urteil anwies und dem alten Autoritätsglauben Fehde schwor, wurde die Persönlichkeit nicht so gekräftigt, wie man hätte hoffen können, denn sofort war ein neuer, untoleranter Autoritätsglauben bereit, die natürliche Gedankenträgheit des Menschen zu unterstützen. Das Pochen auf Glauben und Gnade allein schuf manches Mißverständnis, die von Calvin in Gegensatz zu Luther verfochtene Lehre der Prädestination führte zu finsterem Fatalismus und bei allzuvielen zum Verlassen des Eigengefühls, das

560

zur Bildung der Persönlichkeit unerläßlich ist. Dazu
kamen die ersten Regungen eines unheimlichen Riesen-
kinds, der Masse, die ablehnt, an ihrer Bildung
zu arbeiten, die Verantwortung für das Geschehene
einem Sündenbock zuschiebt oder einem wahllos vergötterten Liebling zugute schreibt.
Charakterbildung wird vernachlässigt, wenn die Denk-
faulheit des Gewöhnlichen und Gemeinen, sowie sein
Wunsch unpersönlicher Verwischung aus Verantwor-
tungsscheu überhand nimmt, wie immer das Dogma
laute. Das selbstbewußte Verantwortungsgefühl der
Vornehmen wird gleichzeitig gefährdet durch die immer
mehr umsichgreifende Ansicht, das Schicksal namentlich
hochstehender und besonderer Personen sei durch den
Sternenlauf vorherbestimmt und durch Sternenkundige
zu erfahren.
Die drei Verfechter des gesunden Verstandes, denen
jeder Dunstkreis eines europafremden Mystizismus verhaßt ist, Erasmus, Rabelais und Montaigne haben das
große Verdienst, gegen die Unterspülung durch diese
und jene falsche philosophische Einstellung das Verantwortungsgefühl des Menschen scharf in Schutz zu
nehmen.
Damit verteidigen sie den Westen gegen den Osten,
den Sohn des Abendlandes gegen allzu scharfe Spezereien des Morgenlandes, gegen Einflüsse, die wahllos
hingenommen, zu einem für das Klima seines Erden-
winkels ungesunden und unedlen Fatalismus locken.
Bacon weist nüchtern auf die Erfahrung, Shakespeare
aber ergreift (sei es unbewußt) die Lehre des Erasmus,
Rabelais und Montaigne vom selbstbewegenden und

selbsbewegten Narrentum des Menschen, nicht um ihn als Marionette der Vorherbestimmung zu betrachten, sondern um zu beweisen, daß der Mensch, der ohne innere Festigung nur ein Narr wird, wenn es ihm gelingt, sich innerlich zu festigen, aus dem Narren ein Weiser wird.

Selbst ist der Mann, denn selbst ist der Künstler, ohne Selbst ist kein Mann. Darin liegt der Kern von Shakespeares Offenbarung, der Kern, nach dem ein Goethe mit verlangenden Händen griff, denn dieser Kern enthält die große Samenkraft, die jeder Zeit Not tut. Er ist Renaissance der Renaissance.

Charakter ist Schicksal (Shakespeare). Aber wenn auch auf Umwegen es ist uns gegeben, das Schicksal zu meistern, indem wir künstlerisch bildend am eigenen Charakter tätig sind.

Der unserem Schaffen überlassene Stoff kann zu Verschiedenstem dienen. Ein Stein kann roh und unbehauen bleiben oder ein nützlicher Mühlstein oder Baustein werden oder eine Statue. Metall, Holz kann niedrigem Dienst gehören oder bis zu höchster Kunst verarbeitet sein. Also hämmern, schleifen, schnitzen und bilden wir am rohen Material, das der uns verliehene, ursprüngliche Charakter ist, und können denselben umschaffen, jedenfalls in das Nützliche, zuweilen in das Edelste, stets selbst verantwortlich bei diesem bedeutsamen Tun.

Aus ernstem und heiterem Ton spricht bei Shakespeare Überzeugung von Recht und Pflicht nie zu fliehender Verantwortung. Fremdem Einfluß sich hinzugeben, scheint ihm ohne Lebenskunst, vermessen dünkt ihm, von einer Gottheit zu verlangen, daß sie uns die nötigen

562

Handgriffe macht, die wir selbst zu leisten haben; erst wenn wir diese Handgriffe geleistet, kann und wird göttliche Gnade unser Lebenswerk rechtfertigen und mit Vollkommenheit krönen.

In hochmütiger Einsamkeit läßt sich dies Lebenswerk nicht schaffen und auch nicht in gemeinem Gedräng. Gesittet holde Geselligkeit brauchen wir als künstlerische Anregung und um uns bescheiden zu erhalten, denn Selbstbejahung und eigene Anstrengung dürfen nicht zu Selbstgerechtigkeit und Überhebung führen.

Nicht nur dem elisabethanischen Zeitalter kam die Renaissance der Renaissance, die Shakespeare kräftig ausatmet, zugute, sie blieb tätig trotz aller Schwankungen der Politik und half durch die Bildung von mächtigen Persönlichkeiten zu Englands wachsender Macht. Sie enthält Botschaft nicht nur für England sondern für das gesamte Abendland, dessen gesittete Nationen an dieser Renaissance der Renaissance, an Shakespeares Meisterschöpfungen, die sie lebendig ausdrücken, tätig mitgearbeitet haben. Die gesitteten Nationen redeten bei Shakespeare insgesamt mit und haben alle zu lauschen, wenn sein Sehermund kündet.

Am deutlichsten sagen die Lustspiele aus über die Geselligkeit, die Shakespeare in sein Erleben als eines der wichtigsten Elemente aufgenommen. Sie offenbart sich dreifach, bei den gebundenen Hofzeremonien, bei den völlig zwanglosen und oft äußerst ausgelassenen Zusammenkünften in Tavernen und Gasthäusern, die den Klubs vorangehen als Herrengeselligkeit und Schöngeisterei und endlich in idealer Mitte zwischen Lizenz und Zwang, Pomp und Aufgeknöpftheit dort,

wo Herren und Damen im Zeichen einer Freiheit
verkehren, die durch Sitte und ästhetische Regel in
Schranken bleibt.

Die von Shakespeare ideal dargestellte, angeregte Geselligkeit tönt von artigem Reimspiel und lacht über
scharfe *concetti*. Sie ist leidenschaftlich musikalisch,
Virtuosen werden auf das äußerste gefeiert. Der glänzendste unter ihnen, John Dowland, macht die erste
große europäische Künstlertournee und soll im Lautenspiel selbst die Venezianer und den Römer Luca Ma-
renzio übermeistert haben. Shakespeare preist ihn
*Dowland, whose heavenly touch upon the lute doth
ravish human sense.*

Eine der reizendsten Blüten, die der elisabethanischen
Zeit entsprossen, ist die vornehme Gesellschaftsmusik
genannt worden, die man mit Hingabe pflegte. Man
war vergnügt, verliebt und weisheitsvoll, man zielte
nach dem Höchsten und verschmähte das Kleinste nicht,
ja gerade mit Kleinem, scheinbar Geringfügigem zeigte
sich Wichtiges an im Befinden der Zeit.

Stil in der Liebe, Stil in der Kleidung, im Essen und
Trinken, Stehen, Gehen, Tanzen, Grüßen, Entlassen,
Herbeiwinken wird nirgends so durchgebildet und hat
sich nirgends so köstlich bis ins Kleinste gespiegelt
in zeitgenössischer Dichtung.

Unabänderlich feste Tischsitten herrschen, die noch
manche Gepflogenheit des gotischen Mahles beibehalten,
mag auch der Koch ein *musical French cook* *) sein,
der mit allerhand Seltenheiten aufwartet, und die Gabel
— jüngst aus Italien eingeführt — beifällig begrüßt

---

*) Er heißt master cook, magister coquorum.

werden ohne tugendhafte Entrüstung, wie sie die Neuerung in Frankreich hervorgerufen. Es bleibt Brauch, das eigene, schöngefaßte Tischmesser mitzubringen und einen Wetzstein dazu, der ebenso als Luxus behandelt wird. Elisabeth schenkte ihrem Essex einen solchen Wetzstein in Gold gefaßt.

Noch ist das *round-about* oder *measure* beliebt, am Anfang des Mahles einen Freundschaftsbecher von Mund zu Mund gehen zu lassen. Feierlich fröhlich ertönt Musik dazu. Noch sitzen die vornehmeren Gäste *above the salt* und die anderen *below the salt*, niemand empfindet die Teilung als kränkend, sie gehört zur Ordnung des geselligen Daseins und jedermann bleibt sich seines Platzes wohlbewußt. Für jüngere und im Rang niedriger stehende Gäste ist es Auszeichnung genug am *lower-end* Tafelfreude mitzumachen, denn sie gehören schon dadurch zum Lebensspiel des großen Herrn. Auch mochte es am unteren Tischende gemütlicher sein, am oberen waren die Zungen zahmer und der Herren Appetit mußte warten, denn sie hatten zuerst die Damen zu bedienen und deren Wünschen gerecht zu werden.

Elisabeths Mäßigkeit bei Tafel gibt den Ton an und es braucht keine Verordnung, wie sie um diese Zeit in Deutschland erlassen wurde, um *das fürstliche Frauenzimmer* vor Trunksucht zu warnen.

Allgemein ist Manierlichkeit bei Tisch vorgesehen und selbst in besseren Gasthäusern berauscht man sich lieber mit Worten als mit Wein, an ein vollendetes Tischgespräch werden hohe Anforderungen gestellt. In Liebes Leid und Lust rühmt Shakespeare ein solches:

Eure Gespräche bei Tisch waren scharf geprägt, angenehm ohne Ziererei, kühn ohne Frechheit, gebildet ohne vorgefaßte Meinung, originell ohne Ketzerei. (Your reasons at dinner have been sharp and sententious, pleasant without affection, audacious without impudence, learned without opinion, strange without heresy.)

Feine Sitte gehört durchaus zu der anmutig gestimmten Umgebung, etwa im Lusthaus oder Gartenhaus, wo der süße Nachtisch mit Vorliebe aufgetragen wird und man zu musikalischer Unterhaltung übergeht. Die Damen spielen auf dem *Virginal*, dem bemalten und geschnitzten Vorläufer des Spinetts — so wird Shakespeare bezaubert von dunkler Schönheit und seufzt ihr im Sonett *when thou, my music, music playst.*

Graziös wirkt der leichte, um Kopf und Schulter geworfene Umhang, er heißt *French hood*, war aber wohl die aus Spanien übernommene *Mantilla*, die der Trägerin erlaubt, durch reizendes Faltenspiel mit jeder Bewegung den Rahmen ihres schönen Köpfchens zu verändern. Zuweilen wählten die Damen männlich emanzipierte Tracht mit wehendem Federhut, die der Satiriker scharf rügt: *Women masking in men's weeds.*

Am Ende des Gastmahls ist ein Reisender besonders beliebt, *der etwas aus der Ferne erzählen kann.* Der fashionable Gastherr empfiehlt sich lässig ohne besondere Wärme von seinen Gästen, was Shakespeare den Vergleich (in Troilus und Cressida III 3) eingibt:

566

For time is like a fashionable host
That slightly shakes his parting guest by the hand*).

Der großen Lords Gastfreundschaft ging über und klang aus in Wohltätigkeit, indem allerlei Schützlinge am *lower end* und dem Gesindetisch mittaten und endlich die Brocken der Gasterei in Körben an die Gefangenen und Bettelarmen verteilt wurden. Auch innerhalb des Gesindes oder vielmehr der Gefolgschaft eines großen Herrn herrschte peinliche Rangordnung, ein Brauch, der sich in dem grundsätzlich der Form gern huldigenden England spurenweise bis zur Gegenwart erhielt. Der *gentleman usher* ist eine Art Zeremonienmeister, fein gekleidet und majestätisch. Sein verantwortlicher Gehilfe ist der *sewer*, dem nichts Geringes anvertraut ist, die Herrschaft über das mächtige *side of boards*, die hochgetürmte Kredenz mit ihren Schätzen an Gerät aus kostbaren Metallen. Rechts und links waren die meist blau gekleideten Bedienten aufgestellt, die das funkelnde Gerät reichten. Auf lautlose, untadelige Bedienung wird schon im damaligen England größter Wert gelegt.

T'was the best fashiond and well-ordered thing and
there withal
The fit attendance by the servants used
The gentle guise in serving every guest, the great wheels
Turning but softly, make the less to whir
About their business — —**).

---

*)   Denn Zeit ist wie ein Wirt nach heut'ger Mode,
       Der leis dem Gast die Hand drückt, wenn er scheidet.
                                                (Schlegel.)
**) Gentleman usher, Comedy by Chapman.

(Es war die eleganteste und wohlgeordnetste Sache und besonders die entsprechende Aufwartung, welche die Dienerschaft pflegte, die freundliche Art jedem einzelnen Gast gegenüber, daß die gewaltigen Räder sich leise bewegen, so wenig als möglich laut sind bei ihrem Geschäft.) Daß ein so großes Räderwerk richtig gehe, bedarf der Tradition. Doch allzu großer Troß, eine unendlich verzweigte Klientel ist noch vom Mittelalter her gebräuchlich. Vom nationalökonomischen Standpunkt betrachtet es Thomas Morus als schlimm, denn der Hochmut des Trosses, der sich fühlte, breit und wichtig machte, verursachte manchmal böses Blut. Vielleicht zum erstenmal ernstlich, als die Wagen aufkamen, die stets eine soziale Unzufriedenheit der Fußgänger veranlassen. Elisabeth erhielt die erste Stadtkutsche geschenkt aus den Niederlanden zur Feier ihres Sieges über die Armada. Bald mehrten sich die Wagen und waren sehr unliebsam in Londons engen Straßen, die überdies noch ausladende *stalls*, Verkaufstische mit umstehenden Käufern schier versperrten. Kutschen waren zugleich mit dem Tabakrauchen aufgekommen und zugleich verspottet. Ein Satiriker meint: Die erste Kutsche ist vom Teufel in China gemacht und nach England hinüber getragen worden in einer Wolke von Tabaksqualm. Beim Nahen einer Kutsche gab es jedesmal gewaltsamen und possierlichen Aufbruch, Störung des bis dahin sicher schlendernden Straßenlebens. Um rechtzeitig zu warnen, ließ man Lakaien, *forerunner*, vor und neben den Kutschen herlaufen, das Publikum seitwärts zu drängen und Raum zu schaffen. Diese Tätigkeit hieß *lackeying*, wurde gewiß frech und unter Protest der Gedrängten geübt, und es ist zu fürchten, daß manche Modedame nicht unbelustigt blieb, wenn sie geputzt in ihrem schwerfälligen und prächtigen Ungetüm von Kutsche saß.

Das Ärgernis wurde so groß, daß man später die Kutschen in der Stadt überhaupt verbot und dann nur in beschränkter Anzahl wieder gestattete. Gewiß waren die malerischen alten Straßen mehr dazu angetan, darin zu schlendern und spazieren zu stehen, der *Strand* mit seinen eleganten Palais, an deren Tor baumhoch der prachtvoll angetane *porter* stand, die Straße der Goldschmiede, wo mehr an Juwelen zu sehen war als im übrigen Europa, ferner die Straße der Schneider, *milliner* genannt, weil sie meist aus *Milano* stammten, mit allen Neuigkeiten an Brokat, Spitzen und Sammet, sprichwörtlich weithin duftend, denn jedes Gewand war heftig parfümiert, ebenso parfümierten die Handschuhmacher ihre Handschuhe, die Schuster ihre kostbaren, edelstein- und spitzenbesetzten Werke. Man denke an Malvolios Auftreten in abgeschmackt modischem Aufzug*).

Nah oder fern von einem Edelmann oder Prinzen abzuhängen, gereichte zur Ehre, ja führte des öfteren zu Dünkel und Aufgeblasenheit, die bei Malvolio, als er den ersten Rang in Olivias Haushalt erklommen, so possierlich wirken. Gunst eines hohen Herren, einer hohen Herrin bot unbegrenzte Möglichkeit des Emporkommens in gesellschaftlicher Stellung. Der beliebte Dilettantismus führt zu freundschaftlich nahen

*) In Shakespeares *Was ihr wollt*.

Beziehungen zwischen Gönner und Schutzbefohlenen, denn oft empfängt einer vom anderen.

Fremd und unbeliebt in der Gesellschaftsordnung, ja gleichsam ausgestoßen ist der Mann im Waffenrock, der Nursoldat, obwohl man gern sieht, daß ein Vornehmer hie und da Kriegserlebnisse sucht. Der Nursoldat ist so wenig geachtet, daß es für ungehörig gilt, in kriegerischem Anzug bei Tafel zu erscheinen. So macht Captain Belgarde in Massingers *Unnatural combat* unliebsames Aufsehen, als er soldatisch erscheint und sich rühmt, den entfalteten Luxus durch seine Taten ermöglicht zu haben. Gastgeber und Gäste sammeln darauf ein Geschenk für ihn, damit er sich *einen anständigen Zivilanzug* anschaffen möge*). Die einzige Waffe, die zu tragen erlaubt wird, ist der zierliche Tanzdegen, der zu den französischen Tänzen gehört, etwa zu jenem *cinque pas*, den Beatrice in *Viel Lärm um nichts* erwähnt, als symbolisch für den Abtanz der Gefühle in dem von ihr humoristisch angegriffenen Ehestand: *Freien, heiraten und bereuen sind wie eine Courante, eine Pavane und ein Fünfschritt; der erste Antrag ist heiß und rasch wie eine Courante und ebenso phantastisch, die Hochzeit manierlich, sittsam wie eine Pavane, voll altfränkischer Feierlichkeit; und dann kommt die Reue und fällt mit ihren lahmen Beinen in den Fünfschritt immer schwerer und schwerer, bis sie zu Grab sinkt.*

Während der Soldat wenig Ehrung genoß, stiegen

---

*) So instinktiv ist der Militarismus verabscheut. Karl I. kommt ja später hauptsächlich darum zu Fall, daß er wie in den Continentalstaaten eine stehende Armee einführen will.

gelehrte Berufe stark im Ansehen, insbesondere die Rechtsgelehrten, die ähnlich, wie in Frankreich, einen eigenartig vornehmen Stand bildeten und interessante Geselligkeit in ihren Klublokalen, den *Inns*, genossen. Schriftsteller hatten gehobene Stellung und wie das Schauspiel in Mode kam, verkehrten die eleganten jungen Lords freundschaftlich mit Schauspielern. Künstler und Virtuosen waren stark begehrt, man brauchte ihre Einfälle für die sich immer großartiger gebärdenden Feste am Hof und bei großen Herren, die *masks and interludes*, denen ein eigener Zeremonienmeister, *master of the revels*, vorstand. Bacon nennt diese Unterhaltung zwar Tand, verschmäht jedoch nicht, Anweisungen dafür zu geben. *Diese Sachen sind bloßer Tand — — indessen, da Fürsten einmal dergleichen haben wollen, so ist es besser, dass sie zierlich geschmückt und nicht mit Prunk überladen werden. Der Tanz zum Gesang ist etwas überaus Anmutiges und Gefälliges. Ich halte dafür, daß der Gesang von einem erhöhten Chor ausgeführt und von ununterbrochener Musik begleitet werde und daß die Weise dem Wort entspreche. Falls sie geräuschlos vorgenommen werden, sind Bühnenverwandlungen von großer Schönheit und machen Vergnügen. Auf der Bühne muß Licht, besonders farbiges und wechselndes in Überfluß vorhanden sein. Plötzliches Ausströmen lieblicher Wohlgerüche ohne Herabtröpfeln ist bei solcher Gesellschaft angenehm und erfrischend*).*

---

*) Die Hypothese von Bacons Autorschaft an Shakespeares Stücken erscheint mir haltlos aus psychologischen wie anderen Gründen. Wohl hat Bacons Philosophie mitgearbeitet, wie alle Philosophie

Die eigentlichen *masks* waren elegante allegorische Spiele, von Herren und Damen ausgeführt, die *antimasks* deren komisches Gegenspiel, vertreten durch Figuren in grotesker Verkleidung. Im Sommernachtstraum verwertete Shakespeare diese Idee, wo als Antithese des Spiels von Oberon und Titania mit ihrem Hofstaat die derbkomische Theateraufführung der Handwerker erscheint. Den *masks* wurde manche politische Allegorie anvertraut. Als Elisabeth sich zu Nottingham mit Maria Stuart versöhnen wollte, hatte sie ein entsprechendes Spiel bestellt, dessen Scenarium vorhanden ist. Zwei Königinnen, eine auf goldenem, eine auf rotem Löwen, sollten mit verschlungenen Händen auf die Szene reiten, die Figuren *üble Nachrede* und *Groll* überwältigt ins Gefängnis geworfen und von guten Mächten bewacht werden. *Mask* und Versöhnung kamen nicht zustande.

Das berühmteste Fest, das Elisabeth zu Ehren stattfand, spielte bei Lord Leicester in Kenilworth (1575), es fehlte keine mythologische Schmeichelei, das Herz der Königin zu gewinnen. Bei diesem Fest erschien der Neffe des Gastgebers, Englands liebenswürdigster Ritter und Dichter, Sir Philipp Sidney, der Elisabeth gleich einer

der Zeit und er mag, ähnlich wie an dieser Stelle, theatertechnische Ratschläge zu geben, nicht verschmäht haben. Im Leben war der große Wissenschaftler *the meanest of mankind* (der niedrigste Mensch), erwiesenermaßen feiler Richter, verräterischer Freund, Streber und Snob. Man halte dagegen das gewichtige Lob bedeutender Zeitgenossen, Spenser, Ben Jonson, die Shakespeares Vornehmheit priesen, und die Gesinnung, die aus seinen Sonetten spricht, tief edles Erleben des platonischen Gedankens, Läuterung durch Schönheit und Liebe, die göttlich verklärt.

572

Minneherrin verehrt hat. Denn nach 150 Jahren fand man überraschend in der Bibliothek von Wilton, dem Landsitz seiner berühmten, schöngeistigen Schwester, Lady Pembroke, ein Buch aus seinem Besitz, in dessen Seiten wohlverwahrt ein Liebesandenken lag, es war eine noch schöne, goldrote Haarlocke, die Elisabeth Sir Philipp in unbelauschter Stunde gespendet — dabei ein Gedicht voll süßen Gefühls, das diese Erinnerung heimlich festgehalten. Auch soll Sir Philipp, als ihn die Königin huldvoll *jewel of my time* benannt, ihr zuliebe auf die ihm angetragene Krone Polens verzichtet haben. Vielleicht herrschte er lieber auf seinem wundervollen Landsitz Penshurst, dessen arkadisches Glück und großzügige patriarchalische Gastfreundschaft von Dichtergästen besungen wurde. Ben Jonson beschreibt es:

> *Whose liberal board doth flow*
> *With all that hospitality doth know.*

(Mit allem, was Gastfreundschaft kennt, quillt der großmütige Tisch über.) Von Penshursts *erhabenen Mauern* sagt er:
They're reared with no man's ruin, with no man's groan.
(Diese Mauern sind mit niemands Wehklagen erbaut.) Anspielung auf die mit Unterdrückung und ungerechtem Aufkauf von Schafweide und ähnlichem errichteten Prunkhäuser gewisser Neureicher.
Mit Recht bemerkte Burleigh, *gentility* (etwa *Edelwesen*) sei gleichbedeutend mit alterworbenem Besitz, mit Altreichtum. *Gentility* zeigt sich durch trautes patriarchalisches Einvernehmen mit der ländlichen Bevölkerung, wie Penshurst vorbildlich beweist.

All come in, the farmer and the clown,
And no one empty-handed, to salute
Thy lord and lady, though they have no suit
Some bring a capon, some a rural cake,
Some nuts, some apples, some who think they make
The better cheeses, bring them, or else send
By their ripe daughters — — whose baskets bear
An emblem of their cheeks in plum and pear*).

Noch im 19. Jahrhundert sah man in Penshurst *Sir Sidney's oak*, eine Eiche und einen Freundschaftshain, von ihm gepflanzt. In dieser feinen feierlichen Parklandschaft seufzte Sir Sidney eines der schönsten Liebeslieder aller Zeiten.

With how sad steps, o moon thou climbst the skies
How silently and with how wan a face!
— — thou feelst a lovers case**).

In diesem Hain wurde ähnlich platonisiert wie in Italiens Gärten, denn Sidney hatte aus Italien nicht wie andere englische Reisende, etwa wie der Liebling der Gesellschaft, Edward Vere, Earl of Oxford, Verfasser der spielerischen Sammlung *Paradise of dainty devices* (Paradies eleganter Redensarten) nur äußerliche Moden, gestickte Handschuhe und dergleichen mitgebracht.

---

*) Alle kommen, Pächter und Bauern, Lord und Lady zu grüßen, keiner mit leeren Händen, auch wenn sie kein Anliegen haben. Die einen bringen einen Kapaun, einen ländlichen Kuchen, andere Äpfel, Nüsse, bestgelungenen Käse, ihre Töchter erscheinen mit Körbchen voll Obst, dessen Sammet dem Flaum ihrer Wangen gleicht.

**)Wie traurig matt im Schritt, o Mond, erklimmst du Himmelshöhen,
 Wie schweigensvoll und wie von Antlitz wehmutsvoll!
 — — Heimliche Liebesnot ist dir vertraut.

Sidney nahm den platonischen Minnegedanken als kostbare Gabe mit und führte seinen Freund Spenser in dessen Geheimnis ein. In der *Faerie Queen* verwob ihn Spenser auf das wunderbarste mit Erinnerungen an den romanischen Minnedienst, den England einst von den Troubadours aus dem Gefolge der Eleonor von Aquitanien*) empfangen, wie mit Anregungen aus dem *Roman de la rose* und suchte allegorisch spielend den jungen Edelmann, der die *Faerie Queen* erreichen will, dahin zu erziehen in der Verschlungenheit spannender Abenteuer. Die Feenkönigin ist eine neue Umschreibung der *Sophia*, der mystischen Schönheitsgöttin, der ein wahrer Ritter ergeben sein muß. *Schönheit baut ihr Haus, in dem sie wohnen will,*

> — *frames her house*
> *In which se will be placed* — — —

(Spenser). Und Shakespeare lernt aus der *Faerie Queen*. Er lernt auch von den pastoralen Dichtungen seiner Zeitgenossen. Der spanische, portugiesische, italienische und französische Schäfer ist von dem englischen an Poesie übertroffen, da innige Naturliebe die zierliche Künstlichkeit bis zur großen Kunst erhebt und Humor der allzu süß preziösen Kost die Würze gibt.
Wie anders tanzt die Königstochter Perdita bei der Schafschur, wie anders die echte Hirtin Mopsa! In modischer Unterhaltung ist es Sitte, Verse aus bekannten Schäferspielen zu zitieren; indes alle anderen pastoralen Töne Europas längst vergessen sind, blieben einige der Verse, die in Elisabeths Hofgesellschaft leicht von

---

*) Vgl. Gleichen-Rußwurm *Der Ritterspiegel.*

schönen Lippen flossen, bis heute geflügelte Worte. So der Anfang von Marlowes Liebeswerbung aus *The passionate pilgrim.*

> *Come, live with me and be my love.*
> (Komm, mit mir zu leben und mein Lieb zu sein.)

Ein Liedchen, das neckisch wehmütige Erwiderung findet von Walter Raleigh*): *the nymphs reply.*

> If all the world and love were young,
> And truth in every shepheards heart,
> These pretty pleasures might me move
> To come with thee and be thy love**).

Dem englischen Schäfer ist die angerufene Mythologie nicht bloße Konvention; mit einer holdgriechischen Naivität sieht und hört er Elfen, Feen und Kobolde in Hain und Flur wie der Grieche die heimischen Haine belebt sah von Satyrn, Nymphen und Dryaden. Als sei der Reigen eines griechischen Vasenbildes zum Leben gekommen, schwärmt das Volk der luftigen Geister von Blumen, Wiese und Wald in *Faithful shepherdess,* Beaumont und Fletchers Pastorale und singt Pan entgegen:

> *... Daffodilies,*
> *Roses, pinks and loved lilies,*
> *Let us fling,*
> *While we sing,*

---

*) Bezeichnenderweise wird Walter Raleigh von Spenser *Shepheard of the ocean* genannt.

**) Wenn die Welt, wenn die Liebe noch jung wären und in jedes Schäfers Herz nur Wahrheit wohnte, dann bewegten mich diese lockenden Freuden, dir zu folgen, dein Lieb zu sein.

Ever honoured, ever young
Thus great Pan is ever sung*).

Freilich gebot modische Schäferei nicht immer solche überströmende Lebenslust; wenn sie von Spanien beeinflußt wurde, wie es vielfach der Fall war, verlangte sie Schmachten und Melancholie als einzig distinguiert.

Das Bestreben der Altreichen, sich von den Neureichen durch Imponderabilien zu unterscheiden, wenn jene ihre Kleider und geselligen Sitten möglichst genau nachahmten, mag an manch sonderlicher Mode schuld sein, da gerade in England der Wunsch, eine geschlossene Gesellschaft zu bilden und die Nachkletternden überlegen spöttisch abzuweisen, stets scharf im Bewußtsein blieb. Luxusgesetze hatten in England keine Geltung, *cityman* und namentlich *citymadam* waren bestrebt, es den Vornehmsten möglichst gleich zu tun.

Sobald die Tracht, die jeden Stand stolz charakterisiert und unverkennbar kleidet, verschwindet, entsteht, was die Luxusgesetze stets verhindern wollten, die kostspielige Mode, nämlich das Bestreben der oberen Schicht, die Neureichen in Distanz zu halten, indem einer der Vornehmen fortwährend etwas Neues, dem soeben Getragenen Gegenteiliges als einzig elegant angibt.

Am besten wird im Wettlauf der Vorsprung erreicht, wenn die Altreichen sich der Führung eines erwählten Führers in diesen heiklen Dingen überlassen, einen *Modefavorit* erwählen. Dieser Kunstgriff, der in England später von dem bekannten *beau* Brummel vertreten

---

*) Dotterblumen, Rosen, Nelken, geliebte Lilien wollen wir streuen, indem wir singen: ewig geehrt, ewig jung soll der große Pan gefeiert sein.

wurde, bestand schon zu Elisabeths Zeiten. Als anerkannte Führer der Mode traten der schöne Graf Southampton und William Herbert, Earl of Pembroke auf, beide Freunde und Gönner Shakespeares. Die rätselhafte Widmung der Sonette wurde bald dem einen, bald dem andern zuerkannt (wahrscheinlich mit mehr Recht dem Earl of Pembroke). Dem typischen Elegant seiner Zeit entlehnt der Dichter einige Züge für Hamlet und Jaques. Weltschmerz galt für ein feines Tragen, denn elegische Schattierungen von Wehmut lassen sich von dem meist plumpen Neureichen am schwersten nachmachen.

Darum ist in *Nice Valour* von Beaumont und Fletcher ein Lob der Melancholie eingelegt, das die Erscheinung des stilvoll Verträumten und Schmachtenden trefflich vor Augen führt, vielleicht ein wenig ironisiert:

> *Nothing's so dainty as sweet melancholy*
> *Welcome, folded arms, and fixed eyes*
> *A sigh that piercing mortifies*
> *A look that's fasten'd to the ground . . .*)*

Anstandsvorschriften und Winke, wie die Sprache erlesen zu behandeln sei, fand die vornehme Jugend in *Euphues*, von Lily **). Euphues ist ein junger Athener

---

*) *Nichts ist so zärtlich erlesen wie süße Melancholie — Willkommen — verschränkte Arme und abwesend träumender Blick, und Seufzerspiel und gesenktes Haupt.* Das Wort *dainty* ist soeben erfunden worden, um ausgesuchte Eleganz auszudrücken — etwa *zärtlich erlesen.*

**) *Euphues and his England* (1580) *voyage and adventures mixed with sundry pretty discourses on honest love, the description of the country, the court and manners of that isle.* Italienische Einflüsse kommen durch manche Übersetzung, Lord Fairfax überträgt

bester Schule, der nach England kommt, Gelegenheit,
alles zu erwähnen, was der englischen Jugend obliegt,
dem humanistischen Ideal nahe zu kommen. Der Übertreibung, die in der Richtung von *euphuism* an Komplimenten und Beteuerungen geübt wurde, warf Shakespeare gelegentlich das energische Wort des Apemantus
(in Timon) entgegen:

Von Liebe nichts in all den süßen Schuften
Und lauter Höflichkeit. Die Menschenbrut
Reckt sich in Aff und Pavian hinein ...
Die Komplimente sind nur erfunden, Glanz zu leihen
Verstellter Freundlichkeit und hohlem Gruß.

Das affektierte Betragen junger Zierbengel betrachtet
mehr von ergötzlicher Seite der Satiriker Th. Dekker
und erzählt, wie sie zur vorgeschriebenen, eleganten
Zeit, von 11—12 und 3—6 in St. Paul stolzieren und
sich komplimentieren, gelegentlich nicht etwa nach dem
besten, sondern nach dem neuesten Buch fragen, noch
lieber nach dem Almanach mit seinen Prophezeiungen.
How a gallant*) should behave himself in St. Pauls;
wie sich ein Galan in St. Pauls benehmen soll, wird
ausführlich gelehrt, vielleicht etwas Dedekinds *Grobianus*
nachempfunden.
In erlesenen Kreisen bleibt man jedoch fern von
Fexereien, die Spott verdienen, und hält sich an die platonischen Lehren eines Spenser, der sich vorgenommen,
to fashion a gentleman or noble person in virtuous

Tassos Werke, Sir John Harrington Ariost und einige Satiriker
behaupten, die Parade des Komplimentierwesens sei Italien nach-
geäfft.
†) *gallant* kommt aus dem spanischen *galan*.

and gentle discipline*). Dasselbe wie die von Castiglione verlangte Grazie des ganzen Wesens besagt *gentle* als Idealbegriff. Es kann jedem Stand unnachahmliche Vornehmheit verleihen ohne Modeaufwand und Torheiten.

Gentle Shakespeare ist das ehrenwerte Prädikat, das dem Dichter verliehen wird, es bezeichnet ihn als edel von Wesen, was immer Beruf und Herkunft sein mögen, anerkennt ihn als Mann von Welt.

Gentleness wird vor allem von vornehmen Damen geübt, mit Grazie waltet die unendlich wohlerzogene, zuweilen höchst gebildete Lady, deren Sekretär oft ein begabter Schriftsteller ist. Was sich ziemt und schickt, lehrt eine Anne Clifford, countess Pembroke, eine Elisabeth Vernon — vielleicht das Urbild der Hero und anderer *lady-like* holdseliger Erscheinungen der Bühne. Und es scherzt manch muntere Liebhaberin wie Mary Fenton, manches Vorbild unsterblicher Schelminnen der Lustspiele.

Man ist selbstverständlich geistreich, witzig, stets zungenfertig, man tändelt in Schäferei, doch immerdar stilvoll, mit jener Liebe für Form, die Jahrhunderte lang dem vornehmen Engländer eigen blieb.

Außerst gegensätzlich dem zierlichen Schwärmen wie auch den prunkvollen Zeremonien des Hofs stand das Treiben derb treffsicherer *wits* in Tavernen und Barbierstuben, wo es übermütig lebhaft zuging. Haar- und Barttracht waren von so großer Wichtigkeit, daß der Barbier eine Art Salon hielt, ein Neuigkeitenbüro, in-

---

*) Einen vornehmen Jüngling oder Adeligen zu erziehen in tugendhafter und wohlanständiger Sitte

580

des er endlos die ihm anvertrauten Häupter jeden Grades, je nach Stand oder Laune, zu eigenartiger Physiognomie ausarbeitete. Guitarren hingen an der Wand und begleiteten manchen modernen Gassenhauer oder tollen Spottreim. Eine Art Hausordnung war aufgenagelt, um das Treiben im Zaum zu halten, konnte aber die übermütige Laune nicht bremsen. Die Wichtigtuerei des Barbiers und den Reichtum seiner Phantasie im Zuschnitt von Bart und Bärtchen je nach den Anregungen aus den Niederlanden, Spanien, Italien oder Frankreich brachte mancher Satiriker in Verse; einer reimte:

Some like a spade, some like a fork, some square
Some round, some mow'n like stubble, some stark bare,
Some sharps, stiletto-fashion, dagger-like . . .

Tatsächlich scheinen diese Barbiere in der Kunst der Physiognomie sehr weit gewesen zu sein und ihre Winke waren gewiß für den Schauspieler wertvoll. Stubbes erzählt in *Anatomy of abuses: wenn man kommt, um hergerichtet zu werden, fragt der Barbier, ob es gewünscht wird, für den Feind schrecklich oder für den Freund liebevoll auszusehen, ob ernst und verbietend, ob aufgeräumt und heiter im Stil.*
Jede Gruppe von Literaten und Schöngeistern — sie waren Legion im *merry old England* — hatte ihre Stammkneipe — *tavern*, die feineren hießen *ordinary* — wo sie ihr Wesen trieb und in scharfer Dialogkunst gleichsam dem Theater präludierte.
Zur Erholung vom steifen Hofleben, von der Monotonie des absolutistischen Himmels mit seinen ewigen Huldigungschören, Seligkeitslächeln und Wichtigkeiten

begab sich manch junger Hofmann nicht ungern in eine
Taverne untersten Ranges, wo der Dichter Peele, ein
verbummeltes Genie als komische Figur Anziehungs-
kraft ausübte durch seine ulkige Unverschämtheit.
Manches Hühnchen hat Shakespeare mit George Peele
rupfen müssen und er rächte sich humoristisch, indem
er den Tropf zum monumentalen Schlemmer und
Schürzenjäger Falstaff erhob. Das Vorbild für Prinz
Heinz, der sich eine Zeitlang mit ihm belustigte, war
vielleicht Graf Southampton. Die Schalkslaune hat
ihre Zeit und die freche Kumpanei wird nachlässig
vornehm abgeschüttelt, wenn es dem hohen Herrn
nicht mehr behagt — so verfährt Heinz, sobald er sich
Heinrich nennt, dem dicken Ritter gegenüber — Re-
naissance-beffa, stets ein wenig grausam.
Höhere Witzbolde waren in der *Mermaid* zu finden,
im *White Horse, old Devil, Temple Bar, Apollo, Falcon
Tavern.* So spannend und belustigend ging es in ihren
Wortgefechten zu, daß sich stets Publikum bildete, ja,
daß es anstand, um kein Wort zu verlieren, wenn
sich die Kämpen neuer Art begegneten und mutig
berannten. Seit Athen ist nicht soviel Geist veraus-
gabt worden, wie von den großen *Wits* aus Elisabeths
Zeit, die sich gemütlich Ben, Tom und Will nannten.
Bei den freundschaftlichen Redeschlachten zwischen
dem *rare Ben Jonson* und Shakespeare wurde ersterer
mit einer massiv prächtigen spanischen Galeere, letzterer
mit einem leichten, geschwinden englischen Schiff verglichen, das schließlich siegt.
Wie drängt und schiebt es schon ungeduldig zum Theater
— zuweilen entstehen improvisiert Komödien aus den

582

treffsicheren Redekämpfen, die gegeneinanderrennen. Die große Zeit ist gekommen. Wie aus den besonderen Bedingungen der italienischen Renaissancegeselligkeit unwiderstehlich die Novelle entstand, so entwächst den besonderen Bedingungen der Geselligkeit Englands sein Renaissancetheater*), unaufhaltsam, wie eine strotzende Knospe birst.

Das große Spiel des Lebens, reich wie nie, verlangte Spiel im Spiel. Es wollte sich beschauen, bespiegeln und schließlich sich prüfen und kennen. Durch Mitteilung, durch Gabe wollte es seinen unendlichen Reichtum kosten, denn jeder Lebensreichtum genießt sich nur, wirkt nur, indem er von sich gibt. Er braucht Schönheit, die seine Melodie laut, seine Farben erst zu Farben macht.

Übervoll wie nie war das große Spiel des Lebens, voll des Witzes, voll des Abenteuers, voll des Liebens, voll des Hassens, voll des Todes und voll hochschäumenden Lebens. Das alles ergoß sich unaufhaltsam auf die Bretter, sie bedeuteten eine Welt, weil sich ihnen eine Welt bot, freigebig bot.

Von allem braucht's um eine Welt zu machen.

Es war weidlich von allem da. Nun griff einer nach dem anderen hinein in die Fülle mit glücklichem, mit immer glücklicherem Griff. Und die Zeit sah ihr Antlitz. Sie war gefesselt, gespannt, berückt, fast ein Narziß, der sich am Schauen nicht sättigt.

Im Jahre 1561 fand die erste Vorstellung vor Elisabeth statt in Whitehalls Saal, Liebhaber hatten sie gewagt,

---

*) Ähnlich waren das spanische und portugiesische Theater entsprungen.

ein gelehrter Jurist und ein Edelmann sich zusammengetan, um ein historisches Stück*) in dröhnende Verse zu bringen. Wenig später erdrückt man sich schon in Oxford, als ein neues Drama, diesmal nach klassischem Motiv, *Palamon und Arsite* gegeben wird. Rasch folgen 52 Dramen aufeinander, 1576 wird das erste ständige Theater in Blackfriars gegründet, der gewaltige Darsteller Burbage wirkt hinreißend, ihm nach streben bald an 200 Schauspieler, und vier Theater werden des weiteren eröffnet. Meist sind die Schauspieler sehr jung, man braucht ja knabenhafte Jünglinge als Frauendarsteller, sie bilden ein überaus lustiges Völkchen**).

Gern gesellen sich ihnen junge Leute von Stand, denn Theater ist ja die höchste Mode, im heutigen England würde man sagen *the craze*, die Narretei der guten Gesellschaft. Elisabeths ausgesprochene Vorliebe gibt gleichsam Recht dazu. Für den Eleganten gehört es sich theaterkundig zu sein; so mag manch ein junger Lord oder Prinz wie Hamlet den Schauspielern Unterweisung zu geben sich bemüht haben.

Vornehme Herrn (Beaumont ist Edelmann) und sogar vornehme Damen, wie Lady Pembroke in Verein mit ihrem Sekretär Daniel schreiben für die Bühne, manche Gelehrte, wie Chapman, der Übersetzer Homers, frei-

---

*) Es hieß *Gorboduc* oder *Ferrex und Porrex* von Thomas Norton und Sackville, Lord Buckhurst, der altenglischen Geschichte entlehnt, für die sich der Nationalstolz interessierte, so daß sich bedeutende Chronisten, wie Holinshed, mit ihr beschäftigten.

**) Durch Spott forderte es den besonderen Haß der bereits den Festtag Englands mißgünstig umschleichenden Puritaner heraus, die von den herrschenden Dichtern als *caterpillars (Raupen) of the commonwealth* sprechen.

lich auch verbummelte Studenten und Abenteurer sind Spielschreiber *playwrights.* Die Zeitgenossen Shakespeares bilden *ein gewaltiges Geschlecht* (so nennt sie Charles Lambs)*), sie reichen ihm Dialoge, Situationen, Stoffe, Motive, die er brauchen kann und braucht, wie ihnen diese Situationen, Stoffe, Motive gereicht worden sind von Erzählern anderer Länder, die das Spannende in ihrer Geselligkeit mit klug pointierten Novellen erprobt und wie diese hinwiederum das alles empfingen aus altem Buch und Pergament, aus Reisebericht und Ammenmärchen, von nah und fern, und wer weiß aus welchen Fernen. Unübersehbare Mitarbeit, bis das wahre Theater entsteht zu Lust und Schmerz und zu ewiger Weisheit!

Blickt man überhöhend in dies Getriebe, welch ein Schleppen der Schultern, Ragen und Tragen vielgestaltiger Gestalten wie an wimmelndem Dombau.

Arbeiten die Zuschauer nicht selber mit, die Lords und Ladies — sie spielen ja geradeso im Leben und mit dem Leben. Lässig wird die seidene Leiter an den Balkon gelegt und auch das Haupt auf den Block... oder in den Schoß der Schönen. Die Rüpel spielen ebensogut, so unverkennbar mit und nicht mit weniger Erfolg. Zuschauer und Spieler sind eins, das Leben die Bühne, die Bühne das Leben selbst.

Mir gilt die Welt nur als die Welt,
Ein Schauplatz, wo ein jeder seine Rolle spielt.

---

*) Norton, Edwards, Whetstone, Thomas Kyd, Th. Nash, Robert Greene, Cristofer Marlowe, Munday, Chettle, Ben Jonson, Beaumont und Fletcher, John Webster, Thom. Middleton, John Marston, Taylor, Rowley u. a.

Das Theater kommt aus dem Leben und bleibt im Leben und will vorerst auch garnichts anderes. Seine Improvisation mit dem naiv angedeuteten Schauplatz belustigte wohl die hohen Herrn und Damen, die an die opernhaft prächtigen Ausstattungen der *masks* und *interludes* gewohnt waren. Zwanglos nahmen sie rechts und links auf der Szene Platz, die Damen erhielten Sitze, die jungen Herrn lagerten sich auf Binsen ihnen zu Füßen — wie Hamlet zu Ophelias Füßen — und die begonnene Liebelei wurde fortgesetzt.

Inzwischen erschienen Pagen, die ihren Herren das kostbare Pfeifchen mit Tabak brachten. Das Rauchen war eine neue Fexerei, um sich vom *profanum vulgus* zu unterscheiden. Auch spielten die *gallants* gern mit ihrer Uhr aus Nürnberg, mochte der *playwright* neckisch versichern, auf eine deutsche Uhr sei so wenig Verlaß wie auf ein hübsches Frauenzimmer, sie gingen niemals recht.

Oder die Herren führten aus schön verzierter Bonbonnière *pomander, kissing confits* (Kußbonbons) zu Mund, süß parfümierte Kügelchen, sehr beliebt wegen der Kußmode, die sich im Unterschied von anderen Moden seit mehreren Jahrzehnten erhalten hatte, denn schon Erasmus erwähnte schelmisch in einem sonst gelehrten Brief, wie kußbereit die schönen Engländerinnen bei allen gastfreundlichen Gelegenheiten seien.

Wird die Schauspieltruppe vor die Königin befohlen, beobachtet sie folgende Zeremonie. Der Schauspieler des Prologs spricht kniend. Zum Schluß der Vorstellung sinken alle Mitspieler auf die Knie zu einem Gebet für die Königin.

586

·Tragisch muß es Shakespeare und seiner Truppe zumute gewesen sein, als sie (1601) zum letztenmal zur Königin befohlen wurden im Augenblick höchster Ungnade, da sie am Abend vor seiner Verschwörung im Hause des Grafen Essex, Gönners des Dichters, *Richard II.* gegeben hatten, ein Stück mit gefährlichen Anspielungen. Essex' Haupt war seitdem verfallen, Southampton zu ewigem Kerker verurteilt. Dem Dichter entzog Elisabeth ihre Huld — es dünkte ihr Strafe genug, denn sie war ihm sehr huldreich gewesen.

Zur Zeit der Huld hatte sie einmal einen Scherz erdacht, ihn zu foppen. Shakespeare spielte mit Würde eine Königsrolle, da ließ sie wie unversehens ihr Taschentuch auf die Bühne fallen, um ihn zu verwirren. Er wankte jedoch nicht in Majestät und improvisierte zum Pagen gewandt, dem er soeben Auftrag erteilt:

> *But ere this be done*
> *Take up our sister's handkerchief*).*

Lange genug hatte man sich neugierig im Spiel des Spiels beschaut, jetzt stellte man ihm Fragen, wie einem Wunderspiegel. Shakespeare fand Entgegnung auf alle Fragen, die seine Zeit an ihn stellte in Scherz und Ernst, er ließ sich nie irre machen in seiner milden Überlegenheit, in jener Anmut, die einst die Neckerei der Königin pariert. Auch auf jene große Frage der Stellung und Bedeutung der Frau in der Gesellschaft, welche die Geselligkeit in unendlichen Gesprächsreihen endlos erörterte, gab er Aufschluß. Der Herrschgewalt der Minne gegenüber erläuterte er, daß die Herrschgewalt der vor-

---

*) *Doch ehe dies geschehn,*
   Nimm auf das Tuch, das unsre Schwester fallen ließ.

nehmen Frau nötig, aber nur in Wechselwirkung mit der Herrschgewalt des vornehmen Mannes, mit dem Siegel unverrückbaren Ideals versehen, gedeihlich wirkt. Seine Porzia ist wie die vorbildlichen italienischen Prinzessinnen über alle Maßen klug, gewandt und lebenskundig. Unübertrefflich, mütterlich hold und erhaben predigt sie die Gnade, aber der väterlich große Prospero übt solche Gnade.

Väterlichkeit ist Ergänzung der Mütterlichkeit, eines kann des anderen nicht entraten, wie bei der Zeugung des Kindes der Vater die Mutter und die Mutter den Vater nicht entbehren kann. Shakespeare weist auf die Verschiedenartigkeit und auf die Gleichberechtigung der Verschiedenartigkeit beider Geschlechter wie der Stände untereinander, da sie zu majestätischer Ordnung nötig sind und zu den Spielen des Lebens gehören, die der Mensch braucht wie die Spiele, die der Zeugung vorangehen.

Arbeit ohne Spiel ist ebenso trostlos wie der Akt der Fortpflanzung ohne seinen Lenz des Blühens und Singens, das ewig erneute Spiel der Natur.

Mann und Weib dürfen Verantwortung nicht einer dem anderen aufladen, wie Adam feige Eva anklagt, sie allein sei Schuld am Apfelbiß.

Unendlich verschieden setzt der Dichter Mann und Weib und jedes in seiner Art gleichberechtigt ein als Hausherr und Hausfrau einer Welt, die keine andere Aufgabe hat als schön zu sein und eben dadurch vernünftig und glücklich. Von irgend einem historischen Dogma ist bei Shakespeare wenig Spur. Ein Glaube an die Schönheit durchdringt sein Werk,

588

jener Glaube, der allein die Religiosität lebendig wirksam macht und sie über den Kampf der Zeit erhebt. Shakespeares nie irrendes Gefühl für den wahren Rhythmus des Lebens löste ebenso einfach und natürlich den Zwiespalt, den das merkwürdige Verhältnis der Renaissance zu den Heidengöttern in die Herzen gebracht. Er nimmt niemals hart von ihnen Abschied oder wagt sie tot zu nennen. Die Heidengötter werden wieder, was sie ursprünglich gewesen, ein Stück Natur, eine Metapher, ein Flüstern und Raunen oder Blitzen und Tosen, ein leises Gruseln im Traum, im Dämmer- oder Mondenschein.

Fortan gehört die Natur zu den höchsten Genüssen geselligen Daseins wie der seligsten Freundesliebe. In Italiens Villen eine architektonisch verziert auftretende Natur — entsprechend dem Klima und dem Seelentypus — die südlichen Götter als Nymphen und Bocksfüßler sind freundlich traut und häuslich in wohlgeschnittenen grünen Nischen wie zur Miete, ein Schmuck und Andenken.

England kennt Götter, die zu seinem Klima und seiner Landschaft passen, die Romantik Windsor Parks mit gespenstischen Hirschen, mit *Queen Mabs* Gefolge, das sich gern übermütig dem übermütigen Reigen menschlicher Faschingslaune gesellt. Ist es nicht, als vollziehe sich in Shakespeares holdseliger Traumwelt die Versöhnung zwischen den südlichen und nördlichen Heidengöttern, die so lange, ähnlich wie in homerischer Sage, in Gesellschaft der Menschen Kriegsspiel getrieben oder über ihren Häuptern gekämpft, sie zum Kampf ermunternd?

Erstaunt und ein wenig verlegen begegnen sie sich
in friedlichem Spiel und nehmen Ähnlichkeiten voneinander an, im Zeichen allerorts beliebten Schaber-
nacks, Mummerei und Metamorphose, daß sich der
Esel des Apulejus mit Puck, dem zierlichen Hofnarren
der englischen Geisterwelt, gut verträgt. Zwar ist
Ariel ein kleiner nordischer Gott, ursprünglich ein
Gott schlechten Wetters, denn er weiß fürchterlich
Sturm zu erregen, allein sein Wesen wandelt sich gern
zu Zephyrfächeln, das den Liebenden Freund. Ariel
steht leise zwischen Eros und Thanatos mit schelmisch
wehmütiger Grazie und wispert geheimnisvoll, genau
wie der Hain flüstert, wie Welle und Wind zu verraten sich bemühen:
*Der Tod ist nichts als ein etwas grausamer Schalks-
streich*, den uns die Natur spielt, nichts als ein Mummen-
schanz, eine Verwunschenheit mehr, ein Schabernack,
eine Verwandlung unter anderen,
   a sea change — into something rich and strange.
Darum lacht der luftige Geist und fordert auf zu lachen.
Die Schelmenstreiche dieses Pagen Prosperos, des
Herzogs ohne Land, sind die mächtigsten, feinsten und
tiefsten aller Ulkereien und Foppereien, aller *beffe*,
in denen sich der Renaissance Lebensweisheit und
Kunst ausgegeben.
Wo die südlichen Götter zu zahm und häuslich geworden, wo sich die Menschenwelt gleich ihnen in
Zierat und Arabesken verliert, kehrt Shakespeare als
Nordländer zur Natur zurück und befreundet sich zärt-
lich mit ihrem Geheimnis. Der Nordländer strebt aus
dem Maß heraus, das dem Südländer zur zweiten Natur

590

geworden, er fühlt, wo sich Kunst in Künstlichkeit zu verlieren droht, denn ihm ist Konvention nie so mütterlich lieb. Darum genügen Castigliones Idealgestalten in seinem stilisierten Garten einem Shakespeare nicht als Inbegriff der Wohlerzogenheit. Er faßt seinen Ferdinand, seine Miranda fester an, um sie tadellos zu bilden.

Aus süßer Geselligkeit führt er sie in Einsamkeiten, aus der Konvention in die Natur und legt wenigstens auf Zeit rauhe, niedrige Arbeit in ihre hoheitsvollen Hände. Auf daß Prinz und Prinzessin die Wirklichkeit, die Not, die Arbeit kennen und ehren lernen und deren große Überwinderin: die Liebe.

Nicht mit höfisch mythologischer Huldigung allein, wie sie gebräuchlich, mit so ernster Lehre entläßt Shakespeare das Hochzeitspaar, dem sein Spiel gegolten. Es ist die letzte, höchste Lehre, die von der Renaissance ausgeht an ihre Lieblingsgeschöpfe, junge, vornehme und glückliche Menschen, als Sonnenfrucht höchst sonnigen Sommers bietet sie sich — — und schon duftet Herbst.

In unseren Tagen wurde in London eine Schule des Glücks gegründet mit Professoren, die es sich zur Aufgabe machen, technisch so auf Geist und Gemüt zu wirken, daß unsere Werkzeuge zum Ergreifen des Glücks, die rostig, stumpf und unbrauchbar geworden sind, neu hergestellt und brauchbar werden, nachdem sie lange unbenützt und verachtet gelegen. Eine solche Schule war im Zeitalter der Renaissance

591

nicht nötig, denn die Kunst war damals zielbewußt
und erfolgreich Schule des Glücks.

Wie griechische Blüte vorgezeigt, betrachtete es die
Kunst auf allen Gebieten als eigenste Aufgabe, solche
Schule zu sein, nämlich unablässig auf die Heiligkeit,
Gültigkeit, Notwendigkeit des Schönen hinzuweisen,
auf verschiedensten Wegen zur Schönheit und somit
zum einzig und wirklich dem Menschen erreichbaren
Glück zu führen.

Weil die griechische Blüte und die Renaissance die
Kunst als Schule des Glücks am bewußtesten und
überzeugendsten hinstellten, haben die großen Meister
aller Zeiten, die wahrhaft väterlich die Menschen liebten
und zu betreuen gedachten, diese Zeiten dankbar geliebt. Als Führer, Lehrer, Pädagogen haben sie das
einfachste und deutlich erkennbarste Lehrsystem des
Glücks gefunden und weiter zu verkündigen sich
bemüht.

Sind Architekten, die festlich froh die Landschaft krönen
mit schönen nützlichen Bauten, dem Frieden, der Andacht, der Wohlfahrt geweiht, nicht Lehrer des Glücks?

Gesellen sich ihnen nicht in solchem Lehramt Meister,
die Gärten schaffen zu ewig neuer Erquickung? Jene,
die zum Entzücken von Aug und Herz Meißel und
Pinsel führen und alle die großen Meister der Kleinkunst, die Wohnungen erst zu wirklichen Wohnstätten
machen, zum trauten, einzigartigen Heim, sind sie nicht
Lehrer des Glücks?

Die in Wohllaut künden, in Wort und Ton, gehören
zu der großen Schule. Irrlehrer sind alle, welche mit
Dichtung, bildender Kunst und Musik anderen Sinn

592

verbinden, unheilig führen sie zu ungesunden Rauschzuständen. Es sind schlechte Lehrer, wie Platon sie ausstoßen wollte. Rechte Lehrer an der Schule des Glücks sind die gewissenhaften Meister, der Bühne Meister vor allem. Denn sie führen mit fester Hand, wie die Griechen, wie Schiller erklärte, zu der Läuterung des Gemüts, die vom Wahn befreit und die Seele freimacht, zu dem großen Entschluß,

Schönheit zu wählen.

Die edelsten Naturen sind von göttlicher Väterlichkeit. Seit Platon hat kein Dichter sich so erhaben väterlichen Sinnes gezeigt, wie Shakespeare, der einen Prospero schaffen konnte als sein eigenes Bild. Vom tiefsten Ernst zu anmutig heiterer Art, aus der Geselligkeit und für sie geboren, zeigt er den Inbegriff seines Lehramts, zuversichtlich trotz aller Enttäuschungen, die seine Zeitgenossen und die Übersicht der Geschichte bieten mögen, selbstlos wie ein guter Vater und Lehrer, hoffnungsstolz und freudig wie ein solcher.

Ihm reicht über Jahrhunderte ein göttlich Väterlicher die Hand, Deutschlands Goethe, der nicht nur seine Deutschen, der das ganze Menschentum mit der ernsten Liebe seiner Väterlichkeit, seines gewaltigen Erziehungstraums umfaßt. Darum war Goethe leidenschaftlicher Verehrer der Renaissance, er grüßte andachtsvoll in ihrer Kunst und Geselligkeit, was sie wahrhaft bedeutete:

die Schule des Glücks.

Ende

Lightning Source UK Ltd.
Milton Keynes UK
UKHW020610120219
337137UK00005B/694/P